HANYA YANAGIHARA

LUDZIE NA DRZEWACH

przełożyła Jolanta Kozak

Tytuł oryginału: *The People in the Trees*
Copyright © 2013 by Hanya Yanagihara
Copyright © for the Polish edition
by Grupa Wydawnicza Foksal, MMXVII
Copyright © for the Polish translation by Jolanta Kozak, MMXVII
Wydanie I
Warszawa MMXVII

PROSPERO:
Diable nasienie! Żadnym wychowaniem
Nie da się zmienić tej natury. Tyle
Starań i ludzkiej wyrozumiałości,
A wszystko na nic! I jak z biegiem lat
Szpetnieje jego ciało, tak i dusza
W nim parszywieje. Ukarzę ich wszystkich,
Aż ryczeć będą!

William Shakespeare, *Burza*, akt IV, scena 1,
tłum. Stanisław Barańczak

Mojemu ojcu

„Vom Vater… Lust zu fabulieren”

19 marca 1995
Słynny naukowiec staje pod zarzutem przestępstwa
seksualnego
ASSOCIATED PRESS

Bethesda, Maryland – doktor Abraham Norton Perina, słynny
immunolog i emerytowany dyrektor Centrum Immunologii
i Wirusologii Narodowego Instytutu Zdrowia w Bethesda,
w stanie Maryland, został wczoraj aresztowany pod zarzutem
nadużyć seksualnych.

Dr. Perinie, 71 lat, postawiono zarzuty trzykrotnego gwałtu,
trzykrotnego odbycia stosunku seksualnego z nieletnimi, dwóch
napaści seksualnych i dwukrotnego narażenia zdrowia i życia
osoby małoletniej. Zarzuty sformułowano na podstawie zeznań
jednego z adoptowanych synów dr. Periny.

„Zarzuty są fałszywe", oświadczył wczoraj Douglas Hind-
ley, adwokat Periny. „Dr Perina to wybitny i wysoce szanowany
członek społeczności naukowej, który będzie dążył do jak naj-
szybszego wyjaśnienia zaistniałej sytuacji, aby móc powrócić
do pracy i rodziny".

W roku 1974 dr Perina został uhonorowany Nagrodą Nob-
la w dziedzinie medycyny za odkrycie syndromu Seleny,

zaburzenia opóźniającego starzenie się organizmów. Przypadłość ta, w której ciało chorego utrzymywane jest w stadium relatywnej młodości pomimo degradacji umysłowej, została stwierdzona u ludu Opa'ivu'eke z Ivu'ivu, jednej z trzech wysp mikronezyjskiego państwa U'ivu. Nabywano jej dzięki spożywaniu mięsa rzadkiej odmiany żółwia, od którego dr Perina nazwał wspomniane plemię. Okazało się, że mięso tego żółwia dezaktywuje telomerazę, obecny w organizmach enzym rozkładający telomery, a zatem ograniczający liczbę podziałów komórki. Osobnik dotknięty syndromem Seleny (nazwanym tak od nieśmiertelnej i wiecznie młodej bogini księżyca z mitologii greckiej) mógł żyć setki lat. Perina, który pierwszą wyprawę do U'ivu odbył w roku 1950 jako młody lekarz, towarzysząc znanemu antropologowi Paulowi Tallentowi, spędził na tych wyspach wiele lat, prowadząc badania terenowe. Tam też adoptował 43 dzieci, w większości sierot lub potomków zubożałych członków plemienia Opa'ivu'eke. Pewna liczba tych dzieci znajduje się obecnie pod opieką Periny.

„Norton jest przykładnym ojcem i człowiekiem o błyskotliwym umyśle", twierdzi dr Ronald Kubodera, długoletni współpracownik Periny w jego laboratorium i jeden z jego najbliższych przyjaciół. „Wierzę głęboko, że te groteskowe zarzuty zostaną cofnięte".

* * *

3 grudnia 1997
Wybitny naukowiec, laureat Nagrody Nobla, skazany na karę więzienia
REUTERS

Bethesda, Maryland – doktor Abraham Norton Perina został dzisiaj skazany na karę 24 miesięcy pozbawienia wolności i osadzony w Zakładzie Karnym Frederick.

Dr Perina, laureat Nagrody Nobla w dziedzinie medycyny w roku 1974, udowodnił, że spożywanie mięsa wymarłego dziś gatunku żółwia z mikronezyjskiego państwa U'ivu dezaktywuje telomerazę, ograniczającą liczbę podziałów komórki. Odkrył też, że zaburzenie zwane syndromem Seleny może występować u wielu ssaków, w tym ludzi.

Perina był jednym z nielicznych obywateli Zachodu, którym zezwolono na nieograniczone badanie odległych tajemniczych wysp. W roku 1968 zaadoptował on w kraju U'ivu pierwsze ze swoich 43 dzieci, które wychowały się w domu naukowca w Bethesda. Dwa lata temu Perinie postawiono zarzuty zgwałcenia i narażenia życia dziecka. Oskarżył go jeden z adoptowanych.

„To wielka tragedia", mówi dr Louis Altschur, dyrektor Narodowego Instytutu Zdrowia, gdzie dr Perina przepracował wiele lat jako naukowiec. „Norton to wybitny umysł i talent. Mam szczerą nadzieję, że zostanie poddany właściwej terapii i uzyska pomoc, której potrzebuje".

Perina i jego adwokat pozostają nieuchwytni dla dziennikarzy.

Przedmowa

Nazywam się Ronald Kubodera – ale tylko w periodykach naukowych. Dla wszystkich pozostałych jestem Ron. Tak, to ja jestem tym doktorem Ronaldem Kuboderą, o którym, w co nie wątpię, czytaliście w czasopismach i gazetach. Nie, nie wszystkie z tych relacji mówią prawdę – najczęściej oczywiście jej nie mówią.

Jednak w moim przypadku najważniejsze źródła są prawdomówne i z tych jestem dumny. Dumny jestem na przykład, że coś mnie łączy z Nortonem (proszę zwrócić uwagę, że półtora roku temu nie musiałbym nawet tego mówić), którego znam od lat siedemdziesiątych, odkąd podjąłem pracę w jego laboratorium w Bethesda, w stanie Maryland, w Narodowym Instytucie Zdrowia. Norton nie miał jeszcze wtedy Nagrody Nobla, ale jego praca już zdążyła zrewolucjonizować społeczność medyczną, zmieniając na zawsze podejście naukowców do wirusologii i immunologii, jak również, co chcę podkreślić, do antropologii medycznej. Dumny jestem też z tego, że po nawiązaniu kontaktów koleżeńskich zostaliśmy z czasem przyjaciółmi – relację z Nortonem uważam wręcz za najważniejszą w moim życiu. A co najistotniejsze, jestem dumny z tego, że po wydarzeniach ostatnich dwóch lat pozostaję nadal jego przyjacielem, a on moim.

Oczywiście nie mam teraz okazji porozumiewać się z Nortonem tak często, jak bym chciał i jak on niewątpliwie by chciał. Dziwnie jest nie mieć go w pobliżu. Czuję się osamotniony. Zwłaszcza że przed moją przeprowadzką tutaj* niespełna półtora roku temu (miesiąc po skazaniu Nortona) nie zdarzało się, żebyśmy nie cieszyli się swoim towarzystwem dłużej niż przez jeden dzień, najwyżej dwa dni. (Pomijam oczywiście okoliczności szczególne, jak urlopy, które spędzałem z moją ówczesną żoną, czy wyjazdy na takie ceremonie jak śluby, pogrzeby itp. Ale nawet w tych sytuacjach czyniłem wszystko, żeby utrzymywać codzienny kontakt z Nortonem, czy to telefoniczny, czy za pośrednictwem faksu). Rzecz w tym, że rozmowy z Nortonem, praca z Nortonem, b y c i e z Nortonem stanowiły po prostu część mojego codziennego życia, tak jak dla innych telewizja lub czytanie gazety: to te nieświadome, a przecież ważne rytuały upewniają nas, że życie biegnie w przewidywalny sposób. Kiedy zaś coś zakłóci lub gwałtownie przerwie rytm, człowiek jest więcej niż zaniepokojony: jest zbity z pantałyku. Tak ja się właśnie czuję od półtora roku. Budzę się rano i przeżywam dzień jak zawsze, ale wieczorem odwlekam moment pójścia do łóżka, głowiąc się, o czym zapomniałem. Odhaczam w pamięci dziesiątki spraw, które załatwiłem bezwiednie – otwieranie listów i pisanie odpowiedzi? umawianie i odbywanie spotkań? zamknięcie drzwi na noc? – aż wreszcie z żalem gramolę się do łóżka. Dopiero na krawędzi snu uświadamiam sobie, że zmienił się sam m o d e l mojego życia, i doświadczam wówczas krótkiej chwili melancholii. Zdawałoby się, że powinienem wreszcie pogodzić się ze zmienionym położeniem Nortona, a co za tym idzie, także moim – ale coś we mnie stawia opór: bądź co bądź ta rutyna towarzyszyła mi przez blisko trzydzieści lat.

14 |

---

* Do Palo Alto w Kalifornii, gdzie objąłem katedrę Johna M. Torrance'a na Wydziale Immunologii Szkoły Medycznej Uniwersytetu Stanforda.

Lecz jeśli ja czuję się osamotniony, to o ileż bardziej samotny musi czuć się Norton. Gdy myślę o nim, przebywającym w tamtym miejscu, ogarnia mnie zwyczajnie złość: Norton nie jest już młodzieniaszkiem, nie jest także zdrowy, a więzienie nie wydaje się dla niego karą ani stosowną, ani rozsądną.

Wiem, że mój pogląd jest podzielany przez nielicznych. Straciłem już rachubę swoich prób tłumaczenia Nortona – jego humanitaryzmu, inteligencji, niezwykłości – przyjaciołom, kolegom i reporterom (a także sędziom i adwokatom). W istocie od szesnastu miesięcy stale coś mi przypomina o zdradzie byłych przyjaciół Nortona – jak szybko zapomnieli, jak skwapliwie opuścili człowieka, którego ponoć kochali i szanowali. Niektórzy przyjaciele – ludzie, z którymi Norton znał się i pracował przez kilkadziesiąt lat – ulotnili się, zaledwie postawiono mu zarzuty. Ale jeszcze gorzej postąpili ci, którzy go opuścili po ogłoszeniu wyroku. Uświadomiłem sobie wtedy, jak nielojalna i dwulicowa jest większość ludzi.

Ale dość dygresji. Jedną z głównych przykrości życia w zakładzie karnym jest dla Nortona natrętna monotonia, która charakteryzuje jego sytuację. Przyznać muszę, że byłem nieco zdziwiony, gdy po niespełna miesiącu odbywania kary Norton zaczął się skarżyć na obezwładniającą nudę. Zawsze przecież marzył – a sądzę, że to marzenie podziela wielu genialnych i nadaktywnych ludzi – że pewnego miesiąca czy roku znajdzie się w jakimś ciepłym kraju, wolny od wszelkich zobowiązań. Koniec z wygłaszaniem przemówień, koniec z pisaniem i redagowaniem artykułów, koniec z nauczaniem studentów, koniec z opieką nad dziećmi, koniec z badaniami naukowymi – tylko pusta przestrzeń wolnego czasu, który będzie można zapełnić, czym tylko się zechce. Norton zawsze mówił o czasie jak o morzu – lustrzanej, bezkresnej połaci pustki – i to marzenie o czasie, który nazywał „czasem morskim", stało się rodzajem żartu, swoistym kodem służącym do opowiadania o rzeczach, którymi się pewnego dnia zajmie, bo nie ma dla nich czasu w chwili obecnej. Robił postanowienia: w czasie morskim będzie hodował tropikalne paprocie. W czasie morskim będzie czytał biografie. W czasie morskim będzie pisał pamiętniki. Lecz nikt, a najmniej sam Norton, nie wierzył, że ów czas morski kiedykolwiek nadejdzie. I oto nadszedł – tyle tylko że nie w ciepłych krajach i bez tego błogiego, leniwego otępienia, które się nam kojarzy z zasłużoną bezczynnością. Niestety, zdaje się, że Norton nie umie odpoczywać. Nigdy nie umiał. Wolny czas był dla niego torturą (chociaż oczywiście biorę pod uwagę, że winne mogą być niefortunne okoliczności, w których uzyskał czas wolny). W ostatnim liście do mnie napisał:

Mało jest do roboty, a w pewnym sensie jeszcze mniej do myślenia. Nigdy nie przypuszczałem, że znajdę się w takim stanie, tak wyczerpany, że aż czuję się wydrenowany, nie z krwi, lecz z myśli. Nuda – zawsze myślałem, naprawdę, że ukocham okres nieustannej pustki, że łatwo ją zapełnię. Ale czas, jak widzę, nie daje nam się zapełnić – ma postać wielkich, pustych sztab; mówimy o zarządzaniu czasem, ale jest odwrotnie – nasze życie jest wypełnione czynnościami, ponieważ te cienkie płatki czasu to wszystko, czym w istocie możemy zarządzać*.

To chyba mądry wgląd.

Jednak pomimo oczywistej surowości warunków, w których Norton się obecnie znajduje, pewne osoby mają czelność sugerować, że powinien być wdzięczny za łagodną karę. Sugestię tę uważam za nie tylko głupią, ale i okrutną. Jedną z tych osób jest niejaki Herbert West (nazwisko zmieniam celowo), kolega naukowy Nortona z lat osiemdziesiątych, który odwiedził go w Bethesda po drodze na konferencję w Londynie. Było to przed rozprawą, ale już po oskarżeniu, kiedy Norton przebywał

---

* A. Norton Perina do dr. med. Ronalda Kubodery, 24 kwietnia 1998.

na dobrą sprawę w areszcie domowym i odebrano mu wszystkie dzieci. West, którego zawsze uważałem za znośniejszego niż wielu innych kolegów Nortona, wpadł do niego na jakąś godzinkę, a potem mnie spytał, czy nie zjadłbym z nim obiadu w restauracji. Nie miałem specjalnej ochoty (i za gruby nietakt uznałem to, że zaprosił mnie w obecności Nortona, który miał zakaz opuszczania domu), ale Norton powiedział, że powinienem pójść, dodając, że ma pracę do skończenia, więc potrzebuje trochę samotności.

Zostałem więc niejako zmuszony do pójścia na obiad z Westem, ale chociaż trudno mi było nie pamiętać o Nortonie zostawionym samotnie w domu, zdołaliśmy całkiem przyjemnie porozmawiać o pracy Westa, jego referacie na konferencję, o artykule, który wspólnie z Nortonem opublikowaliśmy w „New England Journal of Medicine", zanim jeszcze Norton został aresztowany, i o wspólnych znajomych. Wreszcie, gdy postawiono przed nami deser, West powiedział:

– Norton bardzo się postarzał.

– Jest w przykrej sytuacji.

– Tak, przykrej – wymamrotał West.

– To krzycząca niesprawiedliwość.

Nic na to nie powiedział.

– Krzycząca niesprawiedliwość – powtórzyłem, dając mu drugą szansę.

Westchnął i otarł kąciki ust rogiem serwetki – był to gest zarazem subtelny i bezczelny, a poza tym ostentacyjnie, obrzydliwie anglofilski. (West studiował – parędziesiąt lat temu i tylko przez dwa lata – na Uniwersytecie Oksfordzkim; miał stypendium Marshalla, czego nie omieszkał przypominać przy każdej okazji towarzyskiej i zawodowej). Jadł borówki z kruszonką na gorąco, od których jego zęby zabarwiły się żywym fioletem siniaków.

– Ron – zaczął.

– Słucham.

– Myślisz, że on to zrobił?

Nauczyłem się już oczekiwać tego pytania, wiedziałem też, co na nie odpowiedzieć:

– A ty?

West spojrzał na mnie i uśmiechnął się, a potem popatrzył na sufit i znów skierował wzrok na mnie.

– Tak – odpowiedział.

Nie odezwałem się.

– Ty nie – powiedział West z pewnym niedowierzaniem.

Na to też umiałem już odpowiadać.

– Zrobił czy nie, to nieistotne – powiedziałem. – Norton to wybitny umysł i tylko to się dla mnie liczy, przypuszczam, że dla historii również.

Zapadła cisza.

W końcu West odezwał się potulnie:

– Chyba muszę się zbierać. Powinienem jeszcze coś poczytać przed jutrzejszym lotem.

– W porządku – powiedziałem.

Deser dojedliśmy w milczeniu.

Przywiozłem go do restauracji, więc gdy zapłaciliśmy za obiad (West chciał sam uregulować rachunek, ale nie pozwoliłem na to), odwiozłem go do hotelu. W samochodzie usiłował nawiązać rozmowę, czym wkurzył mnie jeszcze bardziej.

Na parkingu hotelowym odsiedzieliśmy parę minut w milczeniu – West wyczekująco, ja gniewnie, aż w końcu on wyciągnął do mnie rękę, a ja ją uścisnąłem.

– No cóż… – powiedział.

– Dzięki za odwiedziny – odparłem cierpko. – Norton na pewno je docenił.

– No cóż – powtórzył West. Nie wiem, czy dostrzegł mój sarkazm; chyba nie. – Będę o nim myślał.

Znów zapadło milczenie.

– Jeśli uznają go za winnego… – zaczął West.

– Nie uznają.

– Ale jeśli – ciągnął swoje – to wsadzą go do więzienia?

– Tego sobie nie wyobrażam.

– No ale jak go wsadzą – drążył i przypomniałem sobie, jak nieelegancko ambitny, jak c h c i w y był West jako kolega z pracy, jak niecierpliwie czekał, kiedy będzie mógł odejść z laboratorium Nortona i założyć własne – to przynajmniej będzie miał dla siebie kupę czasu, prawda, Ron?

Jego beztroska tak mnie oburzyła, że nie byłem w stanie odpowiedzieć. Gdy siedziałem z rozdziawioną gębą, West uśmiechnął się do mnie, jeszcze raz powiedział „do widzenia" i wysiadł z samochodu. Patrzyłem, jak wkracza do hotelu przez podwójne drzwi i wchodzi do rozjarzonego światłem holu, a potem włączyłem silnik i wróciłem do Nortona, u którego przeważnie teraz nocowałem.

Minęły kolejne miesiące, rozprawa się rozpoczęła i zakończyła, rozpoczęło się i zakończyło wykonanie wyroku, ale West, nie muszę chyba dodawać, nigdy więcej nie przyjechał odwiedzić Nortona.

* * *

Jak już mówiłem, ludzie nie odnoszą się ze współczuciem do obecnej sytuacji Nortona. Powiem więcej: potępili go i spisali na straty, jeszcze zanim został oficjalnie, legalnie potępiony i spisany na straty przez osąd rzekomo równych sobie. Jak musi czuć się człowiek o intelekcie Nortona, którego charakter podsumowuje i o którego losie przesądza dwunastu niekompetentnych osobników (jeden z ławników, jak pamiętam, był kioskarzem, a inny zawodowo kąpał psy), na dobrą sprawę przekreślających swoimi decyzjami wcześniejsze osiągnięcia podsądnego? Patrząc z takiego punktu widzenia, czyż można się dziwić, że Norton cierpi obecnie z powodu depresji, nudy i braku bodźców?

Chciałbym też dodać parę słów o medialnym obrazie sprawy Nortona, gdyż głupotą byłoby pominąć jego ton i treść. Zacznę od tego, że zważywszy na charakter przestępstw, o które oskarżony był Norton, nie zdziwiłem się wcale, że media poświęcają sążniste kolumny drwiących z prawdy elaboratów tym nielicznym faktom z życia osobistego Nortona, które zna opinia publiczna. (Przyznaję, że w tych relacjach pojawiały się, acz sporadycznie, wzmianki o jego niebagatelnych osiągnięciach, ale umieszczano je tylko po to, żeby tym bardziej wyeksponować perwersję jego domniemanych zbrodni).

Przypominam sobie, że w dniach oczekiwania na rozprawę czuwałem nad Nortonem u niego w domu (przed którym grupa reporterów telewizyjnych koczowała całymi dniami na murku wokół trawnika, jedząc i gawędząc w bzyczącym owadami letnim powietrzu, jakby to był piknik) i że z licznych (naturalnie odrzuconych) próśb o wywiady tylko jedna – niestety z „Playboya" – miała formę propozycji, aby Norton sam napisał swoją obronę, zamiast zgodzić się, by jakiś śliniący się chłystek, jakiś gryzipiórek zinterpretował jego życie i uczynki na użytek publiczności. (Początkowo uznałem tę propozycję za dobry pomysł, bez względu na forum, ale Norton martwił się, że to, co napisze, zostanie zmanipulowane i użyte przeciwko niemu jako spowiedź. Miał naturalnie słuszność, więc pomysł spalił na panewce). Wiedziałem jednak, że uświadomienie sobie, iż nie może przemówić we własnej obronie, rozeźliło go i zasmuciło.

Na ironię zakrawa fakt, że na krótko przed aresztowaniem Norton planował pisanie pamiętników. Był już wówczas (tysiąc dziewięćset dziewięćdziesiąty piąty rok) na półemeryturze i nie musiał zmagać się z obowiązkami administracyjnymi i organizacyjnymi laboratorium. Co wcale nie znaczy, że nie był tam nadal najżywszym i nieodzownym umysłem – po prostu mógł już sobie pozwolić na inne gospodarowanie czasem.

Aliści Nortonowi nie była dana możliwość zarejestrowania jego niezwykłego życia, przynajmniej nie w warunkach, które na pewno by wolał. Zawsze jednak powtarzam, że Norton to ten typ umysłu, który pokona każde wyzwanie. I tak w kwietniu, po dwóch miesiącach odsiadywania przezeń wyroku, spytałem go w liście (pisałem do niego codziennie), czy nie zechciałby jednak rozważyć kwestii pamiętników. Które, jak podkreśliłem, nie tylko stanowiłyby istotny wkład w literaturę i naukę, ale dowiodłyby osobom zainteresowanym, że Norton nie jest tym, kogo świat tak usilnie chce w nim widzieć. Dodałem, że poczytałbym sobie za zaszczyt możliwość przepisywania jego rękopisów na maszynie i, gdyby mi na to pozwolił, subtelnego ich redagowania, jak to czyniłem wcześniej z jego artykułami do pism naukowych. Byłoby to dla mnie, napisałem, fascynujące zajęcie, a dla niego być może jakaś rozrywka.

Po tygodniu Norton przysłał mi zwięzły liścik:

Aczkolwiek nie mam ochoty spędzać ostatnich być może lat życia na przekonywaniu kogokolwiek, że nie jestem winny zbrodni, o które mnie oskarżono, to postanowiłem rozpocząć pisanie swojej, jak to ująłeś, „historii życia". Moje zaufanie [do Ciebie] jest… [prze]ogromne*.

| 21

Pierwszy odcinek otrzymałem miesiąc później.

* * *

Jest kilka rzeczy, o których zapewne powinienem wspomnieć tytułem wstępu, zanim zaproszę czytelnika do lektury opowieści o nadzwyczajnym życiu Nortona. Chodzi wszak o historię, której sednem jest choroba.

Oczywiście Norton ujmie to lepiej niż ja, ale dostarczę czytelnikowi paru szczegółów o naszym bohaterze. Stwierdził on kiedyś, że jego życie nabrało sensu, dopiero kiedy wyjechał z kraju do U'ivu, gdzie miał dokonać odkryć, które odmieniły współczesną medycynę i przyniosły mu Nagrodę Nobla. W roku tysiąc dziewięćset pięćdziesiątym, jako dwudziestopięciolatek,

---

* A. Norton Perina do dr. Ronalda Kubodery, 3 maja 1998.

Norton odbył pierwszą wyprawę do nieznanego podówczas mikronezyjskiego kraju, wyprawę, która miała zmienić jego życie – i zrewolucjonizować środowisko naukowe – na zawsze. Bawiąc w U'ivu, Norton mieszkał wśród „zagubionego plemienia", które zostało później nazwane ludem Opa'ivu'eke, na tak zwanej podówczas (przynajmniej pośród U'ivuan) Zakazanej Wyspie Ivu'ivu, największej z małej grupy wysp tworzących ten kraj. Tam to właśnie odkrył Norton anomalię – nigdy wcześniej niestudiowaną i nieopisaną – która cechowała tubylców. U'ivuanie znani byli (i w pewnym sensie nadal są) z krótkiego życia. Jednak na Ivu'ivu Norton napotkał grupę wyspiarzy, którzy żyli znacznie dłużej, niż wynosiła średnia długość życia: dwadzieścia, pięćdziesiąt, nawet sto lat dłużej. Odkrycie Nortona stało się jeszcze bardziej niezwykłe dzięki dwóm czynnikom: po pierwsze, osoby dotknięte syndromem nie starzały się fizycznie, lecz degenerowały umysłowo, po drugie, ich przypadłość nie była wrodzona, lecz nabyta.

Odkrycie Nortona zbliżyło ludzkość do życia wiecznego jak żadne wcześniej. Lecz także nigdy wcześniej nie zdarzyło się, by tak cudowna obietnica rozwiała się tak szybko: sekret odkryty, sekret utracony – i to wszystko w ciągu zaledwie dekady.

* * *

Praca Nortona wśród Opa'ivu'eke wpływała na potężne przemiany w obszarach nauki wykraczających poza medycynę – jego blisko dwudziestoletni pobyt wśród tego plemienia zaowocował właściwie powstaniem nowej dziedziny współczesnej antropologii medycznej. Pisma Nortona z tamtych lat stanowią dzisiaj podstawę wielu programów zajęć uniwersyteckich.

Ale to właśnie w U'ivu* zaczęły się problemy Nortona. Spośród wielu spraw związanych z jego podróżami po U'ivu jedna

---

* Nazwy U'ivu używam tutaj w odniesieniu do całego kraju, nie tylko do jednej wyspy. Norton większość czasu spędził na Ivu'ivu.

zapoczątkowała jego niesłabnącą miłość do dzieci. Ivu'ivu – to informacja dla czytelników nieznających tej wyspy – ma niesamowity krajobraz, tyleż piękny, co onieśmielający. Wszystko tam jest większe i czystsze, i budzące większą grozę, niż można sobie wyobrazić, a gdziekolwiek spojrzeć, rozciąga się zapierający dech widok: z jednej strony bezbrzeżne lustro wody, tak nieruchome i nasycone barwą, że nie da się na nie patrzeć dłużej niż chwilę; z drugiej strony długie, głębokie fałdy gór, których szczyty znikają w pianie mgły. Od swoich pierwszych wizyt na Ivu'ivu Norton wynajmował miejscowych przewodników, którzy prowadzili go do miejsc i obiektów, jakich nigdy przedtem nie oglądał. Kilkadziesiąt lat później – w odpowiedzi na błagania tubylców – Norton wywiózł z sobą do Marylandu ich dzieci i wnuki, które wychowywał jak własne, zapewniając im edukację, jakiej nie mogłyby otrzymać w U'ivu. Zabrał też wiele sierot, niemowląt i małych dzieci żyjących w przerażających warunkach bez najmniejszej nadziei na zmianę.

Zanim się zorientował, miał ponadczterdziestoosobową gromadkę. Wiele z tych dzieci, adoptowanych w trzech etapach na przestrzeni blisko trzydziestu lat, wróciło do Mikronezji, gdzie dziś są prawnikami, profesorami, przywódcami, nauczycielami i dyplomatami. Inne wybrały możliwość pozostania w Stanach Zjednoczonych, gdzie podjęły pracę albo uczęszczały do szkół. A jeszcze inne, co stwierdzam z przykrością, stoczyły się w ubóstwo, narkotyki i przestępstwa. (Kiedy ma się czterdzieścioro troje dzieci, trudno oczekiwać, że wszystkie będą udane). Teraz oczywiście żadne z nich nie jest już dzieckiem Nortona. A Norton, z ich wyboru, nie jest już ich opiekunem: opuściły go wszystkie w chwili największej próby i był to dla Nortona co najmniej szok. Ten człowiek bądź co bądź dał im dach nad głową, język, wykształcenie – wszystkie narzędzia potrzebne do tego, żeby go mogły pewnego dnia opuścić, co też uczyniły. Dzieci Nortona aż za dobrze opanowały mądrość Zachodu i Ameryki: dowiedziały się w jakiś sposób, że oskarżenia o perwersję dobrze się sprzedają – oskarżenia, jakich nawet szlachetny umysł, noblista, nie mógł odeprzeć. Wielka to szkoda, niektóre z tych dzieci naprawdę lubiłem.

* * *

Drugą rzeczą, którą, jak sądzę, powinienem powiedzieć, jest to, że jakkolwiek mam osobisty udział w tej narracji, nie jest to moja historia. Po pierwsze, jestem skromnym człowiekiem. Po wtóre, nie interesuje mnie opowiadanie osobistej historii – takich opowieści jest i tak stanowczo za wiele.

Aliści chciałbym rzec parę słów o procesie gromadzenia i opracowywania tych stronic. Jako ich redaktor miałem zadanie minimalne. Powinienem też dodać, że każda część (zatytułowana przeze mnie) składa się w istocie z serii oddzielnych odcinków, które otrzymywałem od Nortona podczas jego pobytu w więzieniu. Każdy z tych odcinków poprzedzony był listem, ponieważ jednak są to w większości listy o charakterze osobistym, postanowiłem nie zamieszczać ich w tej publikacji. Jako że cały tekst składa się z odcinków, da się zauważyć, że miewa on chwilami charakter spontaniczny, nieformalny i zakłada, że czytelnik jest obeznany z życiorysem i dziełem autora. Ponieważ jestem osobą, która znała Nortona najlepiej (a książka ta napisana została dla mnie, na moją prośbę), uznałem za swój obowiązek dodać przypisy, w których zamieszczam dodatkowe informacje, pomocne czytelnikowi w zrozumieniu historii Nortona. (Miejscami dodaję też własne adnotacje, uzupełniające kronikę. Powycinałem natomiast – z wielką rozwagą – fragmenty, które w moim pojęciu nie wzbogacają narracji i nie są szczególnie istotne; ingerencje te nie ujmują niczego całościowemu autoportretowi Nortona).

Uważam wreszcie, że wypada odnieść się do pytania, które sam Norton zadał mi w liście poprzedzającym pierwszy odcinek jego autobiografii, a mianowicie co mam nadzieję osiągnąć dzięki temu przedsięwzięciu. Odpowiedź nie jest skomplikowana: nie pragnę niczego poza tym, żeby przywrócić Nortonowi dobre imię i przypomnieć światu, że to, co poprzedziło ostatnie dwa lata, ma nieporównanie większą wagę niż to, co działo się lub nie działo przez kilka krótkich miesięcy. Być może to naiwność z mojej strony. Ale muszę spróbować: uczynić mniej dla człowieka, który tak wiele dał światu nauki i medycyny, byłoby rzeczą po prostu niewybaczalną.

Ronald Kubodera
Palo Alto, Kalifornia

Pamiętniki
A. Nortona Periny

OPRACOWANIE – DR MED. RONALD KUBODERA

Część I

Potok

I

Urodziłem się w roku tysiąc dziewięćset dwudziestym czwartym w pobliżu Lindon w stanie Indiana. Lindon to niepozorne prowincjonalne miasteczko, które jakieś dwadzieścia lat przed moimi narodzinami zaczęło się powielać, cicho, lecz uporczywie, na całym Środkowym Zachodzie. Chodzi mi o to, że miasteczko Lindon, tak jak je pamiętam, wyróżniało się wyłącznie brakiem jakichkolwiek wyróżniających szczegółów. Miało silosy i czerwone stodoły (mieszkańcy byli w większości farmerami), sklepy wielobranżowe i kościoły, duchownych, lekarzy, nauczycieli, mężczyzn, kobiety i dzieci – schemat amerykańskiego społeczeństwa pozbawiony fantazji, dekoracji, akcesoriów. Było paru pijaków, jeden dyżurny wariat, psy, koty i wiejski jarmark urządzany wspólnie z nieistniejącą już miejscowością Locust, położoną kilka mil na zachód. Mieszkańcy miasteczka – było nas tysiąc osiemset osób – rodzili się, chodzili do szkoły, pomagali w domu, zostawali rolnikami i żenili się z lindoniankami, i zakładali rodziny. Na ulicy ludzie kłaniali się sobie, mężczyźni uchylali kapelusza. Zmieniały się pory roku, tytoń i kukurydza dojrzewały, odbywały się żniwa. Takie było Lindon.

W rodzinie było nas czworo: ojciec, matka, Owen* i ja. Mieszkaliśmy na stu akrach ziemi w zapadającym się domu, którego jedyną cechą szczególną były masywne, niegdyś wspaniałe wewnętrzne schody, dawno zmienione przez pokolenia termitów w koronkową ruinę.

O jakąś milę od domu płynął kręty potok, zbyt mały, zbyt leniwy i zbyt kapryśny, by zasługiwać na imię własne. Co roku w marcu i kwietniu, po przedwiosennych odwilżach, potok występował z brzegów, przeobrażając się w rwącą rzekę wezbraną galonami stopniałego śniegu i wiosennych deszczy. W tych miesiącach zmieniał się charakter potoku. Stawał się on bezlitosny i złośliwy, z zarośniętych brzegów wyrywał z korzeniami gwiaździste pędy *Sanguinaria canadensis* i dziki tymianek, unosząc je z nurtem, tylko po to, by je porzucić na zbitym masywie tamy, którą ktoś pobudował dawno temu. Płotki zamieszkujące strumień przez okrągły rok płynęły mozolnie pod prąd i ginęły. Przez tę jedną porę roku potok miał głos – oburzony ryk rwącej wody, ryk władzy. Zwykle potulny i bez charakteru, w tych miesiącach stawał się przerażający i nieprzewidywalny. Kazano nam się trzymać od niego z daleka.

---

* Wspomniany tutaj Owen to Owen C. Perina, bliźniaczy brat Nortona, jedna z nielicznych osób, z którymi łączyły go w dorosłym życiu głębsze relacje. W przeciwieństwie do Nortona Owen zawsze interesował się literaturą; dziś jest znanym poetą i profesorem poezji w Bard College. Jest też dwukrotnym laureatem National Book Award w dziedzinie poezji: za *Rękę owada i inne wiersze* (1984) i za *Philipa Periny książkę do poduszki* (1995). Otrzymał też wiele innych nagród i wyróżnień. Owen słynie z małomówności, tak jak Norton z gadulstwa. Bawiąc u Nortona na Boże Narodzenie kilka lat temu, byłem świadkiem ich wielce uciesznej rozmowy: Norton z pełną garścią kasztanów perorował – plując, żując, gestykulując – na wszystkie tematy, od ginącej sztuki nabijania motyli na szpilki po niezrozumiałą popularność pewnego talk-show, a naprzeciwko niego siedział jego ociężały sobowtór, mrukliwie potakując albo zaprzeczając – to był Owen.

Niestety, Norton i jego brat zerwali z sobą kontakt. Lektura tych stronic ujawni, jak nagłe i drastyczne było ich rozstanie – skutek straszliwej zdrady, z której Norton nigdy się nie otrząśnie.

Lecz w szczycie lata nasz potok – który nie wypływał z naszej posiadłości, tylko od Muellera, mieszkającego jakieś pięć mil na wschód – znowu wysychał w cienką strużkę, bojaźliwie skradającą się po obrzeżach naszej farmy. Powietrze nad nim było głośne od bzyczenia komarów i ważek, a po miękkim, mulistym dnie ślizgały się pijawki. Chodziliśmy tam na ryby i popływać, a potem wspinaliśmy się z powrotem na niewysokie wzgórze, do domu, rozdrapując na rękach i nogach bąble po komarach, które pokrywały się zadartymi skórkami i świeżą krwią.

Mój ojciec nigdy nie zapuszczał się nad potok, za to matka lubiła przysiąść tam na trawie i patrzeć, jak woda liże kostki jej stóp. Kiedy byliśmy bardzo mali, wołaliśmy do niej: „Popatrz na nas!", a ona sennie unosiła głowę i machała nam, chociaż równie dobrze mogła machać rosnącym nieopodal młodym dębom. (Nasza matka miała świetny wzrok, ale często zachowywała się tak, jakby była ślepa: chodziła po świecie jak lunatyk). Zanim Owen i ja skończyliśmy siedem czy osiem lat (w każdym razie byliśmy za mali, żeby matka przestała nas fascynować), była dla nas obiektem najpierw litości, a potem drwin. Machaliśmy do niej, gdy siedziała nad brzegiem, zaplótłszy ręce pod kolanami, a kiedy nam odmachiwała (nie samą dłonią, ale całą ręką, jak wicią wodorostów), odwracaliśmy się i gadaliśmy głośno do siebie, udając, że jej nie widzimy. Później, przy kolacji, na jej pytanie, co robiliśmy nad potokiem, udawaliśmy szczerze zdumionych. Nad potokiem? Wcale nas tam nie było! Cały dzień bawiliśmy się na polu.

– Przecież was widziałam – oponowała.

Nie, oświadczaliśmy twardo, kręcąc głowami. To musieli być jacyś inni chłopcy. Dwaj inni chłopcy, którzy wyglądali dokładnie tak jak my.

– Ale… – zaczynała matka, a jej twarz wykrzywiał na chwilę grymas zmieszania. – No tak, musiało tak być – kończyła niepewnie, patrząc w talerz.

Ta rozmowa powtarzała się kilka razy w miesiącu. Dla nas to była zabawa, chociaż dosyć niepokojąca. Czy matka też się z nami bawiła? Jednak ten jej przelotny wyraz twarzy – autentycznego zmartwienia, lęku, że ma, jak to się wtedy mówiło, nie po kolei w głowie, że nie może ufać własnym oczom ani pamięci – wydawał się aż nadto prawdziwy, nadto spontaniczny. Woleliśmy wierzyć, że matka udaje, ponieważ alternatywa – że jest osobą stukniętą albo jeszcze gorzej: po prostu wariatką – była zbyt przerażająca, by ją rozważać na serio. Wieczorami w swoim pokoju małpowaliśmy matkę z Owenem („Ale… ale… ale… to byliście wy!"), zaśmiewając się do rozpuku, jednak potem, kiedy leżeliśmy już w łóżkach, w milczeniu rozważając wnioski z tej zabawy, ogarniał nas niepokój. Byliśmy jeszcze mali, ale obydwaj wiedzieliśmy (z książek, od rówieśników), co powinna robić matka – karcić, uczyć, wydawać polecenia, dyscyplinować, gdy trzeba – i dochodziliśmy do wniosku, że nasza nie dorasta do swojej roli. Na kogo my wyrośniemy – głowiliśmy się – pod kierunkiem takiej kobiety? Dlaczego była taka nieudolna? Traktowaliśmy ją tak, jak większość chłopców traktuje małe zwierzęta: łaskawie, kiedy byliśmy w dobrym humorze, okrutnie, kiedy humor nam nie dopisywał. Oszałamiała nas świadomość, że mamy moc rozluźnić napięcie jej ramion i rozchylić jej usta w niepewnym uśmiechu, ale też zmusić ją do spuszczenia głowy i do szybkiego pocierania dłonią o udo, co robiła, gdy była zdenerwowana, nieszczęśliwa lub zmieszana. Martwiliśmy się, ale nie rozmawialiśmy o tym. Wszelkie nasze rozmowy o matce zaprawione były pogardliwą drwiną i niesmakiem. Niepokój nas zbliżał, ośmielał, rozbestwiał. Przecież w końcu, myśleliśmy sobie, doprowadzimy do tego, że jej tak skrzętnie skrywana dorosłość się objawi. Jak większość dzieci zakładaliśmy, że wszyscy dorośli mają w sobie zdolność onieśmielania – że posiadają autorytet.

Poza tą jej ulotnością matka mogła uchodzić za nieudacznicę z powodów bardziej konkretnych. Nie umiała gotować (jej przyrządzane na parze brokuły były gumowate, różyczki kalafiora jeżyły się zwłokami miniaturowych, niewidocznych gołym

okiem żuczków, kurczę pieczone broczyło krwią), a domem zaj-
mowała się od przypadku do przypadku. Odkurzacz, który kupił
jej ojciec, poniewierał się w szafie na płaszcze przez lata, dopóki
Owen i ja nie rozebraliśmy go na części. Nie miała też żadnych zainteresowań. Nigdy nie widzieliśmy, żeby czytała albo
pisała, malowała albo pracowała w ogrodzie, a przecież (o czym
już wtedy wiedzieliśmy) były to ze wszech miar wartościowe
i ciekawe zajęcia. W letnie popołudnia zastawaliśmy ją czasem
w salonie: siedziała z podkulonymi po dziewczęcemu nogami
i z głupkowatym uśmiechem wpatrywała się w gęstą konstela-
cję pyłków kurzu uwidocznionych smugą słonecznego światła.

Raz widziałem, jak się modliła. Któregoś dnia po szkole
wszedłem do salonu i zastałem ją na klęczkach, ze złożonymi
rękami i uniesioną głową. Jej usta się poruszały, ale nie mogłem
dosłyszeć, co mówi. Wyglądała komicznie, jak aktorka grająca
w pustym teatrze – zawstydziłem się za nią.

– Co robisz? – zapytałem, a ona podniosła na mnie zaniepokojony wzrok.

– Nic – odparła zaskoczona.

Ja jednak wiedziałem, co robiła, a na dodatek byłem pewien,
że kłamie.

Co więcej mogę powiedzieć? Mogę powiedzieć, że była nie-
uważna, rozkojarzona, pewnie nawet głupia. Ale jednocześnie
muszę podkreślić, że pozostała dla mnie enigmą, co jest trudne
i mało komu się udaje. Pamiętam także inne wiążące się z nią
rzeczy: była wysoka i pełna wdzięku, a chociaż jej rysów sobie
nie przypominam, wiem, że była na swój sposób piękna. Potwierdza to stara nieostra fotografia w sepii, która wisi w gabinecie Owena. Zapewne kiedy robiono to zdjęcie, nie uchodziła za tak piękną, za jaką uchodziłaby teraz, ponieważ jej uroda
wyprzedzała jej czasy – pociągła, blada twarz z wyrazem zasko-
czenia, twarz obiecująca inteligencję, tajemnicę, głębię. Dzisiaj powiedziałoby się o niej: frapująca. Ojciec jednak musiał
ją uważać za bardzo piękną, bo nie widzę innego powodu, dla

którego mógłby się z nią ożenić. Ojciec, jeśli w ogóle rozmawiał z kobietami, to tylko z wykształconymi, które nie pociągały go seksualnie. Było tak pewnie dlatego, że kobiety inteligentne przypominały mu siostrę, Sybil, która była lekarką w Rochester. Ojciec ją uwielbiał. Tak więc matce pozostawała tylko uroda. Doznałem rozczarowania, gdy już jako nastolatek pojąłem, że ojciec poślubił matkę wyłącznie dla urody, ale było to, zanim zrozumiałem, że rodzice zawodzą nas pod wieloma względami i najlepiej niczego się po nich nie spodziewać, bo może się okazać, że nie sprostają naszym wyobrażeniom.

Matka jednak była przede wszystkim niepoznawalna. Nie wiem nawet, skąd pochodziła (zdaje się, że z Nebraski), ale wiem, że wychowała się w biednej rodzinie – mój ojciec ze swoim stosunkowo sporym majątkiem i z małymi wymaganiami właściwie ją uratował. Dziwne jednak, że pomimo ubóstwa matka nie wyglądała na zaharowaną i zaniedbaną; bieda jej nie stłamsiła, tylko ją umocniła. Sprawiała raczej wrażenie jednej z tych samowolnych kobiet, które uciekają od ojca, żeby skończyć szkołę i wylądować w ramionach męża. (Poświata, jaka ją otacza na fotografii Owena, razem z jej przedwczesną, cichą śmiercią, z jej sennymi, powolnymi ruchami każą mi ją pamiętać jako świetlistą, chronioną, rozpieszczoną istotę, chociaż wiem, że było inaczej). O ile mi wiadomo, nie miała żadnego wykształcenia (odczytując ojcu nasze świadectwa, zacinała się na przykład na słowie „nie-na-ga...", aż razem z Owenem wołaliśmy chórem: „nienaganny", bezczelni, zniecierpliwieni i zawstydzeni). Umarła bardzo młodo.

Ale ona właściwie we wszystkim była młoda. W mojej pamięci pozostała jako dziecko, nie tylko w sensie zachowania, ale i wyglądu. Włosy na przykład nosiła rozpuszczone bez względu na okazję: wiły się na jej plecach leniwą helisą. Te jej włosy niepokoiły mnie już, gdy byłem mały – widziałem w nich jeszcze jeden dowód skrzętnie, a niestosownie hołubionej dziewczęcości. Długie włosy, daleki, nieobecny uśmiech, uciekanie oczami już na pierwsze słowo rozmówcy – to nie były cechy godne podziwu u kobiety obarczonej obowiązkami matki i żony.

Nieswojo mi teraz, gdy wymieniam te nieliczne szczegóły z życia matki, że tak mało ją znałem, że tak mało byłem jej ciekaw. Przypuszczam, że każde dziecko pragnie poznać przeszłość swoich rodziców, dla mnie jednak matka nigdy nie była dość interesującym obiektem takich dociekań. (Czy nie należałoby odwrócić tego rozumowania?). Prawdę mówiąc, nigdy nie wierzyłem w romantyczne wizje przeszłości – co mi to mogło dać? Za to Owen z czasem bardzo się matką zainteresował, na studiach miał nawet taki okres, że śledził dzieje jej rodziny z zamiarem spisania nieformalnej biografii matki. Zarzucił jednak ten projekt po paru miesiącach i strasznie się jeżył, gdy go o to wypytywałem, przypuszczam więc, że bez większego trudu trafił do krewnych z rodziny matki, przekonał się, że to kmiotki, i zniesmaczony dał sobie spokój (wciąż był wtedy zaprzysięgłym elitarystą, więc było go na to stać)*. Matka zawsze l i c z y ł a s i ę dla niego w sposób dla mnie niezrozumiały. No ale Owen jest poetą, więc mógł uznać te szczegóły za przydatne do przyszłej twórczości, choć były tak pospolite i rozczarowujące.

| 37

* * *

Mniejsza z tym. Był lipiec trzydziestego trzeciego roku. Waham się powiedzieć: „był dzień jak każdy inny", gdyż brzmi to strasznie melodramatycznie i złowróżbnie, a w dodatku całkiem niewiarygodnie. A jednak taka jest prawda: był to dzień jak każdy inny. Ojciec wyjechał gdzieś z przyjacielem, Lesterem Drew, też drobnym farmerem, i robili zapewne to, co dwaj drobni farmerzy mogą robić razem. My z Owenem zbieraliśmy pijawki do wiaderka, gdyż zamierzaliśmy zapiec je w cieście i podarować

---

* Owen Perina napisał uroczy wiersz o matce po jej śmierci; utwór ten figuruje jako pierwszy w jego trzecim zbiorze poezji, *Ćma i miód* (1986).

Idzie, dochodzącej kucharce i jędzy, jakich mało. Moja matka machała nogami nad strumieniem.

Potem całymi dniami wypytywano Owena i mnie, czy nie dostrzegliśmy owego popołudnia jakiejś zmiany w jej zachowaniu. Czy nie wydawała się niespokojna, chora, wyjątkowo zmęczona? Czy nie skarżyła się na zawroty głowy lub osłabienie? Na wszystko odpowiadaliśmy: nie. Właściwie to bardzo niewiele mogę powiedzieć o poczynaniach czy nastroju matki z tamtego dnia – pewnie dlatego, że niewiele się różniły od tego, co nauczyliśmy się przyjmować za jej normalne zachowanie. Matka była irytująca, to fakt, ale nie można było jej zarzucić niekonsekwencji. Nawet w ostatnim dniu życia działała w niezmiennym rytmie, który tylko ona wyczuwała.

Nazajutrz rano spaliśmy z Owenem do późna, jak to zwykle latem. Kiedy się obudziłem – Owen jeszcze spał w łóżku obok – panował już upał. Niewiele od nas wymagano. W przeciwieństwie do innych dzieci nie musieliśmy pomagać w domu. Dni były więc nasze i mogliśmy je spędzać, jak chcieliśmy. W związku z tym nasze letnie miesiące upływały na frywolnych rozrywkach: męczyliśmy żaby hałasujące nad potokiem, kradliśmy morele z sadu Lestera Drew, skradaliśmy się przez wysokie, ostre trawy za świstakami. Rano budziliśmy się, kiedyśmy chcieli, zjadaliśmy to, co dla nas zostało w kuchni, i wychodziliśmy na dwór realizować dzienny plan. Czasami w kuchni zastawaliśmy ojca z Lesterem Drew – ojciec skręcał papierosa w palcach, a między nim i Lesterem stał talerz pokrojonych w plastry brzoskwiń, połyskujących mdląco niczym surowe mięso. Oni rzucali burkliwe powitanie, my też, i siadaliśmy w milczeniu przy stole.

Tego ranka ojciec z Lesterem też tam byli, a razem z nimi jeszcze dwóch panów: miejski lekarz John Naples i wielebny Cunningham, duszpasterz miasteczka. Rozmawiali po cichu. Kiedy podszedłem, umilkli. Ojciec był człowiekiem beznamiętnym, stoikiem nieskorym do emocjonalnych wzruszeń. (Miał dużą kwadratową twarz i matowe oczy o oliwkowym odcieniu kaparów). Dlatego jeśli okazywał jakieś uczucia, był to zawsze powód do zaniepokojenia, a co najmniej zaciekawienia. Zapamiętałem jego minę z tamtego ranka – mieszankę zdziwienia, konsternacji i oszołomienia – pamiętam ją lepiej niż samą jego twarz.

– Twoja matka nie żyje – powiedział.

Wyrzekł to spokojnie, ze śmiertelną powagą, normalnym tonem, będącym zaprzeczeniem jego miny; powiem wręcz, że jego głos mnie uspokoił.

– No wiesz, Joseph – obruszył się wielebny Cunningham.

– Lepiej, żeby dowiedział się tak, wprost – odrzekł ojciec. Gdy ogłaszał nowinę, patrzył mi prosto w oczy. Teraz odwrócił wzrok i mówił gdzieś ponad głową wielebnego Cunninghama. – Spodziewam się, że zajmiecie się ciałem, wielebny. Zróbcie wszystko, czego... ona sobie życzyła.

Po czym plasnął w ręce takim schludnym, zamykającym sprawę gestem i tylnymi drzwiami wyszedł na podwórze. Lester spojrzał na mnie przeciągle, żałośnie i podreptał za ojcem, pozostawiając mnie z wielebnym Cunninghamem, który wzdychał, i Johnem Naplesem, który krzywił się boleśnie.

– Ty! – odezwał się do mnie Naples. – Nie masz przypadkiem brata?

Wiedział, że mam. Poprzedniego lata nałapaliśmy z Owenem zielonych węży trawnych i wpuściliśmy je, jednego po drugim, do skrzynki na listy przy klinice Naplesa. Taki dziecinny kawał, ale Naples się wściekł i nigdy nam nie darował. Był zgorzkniałym złośnikiem, przeżartym rozczarowaniem do świata – tacy jak on specjalnie kopią uliczny pył na dzieciaki, bo wiedzą, że dzieciak im się nie odgryzie.

– Nie interesuje cię, jak twoja matka rozstała się ze światem? – spytał po chwili.

– Naples! – przywołał go do porządku wielebny Cunningham.

Naples go zlekceważył.

– To te komary, od których roi się nad waszym potokiem – ciągnął swoje. – Jako lekarz uważam, że roznoszą one szczep chińskiej grypy. Komary roznoszą choroby. Wasza matka wlazła w rojowisko bakterii, sama sobie była winna. – Oparł się wygodnie, zadowolony z siebie, i wypuścił dym z fajki. – Więc jeśli ty i twój brat nie będziecie omijać tego potoku, spotka was taka sama śmierć.

Wielebny Cunningham był wyraźnie zbulwersowany.

– Doprawdy, Naples – powiedział, a zużywszy w ten sposób cały arsenał oburzenia, wyszedł tylnymi drzwiami, śladem ojca.

Nie zdziwiło mnie to, bo mało się po wielebnym spodziewałem – nawet nie dlatego, że był księdzem, ale dlatego, że wyglądał tak potulnie. Miał minę, którą pamięta się raczej przez jej braki niż obecność: jego zapadnięte policzki wyglądały tak, jakby ktoś dwoma zręcznymi ruchami wygrzebał z nich całe ciało.

Naples wzruszył ramionami. W przeciwieństwie do pozostałych nie miał najmniejszego zamiaru wychodzić. Kiedyś Owen i ja zauważyliśmy, że gdy z dorosłymi rozmawiamy jak z upośledzonymi umysłowo, gorszymi od siebie – jakby stanowili uciążliwość, którą nauczyliśmy się znosić – wówczas podają nam informacje, jakich normalnie nie udzieliliby dziecku, zwłaszcza tym tonem, którego zwykle używali. Nasza metoda nie działała jednak na Naplesa, któremu arogancja przydawała niewygodnej dla nas niewzruszoności.

– A co to za cholerstwo, ta chińska grypa? – zaryzykowałem.

Naples w najlepsze pykał z fajki.

– I tak byś nie zrozumiał – odparł grubiańsko.

– Moim zdaniem pan zmyśla.

– A moim zdaniem jesteś bezczelnym szczeniakiem. Twój braciszek jest taki sam.

– Ale pan to zmyślił, prawda?

– Uważaj, co mówisz, chłopcze.

– Ale co to jest?

Ten ping-pong słowny trwał jeszcze chwilę – ja pytałem, Naples odpowiadał pogróżkami – aż wreszcie doktor westchnął i się poddał.

– Rodzaj choroby przenoszonej przez komary. Taki komar ukąsił twoją matkę, która zachorowała i umarła.

Brzmiało to logicznie, więc zamilkłem. Jakąś chwilę przesiedzieliśmy w ciszy, kontemplując, jak mniemałem, każdy na własną rękę rozczarowującą śmierć mojej matki. Nagle jednak Naples uzmysłowił sobie, jak wmanipulowałem go w odpowiedź, i otrzeźwiał.

– Dziwię się, że wasza matka sama się nie zabiła – burknął. – Bóg mi świadkiem, że ja bym to zrobił, jakbym miał takie dzieci.

Jego oczy zalśniły triumfem i wyczekiwaniem.

Nie poruszyło mnie to, co powiedział, ale widać poczytał moje milczenie za urazę, bo zadowolony wystukał popiół z fajki, robiąc schludny kopczyk na stole, po czym wyszedł frontowymi drzwiami i zatrzasnął je za sobą. Słyszałem, jak pogwizduje, odchodząc ścieżką; odgłos przycichał, aż zanikł w oddali – pozostało tylko brzęczenie roju letnich owadów. Po raz pierwszy ktoś przemówił do mnie jak do dorosłego.

* * *

To właśnie John Naples, pyszałkowaty, małomiasteczkowy doktorzyna, obudził we mnie zainteresowanie chorobami. Dokonał tego nieświadomie – nie sądzę, aby powiedział mi o śmierci matki w tak brutalny sposób, ponieważ m i a ł z a m i a r potraktować mnie jak dorosłego; był to w końcu małostkowy okrutnik, który na pewno chciał tylko doprowadzić mnie do łez, jednak swoją bezwzględną, błędną odpowiedzią uchylił mi drzwi do świata chorób i jego nurtującej genialnej zagadki.

Owen już w tym wieku interesował się słowami: czytał słowniki i wszelkiego rodzaju książki, uwielbiał gry słowne –

anagramy, kalambury, palindromy. Potrafił przez cały dzień zabawiać się ciągami rymów, które wynajdywał lub sam tworzył. Ja wprawdzie też lubiłem czytać, ale sport języka nie pochłonął mnie nigdy tak jak Owena. Bo dla mnie język nie miał przyrodzonej inteligencji – stworzony przez ludzi, przez ludzi miał nadane znaczenie i dlatego zręczne pisanie wydawało mi się zawsze swego rodzaju kuglarstwem. Chwali się pisarzy za łatwość operowania ludzkim wytworem, czymś, co można dowolnie zmienić, zmanipulować – dlaczego więc rozdymanie sztucznie stworzonej konstrukcji uchodzi za genialne osiągnięcie? Ale może nie mówię z sensem; sformułuję to inaczej: otóż język nie ma żadnych wewnętrznych sekretów.

Za to nauka, a szczególnie nauka o chorobach, pełna jest rozkosznych sekretów, ciemnych, oleistych zakamarków tajemnicy. Język można źle zinterpretować, źle skonstruować, narzucać mu prawa i ignorować je, gdy przyjdzie taki kaprys. Język nie zna dyscypliny. Czasami zdawał mi się grą wymyśloną przez człowieka do zabawy – takiej, jaką uwielbiał Owen. Ale choroba, wirus, wijący się łańcuch bakterii istniały niezależnie od człowieka i do nas należało rozszyfrowanie ich zagadek.

John Naples oczywiście nie myślał o chorobach w ten sposób (oznaką słabego umysłu u lekarza jest upieranie się, że przedmiotem jego wysiłków jest pacjent, a nie choroba), ale muszę się przyznać, że oddał mi przysługę, zjawiając się w moim życiu jako ostrzeżenie przed typem ludzi, z jakimi miałbym teraz do czynienia, gdybym nie zdecydował się na medycynę badawczą. Już jako dziecko wiedziałem, że nie zadowolę się mętnymi wyjaśnieniami. Byłem po prostu zanadto niecierpliwy.

* * *

Na szczęście Naples nie miał w tej sprawie ostatniego słowa. Mój ojciec mógł sobie być leniwy, ale na pewno nie był głupi, a w tej konkretnej kwestii wykazał się zaskakującą orientacją.

Po południu tego samego dnia, po telefonie do siostry w Rochester (zapomniał powiadomić Owena, więc musiałem to zrobić sam, kiedy brat w końcu przyczłapał do kuchni, marudząc i trąc zaspane oczy), zadzwonił do kolegi Sybil z akademii medycznej, który mieszkał w Indianapolis, a ten kolega zadzwonił do swojego kolegi, który mieszkał w Crawfordsville, miasteczku położonym pięćdziesiąt mil na wschód od nas. Ten ostatni – niejaki doktor Burns – załatwił przewiezienie ciała mojej matki na sekcję do swojej kliniki.

Tydzień później doktor Burns przysłał nam raport, który stwierdzał, że moja matka wcale nie zmarła na chińską grypę ("Osobiście nie zetknąłem się z taką chorobą, chociaż jako patolog mogę nie być obeznany z lokalnymi przypadłościami tak świetnie jak mój szanowny kolega, dr John M. Naples" – napisał dyplomatycznie doktor Burns), tylko na anewryzm. Anewryzm! Odkąd Sybil wytłumaczyła mi ten termin, często wyobrażałem sobie przebieg ataku, słysząc nieomal cichą eksplozję pękającej tętnicy i widząc zwój nasączonej, sflaczałej tkanki i ciemną krew plamiącą mózg połyskliwą, lepką czerwienią granatu. (Później, jako nastolatek, miewałem napady poczucia winy, kiedy myślałem sobie: "Tak młodo! Co za niesprawiedliwość!". A jeszcze później, kiedy byłem już dorosły i na serio zastanawiałem się nad własną śmiercią i nad tym, w jakich okolicznościach chciałbym umrzeć, myślałem: "Co za dramatyzm!". Wyobrażałem sobie spadające gwiazdy, fajerwerki, przecudne krople światła spływające z nieba jak tysiące połyskliwych klejnotów i niemal zazdrościłem matce tak wspaniałego ostatniego przeżycia).

"Nie cierpiała – napisała do mnie Sybil. – Miała dobrą śmierć. Miała szczęście".

Dobra śmierć. Często myślałem o tym sformułowaniu, ale jego znaczenie pojąłem, dopiero gdy sam zostałem lekarzem. Kiedy byłem mały, słowa Sybil wydawały mi się równie tajemnicze jak samo pojęcie śmierci. D o b r a ś m i e r ć. Mojej matce dana była dobra śmierć. Tej marzycielce, temu duchowi przypadł w udziale największy dar, jaki może ofiarować natura. Tamtej nocy matka wsunęła się pod kołdrę tak cicho, jakby opuszczała stopy w blady, szemrzący potok, i przymknęła oczy, nieświadoma celu swojej następnej podróży i nieulękła.

Potem przez lata miałem sny, w których matka pojawiała się w dziwnych formach. Jej rysy należały do innych istot, dając efekt zarazem groteskowy i głęboko filozoficzny: do śliskiej białej ryby na końcu żyłki u mojej wędki, ryby o żałosnym rozdziawionym pyszczku pstrąga i ciemnych półprzymkniętych oczach; do wiązu na skraju naszej posesji: kępy jego listowia z matowego złota przeobrażały się w jej skołtunione czarne włosy; do kulawego szarego psa pomieszkującego na posesji Muellerów, którego – a raczej której, bo to była suka – pysk gorliwie otwierał się i zamykał, lecz nie wydawał dźwięku. Im byłem starszy, tym lepiej rozumiałem, że śmierć była łatwa dla mojej matki; aby bać się końca, musisz mieć coś, co cię wiąże z życiem. Moja matka nie miała. Zawsze, jak długo ją znałem, zdawała się szykować do śmierci. Jednego dnia żyła, drugiego już nie.

Sybil powiedziała, że matka miała szczęście. Bo czego więcej można chcieć od śmierci – niż dobroci?

* * *

Zostaliśmy we trzech, Owen, ja i nasz ojciec. Mało mówiłem dotąd o naszym ojcu: jakkolwiek nieścisłością byłoby stwierdzić, że go lubiliśmy, to był z pewnością bardziej znośny niż matka, chociaż łączyła ich wkurzająca odmowa zakotwiczenia się w świecie praktyczności. Gdy matka znalazła swoją porcję szczęścia w śmierci, ojciec już dawno uznał szczęście za swoje przyrodzone prawo.

Urodził się i wychował w pobliskim miasteczku o nazwie Peet, o którym też na pewno nie słyszeliście. Dzisiaj Peet jest właściwie wymarłe, należy do tych miejsc, które smutnieją i pustoszeją z każdym rokiem, w miarę jak dzieci dorastają i wyjeżdżają, aby nigdy nie wrócić. Ale gdy mój ojciec był młody, Peet jeszcze się liczyło. Miało własną stację kolejową, która stworzyła wokół siebie małą, lecz zdrową lokalną gospodarkę. Były tam na przykład hotel i teatr rewiowy, i ulica Główna z dwupoziomowymi drewnianymi sklepami pomalowanymi w kolory nieba i skał. Podróżni zdążający do Kalifornii wysiadali w Peet na kanapkę z pastą jajeczną i napój z selera, które podczas postoju pociągu można było kupić w sklepie wielobranżowym przy stacji. Miejscowa ludność zyskiwała na tych przelotnych relacjach, które były proste i czyste: wymiana pieniędzy na dobra, miłe pożegnanie, pewność, że więcej się nie zobaczymy. Czym są zresztą wszelkie życiowe relacje, jak nie tym właśnie, tyle że rozciągniętym niemrawo na lata i pokolenia?

Rodzice mojego ojca, których rodzice emigrowali do Ameryki z Węgier, byli właścicielami wspomnianego sklepu wielobranżowego. W przeciwieństwie do swego syna byli pracowici, oszczędni i umieli mądrze inwestować. W roku tysiąc dziewięćset jedenastym, kiedy mój ojciec był na ostatnim roku college'u, zmarli oboje, jedno po drugim, na grypę. Mój ojciec i jego siostra odziedziczyli sklep rodziców, ich dom, siedemdziesiąt akrów ziemi uprawnej w miejscowości Lindon oraz oszczędności. Ojciec, co udowodnił po śmierci matki, okazał się zdolnym administratorem. Sprzedał sklep i dom w Peet, zapłacił podatki, urządził pogrzeb i założył konto oszczędnościowe dla siostry. Sybil, która kończyła właśnie szkołę średnią, z części tych pieniędzy opłaciła sobie studia w Wellesley. Ojciec, bardziej od siostry leniwy, dobrnął jakoś do końca studiów w Purdue, uzyskał dyplom i przeniósł się do Lindon, gdzie kupił dom i rok w rok dodawał parę akrów do swoich gruntów. Gdy Sybil rozpoczynała studia medyczne na Uniwersytecie Northwestern, ojciec hodował soję i dwa gatunki fasoli. Spłodził synów. W końcu podjął pracę na kolei jako zawiadowca ruchu. Osiągnął już wszystko, co miał osiągnąć w życiu.

Ojciec był dla mnie równie frustrujący, jak matka była nieuchwytna. Interesowało go tylko osiągnięcie stanu kompletnej inercji. Irytowało mnie to w stopniu nie do opisania. Bo po pierwsze, żyliśmy w kraju, w którym miarą człowieka jest jego przedsiębiorczość. Wprawdzie my z Owenem nie przejmowaliśmy się zbytnio upodobaniami mieszkańców miasteczka, lecz tak się składało, że podzielaliśmy ich opinię o sposobie bycia naszego ojca – było w nim coś żenującego, wręcz nieprzyzwoitego. Panował przecież Wielki Kryzys. Słyszeliśmy opowieści o dzieciach porzucanych przez rodziców, oglądaliśmy zdjęcia zgnębionych, wynędzniałych mężczyzn czekających na miskę zupy, na pracę, na pożyczkę. Tymczasem mój pozbawiony ambicji, flegmatyczny ojciec jakoś wyszedł z Kryzysu bez szwanku. Pamiętam niejeden wieczór, gdy siedziałem przy kuchennym stole, marząc o ojcu, który krzyczy, strofuje, spuszcza mi lanie, żebym był grzeczniejszy i pilniej pracował, o ojcu, który ma co do mnie ambicje większe niż ja sam. Tymczasem mój ojciec siedział sobie, nucąc w rozmarzeniu jakiś ostatni przebój i skręcając papierosa. Ziarna kukurydzy, wspomnienie po upichconym naprędce posiłku, zagnieżdżały się w jego szczotkowatych wąsach, a gdy zwracałem mu na to uwagę, wysuwał leniwie język, by omieść nim usta i nos sprawnym wężowym ruchem, nie przerywając nucenia. Ten niedbały, beztroski gest irytował mnie ponad wszystko. Teraz chce mi się trochę śmiać z tego, jaki byłem zasadniczy; dziś przyznaję, że bardzo skorzystałem na jego nieustannym ślepym szczęściu, ale wówczas wydawało mi się, że ojciec wyrządza krzywdę mnie i Owenowi. Ktoś, kto by się wychował u nas w domu, musiałby nabrać przekonania, że szczęście spada tutaj z nieba, lądując na podłodze w kuchni z uspokajającym pacnięciem, i że nic, nawet perspektywa zbicia wielkiego majątku, nie jest warte zachodu. Mój ojciec nie gromadził pieniędzy z kapitalistycznej gorliwości, o nie – gdy pieniądze się trafiały, inwestował je, a jeśli zdarzało mu się podjąć błędną decyzję biznesową, wcale się tym nie przejmował.

Cała ta sytuacja złościła mnie, bo rozpieszczone dziecko niczego tak nie pragnie jak romantyzmu biedy. Często marzyłem o rodzicach, którzy byliby zaharowującymi się imigrantami, a ja byłbym ich jedyną nadzieją. Bardzo mnie wzruszały sentymentalne opowiastki dla dzieci, takie jak *Trzy srebrne łyżwy*; wcielałem w ich bohaterów siebie i członków swojej rodziny. Ojciec stawał się nieruchawą, bezradną i śliniącą się ofiarą wylewu, Owen moim kalekim, niedorozwiniętym młodszym bratem, ja zaś byłem pionierem i bohaterem, równie bezwzględnym co pomysłowym. Jedyną nadzieją dla mojej rodziny było zdobycie przeze mnie wykształcenia. Musiałem więc osiągnąć sukces akademicki: zostanę lekarzem i podźwignę nas wszystkich z dna rozpaczy i nędzy do świata zwartych sześciennych domków. W fantazjach moje dłonie, magiczne dzięki latom amerykańskiej edukacji, uzdrawiały nieszczęsnego ojca, który natychmiast, mimo moich protestów, brał się do pracy. Matka, silna i kategoryczna, znów piękna, uśmiechała się po raz pierwszy od lat, natomiast mój brat, któremu opłaciłem szkołę specjalną, zaczynał mówić i poruszał się jak sportowiec. Jakże pragnąłem takiej motywacji! Tymczasem musiałem walczyć z brzemieniem nie biedy, tylko zadowolonego z siebie, rozmyślnie nieruchawego ojca i dostatniego dzieciństwa, którym mógłbym się cieszyć, gdybym się go tak uparcie nie wyrzekał.

Na szczęście miałem też Sybil. Jak już wspomniałem, ojciec bardzo Sybil szanował; nie przesadzę chyba, jeśli powiem, że czuł przed nią nabożny lęk. Sybil była dla niego równie wielką zagadką jak dla mnie: jakim cudem ktoś tak pracowity, inteligentny i aktywny mógł się urodzić w jego rodzinie?

Jednak nie wszyscy zachwycali się Sybil. Całe szczęście – szeptali zawistnicy – że potrafi się sama utrzymać, bo na mężczyznę nie ma co liczyć. Pytani wprost, co mają na myśli, tłumaczyli się, że chodzi im tylko o to, że Sybil jest taka niezależna i wygadana, ale przecież każdy wiedział, co jest grane: Sybil, która czesała się w ciasną koronę, była zbyt brzydka, by liczyć na zamążpójście, do którego rzeczywiście nigdy nie doszło. Była o cztery lata młodsza od mojego ojca, ale kiedy umarła na raka piersi w grudniu czterdziestego piątego roku, wyglądała starzej, niż w moim pojęciu powinna wyglądać pięćdziesięciodwulatka. Ludzie zawsze uważali Sybil za dziwaczkę, a ona, gdy zaczynała praktykę pediatryczną w Rochester, pogodziła się chyba z rolą nieatrakcyjnej prowincjonalnej starej panny.

Szkoda Sybil z wielu powodów, ale głównie dlatego, że zawsze uważałem ją za doskonały materiał na immunologa. Była nieskończenie, niezłomnie dociekliwa i kreatywna, stanowcza, lecz nie arogancka. Miała otwarty umysł, skłonny do baletowych skoków w rozumowaniu i do analiz godnych prawdziwego geniusza. Zdawało się, że wie wszystko. Kiedy i ja trafiłem w końcu na uczelnię medyczną, ciotka Sybil przyznała mi się, że też chciała zostać „medycznym poszukiwaczem przygód" (żadne z nas nie wiedziało, na czym takie zajęcie miałoby polegać, ale oboje o nim marzyliśmy), lecz niestety nic z tego nie wyszło*.

---

* Można sobie tylko wyobrażać, jak wyglądałoby życie Sybil Marii Periny (1893–1945), gdyby przyszła na świat pięćdziesiąt lat później. Przecież nawet wielki profesor medycyny, anatom E. Isaiah Witkinson, u którego studiowała w Northwestern, wspomina o niej w liście do kolegi po fachu, pisanym w roku 1911:

Wszechstronnie uzdolniona studentka, pełna wdzięku i sprawna w działaniu. Wielka to szkoda dla społeczności naukowej, że nie będzie jej dane rozwijać kariery w medycynie badawczej. Namawiałem ją nawet do wyjazdu za granicę do pracy z chrześcijańskimi misjonarzami, gdyż miałaby tam więcej swobody i sposobności do działania niż na jakimkolwiek uniwersytecie. Ona jednak odmówiła, choć nie umiem powiedzieć, czy z racji przywiązania do rodziny (co jest słabością wielu studentek), czy z lęku przed pracą w nieznanych warunkach. Cokolwiek wybierze, na pewno będzie to robić dobrze, jakkolwiek przeczuwam, że wrodzony konserwatyzm uwięzi ją na niewymagającej posadzie lekarza gdzieś na prowincji. Zacznie się nudzić, znienawidzi swoją pracę (Francis Clapp [red.], *Życie lekarza. Listy E. Isaiaha Witkinsona*, Columbia University Press, Nowy Jork 1984).

Po latach wyznała mi z tą samą nieśmiałością, że zawsze marzyła o dzieciach, i namawiała mnie gorąco, abym bez względu na swoje życiowe wybory koniecznie miał dzieci. Przekonywała, że nic na świecie nie da mi więcej radości. Jej słowa, z powodów oczywistych, odżyły ostatnimi czasy w mojej pamięci. Sybil była mądra, miała rację w tylu innych sprawach – jak więc mogłaby się pomylić w tej?

Gdy byłem mały, bardzo często widywałem Sybil. Do śmierci matki – po której bywała u nas częściej – miała zwyczaj przyjeżdżać na kilka tygodni każdego lata. Pacjentów przekazywała pod opiekę innemu pediatrze i zjawiała się u nas z prezentami dla wszystkich. Mojej matce, której nigdy za bardzo nie rozumiała, przywoziła zawsze coś ładnego i frywolnego, kierując się po części niezdarną protekcjonalnością, a po części słusznym przekonaniem, że piękno i frywolność nie zmarnują się u mojej matki. I rzeczywiście – cokolwiek to było, matka się cieszyła, a jej własna uroda dodawała urody upominkowi. Pewnego razu, pamiętam, ciotka przywiozła mamie jedwabną sukienkę w polne kwiaty. Matka natychmiast ją włożyła i okręciła się – widzę ją nadal, jak kręci piruety po całym salonie, a sukienka wiruje kremową, maślaną smugą. Sybil nigdy właściwie nie wiedziała, co powiedzieć do bratowej, której, jak sądzę, i współczuła, i zazdrościła – współczuła, bo moja matka zdawała się taka zadowolona z prostego, pozbawionego ambicji życia, które wiodła, a zazdrościła, bo matka rzeczywiście była zadowolona, że miała takie życie, jakie miała.

Sybil istotnie nie zaprzeczyła swoim życiem ponurej, lecz proroczej przepowiedni Witkinsona. Jej nekrolog w „Rochester Picayune" jest obraźliwie krótki i rozpaczliwie smutny: „Doktor Perina przepracowała w Rochester ponad trzydzieści lat… Była niezamężna, nie miała spadkobierców". A przecież Sybil pozostawiła po sobie ogromną spuściznę. Jak nieraz przyznawał Norton, to ona wprowadziła go w cudowny świat odkryć i możliwości naukowych. Można więc rzec, że odarta z iluzji Sybil żyje nadal w jednym z największych na świecie umysłów medycznych: Norton osiągnął dla niej to, czego sama nie mogła osiągnąć.

Dla ojca przywoziła Sybil coś fikuśnego – świstawkę w formie ptaszka wyrzeźbioną przez jakiegoś pacjenta, kamionkową butlę syropu klonowego, książkę o kolekcjonowaniu kamieni. Owenowi zwoziła książki, łamigłówki, grube arkusze papieru rysunkowego z widocznymi włóknami.

Lubiła nas wszystkich, ale ja byłem jej faworytem. Owena kochała, on ją też, a jednak nie było między nimi takiego porozumienia jak pomiędzy mną a ciotką. Szczerze mówiąc, zawsze podejrzewałem, że Sybil uważa Owena za zbyt łatwego w obejściu; chociaż bardzo chwaliła jego wysiłki artystyczne (epickie poematy, abstrakcyjne szkice scen z życia wsi), czyniła to z jakimś ogólnikowym entuzjazmem, nie wdając się w szczegółową krytykę ani pochwały. Nie gardziła sztuką i artystami, ale i nie starała się za bardzo ich zrozumieć.

Gwoli sprawiedliwości muszę dodać, że Owen nigdy nie kochał Sybil tak jak ja, a to z dwóch powodów. Powód pierwszy nie miał nic wspólnego z samą Sybil – po prostu Owen przypisywał mistyczne znaczenie naszej nieobecnej matce i bezwolnemu ojcu; z czasem miał uznać, że na tle amerykańskiej kultury, którą gardził jako wulgarną i nadambitną, leniwa obojętność naszych rodziców jest aktem radykalnym, wręcz buntowniczym. (Dla mnie w inercji nie ma nic buntowniczego). Owen też miał oczywiście fantomowych rodziców, ale podczas gdy moi byli upośledzeni, jego byli, z braku lepszego słowa, kontrkulturowi. Zawsze uważałem, że największą pretensję do losu ma Owen o to, że nie urodził się trzydzieści lat później parze bitników.

Drugim powodem, dla którego Owen nigdy nie pokochał Sybil tak bardzo jak ja, było coś, co miało związek z samą Sybil. Chociaż szanowałem jej umysł i bardzo ją lubiłem, to jednocześnie dostrzegałem jej brak elegancji i wykształcenia w sprawach kultury. Ale nawet jeśli to prawda, nie dało się zaprzeczyć, że (wykłócałem się o to z Owenem w odległej przeszłości) Sybil była najbardziej witalną osobą dorosłą w naszym życiu. Gdyby nie ona, nie poznalibyśmy alternatywnego wzorca zachowań dorosłych i poprzestalibyśmy może na skromniejszych powołaniach.

W każdym razie dla mnie Sybil zawsze miała najlepszy prezent: mały mikroskop, stary stetoskop, ręcznie opisany żywiczny model serca. Przywoziła mi gablotki z czarnej skóry pełne afrykańskich żuków gnojowych zatkniętych na sztyfciki z białego kartonu. Albo piłkę i kij do baseballu, które dostałem razem z pierwszą lekcją fizyki; albo stare radio, które przytaszczyła z Rochester, żeby mi pokazać, jak je rozebrać; albo grubą soczewkę szkła powiększającego i wykład do kompletu, bo jakiś czas wcześniej zastała mnie przykuczniętego na naszej bitej drodze, gdzie przypiekałem mrówki.

Kiedy skończyłem dziesięć lat, Sybil podarowała mi książkę, która zrazu wydała się niewypałem. *Żywoty wielkich naukowców* napisane były drętwo, a zilustrowane infantylnie. Ten obraźliwie wesolutki i prościutki tekst nadawał się raczej dla tępego sześciolatka. Było to po prostu „Who is Who" kanonu naukowego, zawierające krótkie notki o wszystkich „czołowych" naukowcach (imiona, najważniejsze prace itp.; nie zdziwiłbym się, gdyby podawano także wzrost, wagę i hobby poszczególnych osób), tak jakby naukowców, niczym graczy w baseball, można było uszeregować w jakimś rozstrzygającym rankingu. Muszę jednak przyznać, że idea ta, wówczas dla mnie absurdalna, z latami zaczęła nabierać uroku. (Nawiasem mówiąc, w najnowszej edycji z roku tysiąc dziewięćset dziewięćdziesiątego czwartego pojawiła się notka o mnie, wprawdzie nader zwięzła, ale nie bardziej błędna niż wiele szkiców biograficznych kilkakrotnie przekraczających jej objętość*. Notce towarzyszy zdjęcie

| 51

---

* W tym miejscu muszę się niestety nie zgodzić z Nortonem. Ale niech czytelnik sam osądzi. Dotycząca go notka zaczyna się następująco:

Abraham Norton Perina, ur. 1924 w Lindon, Indiana, USA
Obecne miejsce zamieszkania: Bethesda, Maryland, USA
Ocena: 7 [*Od redakcji: w skali 1–10 Galileusz otrzymał 10,
podobnie jak Jonas Salk. Ale Kopernik – o dziwo – zaledwie 8*]

ukazujące mnie z Philipem*, który mógł mieć wówczas z dziesięć lat. Jakość zdjęcia jest tak marna, że twarz Philipa widnieje na nim jako czarne kółko z białym rozcięciem w charakterze uśmiechu. Ja wydaję się słoniowaty, niezdarny, jak dobrotliwy cyrkowy klaun).

Wracając do tematu – wspomniana książka nie wprowadziła mnie rzecz jasna w obszar możliwości i zasad działania świata przyrody, ale zaznajomiła z osobowościami naukowców, które mnie zafascynowały. Uświadomiłem sobie bowiem, że istnieje pewien typ umysłu, który lgnie do nauki, i doszedłem do wniosku, że taki właśnie typ umysłu podziwiam.

Mówi się nam, że nikt nie jest nieśmiertelny, lecz czy słyszałeś o grupie ludzi, którzy żyją wiecznie? To prawda! Dr Perina, który mieszka w Marylandzie z ponad pięćdziesięciorgiem swoich adoptowanych dzieci, odkrył na początku lat pięćdziesiątych rasę ludzi, którzy się nie starzeją – a to tylko dzięki spożywaniu mięsa rzadkiego gatunku żółwia! To odkrycie przyniosło dr. Perinie Nagrodę Nobla w dziedzinie medycyny w roku 1974.
Następnie książka podaje nieścisły i uproszczony opis syndromu Seleny.
* Philip Tallent Perina (1960–1975; w USA od 1969), jedno z pierwszych adoptowanych dzieci Nortona, jego ulubieniec. Philip był chudy, dziecinny i bardzo ciemnoskóry. Nigdy go nie poznałem, ale na podstawie fotografii wyobrażam go sobie jako żywe srebro: na zdjęciach zdaje się wyrywać z ramion Nortona, jakby chciał uciec poza kadr. Philip doznał we wczesnym dzieciństwie jakiegoś urazu mózgu, na skutek którego był opóźniony także w rozwoju fizycznym – mogło chodzić o zwyczajne niedożywienie w wieku niemowlęcym. Był sierotą i czymś w rodzaju wioskowej maskotki, zanim Norton przywiózł go z U'ivu do Stanów w roku 1969. (Przedtem imię Philipa było tubylczym odpowiednikiem zwrotu „Hej, ty!"). W roku 1975 Philip zginął potrącony przez samochód z pijanym kierowcą. Jego wiek szacowano wówczas na piętnaście lat.

II

Wspominałem już o krętych schodach w centralnym punkcie naszego domu. Była to niestosowna ekstrawagancja w architektonicznie skromnym budynku – mnie zawsze zdawały się gościem, który pewnego dnia wróci na właściwe sobie, wspaniałe miejsce i połączy dwa piętra kamienicy na Piątej Alei. Ów pretensjonalny element zainstalował poprzedni właściciel naszego domu (początkujący architekt studiujący na Uniwersytecie Columbia, który nigdy nie pogodził się z upokorzeniem, jakim była konieczność opuszczenia miasta i powrotu do rodzinnej posiadłości w Lindon). Choć konstrukcja schodów była mocna, a drewno solidne, całość popadła w ruinę, służąc przez pięćdziesiąt lat naszej rodzinie. Ojciec często, choć bez przekonania, wspominał o demontażu kręconych schodów i zastąpieniu ich czymś prostszym, lecz nigdy do tego nie doszło, a gdy umarł, a ja wróciłem na farmę, po schodach właściwie nie dało się już chodzić i musieliśmy z Owenem korzystać z drabiny, żeby dostawać się do swoich dawnych pokojów na piętrze.

Jednak w roku trzydziestym piątym nasze schody, niezbyt już wprawdzie piękne, nadawały się jeszcze do użytku, w każdym razie jak na moje potrzeby. Postanowiłem rozpocząć swój projekt – pomalowania ich – od górnego stopnia i posuwać się w dół. Chodnik zdjęto już wcześniej, a ponieważ drewno było brudne i pełne zadziorów, musiałem na każdy stopień nałożyć kilka warstw farby, żeby zamaskować nierówności. Pokonałem wszystkie dwadzieścia stopni, malując górę, przód i boki na różne kolory. Po kilku godzinach farba wyschła i zacząłem od początku, od góry. Posuwając się w dół, na wierzchu i na froncie każdego stopnia wypisałem farbą nazwisko innego naukowca. Gdy skończyłem pracę, schody mieniły się kolorami i słowami: na szczycie Curie, pod nią Galileusz, niżej Einstein, Gregor Mendel, James Clerk Maxwell, Marcello Malpighi, Carolus Linnaeus, Nicolaus Copernicus i tak dalej. Nie ustaliłem z góry kolejności nazwisk, pisałem je tak, jak przychodziły mi do głowy. Zanim jednak doprowadziłem swój projekt do końca, przeszkodził mi Owen, który zaczął się awanturować, że nie zaprosiłem go do współpracy. Nasza kłótnia zwabiła z podwórza ojca i Lestera. Lester dłuższą chwilę stał i gapił się na schody (a my z Owenem wstrzymywaliśmy oddech), po czym zaczął wrzeszczeć, że zasłużyliśmy na solidne lanie, im gorsze, tym lepiej. A wtedy ojciec nieoczekiwanie zaczął się śmiać.

My trzej – Owen, Lester i ja – zamarliśmy. Owen i ja nigdy wcześniej nie słyszeliśmy śmiechu ojca. Był to niewprawny śmiech, świszczący i chropawy, brakowało mu, moim zdaniem, entuzjazmu, wesołości i energii. Trwał raptem parę sekund, po czym ojciec położył kres temu niezwykłemu dla siebie wybuchowi emocji, mówiąc:

– No widzisz, Lester. Teraz już nie mogę rozebrać schodów: chłopcy je zaanektowali.

Lester skrzywił się, rozczarowany, że nie zostaliśmy należycie ukarani (nie miał dobrego zdania o zdolnościach pedagogicznych naszego ojca), a ja też byłem wkurzony, chociaż z innego powodu. Bo tak się jakoś stało, że mój fantastyczny hołd dla umysłu naukowca został wykorzystany przez ojca jako kolejny pretekst do bezczynności! A jednak, co ciekawe, schody – których ojciec nie tknął, nie tyle z szacunku do mojego dzieła, ile z lenistwa – miały nabrać większego znaczenia, niż którykolwiek z nas przypuszczał.

Wspomniałem już, że Owen i ja wróciliśmy do domu po śmierci ojca. W ostatnim roku życia ojciec, co mnie nie dziwi, żył w totalnym brudzie, a dom zamienił się w istną stodołę, po której harcowały gryzonie i nieproszone dzikie koty, buszując po lepkich od brudu szafkach. Do naszego powrotu w roku czterdziestym szóstym (wyjeżdżając do college'u cztery lata wcześniej, poprzysięgliśmy sobie nigdy nie wracać do Indiany) nie było tam sprzątane przez co najmniej cztery lata, więc naprawdę nie przesadzam, mówiąc, że to był dramat: łuszczące się podłogi, przerdzewiałe zawiasy, które zgrzytały tak rozpaczliwie, że staraliśmy się niczego nie otwierać, kłęby kurzu wzlatujące z tapicerowanych mebli, gdy chcieliśmy na nich przysiąść. No i śmieci porozrzucane po wszystkich pomieszczeniach: papiery, zmięte kartony, potłuczone butelki, jakieś zapomniane szpargały. Ojciec zapewne od jakiegoś czasu nie odwiedzał góry, bo drabina, którą po dłuższych poszukiwaniach znaleźliśmy pod domem, była zardzewiała i ledwo dawała się ruszyć po latach nieużywania. (Na górze panował taki bajzel, że do dziś na samo wspomnienie wszystkiego mi się odechciewa. Zastaliśmy tam rodzinę nietoperzy zagnieżdżoną między krokwiami nad łóżkiem Owena, całe dynastie myszy i zbite kłęby kurzu wielkości ludzkiej głowy, ze sterczącymi z nich kłakami). Ale najgorsze były schody, których surowe, staromodne pierwotne barwy zszarzały od starości i kurzu, pozarastane baldachimami połyskliwych pajęczyn.

Schody były potężne, więc ich ruina oznaczała, że ojcu pozostał do dyspozycji tylko skrawek przestrzeni – niewiele ponad piętnaście metrów kwadratowych. Walące się schody przepołowiły salon tak, że by dostać się do kuchni, trzeba było wyjść na dwór, obejść dom i skorzystać z kuchennych drzwi. Latem było to tylko niewygodne, ale zimą, przy srogim wietrze i zadymce, taka przeprawa stanowiła wyzwanie nawet dla młodego człowieka. Ponieważ w pomniejszonej przestrzeni mieszkalnej nie było nawet prowizorycznego łóżka, a ojca znaleziono w początkach marca leżącego twarzą do ziemi w trawie parę metrów od domu, doszliśmy do wniosku, że musiał zmierzać do kuchni – żenująco źle zaopatrzonej: w parę puszek pomidorów i konserwowaną zupę grzybową – kiedy dopadł go zawał. (Potem odkryliśmy żałosne małe legowisko zrobione z rozłażących się kołder i starej poduszki z kanapy – znajdowało się na małej werandce przylegającej od zewnątrz do ściany salonu). Nie będzie więc przesadą powiedzieć, że mojego ojca zabiły schody, chociaż właściwie uśmiercił się sam przez własne lenistwo. Nawet samobójstwo było w jego przypadku aktem bierności.

Żałosny koniec ojca wzbudził we mnie współczucie i irytację. Co można powiedzieć o człowieku, który do tego stopnia zaniedbał swój dom, że ten go zabił? W istocie jednak bardziej żałowałem schodów, choć była to reakcja czysto nostalgiczna. Im byłem starszy, tym bardziej irytował mnie infantylizm pomysłu i wykonania „projektu Schody", więc chociaż wciąż zapowiadałem, że je odmaluję, nigdy tego nie zrobiłem. Widać jednak miałem w sobie coś z ojca.

* * *

Ani Owen, ani ja nie przywiązywaliśmy wielkiej wagi do pogrzebów, ale – trochę z poczucia winy w związku z upokarzającym odejściem ojca, a trochę z poczucia winy z racji nieobecności na pogrzebie matki – znaleźliśmy mały kościółek i namówiliśmy pastora, którego nazwiska już nie pamiętam (wielebny Cunningham od dawna nie żył), do odprawienia nabożeństwa.

Na pogrzebie pojawiło się najwyżej kilkunastu żałobników. Lester Drew był w domu opieki, do którego po ciężkim udarze przed kilku laty oddała go siostrzenica, więc w nabożeństwie uczestniczyli tylko ciekawscy z miasteczka, których w większości nie poznaliśmy, i paru byłych pracowników ojca, rolników i dzierżawców, których pamiętaliśmy jak przez mgłę. Niektórzy przyszli chyba tylko po to, żeby zobaczyć, jak umiera bogacz*. Wyobrażam sobie, że było to dla nich wielkie rozczarowanie – zgrzebny kościółek, ogólnikowe kazanie pastora, brak emocji na twarzach mojej i Owena, mało ludzi, nieobecność przyjaciół i rodziny. Jeżeli tak się chowa najbogatszego człowieka w miasteczku – musieli sobie myśleć – to jaka nędzna ceremonia (jeśli w ogóle jakaś) czeka ich samych? Gdyby nie nasza młodość i beztroska, urządzilibyśmy pewnie ojcu bardziej wystawny pochówek, choćby przez wzgląd na dobre samopoczucie tych ludzi. Wówczas jednak nie mieliśmy zwyczaju troszczyć się o cudze niepokoje.

Po ponczu i ciasteczkach w domu pastora (nie uznaliśmy za stosowne zapraszać żałobników na miejsce śmierci ojca, gdzie zgniecione źdźbła wysokich traw, w których znaleziono go martwego, wciąż tworzyły niemile rozpoznawalną sylwetkę) i po uściśnięciu kilkunastu dłoni podziękowaliśmy duchownemu za pomoc.

– To był dla mnie zaszczyt – odrzekł z powagą pastor.

Był lalkowato przystojny i miał smutne oczy, którymi zerkał lubieżnie na Owena, gdy zdawało mu się, że ten go nie widzi. Nie mógł być wiele od nas starszy, ale już miał żonę o wyglądzie ofiary losu i dwóch rozwydrzonych blond synków.

– Biedni chłopcy, macie teraz tylko siebie nawzajem. – (Ciekawe, czy litował się nad naszą samotnością, czy nad kiepskim towarzystwem, które stanowiliśmy dla siebie nawzajem; jasne było, że nas nie polubił). Zwrócił się do mnie: – Niech wam Pan Bóg zawsze błogosławi. – I do Owena: – Opiekuj się bratem. Jesteś jego stróżem.

---

* Trudno było poznać, że to bogacz, skoro miał taką marną śmierć. Ojciec Nortona pozostawił spory majątek. Jego wartości nigdy nie ujawniono, ale biografowie Nortona przypuszczają, że pieniędzy wystarczyło i na zakup domu w Bethesda, i na utrzymanie dzieci. Norton, obok Owena, był też głównym spadkobiercą Sybil.

– Z jakiej racji? – spytał Owen. Bardzo go wówczas interesowały Prawda i Sprawiedliwość, już zaczynał irytująco grzebać w marksizmie; zawsze łatwo ulegał wpływom. – Będę traktował mojego brata tak jak każdego innego bliźniego, ani lepiej, ani gorzej – odparł wyniośle, a pastor odszedł, wzdychając i kręcąc głową.

Pisanie tego uświadamia mi, jak bardzo tęsknię za Owenem. Trochę mnie dziwią te słowa na papierze*, ale skłamałbym, gdybym tego nie wyznał. Skarżę się na niego i irytuję, ale dociera do mnie (nie po raz pierwszy), że moje dzieciństwo, często trudne i nudne, było z pewnością znacznie prostsze niż moje obecne życie. Przypuszczam, że wielu ludzi właśnie tak pamięta swoje dzieciństwo. Wówczas jednak za coś zwyczajnego uważałem stan bliski zadowoleniu. Nie byłem śmieszny z wyglądu. Byłem wysportowany. Byłem bogaty, lecz się z tym nie obnosiłem. Byłem inteligentny. Miałem zainteresowania. Byłem silniejszy i szybszy niż Owen. Teraz spędzam życie na przekazywaniu lwiej części oszczędności moim adwokatom, z kwatery za kratami. Jestem gruby, nie jestem już silniejszy i szybszy niż Owen, a gdybym nawet miał jakieś hobby, nie mógłbym się mu tutaj oddawać. Żyję dziwnym życiem, życiem, w którym nie

---

* Sam się zdziwiłem, czytając to wyznanie. Nawet bardzo, a to z powodów, które staną się dla czytelnika jasne w miarę rozwoju narracji Nortona. Powiem tylko, że przedmiotem jednej z największych obaw Nortona było opuszczenie – lękał się, że ludzie, których kocha i darzy zaufaniem, obrócą się pewnego dnia przeciwko niemu. (Lęk ten okazał się proroczy). Ale, jak już wspomniałem, przyczyną jego obecnej sytuacji jest nielojalność ze strony nie tylko dzieci, lecz także Owena.

Co ciekawe, dopiero po czterech latach znajomości z Nortonem dowiedziałem się o istnieniu Owena. Kiedy go spytałem, dlaczego dopiero teraz się dowiaduję, odpowiedział, że się o coś poprztykali. Stosunki Nortona z bratem naznaczone były długimi okresami milczenia i częstymi kłótniami o głupstwa. Owen dorównywał bratu pod względem głębokości wiedzy i opinii (chociaż oczywiście w innej dziedzinie). Prawdopodobnie był jedyną osobą zdolną sprostać błyskotliwości, ekscentryczności i pasjom Nortona. Bardzo go kiedyś lubiłem.

mam nikogo. Moje dzieci odeszły, odeszli koledzy, wszyscy, którzy coś dla mnie znaczyli, opuścili mnie.

Nawet Owen. A może powinienem raczej powiedzieć: zwłaszcza Owen. Nie łączyła nas oczywiście najłatwiejsza ani najtrwalsza relacja, ale był czas, że bardzo się do siebie zbliżyliśmy, a nawet w okresach większego oddalenia, nawet gdy Owen przechodził jedną ze swoich faz infantylnego entuzjazmu – bo przyjmował i porzucał idee i filozofie tak, jak inni chłopcy zmieniają dziewczyny – był zabawny, dowcipny i błyskotliwy. Był moim ambasadorem w świecie poza moim światem. Chociaż nie powiem, żeby romantyzm był mi całkiem obcy. Pamiętam, że raz w młodości poradziłem Owenowi, żeby wzorował się na mnie. Spójrz na mnie, powiedziałem (Owen przewrócił oczami), zostanę naukowcem. Na niczym więcej mi nie zależy. A ty zanadto się rozpraszasz, klarowałem. Przestrzegałem, że jeśli się trochę nie zdyscyplinuje, zostanie dyletantem. A teraz niemal podziwiam niezdecydowanie Owena, który jak gdyby starał się nadrobić moją jednokierunkowość, próbując iść we wszystkich kierunkach jednocześnie. Wtedy mnie to irytowało, ale dziś czule wspominam zadziorność mojego brata, jego nieprzejednany idealizm i szybko wygasające pasje. Pamiętam Owena z tamtych dni jako niesamowicie żywotnego, niezmordowanego, zwinnego intelektualnie – jako moje przeciwieństwo. Jak przystało na osoby o tak odmiennej umysłowości, ścieraliśmy się ostro, ale bywały także między nami chwile zgody – wówczas potrafiliśmy każdemu wszystko wyperswadować, każdego człowieka przekabacić swoim żarem i przekonaniem o naszej słuszności. Trzeba powiedzieć, że umieliśmy zawsze zgrać pasje, nawet jeśli nie dotyczyły tego samego obiektu.

To z Owenem podzieliłem się moim najwcześniejszym, najgorętszym pragnieniem: pragnieniem odejścia, ucieczki. Nie przypominam sobie, żebym je kiedyś sformułował, ale pamiętam przeczucie, które mi towarzyszyło od najwcześniejszych lat – że życie to nie Indiana, a już na pewno nie Lindon, a może nawet nie Ameryka. Życie było gdzie indziej, przerażające i ogromne, wysokogórskie i pełne niewygód. Podejrzewam, że Owen też to wiedział, tak jak niektóre dzieci wiedzą, że chcą być blisko domu, i ta wspólna pewność – że miejsce naszych początków nie będzie naszym stałym miejscem, a już na pewno nie miejscem naszego końca – właśnie ona, bardziej niż zainteresowania i predyspozycje, jednoczyła nas i mobilizowała do znoszenia obowiązków dzieciństwa aż do czasu, gdy będziemy mogli wyjść z domu i na serio podążyć za życiem.

Ciekawa rzecz: pierwsze dwa lata po pogrzebie ojca były najszczęśliwszym, najbardziej harmonijnym okresem naszej relacji. Zbliżyliśmy się wtedy do siebie, a ja przez ten krótki, ambitny, miodopłynny czas zmuszałem się, żeby pisać do Owena co tydzień, chociaż nie pisywaliśmy do siebie przez cały college. Późną wiosną czterdziestego szóstego wybraliśmy się razem na wakacje, do Włoch. Zdjęcie z tamtych czasów ukazuje nas tuż przed wejściem na statek „Arcadia" w Nowym Jorku. Obaj jesteśmy w lnianych garniturach i melonikach. Była to nasza pierwsza wyprawa do Europy – i pierwsze wspólne wakacje, które niestety okazały się ostatnimi, o czym nie mogliśmy jeszcze wiedzieć – a po powrocie, trzy miesiące później, przyrzekliśmy sobie, pamiętam, że będziemy tak podróżować co roku, do miejsc coraz bardziej odległych.

Z samej podróży przypominam sobie tylko migawki – dzieła sztuki, posiłki, rozmowy, ruiny, miejsca noclegowe – za to utkwiło mi w pamięci nieprzyjemnie wyraźne, nieznane i niedające się wyartykułować wrażenie, którego zacząłem doświadczać mniej więcej w połowie trasy, ilekroć spojrzałem na Owena. W takich chwilach coś gniotło mnie w piersi, coś masywnego, natarczywego, a jednak nie przykrego, nie bolesnego. Po kilku takich epizodach wydedukowałem, że to musi być – z braku lepszego słowa – miłość. Naturalnie nigdy nie podzieliłem się tym odkryciem z Owenem (nie prowadziliśmy tego rodzaju rozmów), ale pamiętam, jak pewnego wieczoru staliśmy na dziobie statku, zasłuchani w chlupot ciemnych fal o burtę, i spojrzałem na brata, na jego ostry nos zakończony miękką jak z plasteliny kulką (identyczny jak mój), i ogarnęło mnie przemożne wzruszenie. Kiedy Owen się do mnie odezwał, nie byłem w stanie mu odpowiedzieć, musiałem udać, że źle się poczułem, by uciec do łóżka i w samotności porozmyślać o swoim odkryciu.

Uczucie to nie utrzymało się długo, rzecz jasna. Nachodziło mnie i znikało przez całą naszą podróż, a potem przez wiele lat. I chociaż już nigdy potem nie miało tej intensywności co tam, na wodzie, nauczyłem się wpierw je akceptować, a potem tęsknić za tym znajomym bólem, chociaż wiedziałem, że kiedy go doznaję, nie jestem w stanie skupić się na niczym innym.

Część II

Myszy

I

Po ukończeniu college'u jesienią czterdziestego szóstego roku poszedłem na studia medyczne*. Niewiele mam do powiedzenia na temat akademii medycznej; nie zdziwiły mnie nawet tępota i brak wyobraźni kolegów studentów. Poszedłem na medycynę, bo tak się wtedy robiło, gdy człowiek interesował się dziedziną choćby pośrednio związaną z biologią ludzkiego ciała. Gdybym studiował dzisiaj, nie wybrałbym prawdopodobnie akademii medycznej, lecz studia doktoranckie z wirusologii, mikrobiologii lub czegoś w tym stylu. Nie powiem, żeby medycyna nie była sama w sobie ciekawa, a nawet inspirująca, rzecz jednak w tym, że osoby wybierające ten kierunek mają skłonność do zadufania i sentymentalizmu: bardziej interesuje je owiany legendą romantyczny heroizm pracy lekarza niż wyzwanie badań naukowych.

Pięćdziesiąt lat temu było to prawdą jeszcze bardziej niż dziś. Moich kolegów z roku – przynajmniej tych, z którymi się zadawałem przez cztery lata – dało się z łatwością podzielić na

| 65

---

* Hamilton College, *summa cum laude*, 1946; Harvard Medical School, *cum laude*, 1950. Obaj, Norton i Owen, zostali zwolnieni ze służby wojskowej z przyczyn zdrowotnych w roku 1944. Norton ze względu na płaskostopie i łagodny, lecz nawracający ischias, Owen ze względu na astmę i silny astygmatyzm.

dwie kategorie. Kategorię pierwszą, budzącą mniejsze zastrze-
żenia, stanowili posłuszni nudziarze zakochani we wkuwaniu
na pamięć. Do kategorii drugiej, bardziej nieznośnej, należeli
niewyżyci marzyciele oczarowani perspektywą swojej przyszłej
pozycji w świecie. Wszyscy razem byli ambitni, chętni do rywa-
lizacji i żądni własnej porcji chwały.

Nie wyróżniałem się zbytnio jako student. Chociaż byłem
chyba najbardziej rozbudzonym intelektualnie i kreatywnym
członkiem swojej grupy (jeśli nie całej szkoły), to bardzo wielu innych miało lepsze wyniki i studiowało z większą pilnością:
chodzili na wszystkie zajęcia, robili notatki, wkuwali po nocach.
Mnie natomiast zajmowały inne rzeczy. W tamtym czasie z pasją kolekcjonowałem żuki – zainteresowanie i zwyczaj, które towarzyszyły mi od dzieciństwa. Oczywiście możliwości znalezie-
nia niezwykłych żuków w Bostonie są mocno ograniczone, więc
w miesiącach wiosennych urywałem się czasem z uczelni na
cały dzień, wsiadałem do pociągu i jechałem do Connecticut,
gdzie Owen robił doktorat z literatury amerykańskiej na Uniwersytecie Yale. Zostawiałem u niego torbę z rzeczami i szedłem łapać małą senną ciuchcię jadącą na wieś, gdzie cały dzień
szwendałem się po łąkach z siatką, notesem i słoikiem po ogór-
kach, w którym miałem watkę nasączoną formaldehydem. Gdy
niebo pomarańczowiało, łapałem autostop z powrotem do New
Haven, gdzie spędzałem wieczór w pokoju Owena, jedząc to,
co przyrządził, i usiłując, ze zmiennym skutkiem, wciągnąć
go w rozmowę. Owen stawał się z upływem lat coraz bardziej
małomówny (za co, szczerze mówiąc, byłem mu wdzięczny,
gdyż jego opowieści o studiach, o Walcie Whitmanie i amerykańskiej wyobraźni znacznie przekraczały moje potrzeby intelektualne), a ja, patrząc, jak kroi omlet na małe równiutkie
trapeziki, musiałem powstrzymywać się od myśli, że brat przypomina mi naszego flegmatycznego, zwalistego ojca.

Wykładowcy rzecz jasna nie odnosili się z entuzjazmem
do moich wagarów, ale ponieważ zawsze wypadałem dobrze

w testach i pracach pisemnych, ich repertuar sankcji ograniczał się do kazania o braku dyscypliny, który uczyni ze mnie średniaka w życiu zawodowym. Nie wątpiłem w powagę i szczerość tego, co mówili, ale przyszłość mnie nie martwiła: już wtedy byłem pewien, że czekają mnie przygody, do których wzorowa obecność na zajęciach bynajmniej mnie nie przygotuje.

Nie chciałbym jednak idealizować własnego braku szacunku dla profesorów i uczelni. Z perspektywy lat, mając taki dorobek, jaki mam, widzę, jak łatwo jest powiedzieć, że za młodu wiedziałem, iż wszystko rozwinie się dla mnie pomyślnie. Mój brak ambicji był autentyczny. Chociaż, jeśli mam być szczery, powinienem przyznać, że nawet wtedy pragnąłem wielkości, która zdawała się zarazem osiągalna i odległa, niczym niewyraźny sen majaczący gdzieś na skraju pola widzenia. Łatwiej było wówczas udawać przed wszystkimi i przed sobą, że świetlana przyszłość gówno mnie obchodzi. Jednak myślę, że czas spędzony na studiach medycznych (oraz moje ówczesne sukcesy i porażki) mógł stanowić zapowiedź całego mojego życia, mógł określić prawdopodobieństwo wykrystalizowania się owej niejasnej wizji w coś konkretnego, albo nie.

* * *

Ale na trzecim roku medycyny wszystko się dla mnie zmieniło – a raczej to ja sam wszystko zmieniłem. Gregory Smythe zaprosił mnie wówczas do pracy w swoim laboratorium. Zaraz stanie się jasne, dlaczego było to tak zaskakujące i dlaczego odpytywano mnie potem regularnie z tego okresu przez wiele lat*.

---

* Znany profesor mógł wybrać jednego, a w każdym razie nie więcej niż dwóch obiecujących studentów do pracy w swoim laboratorium przez okres od jednego do czterech semestrów. Wyboru dokonywano zazwyczaj na podstawie wyników testów, zaangażowania i pilności studenta.

Skłamałbym, gdybym powiedział, że mi to zrazu nie pochlebiło. Dzisiaj nazwisko Gregory'ego Smythe'a budzi śmiech (jeśli w ogóle budzi jakąś reakcję), pyszałkowaty śmiech podszyty ulgą i lękiem. Taką samą reakcję wywołają za pokolenie lub dwa nazwiska najbardziej renomowanych dziś naukowców. Kiedy jednak ja studiowałem, Smythe uchodził za wielki umysł, za wizjonera, lekarza i naukowca, jakim każdy chciałby zostać*.

Smythe był ponadto niezwykłą postacią w kampusie i w całym środowisku naukowym. Po pierwsze, angażował się w najciekawsze podówczas badania medyczne. Łatwo wyśmiewać się dzisiaj z nieaktualnych pojęć i teorii, które w swoim czasie uchodziły za przełomowe, ale przecież nie da się zaprzeczyć, że lata czterdzieste stanowiły okres wielkiej ekspansji nauki. Jakkolwiek błędne (nie da się ująć tego łagodniej) okazały się teorie Smythe'a i jego kolegów, to jego pokolenie odznaczało się podziwu godną ciekawością, a ich głód wiedzy – motywowany różnie, lecz niewątpliwie autentyczny – zaowocował powstaniem tego, co dzisiaj nazywamy nowoczesną nauką. Bez nich nie mielibyśmy dzisiaj czego odrzucać, negować i przekreślać. Myślę niekiedy, patrząc wstecz na osiągnięcia Smythe'a, że jego najcenniejszą spuścizną było wyłonienie r o d z a j u pytań, które miały zająć środowisko naukowe na następne półwiecze, mimo że sam Smythe nie dostarczył prawidłowych odpowiedzi.

Słyszałem o Smycie, zanim jeszcze go spotkałem. Jedną z najpopularniejszych teorii w połowie lat czterdziestych była ta o wirusowym pochodzeniu raka. Wysunięto ją kilkadziesiąt

---

* Trudno przecenić znaczenie Gregory'ego Smythe'a i jego wpływ na środowisko naukowe w latach czterdziestych i pięćdziesiątych. Zanim jego teorie wypadły z łask, Smythe należał do tych rzadkich naukowców, którzy osiągają popularność i podziw. Magazyn „Time" z 18 kwietnia 1949 zamieścił nawet na okładce jego portret z podpisem: „Gregory Smythe z Uniwersytetu Harvarda: Może jeszcze za naszego życia zobaczymy zwycięstwo nad rakiem".

lat wcześniej, ale Smythe, który przez prawie pół dekady starał się udowodnić, że rak (uchodzący powszechnie za sprawkę demonów lub czarów) jest nie tylko wytłumaczalny, ale i uleczalny, energicznie ją lansował. Rozumowanie było takie: jeśli zdołamy wyizolować wirusa powodującego raka, stanie się możliwe wynalezienie zabijającej go szczepionki, a wówczas nowotwory znikną na zawsze. Jak wszystkie przyjemne teorie, i ta była natchniona, zdyscyplinowana, logiczna i zadowalająco wiarygodna. Była też zrozumiała, toteż teoria Smythe'a (wkrótce ochrzczona przez prasę „twierdzeniem Smythe'a", przez analogię do Pitagorasa oraz teorii ewolucji, jakby Smythe był autorem na miarę Arystotelesa, który spłodził starożytną, na wpół mistyczną i silnie alegoryczną filozofię) szybko przyniosła autorowi sławę (i, nieuchronnie, sporo zawiści), zarówno w kręgach akademickich, jak i poza nimi*.

Do Smythe'a jednak wrócę później, jak należy, gdyż poznałem go dopiero po kilku miesiącach pracy w laboratorium. Nic dziwnego, zważywszy na moje oceny, postawę i ogólne nieprzystosowanie, że przez prawie cały czas terminowania tam byłem praktycznie nikim. Nie miałem o to do nikogo żalu – tacy studenci jak ja nieustannie tam przychodzili i odchodzili, obecni tymczasowo, jak małpy, które mieliśmy obowiązek karmić, jak myszy, którym zmienialiśmy butelki z wodą, jak psy o przerażonych oczach, którym aplikowaliśmy szczepionki, aż pewnego dnia i one znikały z laboratorium, a wraz z nimi odgłosy i zapachy.

Zwykle było nas w laboratorium około piętnaściorga – plus oczywiście Smythe – ale choć miałem romantyczną nadzieję na twórczą wymianę myśli i teorii (wielka była moja naiwność),

| 69

---

* Norton pozwala tu sobie na lekki sarkazm. Istnieje kilka odmian raka, które są silnie kojarzone z infekcją wirusową (chodzi zwłaszcza o wirusy brodawczaka ludzkiego czy też żółtaczki B i C). Norton drwi z upartego trwania Smythe'a przy teorii, że w s z y s t k i e odmiany raka pochodzą bezpośrednio od zakażeń wirusowych.

nasze relacje były ściśle hierarchiczne. Zamknięte kilkunasto-osobowe środowisko pokornie odzwierciedlało hierarchię świata zewnętrznego. Na jej szczycie stał Smythe: to, co powiedział – lub, częściej, co powiedzieli jego bezpośredni podwładni – musiało być spełnione bez pytań i dyskusji. Jednak Smythe, gdy ja pojawiłem się w laboratorium, bywał tam coraz rzadziej. Zdaje się, że bardziej interesowało go udzielanie wywiadów „New York Timesowi" i Edwardowi R. Murrowowi.

Najważniejsi po Smycie byli dwaj główni etatowcy, Walter Brassard i Monroe Fitch, obaj ze stopniem doktora medycyny i obaj (o czym przypominali co najmniej raz na tydzień) wybrani osobiście przez Smythe'a do prowadzenia laboratorium. Nadzorowali doświadczenia, pisali wstępne szkice prac badawczych Smythe'a, pilotowali jego artykuły do publikacji i administrowali na co dzień pracą w laboratorium, co sprowadzało się do rekrutacji studentów i licencjatów medycyny. Obaj mnie nie lubili, Brassard bardziej niż Fitch, ale ponieważ zatrudnił mnie sam Smythe, musieli mnie tolerować. Obaj – znów Brassard bardziej niż Fitch – byli dość znani w środowisku naukowym; profesorowie na mojej uczelni chwalili ich jako błyskotliwych i obiecujących. Niekiedy nazywano ich Turkami i panowała powszechna opinia, że pewnego dnia zastąpią Smythe'a, doprowadziwszy wcześniej jego projekty do owocnego końca. Brassard i Fitch rzadko ze sobą rozmawiali i widziałem, że rywalizują. Zazdrościli sobie nawzajem rzekomo lepszego wykształcenia (ciekawe, bo chodzili do tych samych szkół od podstawówki po akademię medyczną), bystrości umysłu (mnie obaj wydawali się równie pozbawieni wyobraźni) i, co szybko stało się jasne, zmiennej przychylności Smythe'a.

Szczebel niżej od Brassarda i Fitcha plasowali się czterej młodsi pracownicy etatowi, również ze stopniem doktora medycyny: Parton, Nesser, Ulliver i Curtis. Wszyscy czterej byli jeszcze bardziej nieznośni niż Brassard i Fitch, którzy ich wybrali (za aprobatą Smythe'a). Wszyscy też (w odróżnieniu od Brassarda i Fitcha) kończyli szkoły z internatem. Po laboratorium spacerowali z minami poważnymi i uroczystymi – łagodnie zmarszczona brew pod grzywką obciętą jeszcze w szkolnym stylu, ręce splecione za plecami dla podkreślenia wielkości – lecz pomimo ambicji i zamierzonej powagi nie umieli ukryć lekkich uśmiechów, które wypełzały im na twarze, gdy sądzili, że nikt nie patrzy, uśmiechów samouwielbienia, jakie mają kobiety, gdy napotkają lustrzaną powierzchnię. Mnie przydzielono do pracy z Partonem, którego lubiłem najbardziej z całego tego towarzystwa – lubiłem go za pucołowatą, gładką twarz i niechlujną koszulę (którą mu stale wypominali Turcy, wyczuleni na takie drobiazgi), a także za to, że dawał mi spokój, na całe dnie zapominając, że mu asystuję przy doświadczeniach i że powinien śledzić moje czynności i odnotowywać moje codzienne działania.

Poniżej młodszych pracowników etatowych plasowali się dwaj studenci medycyny: ja i niejaki Julian Turnbull, wielki faworyt Turków, który ani razu się do mnie nie odezwał, jakby moje nieprzystosowanie było przypadłością, którą można się zarazić przy jakimkolwiek kontakcie. Trzymał się więc z daleka, co bardzo mi odpowiadało: wiedziałem, że jest z mojego roku i pochodzi z Connecticut, i jeszcze że ma narzeczoną w Wellesley, ale nie miałem pojęcia, jak myśli ani na czym zasadza się jego inteligencja, bo o tych sprawach nigdy nie mówił, jakby nie były istotne dla jego życia w laboratorium.

Potem w hierarchii byli dwaj licencjaci po college'u, zazwyczaj wybierający jako główny przedmiot biologię (ich rotacja była błyskawiczna i wszyscy byli identyczni, więc uznaliśmy, że nie warto uczyć się ich nazwisk); obaj wybierali się na studia medyczne i obaj mieli zawsze wystraszone miny – bądź co bądź pracować w laboratorium Smythe'a to dla studenta zaszczyt niemal królewski, toteż na ich obliczach lęk mieszał się z dumą. Patrząc na nich, zastanawiałem się czasem, co musieli obiecać, żeby się tutaj dostać, jakie testy musieli pozdawać, jakie przynieśli z sobą zobowiązania.

Po licencjatach następował niejaki Dean O'Grady, który zależnie od nastroju dnia zwany był także Grubym Irlandczykiem, ponieważ był Irlandczykiem i był gruby. Praca laboratoryjna Grubego Irlandczyka była najbardziej widoczna i najłatwiej poddająca się ocenie. Podczas gdy my, reszta, prowadziliśmy notatki, wyciskaliśmy pęcherzyki powietrza ze strzykawek, pobieraliśmy krew i robiliśmy dalsze notatki, Gruby Irlandczyk zajmował się zwierzętami i wykonywał prace poniżej naszej godności. Czyścił klatki i karmił małpy brunatną pulpą z bananów i owsianki. Zmieniał wodę myszom i ocierał psom kaprawe oczy. Imponował mi jego stoicki spokój: nie był miłośnikiem zwierząt, nie był sentymentalny (laboratorium miało kiedyś takiego pracownika, co zakończyło się klęską, gdy Fitch nakrył go późną nocą na wywabianiu psów z klatek do prywatnej furgonetki), nie interesowało go też samo laboratorium. Trafiali się dozorcy zwierząt – sam później takiego miałem – którzy szczerze nienawidzili laborantów. I nie dlatego, że kochali zwierzęta (podania miłośników zwierząt były z miejsca odrzucane), ale dlatego, że nie znosili nauki i naukowców w białych kitlach, którym przypisywali arogancką pogardę, jakkolwiek trudno orzec, czy powodem ich nienawiści było nasze wykształcenie, czy też to, co robiliśmy ze swoim wykształceniem (pierwsze uważali za przesadę, drugie za kaprys). Nie byli to ludzie zdolni do subtelnego rozumowania, a ponieważ nie potrafili pojąć, czym się zajmujemy, i nie przyznawali się do własnych ograniczeń, łatwiej im było wyzywać nas i nienawidzić. (Tak zachowują się nie tylko dozorcy zwierząt, lecz także dziennikarze, aktywiści ruchu obrony zwierząt, księża, politycy, kury domowe i artyści, innymi słowy ludzie, dla których każda tajemnica wiąże się z arogancją i złem).

Ale wracając do Grubego Irlandczyka: przychodził do pracy o czwartej po południu, a gdy wracaliśmy do laboratorium następnego dnia, miski były pomyte, korytka z wodą napeł-nione, a w całym pomieszczeniu unosiła się zintensyfikowa-na charakterystyczna woń laboratoriów: jajeczny zapach deter-gentu zmieszany ze słodkawym odorem zaschniętych fekaliów. Czasami, kiedy pracowało się do późna, można było zobaczyć Grubego Irlandczyka i skinąć mu głową, co odwzajemniał. Nie usiłował nawiązać rozmowy. Gdy zadawało mu się pyta-nie, odpowiadał jak najzwięźlej – nie niegrzecznie, ale bez tego gadulstwa (o pogodzie, uciążliwości pracy i bólach w poszcze-gólnych częściach ciała), które cechuje cieciów, kelnerów i wszelki personel usługowy. U nas to było: „Dzień dobry, Gru-by Irlandczyku". „Dzień dobry". „Basset Czwórka [czyli pies rasy basset w klatce numer cztery] chrypiał wczoraj wieczo-rem". „Zajmę się nim". I koniec.

Po Grubym Irlandczyku dochodzimy do szczebla najniż-szego: techników laboratoryjnych, Davida i Petera, którzy nie mieli u nas nazwisk ani biurek, chociaż nosili białe kitle. Prze-chodzili od stanowiska do stanowiska, czyszcząc fiolki, tnąc na kawałki gazę, wyskrobując zepsuty materiał z probówek, roz-nosząc kubki palonej kawy, wyjmując myszy z klatek, wkłada-jąc myszy do klatek. Starałem się nie korzystać z ich usług zbyt często: po pierwsze, szybciej robiłem wszystko sam, a po dru-gie, technicy byli gadatliwi, lubili opowiadać o swoich kobie-tach, o kolacji, na którą wybierają się wieczorem, albo o tym, że mają po dziurki w nosie swojej pracy. Ze zwierzętami obchodzili się w miarę łagodnie, ale nieostrożnie: myszy ściskali w garści tak mocno, że piszczały i przebierały łapkami, zapominali, któ-ry pies siedzi w której klatce, a przy okazji przewracali palniki bunsenowskie i sprzątali po sobie byle jak, tak że człowiek do końca dnia musiał ostrożnie stąpać wokół biurka, dopóki nie przyszedł nocny dozorca i nie posprzątał po technikach.

* * *

Laboratorium mieściło się na pierwszym piętrze Chase Hall, dziesięciopiętrowego budynku z czerwonej cegły, brzydkiego i czysto użytkowego, który kilka lat temu rozebrano. Pomieszczenie główne mierzyło nieco ponad sto metrów kwadratowych: był to prostopadłościan z czterema oknami wychodzącymi na rozległy trawnik. W południowym rogu, najdalszym od sąsiadującej z naszym laboratorium kotłowni, znajdował się gabinet Smythe'a – mały przeszklony sześcian, w którym stało solidne biurko (idealnie i podejrzanie puste), metalowa szafka na akta i metalowy regał z książkami. Tuż za drzwiami gabinetu Smythe'a, wzdłuż wschodniej ściany pomieszczenia, pod oknami, ciągnął się rząd metalowych biurek dla starszych i młodszych pracowników etatowych, a także dla studentów medycyny i licencjatów. W pozostałej części dominowało osiem długich metalowych stołów zaopatrzonych w zlewy, liczne palniki bunsenowskie i kolby. Podłogę pokrywało linoleum, a ściany miały jasnomaślany kolor, od którego zawsze przychodziła mi chętka na chleb albo kartofle – coś skrobiowego i mącznego.

Do pomieszczenia głównego przylegały dwa laboratoria ze zwierzętami. W pierwszym, od strony południowej, trzymaliśmy myszy: dwadzieścia siedem metrów kwadratowych, bez okien; pod trzema lśniącymi ścianami w kolorze palonego oranżu piętrzące się na wysokość dwóch metrów klatki. W mysim laboratorium, jak w każdym laboratorium ze zwierzętami, śmierdziało mokrą gazetą, fekaliami i wilgotną sierścią. Posadzka była co wieczór zmywana środkiem dezynfekcyjnym, który jednak tylko nasilał charakterystyczny odór pomieszczenia, tak trwały, że zdawał się przenikać ściany. Do laboratorium z myszami przylegało laboratorium z psami, niemal dwukrotnie większe, lecz z tym samym zapachem, takimi samymi rdzawymi ścianami i identycznymi drucianymi klatkami, które tu piętrzyły się aż po sufit. Klatek było chyba trzydzieści sześć, ciasnych, jakieś pół metra kwadratowego powierzchni. Psy (nie wiedzieć czemu z reguły duże) całymi dniami leżały w nich na boku albo na brzuchu, z rozwartymi przednimi łapami, przez co wyglądały nieelegancko, jak pijane. Oprócz psich klatek mieliśmy dziesięć czy dwanaście wyższych klatek dla małp, które dostawaliśmy dość regularnie, ale nie dość często i nie tak wiele, aby zasługiwały na oddzielne laboratorium. To, co najlepiej zapamiętałem z tych pomieszczeń, to cisza – paniczne cienkie popiskiwania myszy i żałosne skowyty psów słychać było tylko podczas wyjmowania zwierząt z klatek i umieszczania ich tam na powrót. Przez resztę czasu siedziały cicho, wpatrzone we własne łapy, wyczekujące. Jedynie małpy skarżyły się, skrzeczały i piszczały przez okrągły dzień. Dlatego były uciążliwe, nie mówiąc o tym, że strasznie świniły wokół siebie i cuchnęły – były to jednak nasze najcenniejsze okazy do pracy.

Najwięcej czasu spędzałem z myszami. Ciągłe doświadczenie Partona (którego parametrów nigdy nie odkryłem, gdyż, dziwna rzecz, chociaż powierzano mi ważne zadania, najwyraźniej nie wydawałem się dość ważny, żeby mnie powiadomić, co właściwie robię przez cały dzień) polegało na zarażaniu myszy różnymi wirusami w nadziei wywołania u nich raka. Zaczynało się, powiedzmy, od tuzina myszy, po jednej na każdą numerowaną klatkę. Każdej wstrzykiwało się wirusy z solą fizjologiczną. A potem się czekało. Myszy trzeba było codziennie ważyć, mierzyć i obserwować. Czy sprawiają wrażenie ospałych? Czy jedzą i piją, jak należy? Czy nie rosną im osobliwe zgrubienia? (Marzyło się o takich, ale nie rosły, przynajmniej nie w testach prowadzonych przeze mnie). Przypominam sobie rezultaty zapisane w notesie, który Parton mógł sprawdzić, ale nigdy tego nie zrobił. Z nudów dbałem o styl: „Numer 12. Biała mysz – pisałem (wszystkie były białe) – kredowej maści. Nos i poduszki łapek: różowe jak róża, wczoraj różowe jak goździk. Osobowość: nudna". (Wszystkie myszy były nudne. Przecież były myszami. Spędzały swoje dni na mysich sprawach). Po jakichś trzech miesiącach doświadczeń myszy się uśmiercało, poddawało sekcji i zaczynało pracę z następną grupą.

Właściwie to lubiłem zabijać myszy. Sposobów na to było zadziwiająco niewiele: otrucie trwało zbyt długo i było zbyt kosztowne; topienie było nieestetyczne i nużące. (Zresztą każda z tych metod oznaczała zniszczenie ważnych dla badań tkanek). Zabijania myszy nauczył mnie Ulliver. Trzeba było złapać mysz za ogon i zakręcić jak lasso, tak żeby doznała zawrotu głowy, co objawiało się zwieszeniem łebka na bok. Wówczas należało położyć ją na stole, przytrzymać łebek za uszami i drugą ręką pociągnąć w górę za ogonek. Ciche „chrup!" i kark złamany. Bywało, że staliśmy z Julianem Turnbullem przy dwóch końcach stołu pośrodku mysiego laboratorium i każdy z nas kręcił po cztery, pięć myszy w jednej ręce, po czym uśmiercaliśmy je hurtem. Było to satysfakcjonujące zajęcie, drobny, lecz realny sukces wieńczący dzień, który, jak wiele innych dni, zdawał się pozbawiony struktury, postępu, znaczenia.

Potem zanosiło się myszy do głównego laboratorium i rozkładało na stole brzuszkami do góry. Z każdego ciała wycinało się śledzionę – smakowicie wyglądający strzępek, mięsnobrązowy, wielkości pestki arbuza – i umieszczało ją w oddzielnej szalce Petriego w roztworze soli fizjologicznej. Obok piętrzyła się sprężysta sterta gęstej gazy pociętej na kwadraciki o boku długości dwóch i pół centymetra: płatek gazy należało wysterylizować nad płomieniem i potrzeć o niego śledzionę nad inną szalką Petriego, aby uzyskać w nim zawiesinę z pojedynczą komórką. Śledziona ma postać miękkiej pasty, jak pasztet z gęsich wątróbek, więc trzeba było tylko musnąć nią gazę, bo jeden gwałtowniejszy ruch i miało się całe palce w lepkiej brunatnej mazi. Czynność tę powtarzało się kilka razy, do rozwodnienia organu, po czym pewną ilość tego soku przelewało się pipetką do probówki, badało pod mikroskopem i odnotowywało liczbę komórek na mililitr.

Głównym celem tych eksperymentów było wykazanie, że raka powodują wirusy (proszę zauważyć: mówię „że powodują",

a nie „czy powodują"; Smythe, czy to z zadufania, czy z chybio-
nej wiary w to, co o nim napisał publicysta naukowy, przekonał
chyba sam siebie, że jego teoria jest nie do obalenia. Pracownicy
laboratorium Smythe'a nie byli zainteresowani ani potwierdzeniem, ani obaleniem jego teorii; Fitcha, Brassarda i całą resztę zajmowały wyłącznie szczegóły, a nie słuszność hipotezy),
i wyjaśnienie mechanizmu powstawania kultury komórkowej.
Gdyby udało się dowieść, że – powiedzmy – nowotwór X wywo-
ływany jest przez wirusa Y, wówczas pozostawałoby tylko stworzyć szczepionkę, która wyeliminuje tę odmianę raka. (Uprasz-
czam, ale nie zanadto, tak się bowiem wówczas myślało, nie
tylko w medycynie, lecz we wszystkich naukach przyrodniczych:
produkuje się bombę, zrzuca się ją na kłopotliwych ludzi – i już
po kłopotliwych ludziach).

Eksperyment, który przyszło mi powtarzać wielokrotnie, do-
tyczył nerek, których deformacje łatwo można stwierdzić – nie
to co na przykład ze śledzioną. Mysią nerkę (organ bardziej
włóknisty niż śledziona) siekało się na kawałeczki i umieszczało w probówce. Kawałeczki te przepuszczało się następnie
przez coraz drobniejsze filtry w celu uzyskania warstwy o grubości jednej komórki, której oznaką była półpłynna konsystencja. Potem zalewało się tkankę solą fizjologiczną oraz odżywką
z surowicy cielęcego płodu – co oczywiście przyspiesza roz-
rost – i umieszczało w sterylnej fiolce o płaskim podłożu, aby
poddać preparat inkubacji w temperaturze trzydziestu siedmiu
stopni. Komórki w zawiesinie przyczepiały się do podłoża fiolki,
tworząc płaskie, gwiaździste klastery. Po uzyskaniu żywej jed-
nokomórkowej warstwy do komórek wprowadzało się wirusa. Po
kilku dniach odwirowywało się preparat, oddzielając jego część
niekomórkową jako szczepionkę.

Takie przynajmniej było rozumowanie. Muszę przyznać, że
metoda wydawała mi się wówczas rozsądna, logiczna. Może,
jak myślę teraz, nieco zbyt rozsądna, nieco zbyt logiczna, lecz
bardziej wiarygodna niż większość dominujących teorii owych

czasów, chociaż już wkrótce miałem się dowiedzieć, że to, co najbardziej wiarygodne, niekoniecznie bywa słuszne i godne uwagi. Najczęściej wygrywa bowiem teoria najdziwniejsza, z pozoru nieprawdopodobna, do której jednak wraca się raz po raz, gdyż intryguje oryginalnością swojego zamysłu.

* * *

Miałem dwadzieścia cztery lata; infekowałem psy. Za pomocą iniekcji wprowadzałem do psich nerek rozmaite wirusy. Wielkim zainteresowaniem cieszyła się wówczas transplantacja organów, więc już wkrótce przeprowadzałem prawdziwe operacje chirurgiczne, wprawdzie tylko na psach, i mogłem robić to bez nadzoru, w naszym psim laboratorium (czasami Parton zaglądał tam, rzucając mi smutne spojrzenie, jakby nie kojarzył, kim jestem, ale nie miał prawa zapytać, po czym wychodził bez słowa, szurając podeszwami). Rozkrawałem psi brzuch, podwiązywałem tętnicę przy właściwej nerce i zaszywałem brzuch z powrotem. Po kilku dniach, gdy pies zdradzał objawy dysfunkcji nerek – skomlał i piszczał, oddawał skąpy mocz o konsystencji syropu – usypiałem go ponownie, wycinałem zmartwiałą nerkę (teraz połyskliwie siną, jak zepsute mięso) i przeszczepiałem psu zainfekowaną nerkę innego psa. Oba osobniki zaszywałem. Psa dawcę poddawałem kremacji. Pies biorca wkrótce też zdychał, chociaż trudno powiedzieć, czy z powodu zainfekowanej nerki, czy z powodu mojej nieudolnej chirurgii. Obserwowałem go i prowadziłem notatki o jego agonii, a gdy zdechł, usuwałem mu interesujące nas organy, które zachowywałem do dalszych analiz, zwłoki zaś poddawałem kremacji.

Tak mijały mi dni w laboratorium. Uświadamiam sobie, że relacjonuję je ze znudzeniem, a może nawet ze szczyptą teatralnego fatalizmu, jednak w swoim czasie naprawdę mnie to wszystko interesowało, zarówno praca – bo chwilami istotnie czułem, jak przystało na laboranta charyzmatycznego szefa, że jestem o krok od odkrycia, które może na zawsze odmienić naukę – jak i narastające na podstawie obserwacji siebie i innych przekonanie, że jest to życie nie dla mnie. Dziwnie jest pracować dla kogoś w laboratorium: wybierają cię, bo jesteś najlepszy w grupie, najbardziej obiecujący w swojej dziedzinie, oryginalnie myślący, i umieszczają w pokoju pełnym takich samych jak ty. W niektórych swoich kolegach widzisz własną przeszłość, w innych – własną przyszłość, ale zakładasz, że okażesz się lepszy od nich, inteligentniejszy i zdolniejszy.

Co to jednak znaczy być skutecznym lub uzdolnionym w laboratorium? Wszak twoja praca nie należy właściwie do ciebie: wybrano cię dla zalet twojego umysłu i polecono ci przestać myśleć na własny koszt, a zacząć na cudzy. Niektórym sprawia to mniejszą trudność niż innym i ci zostają. Za braterstwo płaci się utratą niezależności. Ale ambicja to niepokorne zwierzę, trudno je okiełznać, więc znajduje sobie inne ujście – zamiast pracować solo, pracujesz w jednym pomieszczeniu z innymi, nieustannie marząc, że to właśnie ty dokonasz kluczowego odkrycia, właśnie ty znajdziesz odpowiedź, właśnie ty przedstawisz ją triumfalnie szefowi, on zaś będzie tak łaskawy i światły, że doceni twoje osiągnięcie. Taka nadzieja motywowała i utrzymywała przy życiu osoby znacznie godniejsze niż ja. Ale spełniała się tylko dla niewielu i ci nieliczni – którzy w nagrodę otrzymali własne laboratoria, własne szczepy komórek, własne referaty – to prawdziwi szczęściarze. Wszyscy jednak odznaczają się cierpliwością, a ja już pod koniec pierwszego semestru w laboratorium Smythe'a miałem pewność, że nigdy nie zdobędę się na taką cierpliwość ani na taką uległość.

Moja pewność brała się po części z tego, że nieswojo czułem się w kulturze laboratorium. Ówczesne laboratoria nie przypominały dzisiejszych. Nie obchodziło mnie zbytnio życie prywatne kolegów i ich pozazawodowe zainteresowania, ale źle znosiłem panujący w laboratorium konserwatyzm i fiksację na punkcie czystości. W owych czasach nauka uchodziła za domenę dżentelmenów. Była to wszak epoka Linusa Paulinga i J. Roberta Oppenheimera, dwóch wyjątkowych postaci, które mimo to obowiązywały specyficzny strój, bywanie na koktajlach i obyczaj romansowania. Geniusz nie zwalniał z ogłady towarzyskiej, tak jak zwalnia dzisiaj, gdy odmowa zachowywania podstawowych konwenansów, noszenia stosownego ubioru i przestrzegania określonej diety interpretowane są życzliwie jako dowody czystości intelektualnej i oddania życiu duchowemu.

Nie tak jednak było w przeszłości. Kiedyś nie dało się ignorować pozazawodowych zajęć i zainteresowań kolegów, ponieważ od każdego oczekiwano stosownych zachowań. O Turkach na przykład mówiono z uznaniem nie tylko dlatego, że wyróżniali się na uczelni bystrością, posłuszeństwem i subtelnością, ale też dlatego, że tak dobrze się prezentowali. Obaj mieli żony, które skończyły Radcliffe, obaj pochodzili ze znanych rodzin ze Wschodniego Wybrzeża, obaj byli dość przystojni i dobrze ubrani. A do tego mieli poważny stosunek do życia. Byli przekonani – tak samo jak ja – że to, co robią, jest poważne i istotne, a poczucie humoru wolno okazywać tylko przy stosownych okazjach (bankiety, proszone kolacje itp.), a i wówczas w skromnych dawkach. Poza wycieczkami do Europy z rodzicami (i zapewne z armią podczas wojny, co się przecież nie liczy) żaden z nich nie podróżował i nie tęsknił za podróżami. Przyjaźnili się z takimi samymi jak oni, takich samych też zatrudniali (Ulliver i Nesser zadośćuczynili za swoje dziwaczne skandynawskie nazwiska przezwiskami Skip i Trip) i żyli między laboratorium a domami w Cambridge i Newton. Tacy jak nasz Gruby Irlandczyk mogli nigdy nie wybiegać myślą poza czyszczenie mysich klatek i wycieranie moczu z laboratoryjnych podłóg i w pewnym sensie Turcy byli równie ograniczeni, równie pozbawieni wyobraźni: zakładali, że wielce przysłużą się ludzkości, i jest to z pewnością zamysł szlachetny, tyle że sam proces nigdy nie podniecał ich tak jak wynik i fantastyczne marzenie, że ich nazwiskiem ochrzczą dokonane przez nich odkrycie lub rozwiązanie. Ja wszedłem w naukę dla związanej z nią przygody, dla nich natomiast przygoda była czymś, co trzeba znieść na drodze do nieuchronnej wielkości.

II

Dopiero gdy przepracowałem w laboratorium sześć miesięcy, nadarzyła mi się okazja poznania Smythe'a. Widywałem go już rzecz jasna wcześniej, ale tylko przelotnie: gdy wpadał do laboratorium pogadać z Brassardem i Fitchem czy też złapać gazetę lub pismo ze swojego niepokojąco czystego biurka i wychodził z powrotem do świata poza laboratorium. Znałem go też ze zdjęć w gazetach i czasopismach. Od czasu do czasu któryś z moich profesorów pytał mnie o Smythe'a z wyraźną zazdrością. Jaką pracę daje mi w laboratorium? Co sam robi? Odpowiadałem zawsze zgodnie z prawdą, czyli nudno i mętnie, co ucinało rozmowę: kroję myszy, nie wiem. Gdybym sam wiedział, co o nim myślę, gdybym go podziwiał i chciał strzec jego pracy, pewnie bym kłamał i przedstawiał własną działalność w żywszych barwach.

Ale pewnego dnia Brassard zatrzymał się przy moim stole, gdy ścierałem o gazę mysie śledziony.

– Smythe to dla ciebie zostawił – powiedział, kładąc przy moim łokciu kopertę.

Powiedział to z dezaprobatą, ale Brassard wszystko mówił z dezaprobatą. Ściągnąłem rękawiczki i otworzyłem kopertę, typowy format do korespondencji biznesowej, z wypisanym na maszynie moim imieniem i nazwiskiem. Wewnątrz był liścik na pelurowym arkuszu – również napisany na maszynie, tak nieudolnie, że Smythe wystukał go chyba osobiście – z zaproszeniem na kolację w najbliższy piątek o godzinie osiemnastej trzydzieści. Smythe podpisał się na czarno wiecznym piórem, a atrament przesiąkł przez przebitkę, zamieniając podpis w czarną smugę. Dziś nie umiem sobie przypomnieć dokładnie, co pomyślałem o tym zaproszeniu. Pewnie mi pochlebiło – chociaż Brassard, który widać domyślił się treści listu, nie omieszkał mnie poinformować jeszcze tego samego dnia, że Smythe ma zwyczaj zapraszać r a z (podkreślił to słowo) na kolację każdego studenta medycyny, który pracuje u niego w laboratorium – ale dziwna rzecz: nie pamiętam, żebym był szczególnie przejęty. Ani szczególnie zaniepokojony. Nigdy nie było dla mnie jasne, czemu zawdzięczam staż w laboratorium Smythe'a, a poza tym już wtedy wiedziałem, że tam nie zostanę; brak zainteresowania potrafi uśmierzyć potencjalną nerwowość.

W piątek stawiłem się na kolacji u Smythe'a, w jego wysokim, wąskim domu z brązowej cegły na skraju kampusu akademii medycznej. Przed domem rósł czerwony klon japoński, teraz bez liści (był początek marca), ostrokrzew jeżył się drapieżnymi połyskliwymi listkami, a z aureoli ściółki wyzierała kępa żyłkowanych krokusów. Reszta ogrodu świeciła pustką usianą kruszoną korą. W aranżacji roślin nie dopatrzyłem się harmonii ani porządku: po prostu były. Wnętrze domu prezentowało się podobnie: w jednym kącie przedpokoju stało, ni w pięć, ni w dziewięć, japońskie *tansu* z łuszczącego się, pokrytego pęcherzykami drzewa kamforowego. W drugim, równie bezsensownie, tkwił staroświecki angielski drewniany sekretarzyk o słojach układających się w połyskliwe pręgi. Na zakurzonych podłogach leżały stare orientalne chodniki z frędzlami oblepionymi czymś, co wyglądało jak okruszki krakersów. Ściany były obwieszone czarnymi gablotami z filcową wykładziną, na której poprzyczepiano medaliony o zmatowiałym lub białawym połysku, rzeźbione potworki (gnom klaszczący wesoło w prymitywnie wycięte dłonie, statek z nieprzekonująco wydętymi żaglami) i kamee przedstawiające rozmarzone dziewczęta spoglądające gdzieś w bok z wyrazem pustki na twarzy. Te wszystkie niezborne dekoracje sprawiały, że dom tchnął ulotną aurą salonu wystawowego podrzędnej firmy aukcyjnej specjalizującej się w sprzedaży nieruchomości. Nic w nim nie współgrało z wrażeniem, jakie sprawiał Smythe, z jego włosami barwy brzozowej kory, pobrużdżoną twarzą, szybkim chodem, wysoką sylwetką i artykułami naukowymi. Każda ze ścian miała inny i dziwny kolor: fioletowobrązowy, zielononiebieski, limonkowy. Spodziewałem się beżów, brązów, ewentualnie łagodnych błękitów i nienagannego porządku, a nie domu ekscentryka, ponieważ Smythe nie był ekscentrykiem.

A jednak owego wieczoru wszystko przewrotnie wskazywało na to, że nim jest. Kolacja, kiedy ją wreszcie podał, była nie lepiej zorganizowana niż sam dom – jakby Smythe sklecił ją dziesięć minut wcześniej z resztek wygrzebanych z lodówki. Podał zupę pomidorową o gęstości sosu, mocno zalatującą keczupem, kurczaka tak niedogotowanego, że mięso pokrywała siatka czerwonych arterii, marchew z cebulą dla odmiany tak rozgotowaną, że rozmazywała się pod najlżejszym dotknięciem widelca, a potem drugą zupę – ta z kolei składała się chyba z samej gotowanej cebuli i porów, a zdobił ją śliski, nieapetyczny glut musztardy. Na deser zaś, co obwieścił z dumą, persymony, usadowione sztywno, po wschodniemu, na biało-niebieskich chińskich talerzykach, ale twarde jak niedojrzałe śliwki: gdy w końcu udało mi się jedną nadgryźć, miała smak kwaśnej trawy. To wrażenie skorygowałem dopiero po latach.

Siedzieliśmy przy stole tylko we dwóch: Smythe na głównym miejscu, od strony kuchni, a ja po jego prawej ręce. Przed każdym daniem Smythe zrywał się z krzesła, znikał za harmonijkowymi drzwiami, które miał za plecami, po czym wracał triumfalnie, niosąc dwa talerze. Gdy z zakupioną w ostatniej chwili butelką wina dochodziłem do jego domu, przyszło mi do głowy, że może Smythe zechce mnie odpytać – że ma to być rodzaj egzaminu. Nie obawiałem się, że nie zdam, lecz niespecjalnie podniecała mnie myśl, że miałbym siedzieć na wprost niego – i, jak przypuszczałem, jego rodziny – indagowany o opinie na temat aktualnych naukowych dylematów. Niepotrzebnie się jednak martwiłem, bo Smythe cały wieczór przegadał, od pierwszej chwili, gdy przekroczyłem jego próg, on zaś jedną ręką zdjął ze mnie płaszcz, a drugą podał mi szklankę do soku napełnioną brandy (nigdy nie przepadałem za brandy, która powleka zęby warstwą flaneli, więc wylałem zawartość szklanki pod roniący liście fikus w przedpokoju, gdy Smythe poszedł po dolewkę dla siebie), gadał przez cały czas kolacji, a potem przy kieliszku sherry, który postawił przede mną po deserze, a ja go wychyliłem, chociaż tęskniłem za czymś słodszym, co zneutralizowałoby smak persymony. Kieliszek do sherry był ciężki, z rżniętego kryształu; powoli obracałem go w palcach, śledząc świetlne plamki, które rzucał na przeciwległą ścianę o niezdrowym kolorze pergaminowej żółci.

Wieczór zaczął się niezobowiązującą pogawędką, do jakiej nie byłem ani przyzwyczajony, ani stworzony. Ulżyło mi zatem, kiedy się zorientowałem, że nic nie muszę mówić, a tylko uśmiechać się i od czasu do czasu kiwnąć głową. Gdy zasiedliśmy do stołu – odstawszy jakiś czas w przedpokoju z plastikowymi szklankami brandy w garściach, chociaż po lewej ręce widziałem bawialnię, nieoświetloną i najwyraźniej nieużywaną – Smythe rozgadał się o swojej pracy. Myślicie pewnie, że przez ponad dwie godziny słuchania go dowiedziałem się czegoś ciekawego lub mądrego, a przynajmniej inspirującego? Nic z tych rzeczy. Smythe, perorując na ciekawe tematy, potrafił je przedstawiać nie tylko nieciekawie, ale wręcz opacznie.

– Czy zechciałby pan – wpadłem mu w słowo, kiedy z zapałem wraził nóż w swój drób (cały posiłek pochłaniał z wigorem i wyraźnym zadowoleniem, nie zauważając nawet, że ja prawie nie tknąłem swojego) – opowiedzieć mi coś niecoś o swoich badaniach nad mutacjami wirusów?

Było to, bądź co bądź, podstawą jego teorii, dorobku życia. On jednak nie chciał mówić o badaniach – wolał gadać o ludziach, którzy rzucali mu kłody pod nogi: o dziekanie, o zastępcy dziekana, o tym czy owym koledze. Sypał tuzinami nazwisk, przedstawiając mi w detalach niecne sprawki swoich adwersarzy, którzy w końcu zostali upokorzeni i zmuszeni spojrzeć na Smythe'a innym okiem. Dziekan podobno przewrócił oczami na wieść o artykule w „Time". Zastępca dziekana początkowo odmawiał Smythe'owi miejsca w Chase Hall i próbował go usunąć do gorszego, mniejszego, ciemnego laboratorium na piątym piętrze. Ale Smythe z nim wygrał, czyż nie? Opowiadał mi to wszystko bez żalu, wręcz wesoło, nad zupą cebulowo-porową kapiącą mu z łyżki. Dyskusją naukową nie był zainteresowany. Nie przerywając wątku, przeprosił i wyszedł do kuchni, skąd wrócił z dolewką zupy, a raczej obu zup naraz, które mieszał końcem łyżki aż do otrzymania konsystencji pasztetu, po czym wetknął sobie serwetkę za kołnierzyk koszuli, by osłonić krawat. Przytrzymując serwetkę jedną ręką, szuflował do ust zupę i pomrukiwał z uznaniem.

Obserwowałem go i zastanawiałem się, co by na ten spektakl powiedzieli nasi Turcy. A może znali już prawdziwego Smythe'a? Lecz w takim razie czemu się go trzymali i jak mogli darzyć go szacunkiem? Czyżbym nie docenił granic ich tolerancji? Czy może był to ze strony Smythe'a pokaz przeznaczony wyłącznie dla mnie? Czy Turcy i młodsi pracownicy przyczaili się w ciemnej bawialni i z trudem powstrzymując się od śmiechu, oglądali ten teatr, którego byłem nieświadomym i niechętnym aktorem? Czy to w ogóle był dom Smythe'a? Gdzie jego żona – wiedziałem, że jest żonaty, zresztą na palcu serdecznym lewej ręki nosił cienkie złote kółko – i czemu w tych pomieszczeniach panuje taka martwota? Myślałem sobie, że gdybym tylko znalazł pretekst, by wejść do kuchni albo do salonu, od którego dzielił mnie przedpokój, znalazłbym tam jego prawdziwy dom, dom, w którym Smythe wypowiada się i zachowuje adekwatnie do naszych wyobrażeń o Wielkim Człowieku, a jego żona serwuje smaczne dania, gdzie życie Smythe'a wydałoby mi się sensowne i przestałbym czuć się jak antropolog we własnym mieście w obecności człowieka, który mnie zatrudnił i zaprosił do domu na kolację.

Gdy wypiliśmy sherry, na moment zapadła cisza i nareszcie zdołałem zabrać głos.

– Dlaczego przyjął mnie pan do pracy? – zapytałem.

– Ach – odrzekł Smythe po chwili milczenia. – No właśnie: dlaczego... – Westchnął, okręcił w palcach kieliszek i refleks przefiltrowanego przez kryształ światła przemknął po jego twarzy jak robaczek świętojański. – Nie jest pan dobrym studentem... jest pan rozkojarzony i arogancki. Wykładowcy uważają pana za niereformowalnego. – Wyrzekł to wszystko pogodnie, tym samym przyjemnym tonem, którym przed chwilą opowiadał mi o chybionych podchodach swoich wrogów. – Ale kiedy mi o panu opowiadali... – tu odwrócił się i spojrzał na mnie, a wówczas po raz pierwszy ujrzałem jego oczy podkrążone workami skóry, oczy o różowych twardówkach podobne do oczu myszy, którym codziennie wycinałem organy, by je następnie przesiewać – ...to przypomniałem sobie siebie w pańskim wieku. Jak rozpaczliwie chciałem uciec, jak bardzo czułem się nie na swoim miejscu, jak łaknąłem wolności i sławy. Pan i ja jesteśmy do siebie podobni.

„Ja wcale taki nie jestem" – chciałem zaprotestować, ale nie odezwałem się. Teraz dopiero spostrzegłem, że Smythe jest pijany. Od jak dawna? Czy był pijany, już kiedy otworzył mi drzwi? Nagle poczułem się głupio, jak dzieciak, i ogarnęło mnie zażenowanie. Dlaczego nigdy nie widzę tego, co mam przed nosem? Na czym polega trik rozumienia ludzi, którego ja jeden zdaję się nie znać? Smythe wydawał dziwne, gardłowe odgłosy. Przestraszyłem się, że się dławi, lecz gdy do niego podskoczyłem, stwierdziłem, że płacze, rozpłaszczywszy podbródek na wciąż wciśniętej za kołnierzyk serwetce, z dłońmi po dziecięcemu splecionymi na kolanach.

– O Boże – jęczał. – O Boże.

Nie wiedziałem, co robić. Mój płaszcz leżał na krześle obok, tam gdzie rzucił go Smythe. Porwałem go i uciekłem.

W poniedziałek nie poszedłem do laboratorium. Nie poszedłem też na wykłady. Zostałem w domu i czytałem, przeglądałem atlas i spisywałem listę miejsc, które chciałbym zwiedzić. Co pewien czas przypominało mi się, co Smythe o mnie powiedział, i dochodziłem do wniosku, że nie miał racji. Na myśl o tym, że płakał, odczuwałem litość zmieszaną z obrzydzeniem. Do jedzenia przyrządziłem sobie ulubione danie: gorącą owsiankę z surowymi jajkami. Nagle przyszło mi do głowy, że właśnie taką dziwną mieszaninę mógłby mi podać Smythe. Przeraziło mnie, że robię się do niego podobny, chociaż dopiero parę lat później – mniej więcej wtedy, kiedy poznałem prawdziwy smak persymony – zrozumiałem, dlaczego mnie to przeraża. Gorsze niż jego nędzne teorie i nauki było bowiem małe, niezrozumiałe samotnicze życie w tamtym dziwnym domu, gdzie nikt nie odwracał jego uwagi od miałkości jego egzystencji. Zaniepokoiło mnie to, czego się o sobie dowiedziałem: że mam takie małostkowe, nędzne lęki, że zniżam się do myślenia w sposób tak banalny i eskapistyczny.

Po kilku dniach moich smętnych deliberacji zadzwoniła sekretarka z uczelni z kąśliwym pytaniem, czy mam zamiar wrócić kiedyś na zajęcia, a po niej Brassard, który mnie świszcząco poinformował, że na dobrą sprawę popsułem Partonowi doświadczenie i mogę się więcej nie pokazywać w laboratorium. Z ulgą odłożyłem słuchawkę, bo podczas kolacji u Smythe'a ujrzałem laboratorium jako pułapkę – miejsce, w którym stanę się taki jak Smythe: niewolniczo przywiązany do własnych teorii, pozbawiony ideałów, przerażony perspektywą nadejścia dnia, w którym moje szalbierstwo wyjdzie na jaw. Tak przynajmniej sam sobie podsumowałem swoje lęki. Wyrzucili mnie, oznajmiając w dodatku, że się nie nadaję, że nigdy nie będę jednym z nich, a ja, słysząc te słowa, tę dymisję, zadrżałem z radości. Pomyślałem, że jestem bezpieczny – i przez dłuższy czas naprawdę byłem.

Nazajutrz wróciłem na zajęcia. Moi wykładowcy – niektórzy w dobrej komitywie z Turkami – najwyraźniej słyszeli już, że wyleciałem z laboratorium Smythe'a, ale o dziwo traktowali mnie teraz lepiej niż przedtem, chociaż nadal się nie wyróżniałem. O to jednak nie miałem do nikogo żalu, chociaż dawniej bywało inaczej. Przypominały mi się słowa Smythe'a – „Ale t e r a z do mnie wracają, t e r a z dają mi wszystko, czego zażądam" – i wzdrygałem się na samo ich wspomnienie. Przez cały następny rok uczęszczałem na zajęcia i siedziałem milczący w salach wykładowych, postanowiwszy uczynić siebie bardziej nijakim, niż w istocie byłem. To była moja pierwsza lekcja pokory, w laboratorium i w życiu*.

---

* Po zdyskredytowaniu jego pracy Smythe popadł w niełaskę, ale trudno nie dostrzec w tym jego własnej winy. Znany był z arogancji i miał wielu wrogów w świecie akademickim. Kiedy grunt zaczął palić mu się pod nogami, walczył zaciekle, obrażając swoich krytyków, zamiast z godnością usunąć się w cień. Ponieważ był etatowym profesorem, pozostał na Harvardzie aż do śmierci w roku 1979 (umarł zaś, jak na ironię, na raka wątroby), lecz był coraz mniej obecny na uczelni, a od roku 1968 pozostawał całkowicie na marginesie życia naukowego.

Tak jak podejrzewał Norton, Smythe miał rodzinę – żonę i dwie córki. Ciekawe, że to one, a nie on, są do dziś dobrze znane w kręgach kontrkulturowych, kierowały bowiem małą, działającą w podziemiu, lecz wpływową grupą feministyczną, którą założyły w roku 1967. Norton prawdopodobnie był na kolacji u Smythe'a wkrótce po tym, jak jego żona, poetka Alice Reeve, porzuciła go, zabierając dzieci, i uciekła do Kanady z kochanką, profesorką wykładającą poezję w Radcliffe College, Stellą Janovic. To jednak całkiem oddzielna historia.

III

Jedną z atrakcyjnych stron uczelni medycznej dla osób pozbawionych wyobraźni (czy też, mówiąc łaskawiej, mniej skłonnych do marzycielstwa) jest z całą pewnością brak możliwości wyboru. Oczywiście lekarz, czy pracuje z pacjentami, czy sam, z tkankami, musi podejmować dziesiątki decyzji dziennie, ale pytania większej wagi – o to, co zrobić w życiu – mają już z góry ustalone odpowiedzi. Nie trzeba myśleć, co przyniesie następny rok, gdyż kierunek wyznaczony został na długie lata, a jedynym obowiązkiem jest się go trzymać. College prowadzi do akademii medycznej, ta z kolei do stażu i stałego angażu, kiedy z kolei można wyjechać na stypendium, a następnie podjąć praktykę prywatną lub pracę w szpitalu bądź też w grupie badawczej. Tak jest teraz i tak samo było, gdy ja studiowałem medycynę.

W styczniu ostatniego roku studiów trapił mnie niepokój – uczucie zgoła mi nieznane i niepożądane. Nie miałem zamiaru pracować z pacjentami, więc gdy moi koledzy chodzili na wstępne rozmowy o stażu, przesiadywałem w pokoju jak kołek, czekając, aż moja przyszłość sama się wyklaruje. Z zażenowaniem wspominam swoją bierność i zgodę na to, by kierowały mną niewiedza i naiwność, wówczas jednak zdawało mi się to skutecznym stosunkiem do przyszłości, której sobie w ogóle nie wyobrażałem.

Po paru miesiącach tego paraliżu, jakoś w marcu – rok po katastrofalnej kolacji u Smythe'a – jeden z moich wykładowców, Adolphus Sereny*, zaprosił mnie pewnego dnia do swojego gabinetu w szpitalu.

– No, Perina – zaczął. – Co pan zamierza robić po dyplomie?

– Nie wiem, panie profesorze – odpowiedziałem.

Sereny przypatrywał mi się dłuższą chwilę, po czym westchnął. Był potężny, nalany, z płowym wianuszkiem włosów wokół ciemienia. Nigdy przedtem nie rozmawialiśmy poza zajęciami, w trakcie zajęć zresztą też niewiele.

– Coś się kluje – powiedział. – I wysunięto w związku z tym pańską kandydaturę.

– Co to takiego?

Znów westchnął. Teraz myślę, że nie z poirytowania, tylko dlatego, że był gruby i miał to w naturze. Gdy poprawiał się w fotelu, uchodziło z niego powietrze.

– Jest taki gość – powiedział – nazywa się Paul Tallent. Antropolog ze Stanforda, młody, ceniony. Twierdzi, że ma dowody na istnienie zaginionego plemienia żyjącego na wyspie U'ivu. Słyszał pan coś o tym? – Nie słyszałem. – Nie szkodzi. Jest to, jak zrozumiałem, gdzieś w Mikronezji, ale gdzie dokładnie, to będzie pan musiał sprawdzić w atlasie. Mała kropka na mapie. W każdym razie ten Tallent dostał jakiś prywatny grant, sensowną sumę, na wyjazd i badania. O ile oczywiście znajdzie to swoje plemię. – Znowu westchnął, tym razem chyba celowo. Ówcześni lekarze mieli dość niską opinię o antropologach, których, częstokroć słusznie, nie uważali za prawdziwych naukowców. – W jego ekipie, oprócz niego, rzecz jasna, będzie asystent i lekarz odpowiedzialny za pobieranie krwi i próbek, prowadzenie

---

* Jeden z największych ówczesnych chirurgów i biologów, Adolphus Gustav Sereny (1896–1974) należał do czołowych naukowców Szkoły Medycznej Uniwersytetu Harvarda, gdy studiował tam Perina. Z Periną połączyła go wówczas owocna, choć na koniec burzliwa relacja, o której dalej w tej opowieści.

dokumentacji i... – machnął pulchną dłonią – ...i tak dalej. Ma
tu u nas znajomych, przez których pyta, czy dałoby się przekonać jakiegoś młodego lekarza do wyjazdu z jego ekipą. Polecono pana. Jest pan zainteresowany?

Chyba po raz pierwszy w życiu zakręciło mi się w głowie.

– Tak, panie profesorze.

– Ale rozumie pan, Perina – rzekł Sereny z teatralną, a przez
to ekscytującą surowością – że to oznacza wyjazd na co najmniej cztery miesiące i zapewne nie starczy panu pieniędzy na
przyjazd do domu w trakcie? I że może nic nie wyniknąć z tej...
ekspedycji? Że może pan zmarnować kilka miesięcy życia na
pogoń za czyjąś mrzonką? Że ta wyspa, na której pan wyląduje,
to *terra incognita*? Że nie będzie tam wygód, mówiąc najoględ-
niej? Pan to wszystko rozumie?

– Tak, rozumiem – odrzekłem.

Sereny znowu westchnął, tym razem prawie smutno, chociaż to chyba niemożliwe, bo przecież ani mnie nie znał, ani nie
miał do mnie osobistego stosunku.

– Kiedy miałbym wyjechać? – spytałem.

– Mam informację, że Tallent chce wyjechać jak najprędzej,
może już w końcu czerwca. Ledwo pan zdąży obronić dyplom.

– To nie szkodzi – zapewniłem. Gotów byłem jechać nawet wcześniej; dyplom nic dla mnie nie znaczył. – Ale dlaczego
mówi mi o tym pan profesor? Dlaczego nie osoba od Tallenta?

– Ta osoba jest poza miastem, ale poprosiła mnie, żebym
z panem jak najprędzej porozmawiał.

– Kto to jest? – spytałem, chociaż znałem już odpowiedź.

– Gregory Smythe – potwierdził mój domysł Sereny*. Przyjrzał mi się ponownie, tym razem z niedowierzaniem. – Bardzo
dobrze się o panu wyrażał.

---

* Osoba ta działała właściwie przez pośrednika. Kolega Tallenta z Uniwersytetu Stanforda – a nie sam Tallent – przyjaźnił się ze Smythe'em.

* * *

To, że Smythe zaproponował moją kandydaturę, wtedy mnie nurtowało. Dopiero po wielu latach, gdy już miałem własne laboratorium, zrozumiałem, że polecił mnie do zadania, które miało mnie od niego oddalić, wykluczając niebezpieczeństwo spotkania na kampusie i skrępowania na mój widok – wszak płakał w mojej obecności i poczęstował mnie osobliwym posiłkiem, o którym mógłbym opowiedzieć chyba tylko jaskiniowcom z nosami przekłutymi zwierzęcą kością. Zanim jednak pojąłem jego motywację, nie znajdowałem nic na usprawiedliwienie wyrachowania Smythe'a i żywiłem do niego tylko litość, zwłaszcza gdy jego kulawe życie przybrało jeszcze smutniejszy obrót. (Może najwięcej o college'u medycznym, i o Smycie też, powie to, że moją delegację postrzegano – mam na myśli przynajmniej Turków i im podobnych – jako upokarzającą karę, a fakt, że ją przyjąłem – jako rodzaj zawodowego samobójstwa, ostateczny dowód mojej głupoty albo nieprzystosowania, albo obu tych rzeczy naraz).

Kilka następnych miesięcy minęło szybko. Nie denerwowałem się, nie martwiłem; chodziłem na zajęcia, a popołudniami wracałem do domu spokojny i z lekkim sercem. Pakować się zacząłem z kilkudniowym wyprzedzeniem, gromadząc w brezentowym plecaku przyszłe narzędzia pracy: spirometr, termometr, ciśnieniomierz i stetoskop, młoteczek do badania odruchów i mały przenośny mikroskop. Miałem skrzyneczkę z cedrowego drewna, nieco większą niż pudełko od cygar, na drobiazgi – guziki, śrubki, pinezki i gumki recepturki – którą teraz opróżniłem, żeby w niej zmieścić dwa tuziny szklanych strzykawek powijanych w gazę i tuzin zapasowych stalowych igieł oraz metalową flaszeczkę z laboratoryjnym płynem do dezynfekcji. Paul Tallent przysłał mi krótki list z potwierdzeniem i instrukcją: miał na mnie czekać dwudziestego czerwca (w dzień po obronie dyplomu, jak się okazało) na Hawajach, skąd mieliśmy odlecieć wojskowym samolotem transportowym, który po drodze do Australii zboczy lekko, aby nas wysadzić na Wyspach Gilberta*, stamtąd zaś przeprawimy się na U'ivu. Poza tym list zawierał niewiele użytecznych informacji: ani słowa o tym, co zabrać, czego należy się spodziewać, jaki charakter mają badania czy choćby o samej wyspie. Gdy po paru miesiącach, już na U'ivu, rozłożyłem przed sobą swój sprzęt, zdziwiłem się, jak dalece fałszywe miałem wyobrażenie o tamtejszych potrzebach, jak grubo się przeliczyłem – do tego stopnia, że wyjeżdżając, zostawiłem w dżungli U'ivu większość bagażu: książki, kurtki, buty, a nawet siatkę na motyle, które tubylcom były równie zbędne jak mnie.

W pewnym sensie jednak nie mogę mieć do siebie pretensji, gdyż moja ignorancja wynikała w przeważającej mierze z tego, że świat nic nie wiedział o U'ivu. Zaraz po wyjściu z gabinetu Sereny'ego udałem się do biblioteki, żeby przejrzeć atlas, ale chociaż miałem współrzędne, odnalezienie wyspy zajęło mi dobrych parę sekund, w trakcie których błądziłem palcem po stronicach błękitnego oceanu. Wreszcie je znalazłem: trzy małe przecinki jasnej zieleni ułożone jak trzy szpice zębatego sopla, którego topografia była niejasna, położone niespełna tysiąc mil na wschód od Tahiti. Dalsze studia odkryły przede mną garstkę faktów, z których każdy był po swojemu interesujący, lecz wszystkie razem nie składały się w żadną całość. Kraj ten, jak wyczytałem, nigdy nie został skolonizowany. Jego mieszkańcy, tak jak Hawajczycy, przybyli najprawdopodobniej z Tahiti na łodziach typu kanoe jakieś pięć tysięcy lat temu. Była to kultura myśliwsko-rybacka; wszystkie dzieci, tak chłopcy, jak i dziewczynki, miały za zadanie zabić dzika przed ukończeniem czternastu lat** (sposobu zabijania encyklopedia

94 |

---

* Obecnie Kiribati.

** Ten popularny mit łączy zapewne dwa fakty: to, że chłopiec u'ivuański otrzymuje włócznię na czternaste urodziny, i to, że pierwszy król tych wysp, Ulolo Potężny – który około roku 1645 zjednoczył liczne plemiona nie podawała). U'ivuanie mieli króla, Tuimai'ele, który posiadał trzy żony i trzydzieścioro dzieci, mieszkał zaś w drewnianym pałacu w stolicy kraju, miejscowości Tavaka. Nie był to kraj bogaty, ale ziemie miał żyzne i jedzenia nigdy nie brakowało. Tamtejszy lud słynął z agresywności, a opowieści o jego umiłowaniu brutalnych metod i skłonności do okrucieństwa rozniosły się daleko za morze – tak daleko, że U'ivu było jedynym krajem, który kapitan James Cook celowo ominął w swojej podróży przez Pacyfik w roku tysiąc siedemset osiemdziesiątym siódmym. („Zajadłość Weevooan – pisał rok wcześniej w liście do przyjaciela – peszy załogę, a jako że żegluga jest trudna, nie będziemy tam zawijać").

Wszystko to wyczytałem w encyklopedii, ale nie we wszystko mogłem uwierzyć: drewniany pałac, król z trzydzieściorgiem dzieci, zabijanie dzika – brzmiało to jakoś dziwnie znajomo, jak echo dawnej lektury, powiedzmy jakiejś opowieści Kiplinga o dalekim, alegorycznym kraju. Chociaż nie byłem jeszcze dość obyty w świecie, żeby to udowodnić, już wówczas podejrzewałem, że najdziwniejsze szczegóły są najbardziej przyziemne i że to, co opowiadamy innym, żeby ich zaszokować, jedynie uodparnia ich na rzeczy prawdziwie niezwykłe. Co do tego się nie omyliłem.

---

rozrzucone po archipelagu i którego dzieło dokończył stulecie później król Vaka I – zabił podobno dzika gołymi rękami przed ukończeniem czternastego roku życia. Od tamtej pory dzik zajmuje centralne miejsce w życiu U'ivuan jako ceniony towarzysz łowów i symbol kultury agresywnej wobec świata zewnętrznego, chociaż jednocześnie zabicie lub oswojenie dzika uchodzi za doniosłe osiągnięcie i dowód siły oraz dzielności wojownika. Z gruntu paradoksalny status dzika – będącego zarówno przyjacielem, jak i wyzwaniem – nigdy nie niepokoił U'ivuan.

Część III

Marzyciele

I

Czerwiec był dla mnie miesiącem niepodobnym do wszystkich innych, które przeżyłem: codziennie kładłem się wcześnie, aby móc choć przez parę minut pomyśleć o tym, co zobaczyłem i poczułem. Ostatecznie zrezygnowałem z dyplomu i wyjechałem na Hawaje dwa tygodnie przed umówionym spotkaniem z Tallentem. W przeddzień mojego wyjazdu z Cambridge, wieczorem (który już nazajutrz zniknął z mojej pamięci, równie szybko i bez śladu, jak znika sól w gorącej wodzie), Owen przyjechał do mnie z New Haven. Nasze pożegnanie okazało się nieudane – Owen był oschły i jakby zły na mnie, ale zgodził się przechować część moich rzeczy (książki, papiery, zimową kurtkę ciężką jak nieboszczyk), niepotrzebnych mi w podróży. Umówiliśmy się, że będziemy do siebie pisać, lecz widziałem po jego minie, że wątpi w to nie mniej niż ja. Dopiero gdy podaliśmy sobie ręce i Owen wyszedł z kufrem moich rzeczy, żeby złapać ostatni pociąg do New Haven, zadałem sobie pytanie, jak będzie wyglądało moje życie tak daleko od niego; to prawda, że im byliśmy starsi, tym mniej rozmawialiśmy (co wydawało się tyleż nieuchronne, ile tajemnicze), ale Owen był jedynym człowiekiem, który mnie znał, przechowywał wspomnienia o mnie ze wszystkich lat, bo i dla niego była to połowa życia. Żal minął jednak szybko, za szybko, bo tak mi było pilno rozpocząć nową egzystencję. Jakże łatwo było wtedy uwierzyć, że wcześniejsze życie stanowiło tylko długą, nudną próbę rzeczywistości, którą trzeba jakoś znieść, przetrzymać, że był to pozór życia, a nie samo życie.

Miałem bilet na pociąg do Kalifornii, gdzie wsiadłem na statek na Hawaje. W tamtych czasach Honolulu było jeszcze cichym kolonialnym przyczółkiem, ze wszystkimi właściwymi takim miejscom smaczkami i stereotypami: kiedy statek wpływał do portu, na brzegu stały grupki grubych wesołych muzykantów brzdąkających swoje tęskne piosenki na ukulele, a bosonodzy chłopcy, pół Azjaci, pół nie-wiadomo-co, z uśmiechem nagabywali schodzących z pokładu pasażerów o drobniaki.

Miałem załatwiony pokój w akademiku tamtejszego uniwersytetu, ponieważ jednak przyjechałem przed ustalonym terminem, akademik był pełny, a jakieś łóżko miało się zwolnić dopiero następnego wieczoru. Zostawiłem tam więc tylko bagaż i wziąłem taksówkę do Waikiki, gdzie przespacerowałem się po piasku aż do Diamentowej Głowy, plażami, które przechodziły jedna w drugą. Z tyłu dobiegały mnie chwilami odgłosy z barów – chóralny męski śmiech, lokalna muzyka. Od czasu do czasu przystawałem i wsłuchiwałem się w klekot liści palmowych i w ocean, w jego nieustępliwą, samotną rozmowę z samym sobą, którego to odgłosu – o czym wtedy jeszcze nie wiedziałem – miałem nie usłyszeć potem przez długie miesiące. Szedłem tak, a nad głową miałem księżyc, który tutaj zdawał się bielszy, okrąglejszy i jaśniejszy niż w Bostonie, a kiedy się zmęczyłem, ległem pod drzewem i zasnąłem, wzorem innych ludzkich cieni, które napotykałem, brnąc przez piasek.

Następnego dnia zapuściłem się do śródmieścia, w dzielnicę ładnych domów w stylu kolonialnym. Ale najwspanialszą rzeczą, jaką tam widziałem, nie była budowla, nie skromny przysadzisty pałac zajmowany niegdyś przez skromną przysadzistą królową, lecz rosnące przed pałacem drzewa: prastare drzewa prysznicowe, porośnięte liśćmi jak brzoskwiniowe płatki, wirującymi wokół gałęzi łagodnym śnieżnym cyklonem. W chińskiej dzielnicy obchodziłem łukiem łachmaniarskie postacie śpiących na bruku mężczyzn o czarnych podeszwach stóp poznaczonych bliznami i ranami, aż wreszcie znalazłem bar z otwartym wejściem. Chinatown to nie było miłe miejsce: z ciemnych wnętrz smętnych budynków odciętych od świata okiennicami sączył się jak trucizna kiepski jazz. Słońce grzało jednak mocniej, niż się spodziewałem, więc zachciało mi się pić.

Barman miał twarz tak płaską, jakby ktoś chwycił go za uszy i rozciągnął w obie strony, i tak spaloną słońcem, że napięta skóra lśniła na niej jak na zbyt długo duszonym w maśle kurczaku. Domyśliłem się, że to Chińczyk, w każdym razie ktoś rasy orientalnej, bo miał skośne oczy o nawisłych powiekach – nie zgadzały się tylko czarne włosy, szorstkie i falujące. Zamówiłem szklankę wody gazowanej. Przyglądał mi się, gdy ją wychylałem.

– Skąd jesteś? – zagadnął w końcu.

– Z Bostonu – odparłem.

| 101

Zauważyłem, że brakuje mu lewego kciuka, którego kikutem machał z wigorem, niczym pies przyciętym ogonem.

Moja informacja nie zrobiła na nim wrażenia, ale ponieważ w barze nie było nikogo innego, z kim mógłby pogadać, napełnił mi bez proszenia opróżnioną szklankę i spytał:

– Na długo tutaj?

– Nie – zaprzeczyłem. Otrzymawszy wreszcie coś do picia, mogłem w spokoju rozejrzeć się po sali, która miała niski strop i drewniany laminowany bar, lepki od wieloletniego dymu, rozlanych płynów i tłuszczu. – Wybieram się na U'ivu.

Ku mojemu zdumieniu kiwnął głową, gdy wspomniałem o tym kraju, a kiedy zapytałem go, co o nim wie, zaśmiał się i rzekł:

– Dobrzy myśliwi. Dziki. – Ponownie napełnił mi szklankę. – Budzą strach. – Nie było dla mnie jasne, czy ma na myśli ludzi, czy dziki. On zaś dodał prawie czule: – Straszni gwałtownicy.

Czekałem, aż powie coś więcej, on jednak zaczął nucić meandryczny, tęskny motyw, dziwnie wzruszający na tle brzydoty baru, a gdy upewniłem się, że nic już nie powie, dopiłem, zapłaciłem i wyszedłem z powrotem w słońce.

Podobnie spędziłem kilka następnych dni: jeździłem taksówkami na liczne plaże tej wyspy. Z daleka wszystkie były jednakowo piękne i nie do odróżnienia, a z bliska każda inna: na jednej piasek był tak drobniutki, że otrzepawszy kurtkę i spodnie, wytrząsałem go z ubrania i włosów jeszcze na drugi dzień; na innej stąpałem po terenie zaminowanym maleńkimi, niewidocznymi w piasku szyszkami opadłymi z rosnących wzdłuż plaży niezgrabnych, kosmatych drzew żelaznych i przy każdym kroku czułem nieunikniony lekki ból; jeszcze inną pokrywał piasek o barwie i fakturze wilgotnego cukru trzcinowego, który lepił się do nóg. Któregoś popołudnia zajrzałem do biblioteki w centrum, gdzie bibliotekarka pomogła mi znaleźć starą, oprawną w płótno księgę o U'ivu. Okazało się, że jest to album z obrazkami – hawajski elementarz wydany w roku tysiąc osiemset siedemdziesiątym pierwszym przez Akademię Misjonarską w Honolulu: każdą stronę zajmował prosty drzeworyt i kilka linijek tekstu. Ponieważ tekst był w języku hawajskim, nie mogłem go przeczytać, a obrazki – dzik o oczach jak czarne paciorki i ekstrawagancko zawiniętych kłach przypominających staromodne wąsiska, uśmiechnięty gruby król z nagim torsem dzierżący coś na kształt miotełki z piór na długim kiju, guzkowata torpeda, w której rozpoznałem patata – zamiast przybliżyć mi U'ivu, jeszcze bardziej odsunęły ten kraj w dziedzinę fantazji, jakby naprawdę istniał tylko w bajkach dla dzieci.

Aż wreszcie nadszedł dzień, w którym miałem się spotkać z Tallentem. Przysłał on telegram do akademika, w którym nocowałem, z podaniem godziny swojego przyjazdu i propozycją spotkania w hallu o szóstej wieczorem. Następnego dnia o ósmej rano mieliśmy opuścić Hawaje. Lot na Wyspy Gilberta miał trwać dziewięć godzin, stamtąd zaś czekała nas trzygodzinna przeprawa na U'ivu.

Denerwowałem się przed spotkaniem z Tallentem, i to bardzo. Zazwyczaj nie miewałem problemu z zawieraniem nowych znajomości, zresztą zaproszono mnie do tej pracy: byłem lekarzem, niezbędnym (tak sobie wmawiałem) w jego przedsięwzięciu. Ale była to fałszywa pewność siebie, bo przecież wiedziałem – chociaż nie chciałem przyznać sam przed sobą – że to Tallent pozwolił mi marzyć o przygodzie, że gdyby nie on, siedziałbym teraz w Bostonie, bezrobotny, uziemiony, żebrzący o drugorzędny staż w trzeciorzędnym szpitalu. Na krótko przed szóstą ubrałem się (przywiozłem nawet garnitur, jedną z pierwszych rzeczy, które potem porzuciłem) i zszedłem do hallu z chłodną betonową posadzką, na której stały dwie bambusowe sofy z pomarańczową tapicerką, a pomiędzy nimi leżała brudna pleciona mata z liści palmowych.

Ktoś tam już siedział, pochylony nad książką. Kiedy podszedłem, podniósł wzrok.

Nie ma zadowalającego ani odkrywczego sposobu na opisanie piękna, zresztą byłoby to dla mnie żenujące. Poprzestańmy na tym, że Tallent był piękny, co mnie z miejsca onieśmieliło. Nie wiedziałem nawet, jak się do niego zwracać. Paul? Proszę pana? Panie profesorze? (Na pewno nie!). Piękni ludzie wywołują obezwładniający podziw nawet u tych, którzy mają się za nieczułych na aparycję, a towarzyszą temu lęk, swoista rozkosz i nagła przykra świadomość własnej ułomności. Nie, ani inteligencja, ani wykształcenie, ani pieniądze nie mogą dorównać pięknu ani go przewyższyć czy zanegować. W ciągu wlokących się nieznośnie miesięcy, które spędziłem u boku Tallenta, jego uroda była na przemian torturą i pociechą: to jej się poddawałem, delektując się jej bliskością, to – z gorszym skutkiem – usiłowałem się jej przeciwstawić, co było równie bezowocne i bezsensowne jak próba przekonania samego siebie, że cukier jest słony.

– Paul Tallent – przedstawił się niepotrzebnie, gdy gapiąc się na niego, wymamrotałem słowa powitania. Podaliśmy sobie ręce. – Widzę, że dotarł pan szczęśliwie.

Odpowiedziałem chrząknięciem. Staliśmy na samym skraju brudnej maty. Tallent był ode mnie wyższy o parę centymetrów. Gapiłem się na swoje buty.

– A więc jest pan gotów do drogi – ciągnął.

Skinąłem głową.

– No to bardzo się cieszę, że będę miał pana w tej misji – dokończył.

Zauważyłem, że ma szczególny sposób mówienia: jego zdania nie kończyły się pytajnikiem ani wykrzyknikiem, a mimo to głos nie był bezbarwny, lecz tajemniczy, nasycony, taki jakiś gęsty – budził skojarzenie ze zwartym lasem rozmaitych drzew, dumnych, majestatycznych i wspaniałych. Głos ten nie zdradzał niczego – ani aprobaty, ani radości, ani lęku, ani gniewu – lecz doprowadzał do szaleństwa obietnicą tajemnic. Chciałem słuchać go dłużej, ale bałem się o cokolwiek zapytać, bo nagle zapomniałem języka w gębie.

– A więc – rzekł wreszcie Tallent, niewątpliwie zaniepokojony moim milczeniem – zobaczymy się jutro rano.

W tej samej chwili uprzytomniłem sobie, co mogłem powiedzieć – „Ma pan ochotę na kolację?" – ale on zdążył już oczywiście odejść i stałem w hallu sam.

* * *

Bliżej przyjrzałem się Tallentowi podczas lotu samolotem*. Był to samolot wojskowy, tak masywny i pękaty, że gdy stał w hangarze,

---

* Ze wszystkich postaci, które zaludniają ostatnie półwiecze antropologii, Paul Joseph Tallent (1916-?) był chyba najbardziej fascynujący i tajemniczy. Uważany za potomka kobiety z plemienia Siuksów, wychowywał się od niemowlęctwa w Sierocińcu dla Chłopców pw. Świętego Józefa, w miasteczku Cloud Prairie nieopodal Pierre, w Dakocie Południowej (samo miasteczko jest teraz, pod zmienioną nazwą, przedmieściem stolicy stanu). Św. Józef był ochronką katolicką, wychowującą nieproporcjonalnie dużą liczbę małoletnich Indian. Placówka ta słynęła z kształcenia zawodowego, przygotowując do wielu profesji, w tym do hydrauliki i stolarstwa. Tallent zwrócił jednak na siebie uwagę jednego z nauczycieli, brata Piotra przypominał niezdolnego do lotu ptaka dodo. Tallent, ja i nasze bagaże dzieliliśmy kabinę ze skrzyniami pełnymi sprzętu wojskowego, bo innych pasażerów nie było. Z powodu ryku silników rozmowa – ku mojej uldze – była niemożliwa, więc po paru

---

(który w świeckim życiu nazywał się Michael Tallent, więc to niewątpliwie od niego wziął nazwisko mały Paul, któremu drugie imię, Joseph, nadano automatycznie, jak wszystkim wychowankom św. Józefa), który stał się jego mentorem i załatwił mu stypendium w katolickiej szkole z internatem im. Świętego Franciszka w Pierre. Tallent został tam prymusem, a później bez trudu dostał się najpierw do Dartmouth (rocznik 1937), a następnie na Uniwersytet Chicagowski, gdzie w roku 1941 obronił doktorat (podobnie jak Norton był zwolniony ze służby wojskowej, z niewiadomych jednak względów). Istotnie, jak zauważa Norton, był bardzo przystojny, co niewątpliwie wzmogło romantyczną aurę, która miała go otoczyć.

W Tallencie z miejsca rozpoznano geniusza, najpierw w Chicago, gdzie został po doktoracie i wykładał przez trzy lata, a potem na Uniwersytecie Stanforda, który miał się stać na zawsze jego uczelnią. Jeszcze w Chicago Tallent znalazł mentora w osobie słynnego antropologa Leo DuPlessiksa, który badał wówczas rytuały prokreacyjne ludu Hawawa – małego plemienia zamieszkującego dżungle Papui-Nowej Gwinei. To bez wątpienia DuPlessix odpowiada za skłonności intelektualne Tallenta i jego wybór dziedziny zainteresowań. Sądzi się, że DuPlessix, który zmarł w roku 1943, towarzyszył Tallentowi w pierwszej wyprawie na U'ivu pod koniec roku 1941, nie ma jednak co do tego pewności, gdyż brak potwierdzeń tego faktu w dokumentacji DuPlessiksa.

Głównym spośród wielu problemów, na które natknęli się późniejsi biografowie Tallenta i naukowcy, był brak jego osobistych dzienników i zapisków. Większość badaczy niechętnie daje wiarę temu, że Tallent, który tak skrupulatnie dokumentował każdy szczegół swoich dociekań, nie pozostawił osobistego dziennika lub przynajmniej korespondencji. Brak takich tekstów, w połączeniu z pracą Tallenta i jego po dziś dzień niewyjaśnionym zniknięciem (o którym Norton napisze dalej), spotęgował rzecz jasna otaczającą go legendę, toteż od lat kilku historyków pracuje nad jego definitywnymi biografiami. (W związku z czym Norton, który należał do najbliższych współpracowników Tallenta w najważniejszym okresie jego działalności naukowej, jest często proszony o wywiady i opinie). Moim jednak zdaniem biografia Tallenta to zadanie raczej dla powieściopisarza niż dla historyka: wśród niewiadomych mamy bowiem orientację seksualną, pochodzenie, dzieciństwo, życie uczuciowe (o ile je miał), no i naturalnie okoliczności śmierci. Postać Tallenta stanowi żyzny grunt dla wszelkiej maści teorii spiskowych, a margines liberalnej społeczności artystycznej czci go wręcz jako mistyka.

| 105

zdawkowych uśmiechach Tallent przez jakąś godzinę pisał coś w notesie, po czym przymknął oczy i zapadł w drzemkę.

Nigdy nie przykładałem wielkiej wagi do swojego wyglądu – do czasu spotkania Tallenta uważałem swoje ciało za użyteczny wehikuł, a na pewno nie za twór, który jest w mojej mocy kształtować, zmieniać i doskonalić. Jednak patrząc na Tallenta – którego włosy, oczy i skóra miały ten sam ciemnozłotawy odcień brandy, który miał wyjątkowo białe, równe zęby nadające uśmiechowi wilczą urodę – musiałem uświadomić sobie własne ułomności: wystające kolana, kartoflaną cerę, niesforną czuprynę. Na komiczną niedorzeczność zakrawała myśl, że Tallent i ja należymy do tego samego gatunku, okrucieństwem zaś było to, że on stanowił zwierciadło ludzkiej doskonałości, w którym ja mogłem tylko liczyć własne niedostatki. Przez resztę lotu gapiłem się na niego, życząc sobie w duchu, aby otworzył oczy, i jednocześnie bojąc się tego, czując niesmak, wywołany przez ból, i jednocześnie radość. Gdy wreszcie samolot wylądował i Tallent się poruszył, byłem wykończony i uskrzydlony, przepojony słodkim, tajemnym smutkiem.

– Następna stacja: U'ivu – powiedział Tallent, gdy schodziliśmy z pokładu samolotu, i odniosłem wrażenie, że jest szczęśliwy. Ja też byłem szczęśliwy.

Z Wysp Gilberta przelecieliśmy na U'ivu bzyczącą jak komar awionetką, której śmigła zmierzwiły przy lądowaniu potężne parasole palm. Samolocik zatoczył niski łuk wzdłuż zakrzywionej linii górskiego łańcucha na granicy oceanu z lądem; spojrzałem na horyzont i nie umiałem ustalić, gdzie kończy się niebo, a zaczyna woda – wszystko było olśniewającym, niewyraźnym zalewem błękitu, zuchwałego błękitu bez nazwy, nachalnego i jednolitego tak, że musiałem przymknąć oczy.

U'ivu, jak już wspomniałem, jest grupą trzech wysp, z których tylko dwie były wówczas oficjalnie zamieszkane. Pierwszą z nich była U'ivu, główna wyspa, w kształcie bagietki, o długości ponad trzydziestu kilometrów i szerokości połowy tego, rozdzielona wzdłuż zwartym pojedynczym łańcuchem gór Ta'imana. Tam właśnie mieszkał król, a także większość trzydziestopięciotysięcznej populacji kraju. Około stu kilometrów na wschód od U'ivu leżała druga wyspa, Iva'a'aka, o podobnym kształcie i rozmiarach, z tym że całą jej północną część tworzył niezdobyty mur klifów – nawet z nieba widać było, jak fale rozbryzgują się o nie w białe pióropusze ulatujące w górę niczym garście pierza, a nad ostrymi szczytami z wulkanicznej lawy krążą szerokoskrzydłe ptaki. Za to resztę Iva'a'aka pokrywały miękkie zielone wzgórza, wykorzystywane pod uprawy. Lecieliśmy nad połaciami schludnie wydzielonych pól usianych ledwo widocznymi kropkami zieleni i żółci.

– Taro – powiedział Tallent, wskazując jedno pole, a potem: – Pataty.

– Jak pan je rozpoznaje z takiej odległości? – spytałem. Mnie rzędy upraw wydawały się wszystkie takie same.

Wzruszył ramionami.

– Jakoś poznaję – odrzekł, a ja zawstydziłem się swojego pytania.

Przelecieliśmy nad skupiskiem chat, prostych konstrukcji o rozpoznawalnych nawet z góry dachach z liści palmowych; niekiedy trafiał się dom drewniany, ale na Iva'a'aka pracowali głównie rolnicy sezonowi i niewielu było na tej wyspie stałych mieszkańców. Tylko nadzorcy plantacji – właścicielem wszystkich farm był bowiem król, a całą produkcję oddawano rządowi, który rozdzielał ją pomiędzy obywateli U'ivu – mieszkali na Iva'a'aka przez okrągły rok, jak objaśnił Tallent. Zbieracze, hodowcy i ogrodnicy pracowali tam na trzymiesięczne zmiany, po których wracali łodziami do swoich domów i rodzin na głównej wyspie. Samolot dał nura w powietrzu, a gdy znowu spojrzałem w dół, dostrzegłem na jednym z pól brązową smugę.

– Dziki – oznajmił Tallent.

Odwróciłem się, żeby ną nie popatrzeć. A więc to były te słynne u'ivuańskie dziki: nawet z wysoka widać było, że są monstrualnie wielkie. W stadzie musiało ich być ze sto sztuk, a biegnąc, wzniecały wokół siebie fontanny ziemi – optyczne echo fal rozbijających się o klify.

– A to jest Ivu'ivu! – krzyknął do mnie Tallent.

Popatrzyłem za jego wskazującym palcem. Kąt widzenia nie był najlepszy, kucnąłem więc na fotelu, żeby się lepiej przyjrzeć miejscu, w którym spędzę kilka następnych miesięcy życia – Zakazanej Wyspie, która miała teraz stać się naszym domem. Nagle jednak samolot znów zawrócił i obniżył lot: byliśmy z powrotem nad U'ivu.

– To jest południowa strona wyspy – oznajmił Tallent, przekrzykując terkot silnika. – Tutaj wylądujemy.

Tak też się stało: samolot osiadł, podskakując na wybojach, które potem okazały się wzgórkami porośniętymi trawą. Pas startowy był nim tylko z nazwy, gdyż tworzyła go po prostu podłużna połać gołej ziemi – to tutaj lądowały nieliczne samoloty.

Gdy wyładowywaliśmy z luku bagaże, spostrzegłem niską, korpulentną postać, która zmierzała ku nam, a kiedy podeszła na jakieś sto metrów, zawołała:

– Paul!

Wówczas zorientowałem się, że to kobieta.

– Esme! – odkrzyknął Tallent z uśmiechem, który mnie speszył i zasmucił przelotnym wyrazem szczęścia.

Kobieta podeszła bliżej i padli sobie w ramiona. Potem nastąpiła krótka wymiana zdań w obcym języku, który brzmiał jak seria wystrzałów, a na koniec roześmiali się oboje – po raz pierwszy usłyszałem śmiech Tallenta.

– Och, przepraszam, Norton – zmitygował się Tallent (wyglądało na to, że on będzie mówił do mnie Norton, a ja do niego Tallent, chociaż niczego takiego nie ustaliliśmy). – Esme, to jest nasz doktor – przedstawił mnie – Norton Perina. Nortonie, poznaj Esme Duff, moją asystentkę.

– Ach, Norton – powtórzyła Esme. – Witaj, Nortonie! Witaj na U'ivu. Byłeś już kiedyś na Pacyfiku?

– Nie – odparłem.

– No to czeka cię wielka niespodzianka. A nawet seria wielkich niespodzianek – rzekła ze śmiechem.

– Nie wątpię – powiedziałem.

– Esme jest prawdziwą znawczynią U'ivu – poinformował mnie Tallent, a Esme uśmiechnęła się i dumnie wypięła pierś. – Mówi ich językiem o wiele lepiej niż ja*, więc załatwia nam przewodników i w ogóle wszystko. Nie obejdziesz się bez niej.

– Nie wątpię – powtórzyłem, obiecując sobie w duchu dwie rzeczy: po pierwsze, znienawidzić Esme Duff, po drugie, zastąpić ją za kilka miesięcy w roli osoby, którą Tallent uważa za eksperta.

* * *

Bardzo byłem dla siebie łaskawy, wyznaczając sobie tak odległy termin przewyższenia Esme użytecznością i wiedzą, albowiem najbliższe dwa dni okazały się zwariowane i oszałamiające. Po pierwsze, bardzo szybko stwierdziłem, że na U'ivu nie ma samochodów: z pola, na którym wylądowaliśmy (użyczonego nam łaskawie przez króla, jak mnie pouczyła Esme, dodając, że król ćwiczy na tym polu łowy na dzika, co wyglądało tak, że zaganiano na pole tuzin dzików, a król szarżował na nie konno, wbijając włócznie w chude, zgarbione grzbiety zwierząt), przenieśliśmy bagaże na konie, również użyczone przez króla i poprzywiązywane do palm na skraju lądowiska. Nawet te konie – sporo niższe od znanych mi wierzchowców,

| 109

_____

* To akurat nie było prawdą. Duff wykładała wprawdzie wówczas na Wydziale Antropologii Uniwersytetu Stanforda (jej specjalnością było życie wsi mikronezyjskiej) i towarzyszyła Tallentowi w dwóch wcześniejszych wyprawach na U'ivu, ale nigdy nie uchodziła w środowisku za lingwistkę, a jej znajomość języka U'ivu późniejsi naukowcy ocenili jako najwyżej podstawową. Ona sama jednak nie kwapiła się prostować nieporozumień dotyczących jej biegłości językowej.

krótkonogie i szerokie w kłębie, trochę jak kucyki – były dla mnie nowością.

Podczas półgodzinnej jazdy do miasta dowiedziałem się o wszystkich innych rzeczach, których nie było na U'ivu. Nie było przede wszystkim dróg – szlaki owszem, usiane kępami trawy i przebijających się z trudem kwiatów zdeptanych przez końskie kopyta – ale także hotelu, uniwersytetu, sklepu spożywczego ani szpitala. Były za to, co mnie oburzyło, kościoły, i to całkiem liczne: ich drewniane wieże jako jedyne obiekty wyrastały ponad palmy, rzucając na ziemię czarne prążkowane cienie, niedające jednak wytchnienia od słońca, które skuło niebo białym, rozżarzonym pancerzem. Zapytałem Tallenta – który umiał z wdziękiem siedzieć na małym koniku – czy na wyspie jest wielu misjonarzy, ale odpowiedziała mi Esme, informując, że w początkach dziewiętnastego wieku przybyło ich tu około setki, większość jednak zginęła w gwałtownym tsunami, które zrujnowało północną połowę wyspy w roku tysiąc osiemset siedemdziesiątym trzecim. Reszta wkrótce potem wyjechała, pozostawiając U'ivu U'ivuanom, tak jak to było przez tysiące lat przed przybyciem misjonarzy.

– U'ivuanie nie stawiają domów w północnej części wyspy nad morzem – mówiła Esme. – Uważają, że to przynosi pecha. Ale misjonarzom zależało na pięknych widokach. Więc zapłacili za to najwyższą cenę.

Powiedziałem, że jestem zdziwiony mnogością kościołów – przez dwadzieścia minut naliczyłem cztery – które zdają się sugerować znaczną liczbę nawróceń. Tym razem odpowiedział mi Tallent:

– To tylko pozory, misjonarze nie odnieśli aż takich sukcesów. U'ivuanom spodobały się kościoły jako coś nowego. Kiedy wzniesiono pierwszy, Świętego Judy (to tamten za tym krzywym drzewem uroczynu), przybyli do niego tłumnie, zjawił się nawet ówczesny król, dziadek obecnego. Moim zdaniem traktowali to jako świetną zabawę. A misjonarze doszli do wniosku, że tubylcy są na dobrej drodze do nawrócenia, więc pobudowali więcej kościołów. Jest ich pięć (nie mylę się, Esme?) po tej stronie wyspy, a były jeszcze trzy po stronie północnej, tylko zniszczyło je tsunami.

– Czy U'ivuanie pomagali przy budowie? – spytałem.

– Nie, misjonarze musieli wszystko robić sami. Król dał im ziemię i drewno (przyjrzyj się, a zobaczysz, że to wszystko drewno palmowe, trudny i niepraktyczny materiał budowlany, z którego powstają liche konstrukcje), ale zabronił zatrudniać do roboty swoich poddanych. Misjonarze mieli szczęście, że dostali chociaż tyle.

– U'ivuanom nikt nie ma prawa rozkazywać – zawołała jadąca z przodu Esme. – My to już dobrze wiemy. – Zaśmiała się, zadowolona z siebie.

– Nikt nie ma prawa rozkazywać królowi – uściślił Tallent. – Wszystkie przywileje, które tu mamy, możliwość prowadzenia misji, najęcia przewodników, zostały nam nadane przez króla. Król ma udział we wszystkim, co się tutaj dzieje, i nic nie może się odbyć bez jego błogosławieństwa. Ale tym razem – dodał – nie spotkamy króla. Jego Wysokość wydaje za mąż córkę i jest zbyt zajęty przygotowaniami.

Miałem wielką ochotę poznać króla i obejrzeć jego drewniany pałac, ale pocieszyła mnie wiadomość, że Esme też go jeszcze nie spotkała, a więc nie mogła poinformować mnie o wszystkim, co tracę: o gmachu z ciemnymi, błyszczącymi olejem podłogami, o gronie milczących żon usadowionych na matach palmowych jak stado wysiadujących jaja gołębic, o dzikim porozumiewawczym uśmiechu władcy.

* * *

Pierwszą noc na U'ivu spędziłem w spieczonej, dusznej chacie, której strop z wysuszonych liści palmowych był tak ciasno spleciony, że chociaż słyszałem deszcz bębniący po arkuszu

porzuconej na zewnątrz blachy (o niewiadomym dla mnie prze-
znaczeniu), to jedyną wilgocią, którą czułem, był mój własny
pot, intensywny i nasilający się z upływem nocy. Byłem sam –
nie wiedziałem (i nie chciałem wiedzieć), czy Esme i Tallent
nocują w jednej chacie, czy osobno – myśli buzowały mi w głowie: denerwowałem się i nie byłem w stanie zamknąć oczu,
żeby nie ujrzeć pod powiekami jodełkowego desenia sufitu.

Rano we trójkę przetaszczyliśmy sprzęt na małą łódź mo-
torową z niepewnie przytroczonym do rufy dieslowskim silnikiem. Mężczyzna – nasz kapitan – o skórze ogorzałej na kolor
orzecha (błyszczącej moim zdaniem nie z racji wyśmienitego
zdrowia, tylko od potu, którym ten człowiek zdawał się znaczyć wszystko, czego dotknął) obserwował, jak gramolimy się
na pokład, po czym silnym szarpnięciem zapuścił motor, kierując dziób łodzi w stronę Ivu'ivu.

Gdybym wtedy wiedział, jak długo przyjdzie mi nie oglądać
względnej cywilizacji U'ivu, odwróciłbym się zapewne i pożegnał wzrokiem ląd, od którego oddalała mnie łódź – ale byłem
zbyt zaabsorbowany widokiem wyspy Ivu'ivu, która sprawiała
dziwne wrażenie, jakby wcale się nie przybliżała, w miarę jak
pruliśmy wodę. Dzień, pamiętam, był ponury, morze wyglądało jak płaski blaszany talerz, barwę miało matową. Niebo ponad
nami przybrało ten sam bury odcień, a rozproszone w powietrzu kropelki wody smakowały słono. Wpatrywałem się w morze
i raz dostrzegłem, albo mi się zdawało, że dostrzegam, rącze
cienie przemykające pod powierzchnią, lecz gdy spojrzałem
tam znowu, zwróciwszy na to zjawisko uwagę Tallenta, cieni
już nie było.

Nieznośnie powoli wyłaniała się przed nami wyspa. Zbliżaliśmy się do niej od południowego brzegu U'ivu. W swej fizycznej realności wyglądała tak samo niegościnnie, jak przedstawia-
ła się w moich wyobrażeniach. Właśnie tę jej część widzieliśmy
z powietrza, schodząc do lądowania: długi na dwa kilometry, jak
mi powiedziano, lity mur klifów wznoszących się obojętnie nad

wodą, która kotłowała się u jego stóp gęstą piwną pianą. Warstwy zieleni – drzew ponad trawami, mchami i wężowatymi splotami sukulentów w niedorzecznych papuzich odcieniach zieleni, jakie widuje się tylko w dżungli – były tak szczelne, że dopiero gdy podpłynęliśmy bliżej, dojrzałem pod spodem skałę, miejscami smoliście czarną, miejscami zaś szarawą jak świeży druk, widoczną tylko gdzieniegdzie. Gdy spojrzało się prosto w słońce, oczy raził zamazany na tle białego nieba, pierzasty zarys linii drzew na szczycie wyspy. Gdy łódź zawróciła i skierowała się na wschód, pod słońce, wyspa zaczęła stromo opadać w dół, przybierając postać masywnego klina położonego na boku. Jakby w geście zadośćuczynienia za ukształtowanie wyspy – coraz bardziej dostępnej, w miarę jak płynęliśmy wzdłuż jej brzegu – palmy rosły tu gęściej i bardziej niesfornie, schodząc na sam skraj lądu i pokrywając przybrzeżne wody kalejdoskopowym naskórkiem roślinnych resztek – potarganymi wiatrem kwiatami hibiskusa i spalonymi słońcem liśćmi mango, twardymi kulkami niedojrzałych owoców gujawy i strzępami paproci – których kożuch był tak gęsty, że można było przestraszyć się dżungli, jej żarłoczności, ambicji, chęci wchłonięcia każdej napotkanej powierzchni.

Pół godziny później dotarliśmy do dalszego krańca wyspy, gdzie wprawdzie nie było plaży, ale woda stykała się z lądem na równym poziomie. Nasz kapitan, który przez całą drogę nie odezwał się do nas ani słowem, rzucił domowego wyrobu kotwicę – zamkniętą puszkę pełną brzęczących gwoździ – jakieś siedem metrów od brzegu. Woda miała dziwny odcień zieleni i przypominała brudny turmalin, ale była tak przejrzysta, że widziałem chmary rybek przemykające pod łodzią i bladawe smużki ich cieni na piaszczystym dnie oceanu. Nie mogliśmy podpłynąć bliżej brzegu, ponieważ zarastała go dżungla, a w przybrzeżnym pasie z wody sterczały wielkie głazy, gładkie i beznamiętne. Brnąc w kierunku lądu z bagażem przytroczonym do pleców, minąłem jeden taki głaz, podziobany płytkimi zagłębieniami, z których każde mieściło połyskliwego, nastroszonego morskiego jeżowca. Na ostatnim metrze dno było strasznie kamieniste, a powierzchnię wody powlekały krwistoczerwone wodorosty – jakby ocean resztką sił bronił się przed potęgą i siłą dżungli, która tu drażniła jego drobne fale długimi witkami dziwacznych grubych, trójgraniastych kaktusów.

Krzaki przed nami zadrżały – jak na filmie o morskim rozbitku – i z gęstwiny (znów jak na filmie) wyłoniły się trzy męskie postacie: U'ivuanie. Ubrani byli w niepowtarzalną mieszankę stroju współczesnego i tubylczego: jeden miał na sobie męski podkoszulek, sarong z materiału o wyglądzie sprasowanej kory, drugi nosił opadające workowate portki, a jego nos, jak zauważyłem podekscytowany, przekłuwała na wylot cienka jak trzcina kość, trzeci zaś włożył na gołe ciało luźną bawełnianą koszulę i śmieszny saczek upleciony z suchych pnączy. Podobną mieszankę strojów – charakterystyczną dla obszarów, które niedawno zetknęły się z cywilizacją – widywałem w dżungli brazylijskiej, a później w Papui-Nowej Gwinei i w Nagalandzie. Wliczając kapitana łodzi, spotkałem już czterech U'ivuan, a nasłuchawszy się historii o ich agresywnym usposobieniu, zdumiałem się posturą tubylców – najwyższy ledwo sięgał mi do ramienia – i płaską szpetotą ich twarzy o bezkształtnie rozlazłych nosach, tłustym połysku i wystających szczękach. Nie byli ani grubi, ani chudzi, chociaż nogi mieli umięśnione i potężne w udach, co jest typowe dla ludów nawykłych do wspinaczki*.

Najwyższy z trójki, ten w koszuli, zbliżył się do Tallenta i nawzajem potarli się energicznie nosami, po czym rozpoczęli rozmowę w języku u'ivuańskim, która brzmiała jak *staccato*. Dwaj pozostali mężczyźni nie spuszczali nas z oka – Esme,

---

* Wszyscy trzej przewodnicy byli łowcami dzików z U'ivu, gdzie stworzenia te bytują głównie w lasach łańcucha gór Ta'imana. Mieli więc doświadczenie w pokonywaniu i stromych wzniesień, i obszarów dżungli.

która właśnie dobrnęła do brzegu przez mulisty piach, stanęła u mego boku, wachlując twarz wielką jak bochen dłonią – a chociaż nie wyglądali wrogo, to swoją niewzruszoną posturą przykuwali mój wzrok, więc patrzyłem im w oczy, a wokół mojej głowy wirowały jak planety małe komary.

Każde z nas miało własnego przewodnika. Tallentowi przydzielony był najwyższy, Fa'a; Esme dostał się Tu, ten w sarongu, a mnie Uva – ten z kością w nosie. Gdy mnie mijał, żeby zarzucić sobie na grzbiet mój plecak, dostrzegłem coś, co wyglądało jak rzeźba na jednym końcu tej kości. Plecak miałem bardzo ciężki, lecz gdy podszedłem, żeby pomóc Uvie go dźwignąć (z bliska skóra na plecach Uvy przypominała fakturą skórę nosorożca), usunął się zwinnie i tak długo manewrował ramionami, aż plecak usadowił mu się równo pomiędzy łopatkami. Wówczas odwrócił się i podążył za pozostałymi tragarzami, którzy już znikali między dwoma wielkimi drzewami o pniach szczelnie zarośniętych mchem. Mój tragarz, tak jak i pozostali, miał tylko mały osobisty tobołek wielkości jaśka zawieszony na cienkim sznurku na piersi.

Maszerowaliśmy. Ścieżki nie było, więc idący na czele Fa'a rozgarniał młode drzewka, krzewy i liście wielkości patelni, a my, idąc za nim, powtarzaliśmy jego ruchy. Poczułem się nieswojo, widząc, jak dżungla nas pochłania i jak nieważna jest w niej nasza obecność: po piętnastu minutach marszu obejrzałem się, żeby zobaczyć, ile uszliśmy, ale nasz szlak już zagradzała armia drzew. Nad nami i dookoła nas toczyły się ożywione rozmowy – pochrząkiwania, cmokanie, piski i świergoty – i nie minęło pół godziny, a niebo przesłoniły korony drzew, pomniejszające z każdym naszym krokiem strzępy błękitu. Uva i pozostali przewodnicy szli na bosaka – spody stóp mieli twarde i jakby nadmuchane – ale Tallent, Esme i ja nosiliśmy buty o grubych podeszwach, którymi rozdeptywaliśmy niewidoczne stworzenia. Korzenie drzew splatały się w śliską siatkę, toteż musiałem stale patrzeć pod nogi, żeby się nie potknąć i nie upaść; kątem oka widziałem bujną ciemną zieleń, tak bliską, że miałem wrażenie, jakbym brnął przez tunel, a iluzję tę potęgowało coraz słabsze światło sączące się przez zwarte korony drzew.

Trasa nasza wiodła pod górę, coraz bardziej stromo; powietrze stało się chłodne i wilgotne, a gęsta roślinność chroniła od wiatru, odrealniając wygląd drzew i krzaków, które upodobniły się do posągów, chociaż otaczał nas ich zapach – złożona, natarczywa woń gleby, zgnilizny i słodyczy, od której dławiło mnie w gardle. Maszerowaliśmy bez ustanku. Esme, idąca przede mną, zachwiała się, a Tu natychmiast zwinnie i delikatnie pochwycił ją za ramię, chociaż kiwnęła uspokajająco głową i szła dalej. Mijając ją, usłyszałem, jak dyszy, ciężko i głośno, niczym koń po długiej gonitwie. Niosłem tylko mały plecaczek, ale w zgęstniałym jak zupa powietrzu (które skojarzyło mi się komicznie z kożuchem na mleku, tłusto błyszczącym i zmarszczonym po wierzchu) omal nie rozpłakałem się z ulgi, gdy na niskim płaskowyżu Tallent obwieścił, że to koniec marszu na dzisiaj.

Padliśmy na ziemię wszyscy troje, podczas gdy Fa'a – który wcześniej mówił coś do Tallenta, a ten tylko słuchał i kiwał głową – oraz dwaj pozostali przewodnicy zboczyli z tak zwanej ścieżki (żadnej ścieżki nie było) i zniknęli w buszu. Upiłem wody z manierki, która rozgrzała się do temperatury powietrza, więc nie ugasiła pragnienia. Esme leżała z głową na plecaku i zamkniętymi oczami. Dżungla wokół mnie buczała cicho, nieustannie, jak gdyby cała wyspa była tajemniczym urządzeniem podłączonym do gigantycznego niewidzialnego źródła prądu.

Musiałem się zdrzemnąć. Gdy się ocknąłem, nie miałem pojęcia, która jest godzina – o ile czas miał tutaj jakiekolwiek znaczenie – chociaż półmrok wydawał się głębszy, bardziej ożywiony. Ktoś rozłożył nam maty z liści palmowych w odległości trzech metrów jedna od drugiej i poustawiał przy nich nasze plecaki; między dwiema matami siedzieli Esme z Tallentem i cicho rozmawiali.

– Dobry wieczór – powitał mnie Tallent, podnosząc wzrok, gdy się zbliżyłem. – Zapraszam na kolację.

Miał – w przeciwieństwie do Esme i do mnie – aż dwie torby: z większej wyjął teraz paczkę sucharów. Na ziemi, kontrastując z mszystym podłożem, stała puszka mielonki z wieczkiem odchylonym jak brzeg kołdry. Oślizłe mięso w puszce miało mdlący, kobiecy różowy kolor.

– Nie jestem głodny – powiedziałem.

– Trzeba jeść – pouczył mnie Tallent. – Jesteś bardziej głodny, niż ci się zdaje, a jutro znowu czeka nas długi dzień. A poza tym suchary trzeba zjeść, zanim rozmiękną, w tej wilgoci nic nie utrzymuje kruchości.

– Kiedy ostatnio wyjechałam z U'ivu, tęskniłam za sucharami – wtrąciła się Esme, której głos stracił zadziornie triumfalną nutę.

Chyba jeszcze nie odżyła po trudach dnia: jej brzydka twarz usiana czerwonymi plamkami wyglądała jak oskubana.

| 117

Wziąłem więc suchary, mączne i bez smaku, i posmarowałem je cienko zimną mielonką. Puste plastikowe opakowanie oddałem Tallentowi, który je wsunął do zewnętrznej kieszeni plecaka – zatrzeszczało przy tym wesoło jak płonące szczapy.

– Czy nie powinniśmy rozpalić ogniska? – spytałem.

Uśmiechnąłem się nawet do Esme, która tego nie zauważyła, zajęta wyskrobywaniem resztek z puszki po mielonce. Tallent w odpowiedzi podniósł gałązkę i przytknął ją do płomienia zapalniczki. Ogienek niemal natychmiast zaskwierczał i zgasł, pozostawiając po sobie nikłą smużkę dymu.

– No tak – bąknąłem. Oczywiście. Drewno było zbyt wilgotne.

– Nie martw się – powiedział Tallent. – Fa'a zapewnia, że gdy wejdziemy wyżej, las się przerzedzi i wszystko będzie suchsze.

Oddaliłem się w dżunglę na odległość paru minut marszu w kierunku wskazanym przez Tallenta i znalazłem wąziutki strumyk, srebrzysty jak ślad ślimaka, czołgający się z mozołem po gruzłowatych głazach. Wysikałem się pod komicznie prostym drzewem bez gałęzi, którego czubek znikał w liściastym baldachimie, obmyłem twarz i napiłem się wody, chłodnej i smakującej słonawo, oceanicznie, jakby ktoś wrzucił do niej zmielone muszle. Kiedy wróciłem, Esme spała na swojej macie, przykryta drugą matą, u stóp mając porządnie ustawione buty, za to Tallent siedział wciąż tam, gdzie go zostawiłem, z kolanami pod brodą i lekko wysuniętą głową; wpatrywał się w las, w coś, czego ja nie widziałem.

– Jak tam dzisiejszy dzień? – zagadnął, kiedy usiadłem obok.

– Świetnie – odpowiedziałem.

– Zdaję sobie sprawę... – zaczął i urwał, wpatrując się w dłonie. – Zdaję sobie sprawę, że nie za wiele powiedziałem ci o tym, co tutaj robię... co robimy. To bardzo miło z twojej strony, że do nas dołączasz. Chyba że jesteś kompletnym wariatem. Albo desperatem.

Roześmiałem się, ale on nie.

– Prawdę mówiąc, sam tak dokładnie nie wiem, co tu znajdziemy – powiedział.

Znów zamilkł na dłuższą chwilę; z czasem miałem się przekonać, co to oznacza: namyślał się wtedy i dobierał słowa, i to nie z obawy, że źle go zrozumiem, tylko dlatego, że należał do tych, co nigdy nie mówią, dopóki nie mają pewności; nie interesowały go domysły ani teorie, nie odzywał się, jeżeli nie był pewien, że powie prawdę. Po prostu dziwił się i fantazjował w milczeniu, a wciąganie kogoś we własne niepewności uważał chyba za nietakt, jeśli nie bezczelność.

A przecież był niepewny: nie wiedział, co odkryje. Nie polegał na intuicji, a jednak tym razem domyślał się tylko, na co może natrafić, i na mocy tego domysłu poprosił mnie o współpracę.

Nie byłem tym urażony ani zaniepokojony. Nauka to jedna wielka zgadywanka, czasem losowa, czasem intuicyjna, czasem metodyczna. Pracowałem już dla takich, którzy mieli pewność, i wiedziałem, jakie to deprymujące, jakie niebezpieczne.

Dlatego z radością (no, może nie z radością, ale i bez żalu, chociaż Tallent nie omylił się co do tego, że byłem też zdesperowany) dołączyłem do niego, nie znając obrazu całości. To może teraz brzmieć głupio, nierealistycznie, ale gdy jest się młodym, planowanie bywa mniej istotne, mniej niezbędne niż wtedy, kiedy ma się coś do stracenia: pieniądze, dorobek naukowy, reputację.

Więc nastawiłem się na czekanie.

* * *

Tallent nie spieszył się z mówieniem.

– Jako lekarz – odezwał się wreszcie – czego najmocniej pragniesz? Leczyć pacjentów, eliminować choroby, przedłużać życie?

Szczerze mówiąc, nic z tego mnie nie pociągało, przynajmniej nie tak, jak to chyba rozumiał Tallent. Ale nie korygowałem, a on mówił dalej:

– Bo ja – zabrzmi to infantylnie, ale właśnie po to tu jesteśmy, a moje zainteresowanie podziela wielu kolegów, nawet jeżeli wstydzą się do tego przyznać – chcę znaleźć inne społeczeństwo, innego człowieka, nieznanego cywilizacji, a przede wszystkim nieznającego cywilizacji.

Po tym wstępie nastąpił długi wykład o antropologii, którego wysłuchałem jednym uchem, lecz zdążyłem się zorientować, że Tallent uważa się za swego rodzaju odszczepieńca (chociaż nie użył tego słowa) i przyszłego reformatora całej dziedziny.

Na koniec jednak powiedział coś, co mnie intrygowało przez wszystkie długie miesiące, które spędziliśmy razem na wyspie, i czego nigdy do końca nie pojąłem:

– Wiem, jak to jest być badanym. Wiem, jak to jest być sprowadzonym do roli przedmiotu, zespołu zachowań i wierzeń, egzotycznego obiektu, rytuału obecnego we wszystkich przyziemnych działaniach; wiem, co to znaczy służyć za... – Urwał nagle, tak nagle, że zrozumiałem, iż zdradził mi coś, czego nie chciał zdradzić, a że nie był z natury człowiekiem nieostrożnym, zastanawia się teraz, czemu to zrobił, i żałuje tego.

– Co masz na myśli? – zapytałem, najdelikatniej jak umiałem, żeby go nie wystraszyć i skłonić do powiedzenia czegoś więcej.

Ale on oczywiście nie był zwierzątkiem ani dzieckiem: cichy głos jako metoda perswazji czy podstępu nie wystarczył do pokonania jego czujności.

– Nic – odparł i zamilkł na dobre, a ja uświadomiłem sobie, że powietrze brzęczy owadami i że dotychczas wstrzymywałem oddech*.

* * *

A jednak Tallent się odezwał.

– Chcę opowiedzieć ci bajkę – rzekł i zrobił pauzę.

Do tego też miałem się przyzwyczaić: do urwanych wypowiedzi, do długich przemówień kończących się znienacka milczeniem, które trwało minuty, a nawet godziny. Tym razem jednak trwało krótko. Gdy odezwał się ponownie, głos miał mocny, a to, co mówił, było nie tyle opowieścią, ile recytacją – był jak wędrowny bajarz, którego napotkałem w ciemnym sosnowym średniowiecznym lesie, a nie w wilgotnej dżungli, i dałem mu pieniążek i kromkę czarnego chleba, żeby mnie oczarował, żeby na chwilę wyrwał mnie z tego świata.

– Dawno, dawno temu, na wiele lat przed epoką człowieka, był sobie wielki głaz, bóstwo o imieniu Ivu'ivu, które rządziło

---

* Później Norton przypuszczał, że Tallent mógł nawiązywać do serii doświadczeń prowadzonych w szkole św. Józefa około roku 1910 przez frenologa Morrowa Uptona, którego teorie o rozmiarach i proporcjach czaszek były modne na przełomie XIX i XX wieku. Upton z lubością głosił, że Indianie byli biologicznie skazani na utratę swoich ziem na rzecz Europejczyków, co wydedukował z pomiarów ich czaszek, jego zdaniem mniejszych i lżejszych niż czaszki przedstawicieli europejskich grup etnicznych.

wielkim królestwem wody. Bóg Ivu'ivu był bardzo potężny, a jego władztwo obejmowało wszystko, co znajduje się pod wodą: zębate rekiny o gibkich ogonach, olbrzymie ślepe wieloryby, ławice ryb i łąki falujących morskich traw, które gładziły go od spodu jak włosy nimf. Ale Ivu'ivu czuł się samotny. Wszędzie wokół widział pary – stworzenia, które się łączyły i mnożyły, śmigały wokół niego, wodząc swoje pociechy. Nawet najwięksi samotnicy spośród jego poddanych – kraby pustelniki o spiralnie skręconych, nakrapianych skorupach i czołgające się kolczaste rozgwiazdy – otoczeni byli dziećmi. Będąc bogiem, Ivu'ivu nie martwił się śmiertelnością, myślał jednak, że chciałby być z kimś – z kimś, z kim można rozmawiać o ciężarze i trudach bycia bogiem i królem, z kim można by spłodzić rasę dzieci. Do tego jednak potrzebny był drugi bóg, równy mu pod każdym względem.

Tallent opowiadał dalej, że Ivu'ivu miał bliskiego przyjaciela, żółwia o imieniu Opa'ivu'eke, który był prawie tak stary jak on, a ponieważ mógł żyć i pod wodą, i na lądzie, odbył wiele dalekich podróży i opowiadał cudowne historie o miejscach, jakich Ivu'ivu nigdy nie widział. Żółw mówił przyjacielowi o powietrzu i o lądzie, gdzie żyje równie wiele stworzeń co pod wodą, a stworzenia te nie pływają, lecz fruwają – wiele razy kazał sobie Ivu'ivu tłumaczyć, co znaczy „fruwają", zanim to wreszcie w jakimś stopniu pojął – albo chodzą, biegają, pełzają na dwóch, czterech czy dwunastu nogach.

Pewnego dnia, gdy Opa'ivu'eke opowiadał Ivu'ivu o swojej ostatniej wyprawie, bóg nie zdołał powstrzymać westchnienia.

„Co ci jest, przyjacielu?" – spytał Opa'ivu'eke.

„Ach, przyjacielu – odrzekł Ivu'ivu. – Jestem samotny. Wszędzie wokół widzę szczęście, wzajemną bliskość. Ja też chciałbym mieć towarzysza i dzieci. Do tego jednak potrzebny mi jest drugi bóg, a przecież światem może rządzić tylko jeden władca".

Żółw pomilczał dłuższą chwilę, po czym pożegnał przyjaciela i odpłynął.

Po jakimś czasie powrócił ze wspaniałą wiadomością, najwspanialszą, o jakiej mógł marzyć bóg. Podczas ostatniej wycieczki Opa'ivu'eke rozmawiał ze swoim przyjacielem A'aką – bogiem słońca – i wyłożył mu pragnienie Ivu'ivu. Okazało się, że A'aka bardzo chciałby poznać potężnego boga wody, o którym tak wiele słyszał. I tak zaczął się romans boga wody z bogiem słońca, a posłańcem kursującym pomiędzy nimi był żółw. On to nosił wyznania i komplementy, i pytania, i pieśni, nurkował spiralnie w zimną, ciemną toń, by przekazać Ivu'ivu słowa A'aki, a następnie, wiosłując płetwami na przekór morskim prądom (które Ivu'ivu uspokajał, by ułatwić przyjacielowi przeprawę), wyłaniał się na powierzchnię, gdzie A'aka wstrzymywał swój bieg w połowie dnia, aby wysłuchać wieści ze świata, którego nie mógł odwiedzić.

Z czasem urodziło im się troje dzieci: najpierw chłopiec, którego nazwali Ivu'ivu po bogu morza, potem dziewczynka, Iva'a'aka, „Córka Kamienia i Słońca", a na koniec chłopczyk, U'ivu, którego imię znaczy po prostu „Z Kamienia". Dzieci żyły w połowie pod wodą, jak Ivu'ivu, a w połowie nad wodą, jak A'aka. Kołysało je i chłodziło królestwo jednego ojca, a ogrzewało i karmiło ciepło drugiego. Dzieci otoczone były miłością i oddaniem. A gdy podrosły i poczuły się samotne, zwróciły się do A'aki, który pobłogosławił je potomstwem: rodzajem ludzkim. I dopóki ludzie byli dobrzy dla rodziców, A'aka dbał, by zbierali obfite plony, a Ivu'ivu dawał im obfitość ryb w morzu oraz możliwość żeglugi, gdyż ludzie byli także i jego potomkami, których należało kochać i chronić.

A co do Opa'ivu'eke, to żył on dostatecznie długo, by oglądać wnuki swoich przyjaciół, a także ich prawnuki i praprawnuki: widział, jak rosną i prosperują. Potem zaś wydał na świat własne dzieci, które nosiły jego imię – „Zwierzę z Kamiennym Grzbietem" – i na lądzie wolały żyć pod słońcem, a w wodzie – wokół ulubionego dziecka Opa'ivu'eke, jego syna chrzestnego, Ivu'ivu. Opa'ivu'eke nie był oczywiście bogiem, ale czcili go zawsze nie tylko obaj przyjaciele, lecz także ich potomkowie – za oddanie i altruizm, co oczywiste, ale również za szlachetną rolę posłańca. Dlatego jeśli człowiek ma szczęście i znajdzie opa'ivu'eke, musi złożyć z niego ofiarę bogom i sam zjeść odrobinę jego mięsa. W ten sposób wysyła bogom wiadomość, którą jest modlitwa o jedyną rzecz, jakiej A'aka – z przyzwoleniem Ivu'ivu – nie udzielił swoim wnukom: nieśmiertelność. A bóstwa może kiedyś mu odpowiedzą.

* * *

Tallent zamilkł i siedzieliśmy chwilę bez słowa. „Siedzę na dziecku boga – pomyślałem. – Dwóch bogów". Było to niedorzeczne, a jednak poczułem dreszcz emocji.

– Oto pierwsza opowieść, jaką poznaje młody U'ivuanin – rzekł cicho Tallent. – Jest prawie tak stara jak ten lud: liczy tysiące lat i nigdy się nie zmieniła. U'ivuanie nie mają pisma, przynajmniej nie mieli go do czasu przybycia misjonarzy, ale tę historię znają wszyscy. Ten symbol… – patykiem narysował na ziemi kółko przecięte linią pionową – …oznacza żółwia; znajdziesz go na kamieniach rytualnych i naczyniach sprzed setek lat, pochodzi z czasów ludzi, którzy złożyli w ofierze bogu Ivu'ivu jedno z dzieci Opa'ivu'eke, w nadziei, że to właśnie oni okażą się tym wyjątkiem, który będzie żyć wiecznie, jak bóg.

Znowu pogrążył się w milczeniu. A potem podjął opowieść o tym, że jest i inna historia, wcale nie stara, bo pochodząca z ubiegłego wieku. Przez wiele lat wnukowie Ivu'ivu i A'aki przynosili zaszczyt swoim dziadkom i rodzicom. Bo i czemu miałoby być inaczej? Ludzie byli dzielni i pomysłowi. Doskonalili się w myślistwie i rybołówstwie. Strzegli swoich rodziców przed napastnikami i szanowali obu dziadków. A choć minęły lata, których już nikt nie umiał zliczyć, i nikt nie znalazł dziecka Opa'ivu'eke na ofiarę, to żaden z bogów nie gniewał się i życie biegło harmonijnie.

Potem jednak, powoli, tak powoli, że przez lata nikt tego nie zauważył, coś zaczęło się psuć. U'ivuanie obalili wiele drzew, a nie sadzili nowych. Zaczęli wpuszczać do siebie obcych – *ho'oala*, czyli białych – i pozwalali im zamieszkać na wyspie. *Ho'oala* przywozili ze sobą wielkie żelazne bestie, które ryły miękką ziemię Iva'a'aka. Przywozili też wielkie sieci, którymi poławiali olbrzymie ilości ryb i płodów morza – więcej, niż dało się zjeść. Gromadzili więc odpadki, góry odpadków, a co nie zmieściło się na lądzie – na ich rodzicach! – to spychali do oceanu.

Ivu'ivu i A'aka najpierw się zaniepokoili, a potem rozgniewali. Ivu'ivu zesłał na swoje dzieci wielkie fale, co widząc, A'aka rozpłakał się, bo chociaż Ivu'ivu chciał tylko postraszyć ludzi i nauczyć ich szacunku, to niszcząc ludzi, zniszczył także wiele boskich dzieci – morze skruszyło i pochłonęło znaczne partie wysp. Ale i to nie zmieniło ludzkich zachowań. A'aka zesłał więc na wyspy swoje gorejące promienie, które grzały bez ustanku, bez litości. Nie wycofał się z nieba nawet w miesiącach, które zwykle oddawał swojej siostrze, Pu'uace, bogini deszczu, tylko dalej raził ziemię płonącym blaskiem. Teraz dla odmiany zapłakał Ivu'ivu, bo wysiłki A'aki sprawiły, że plony wyschły i wielu ludzi umarło, a słońce poparzyło dzieci Ivu'ivu, spragnione świeżej wody.

Bogowie wiedzieli, że nie wszyscy ludzie zarzucili dawne zwyczaje, było im więc przykro, że nie mogą oddzielić dobrych od złych, prawych od nieprawych i tych pierwszych ocalić. A ludzie dalej lekceważyli bogów i za nic mieli zawarte kiedyś z dziadkami przymierze. Bogowie byli więc zmuszeni karać ich dalej sztormowymi falami i suszami. A'aka poprosił o pomoc siostrę: chciał, żeby doświadczyła ludzi gwałtownymi ulewami, które podmyją stuletnie drzewa i zniosą je do morza, sprawią, że wodospady wystąpią z łożysk, a potoki zamienią się w dudniące, rwące rzeki. Bogowie widzieli, że ludzie słabną i maleją z każdym atakiem, toteż smucili się coraz bardziej.

Narastał w nich też gniew. Wreszcie doszli do wniosku, że nie mają wyjścia. Pewnego dnia, po latach, człowiek zwany Manu'eke, „Dobre Zwierzę", łowił ryby w chłodnym strumieniu na szczycie Ivu'ivu, gdy nagle, ku swojemu niedowierzaniu, ujrzał na płyciźnie pływającego żółwia. Złapał go natychmiast i pognał do swojej wioski. Tam zabił żółwia, ale z gorliwości, pośpiechu i braku dobrych manier zjadł go całego, nie złożywszy ofiary bogom, swoim przodkom.

W nocy przyśniło mu się, że zmienił się w boga i jako pierwszy człowiek ma prawo żyć wiecznie. Ale biada mu! Rozgniewał bogów. Zobaczyli, co zrobił Manu'eke, i zrozumieli, że człowiek upadł bardzo nisko, skoro zapomina o ofierze ze świętego stworzenia. Postanowili więc ukarać Manu'eke, dając mu to, czego najbardziej pragnął: życie wieczne. Ale było to życie straszne. Albowiem skończywszy sześćdziesiąt lat – jedni twierdzą, że wcześniej, inni, że później – Manu'eke zaczął zatracać ludzkie cechy. Zapomniał, co to znaczy być człowiekiem. Dawni znajomi stali mu się obcy. Przemawiał głosem dla nikogo niezrozumiałym. Nie dbał o czystość. Stał się ni to zwierzęciem, ni to człowiekiem. Odsunął się od swojego ludu bez możliwości powrotu.

Manu'eke, jako ni to, ni owo, wciąż błąka się po dżungli, jak chodzące wspomnienie człowieka, odstraszający przykład bożego gniewu i ostrzeżenie. Przypomina nam o potędze Ivu'ivu i A'aki, panów życia, którzy mogą je dawać i odbierać, którzy stale nas obserwują, gotowi udzielić ludziom upragnionych darów albo je cofnąć.

Tallent zamilkł, a ja znów poczułem dreszcz. Otaczająca nas noc jakby jeszcze pociemniała – nie widziałem już nawet siedzącego obok towarzysza, którego głos, gęsty, namacalny, zawisł pomiędzy nami jak aksamitna fioletowa kurtyna.

Nagle wstrząsnął mną kolejny dreszcz, tym razem zimny i napawający lękiem: zrozumiałem, że ta opowieść, ten mit, którego Tallent nauczył się na pamięć nie wiadomo od kogo, że ta legenda, którą hołubił i pieścił, aż był w stanie śpiewnie ją wyrecytować – że to właśnie ona jest powodem naszej obecności tutaj. Tallent chciał odnaleźć Manu'eke, zamierzał nadać znaczenie baśni, zamierzał upolować stworzenie z koszmarnych dziecięcych snów, z opowieści przy ognisku – stworzenie istniejące w tym samym uniwersum co kamienie zdolne obcować z planetami, płodząc góry i ludzi. Nagle mój pobyt tutaj zdał mi się surrealistyczny, a cała nasza misja – nawet słowo „misja" pochodziło z fikcji i fantazji, w których grupa śmiałków poszukuje magicznego przedmiotu o nieprawdopodobnej mocy – przybrała postać bańki mydlanej.

A jednak – i to było jeszcze bardziej przerażające – poczułem, że coś we mnie pękło. Nawet dzisiaj, po kilkudziesięciu latach, nie umiem tego nazwać dokładniej. Nagle wyobraziłem sobie długą, grubą kredową linię na płaskiej, spalonej ziemi. Po jednej stronie było to, co już znałem – schludne ceglane miasto budowli bez okien, rzeczy i fakty, co do których miałem pewność, że są prawdziwe (mimo woli pomyślałem o stopniach

schodów w rodzinnym domu, z nazwiskami ludzi mądrzejszych ode mnie, i poczułem zażenowanie z powodu własnego niemego zauroczenia antropologiem). Po drugiej zaś stronie był świat Tallenta, którego kształtu nie widziałem, gdyż przesłaniała go mgła, to gęstsza, to znów rzadsza, tak że momentami łowiłem wzrokiem migawki obrazu – tylko kolory i ruchy, żadnych wyraźnych form. Wiedziałem jednak, że jest w tym świecie coś, czemu trudno się oprzeć, a strach przed poddaniem się temu czemuś nie dorównywał lękowi przed rezygnacją z wiedzy o tym, co kryje się za tą mgłą, przed rezygnacją z penetrowania tego, czego mógłbym już nigdy nie mieć okazji penetrować.

Przymknąłem więc oczy, zapomniałem o rozsądku i… przekroczyłem białą linię.

– Czy Manu'eke naprawdę istnieje? – zapytałem i natychmiast skarciłem się za to w duchu.

„Zapominasz się – zabrzęczał jakiś cienki komarzy głos w mojej głowie. – Uważaj: zapominasz się. Pamiętaj, kim jesteś.

Nie myślisz tymi kategoriami. Pamiętaj, czego cię nauczono". Ale nie mogłem. Próbowałem, ale nie mogłem.

Tallent westchnął.

– Tego nikt nie wie – rzekł wreszcie. – Starsi U'ivuanie zaklinają się oczywiście, że tak. Ale nikt nie wie, gdzie Manu'eke miałby przebywać (U'ivuanie twierdzą, że na Ivu'ivu, i nic dziwnego) ani co się z nim stało. Chociaż na ten ostatni temat istnieje wiele teorii: że dał nura w morze i więcej nie wrócił, że zniknął bez śladu, że skurczył się, porósł sierścią i zamienił się w małpę, że skamieniał. Jedynym stałym punktem w tych opowieściach jest to, że Manu'eke nigdy nie umarł – mógł zniknąć, mógł się przeistoczyć, lecz nikt nie twierdzi, że widział go martwego.

To mi dało do myślenia.

– Czy oni nadal składają ofiary z żółwi? – spytałem.

– O! – rzekł Tallent i po raz pierwszy usłyszałem uznanie w jego głosie. – To dobre pytanie. Wręcz jedyne pytanie. Nie. Nie składają. Przynajmniej nie na U'ivu. Opa'ivu'eke są tu dziś wielką rzadkością. Trudno je spotkać w wodzie, a jeszcze trudniej na lądzie. Żyje tutaj ich podgatunek, mały żółw słodkowodny, którego sporadycznie spotyka się na Iva'a'aka lub na U'ivu. Ale dzisiejsi wyspiarze boją się go i unikają. Małe żółwie są cenione: spotkanie z nimi przynosi szczęście, ale nikt nie ośmiela się ich dotknąć. Nikt z wyjątkiem…

– Ivu'ivuan – domyśliłem się.

– Podobno. Tak.

Zamilkł znowu, tym razem na bardzo długo.

– Jest o tym opowieść – zaczął wreszcie, urwał i rozpoczął na nowo. – Powiada się, że istnieje pewne plemię U'ivuan, które żyje głęboko w dżungli Ivu'ivu. Podobno zachowali dawne zwyczaje i nadal składają ofiary bogom. Powiada się… – Poczułem raczej, niż ujrzałem, że odwraca się do mnie. – Powiada się, że oni nie umierają. Osobiście nigdy ich nie widziałem – ciągnął Tallent. – Ale kiedy byłem tutaj ostatnio, trzy lata temu, żeby badać u'ivuańską strukturę rodzinną, wielce skądinąd interesującą, poznałem człowieka, który twierdził, że był na Ivu'ivu i spotkał tam istotę ludzką niebędącą istotą ludzką. Wyglądała jak człowiek, chodziła jak człowiek, ale machała bezładnie rękami i nie umiała mówić: skrzeczała tylko jak małpa i – chociaż silna i zdrowa fizycznie – wydawała się nierozumna. Kontakt z nią był niepokojący, a jeszcze gorsze było to, że za pierwszą istotą zjawiły się następne, mężczyźni i kobiety, wszyscy o normalnym wyglądzie, lecz niezdolni do sensownej rozmowy. Trzęśli się, relacjonował mój rozmówca, bełkotali i śmiali się z byle czego śmiechem idiotów przypominającym rżenie. Sam wiesz, jak bardzo U'ivuanie cenią sobie rozmowę: kto nie umie mówić, jest dla nich *mo'o kua'au*, co najbliżej można przetłumaczyć jako „bez gardła”, chociaż *kua'au* znaczy też „przyjaciele” i „miłość”. A więc bez przyjaciół. Bez miłości.

Ten człowiek, który był myśliwym, zostawił owe dziwne istoty i pospieszył z powrotem do domu, na U'ivu. Miesiącami, latami namawiał przyjaciół i rodzinę, żeby wyprawili się z nim na Zakazaną Wyspę odszukać ten lud, udzielić mu pomocy, dowiedzieć się, kim jest. Jednak U'ivuanie, którzy nieufnie odnoszą się do Ivu'ivu jako do ziemi świętej, będącej ulubionym terenem dzieci Opa'ivu'eke, twardo odmawiali. Mój rozmówca, ten myśliwy, nie mogąc zapomnieć o tym, co widział, czuł nieodpartą potrzebę powrotu na Zakazaną Wyspę, chociaż go przerażała. Prześladowało go wspomnienie tamtych istot. O niczym innym nie mógł myśleć. A widząc, że nareszcie ktoś mu wierzy – chociaż tylko *ho'oala* – i sam zamierza je odszukać, wprosił się do mnie na tłumacza i przewodnika. Obiecał zabrać jeszcze dwóch kuzynów, których po wielu namowach zdołał do tego przekonać.

– Fa'a – domyśliłem się. – To on był tym myśliwym. To jego opowieść.

– Tak – potwierdził Tallent i znów raczej poczułem, niż zobaczyłem, jak odwraca się do mnie w ciemności. – Odnajdziemy tych ludzi. Jeśli istnieją, odnajdziemy ich.

– Nieśmiertelnych – dokończyłem, słysząc sceptycyzm w swoim głosie.

Tallent jednak, jeśli też go usłyszał, nie skomentował tego faktu.

– Nieśmiertelnych – potwierdził tonem na nowo nieprzeniknionym. Potem zamilkł na dobre, a ja poczułem ciemność otulającą mnie jak ciepły, ciężki płaszcz.

* * *

Przez pierwszy tydzień po tamtym wieczorze starałem się nie stracić rachuby czasu i odróżniać noc od dnia. (Mój zegarek przestał chodzić po upływie doby: do mechanizmu dostała się wilgoć, która powlokła szkiełko pajęczym deseniem). Szybko jednak zorientowałem się, że to nie ma sensu: gęstwa liści była tak szczelna, że nie dało się polegać na słońcu. Nie umiałem powiedzieć, czy słońce zaszło, czy też winą przyćmionego światła jest wyjątkowo pochmurny dzień. Istniał jedynie mrok i półmrok. Pierwszy był nocą, drugi dniem.

Z perspektywy czasu widzę oczywiście, jak niezwykłe były te pierwsze dni, zanim uodporniłem się na strachy dżungli, a nawet zacząłem nimi gardzić. Na trzeci czy czwarty dzień wspinałem się jak zwykle pod górę, rozglądając się wokół, słuchając rozmów ptaków, czworonogów i owadów, czując pod stopami sprężysty grunt pełen niewidocznych robaków i żuków (przypominało to stąpanie po śliskich wnętrznościach wielkiej uśpionej bestii). Nagle spostrzegłem tuż przy sobie Uvę – zazwyczaj maszerował przede mną, razem z Fa'a i Tu, podbiegając co jakiś czas do Tallenta, by upewnić go, że wszystko jest w porządku – który wyciągnął rękę, nakazując mi się zatrzymać. Następnie szybko i wdzięcznie skoczył ku pobliskiemu drzewu, nieróżniącemu się niczym od innych drzew o grubych, ciemnych pniach i bez gałęzi, i wspiął się po nim błyskawicznie, obejmując szorstką korę podeszwami stóp. Z wysokości jakichś trzech metrów spojrzał w dół na mnie i płaską dłonią dał mi znak, żebym poczekał. Kiwnąłem głową. Uva zaczął wspinać się wyżej, aż zniknął w baldachimie liści.

Gdy schodził z drzewa, już mniej spiesznie, zaciskał coś w garści. Zeskoczył z wysokości jakichś dwóch metrów i podszedł do mnie, rozluźniając pięść. Na jego dłoni drżało coś jedwabistego i jasnego, o rozkosznej złotawej barwie jabłka – w mroku dżungli wyglądało jak światełko. Uva dźgnął to coś palcem, a wówczas odwróciło się na grzbiet i zobaczyłem, że to małpka, jakiej nigdy jeszcze nie widziałem: była najwyżej o kilka centymetrów większa od myszy, które kazano mi kiedyś uśmiercać, a jej pyszczek był małym pomarszczonym serduszkiem o skupionych rysach i wielkich, pustych, błękitnych jak u ślepego kociaka oczach. Miała maleńkie, doskonale uformowane łapki i jedną z nich trzymała się za puszysty ogonek, którym się cała owinęła.

– Vuaka – powiedział Uva, wskazując stworzenie.

– Vuaka – powtórzyłem i wyciągnąłem rękę, żeby dotknąć maleństwa. Pod sierścią wyczułem bijące w panice serduszko, którego szybkie pulsowanie przypominało mruczenie kota.

– Vuaka – rzekł ponownie Uva, po czym udał, że zjada małpkę, i z powagą poklepał się po brzuchu.

– Nie! – zaprotestowałem ze zgrozą. – Nie!

Uva spojrzał na mnie ze zdziwieniem, przekrzywił głowę i pokręcił nią, dając mi do zrozumienia, że nie wiem, co dobre. Potem wrócił na drzewo, podrzucił małpkę do góry i patrzył, jak wczepia się łapkami w korę pnia, po którym wspięła się błyskawicznie, jak złota plamka słońca.

Później, od Tallenta, dowiedziałem się, że vuaka to pierwotny podgatunek małpy, swoista pramałpa żyjąca w gigantycznych koloniach na drzewach, które endemicznie występują na Ivu'ivu. U'ivuanie uważają vuaki za wielki przysmak – obdzierają je ze skóry i pieką tuzinami na długich patykach, po czym zjadają jak kebab – ale drzewo kanava rośnie tylko w najgęstszych partiach dżungli, jakich nie ma już ani na Iva'a'aka, ani na U'ivu. W owym czasie kanava (a więc i vuaka) występowała licznie tylko na Ivu'ivu, na którą to wyspę U'ivuanie nie zapuszczali się nawet pomimo pokusy mięsa vuaki.

Tallent śmiał się. Co zdarzało mu się bardzo rzadko.

– Fa'a mógł tu przypłynąć w poszukiwaniu zaginionego plemienia – powiedział. – Ale pozostali? Założę się, że skusiła ich tylko vuaka.

Oczywiście wilgoć nie pozwalała upiec tu małpek, ale nasi przewodnicy, powiedział Tallent, obdarliby je ze skóry i zakonserwowali zabraną z domu solą, żeby upiec je u siebie po powrocie.

Wiedziałem, że bezsensownym sentymentalizmem (nie mówiąc o daremności) byłoby litowanie się nad biedną śliczną vuaką, a że nie chciałem, by Tallent uznał mnie za mięczaka, nie powiedziałem nic. Nocą jednak, leżąc na macie, myślałem o vuace, o jej wielkich, smutnych oczach, o wspaniałym złotym błysku, który zginął w ciemnościach nad naszymi głowami, i ogarnęła mnie na chwilę tak wielka rozpacz, że zaparło mi dech.

| 131

* * *

Wkrótce jednak nawet dżungla, początkowo zajmująca dla mnie, bo nowa, ze swą nietkniętą doskonałością i różnorodnością, stała się nużąca. Tam gdzie wcześniej widziałem tajemnicę, teraz dostrzegałem tylko powtórzenia: wieczna wilgoć, wieczny półmrok, wieczna sceneria drzew, drzew i drzew. Tęskniłem za widokiem nieba nad głową, błękitnego i lepkiego od chmur, za morzem z jego niespokojną, burzliwą energią. Tutaj dowiadywaliśmy się, że pada deszcz, tylko od drzew, które – bezustannie spragnione niczym legion gardeł chciwie chłonących każdą kroplę – roniły wodę, ta zaś wsiąkała w kępy mchu obrastające pnie, i od ziemi, która stawała się chlupocząca i gąbczasta. Przy brzegu oceanu potrafiła wyrosnąć nawet najmniejsza roślina z nasionka upuszczonego przez ptaka – widziałem tam drzewa mango i gujawy, i inne, które rozpoznałem, choć nie znałem ich nazw – ale tu, w sercu dżungli, rośliny były starsze i tylko tutejsze, zupełnie mi nieznane. Powinno było mnie to ekscytować, ale nie ekscytowało: totalna nieobecność swojskości potrafi uczynić miejsce obcym i nie do zdobycia, więc człowiek odwraca od niego uwagę, żeby nie ulec frustracji.

Mierziła mnie także rozrzutność dżungli przypominającej przesadnie wystrojoną kobietę, która obnosi się z nadmiarem błyszczących klejnotów. Miałem wrażenie, że dżungla puszy się nieustannie sama przed sobą – każdy kamień, każde drzewo, każdą nieruchomą powierzchnię porastała, pokrywała, zdobiła barokowa zieleń. Mijałem kępy krzewów owiniętych pnącym bluszczem, obrośniętych mchem i porostami i drzewa obwieszone splotami korzeni innych roślin, rosnących, jak sądziłem, wysoko ponad baldachimem z liści. Stale coś wystreliwało z podłoża lub sączyło się z niewidocznych czubków drzew. Był to męczący spektakl, który nigdy się nie kończył. A jaki miał cel? Chyba tylko dowieść niewzruszoności przyrody, jej niepoznawalności, fundamentalnego braku zainteresowania człowiekiem. Sprawiało to na mnie, przynajmniej wówczas, wrażenie kpiny. Wiedziałem, że to absurd budzić się codziennie z niechęcią wobec dżungli i mojej własnej tam nieistotności. Ale nie umiałem przezwyciężyć tego uczucia. Zacząłem podejrzewać, że lekko... no, może nie wariuję, ale jak to się dzisiaj mówi, tracę kontakt z rzeczywistością. Poczułem się jak dzieciak i ogarnął mnie wstyd.

Dżungla ciągnęła się bez końca, tak nieustępliwa w swoich ekscesach, że wreszcie na nie zobojętniałem. Bywało, że jakieś stworzenie w malachitowym pancerzyku z romboidalnych łusek przemknęło mi pod nogami albo małpa zaskrzeczała z drzewa, a ja nie przystanąłem, żeby spytać Uvę lub Tallenta, co to za zwierzęta. Zieleń miała tak wiele tonów i odcieni – kolor żmii, mszycy, gruszki, trawy, jadeitu, szpinaku, żółci, igieł sosny, gąsienicy, ogórka, zielonej herbaty... – jakże ubogi jest nasz język kolorów! – że obawiałem się utraty zdolności rozróżniania innych barw. Purpurowa przepaska na biodrach Fa'a raziła moje oczy, a jednak wpatrywałem się w nią jak najdłużej i najintensywniej, żeby utrwalić sobie w mózgu jej czerwień, zanim i ją moje oko zinterpretuje jako odcień zieleni. Nocami śniła mi się zieleń, wielkie unoszące się plamy zieloności przechodzącej łagodnie z odcienia w odcień. Po takich snach budziłem się jak wyżęty. Za dnia powracałem myślą do pustyń, miast, twardych powierzchni szkła i betonu, płatków miki błyszczących w asfalcie jezdni.

Nadal też dokuczał mi problem z Tallentem – nie umiałem patrzeć mu w oczy ani płynnie się przy nim wysławiać. Tallent miał zwyczaj siedzieć do późnej nocy i pisać coś w notatniku, więc mogłem obserwować go ze swojej maty, gdy ciemność, jak chmara nietoperzy, wypełniała przestrzeń. Nigdy nie używał latarki, jeśli nie było to absolutnie konieczne – na przykład gdy oddalał się za potrzebą – ale nawet po zapadnięciu nocy nie kończył pisania, ja zaś leżałem nieruchomo i wsłuchiwałem się w skrzypienie jego pióra po papierze. Nie wiem dlaczego, ale obraz Tallenta piszącego bez światła był dla mnie bardzo piękny; gdy wędrowaliśmy, wywoływałem go nieraz w pamięci, przymykając oczy, i smakowałem jak cukierek. Podczas naszych długich marszów usiłowałem – nieraz z powodzeniem – czynić interesujące uwagi, lecz ilekroć udało mi się zaciekawić Tallenta, wtrącała się Esme z własną opinią na każdy temat.

Esme była kłopotem innego rodzaju. Nie tylko się mądrzyła i monopolizowała Tallenta (nie wiem, czy to zauważył, a jeżeli tak, czy mu to przeszkadzało), ale po prostu przykro było na nią patrzeć. Włosy, z każdym dniem coraz bardziej niesforne, okalały jak abażur jej nalaną twarz, upstrzoną, jak już mówiłem, chroniczną chyba wysypką. Nie powinno było mnie to drażnić, ale drażniło.

Były i poważniejsze problemy z Esme. Kiedyś, późnym wieczorem, idąc nad potok – ten, o którym już wspominałem, a który źródło miał zapewne wysoko w górach, dokąd zmierzaliśmy – natknąłem się na zmięty kwiat wśród runa. Na ciemnym tle kwiat znaczył się wspaniałą, niesamowitą bielą – bielą świeżego papieru – z centralną plamą koloru ciemnego burgunda. Tutejsze kwiaty były woskowate i niepodobne do kwiatów: w miejscu słupków miały nieprzyzwoite mięsiste wargi, na których przysiadały odpocząć owady; w miejscu płatków – agresywnie sterczące płaszczyzny. Lecz ten biały kwiat przypominał mi kwiaty, wśród których dorastałem, landrynkowate peonie, falbaniaste jak spódniczka baletnicy, ażurowe kępy astrów. Od wielu dni nie widziałem czegoś równie pięknego, więc przystanąłem zapatrzony.

Przedzierając się jednak dalej w stronę potoku, zrozumiałem, że ten kwiat nie był żadnym kwiatem, tylko garścią ligniny splamionej krwią. Wściekłem się – po pierwsze, na to, że Esme tak bezczelnie rozsiewa osobiste śmieci, a po drugie (i z mniejszym, przyznaję, uzasadnieniem), że zmarnowała mi piękny obraz.

Powróciwszy na matę, szturchnąłem ją i obudziłem.

– Uważaj, gdzie rzucasz śmieci – powiedziałem.

Patrzyła na mnie, rozczochrana, szparkami oczu.

– O co ci chodzi? – zapytała.

– O twoje śmieci. Prawie w nie wlazłem.

– Odwal się, Perina – warknęła i przewróciła się na drugi bok.

– Esme! – syknąłem. – Esme! – Lecz ona udawała, że śpi, a bałem się mówić głośniej, żeby nie obudzić Tallenta. – Esme!

Potrząsnąłem ją za ramię, czując przez koszulę spoconą skórę i odrażające ciało o konsystencji budyniu.

Nazajutrz rano zjedliśmy śniadanie (znów mielonka z puszki, a do niej wiórowate plastry papai, którą Fa'a znalazł dla nas i pokroił) w kompletnym milczeniu. Tallent pisał w swoim notatniku, a Esme chociaż ten jeden raz nie odezwała się ani słowem. Nie patrzyłem na nią, ale miałem wrażenie, że czuję mdlący odór krwi menstruacyjnej, żelazisty, kobiecy zapach, tak przykry, że z prawdziwą ulgą podjąłem wspinaczkę, czując, jak smród zanika w wyziewach dżungli. Od tamtej pory nie umiałem patrzeć na Esme bez myśli o sączącej się cieczy, gęstej i ciężkiej jak miód, ale miód zepsuty, wyciekający z wszystkich jej sekretnych otworów.

* * *

Po kilku dniach marszu (przepraszam, ale nie panuję nad rachubą czasu, tak jak i wtedy nie panowałem – mogło to być równie dobrze pięć dni, jak i piętnaście) wkroczyliśmy pewnego popołudnia w inny krajobraz. Nie potrafię opisać tej zmiany inaczej niż stwierdzeniem, że inna była sama jakość powietrza: krok za nami rozciągała się znana już dżungla, nasiąknięta jak gąbka, podstępna i gęsta od sekretów niczym świat z bajki, a my znajdowaliśmy się już gdzie indziej. Powietrze stało się suchsze, drzewa mniej harde, a słońce – słońce! – nareszcie było widoczne: rzucało ruchome, wystrzępione po brzegach równoległoboki światła na misternie zasłaną gałązkami i paprociami ziemię. W górze dojrzałem pajęczynę rozpiętą między dwoma drzewami jak szydełkowa koronka, lśniąca niczym garść klejnotów.

| 135

 Fa'a powiedział coś do Tallenta, bardzo szybko i z podnieceniem, a Tallent przekazał nam, że jesteśmy niewiele więcej niż dzień drogi od miejsca, w którym Fa'a spotkał dziwny lud. Fa'a zaznaczył to miejsce dużym znakiem X wyrżniętym w korze nieznanego mi drzewa manama. Tallent wyjaśnił, że łuskowata kora manamy po nacięciu puszcza lepki sok, który zastyga w twardą skorupę, więc łatwo rozpoznamy drzewo, gdy je zobaczymy.

 Teraz jednak oznajmił, że czas na odpoczynek, z czego skorzystaliśmy skwapliwie, całą szóstką zrzucając bagaże na ziemię. Dobrze było i dziwnie leżeć w tej scenerii ze świadomością, że przeżyło się dżunglę (chociaż później musiałem przyznać, że groza dżungli to pestka – dopiero tutaj należało się bać), czuć słońce na twarzy i słyszeć pierwsze nawoływania ptaków niczym zaczarowaną pieśń, obcą i piękną, jak nie z tego świata.

Pospaliśmy się wszyscy, nawet przewodnicy. Gdy się zbudziłem i ujrzałem nieruchome ciała towarzyszy, wydało mi się przez chwilę, że są martwi, że zostałem sam w tym obcym, zalanym słońcem miejscu, otoczony drzewami, których nazw nie znałem, i ptakami, które dały się słyszeć, lecz nie widzieć; że nikt mnie nigdy nie znajdzie, nie dowie się, że tu byłem; że zostanę zapomniany. Doznanie było przelotne, ale na zawsze zapamiętałem, jak szybko przeszedłem wtedy od rozpaczy do rezygnacji. Jak doskonale ludzki mózg przystosowuje się do okoliczności, aby pokonać nawet największe lęki. Poczułem nagle dumę z tego, że jestem człowiekiem, wydałem się sobie niezniszczalny i gotowy na trudy następnego dnia.

Udałem się w kierunku naszego strumienia, który im wyżej wchodziliśmy, tym bardziej, wbrew logice, się poszerzał i nabierał wartkości, tocząc zimną wodę o dziwnym smaku, wyraźniej słonawym tutaj niż na niższych terenach. Napiłem się i usiadłem na brzegu, obserwując nurt na kamykach i podziwiając okalające go pomarańczowe kwiatki. I nagle – senny, lecz nie śniący na jawie – dostrzegłem jakiś ruch za jednym z głazów po drugiej stronie potoku – ciemny kształt niczym cień chmury na powierzchni morza. Zbliżał się i realniał, aż wreszcie poznałem, że to żółw.

– Opa'ivu'eke! Opa'ivu'eke! – wrzasnąłem i usłyszałem, że pozostali już do mnie biegną.

Odgadłem, że to opa'ivu'eke, tylko dzięki temu, że znajdowaliśmy się na jego ziemi – poza tym żółw, przynajmniej na pierwszy rzut oka, niczym się nie wyróżniał. Był może nieco mniejszy, niż sobie wyobrażałem – w obwodzie był jak kołpak na koło samochodowe, a płetwowate łapy upodabniały go do żółwia morskiego*. Przyjrzałem mu się bliżej, bo przestał

---

* Opa'ivu'eke jest jedynym odnotowanym w historii żółwiem zdolnym żyć przez długie okresy i w wodach słodkich, i słonych.

płynąć z prądem i brodził w wodzie: skorupę miał garbatą jak grzbiet dromadera, ciemnozieloną, prawie czarną, połyskliwą niczym pancerz żuka, podzieloną na schludne kwadraty o wyrazistych metalicznych krawędziach. Najbardziej jednak zaintrygowała mnie jego głowa: malutka, dziwnie ukształtowana na podobieństwo orzecha nerkowca, na długiej, teleskopowej szyi. Nigdy wcześniej nie miałem zwyczaju przypisywać zwierzętom cech ludzkich, ale patrząc na opa'ivu'eke, nie mogłem się oprzeć wrażeniu jego inteligencji. W podkrążonych bursztynowych oczach dostrzegłem mądrość i siłę i na moment uwierzyłem w prawdziwość opowieści Tallenta: byliśmy gośćmi tego stworzenia, a na pewno nie istotami, które nad nim górują. Za plecami słyszałem trzech przewodników mówiących coś unisono w języku U'ivu – coś, co brzmiało jak mantryczny zaśpiew świerszczy. Po kilku chwilach, które spędziliśmy w doskonałej ciszy, żółw mrugnął do nas i, jakby z wyższością, popłynął dalej, trzymając głowę nad wodą i orząc łapami powierzchnię strumienia.

| 137

Patrzyliśmy za nim, lecz gdy tylko zniknął nam z oczu, przewodnicy znów rozgadali się z ożywieniem. Na ich twarzach malowały się podniecenie i lęk.

– Jeszcze nigdy nie widzieli opa'ivu'eke – powiedział półgłosem Tallent, zwracając się do Esme i do mnie.

Obserwowaliśmy trzech mężczyzn dzielących się świeżym doświadczeniem: paplali tak szybko, jakby chcieli wyrzucić z siebie wspomnienie, zamiast je utrwalić.

My troje, nawet Esme, milczeliśmy. Patrzyliśmy tylko na naszych tubylców. Z czasem zrozumiałem ich zachowanie, które miało pozory paniki: miejsce bogów jest w opowieściach, w niebiosach, w krainach nie z tego świata – nie powinni być widziani przez ludzi. Gdy wkraczamy w ich świat, gdy patrzymy na to, co nie jest przeznaczone dla oczu – czyż to nie grozi katastrofą?

* * *

Dziwne były godziny naszego marszu po zobaczeniu żółwia. Nasi przewodnicy nigdy nie wydawali mi się szczególnie towarzyscy – w czasie dziennych wędrówek wyprzedzali nas często tak bardzo, że (wstyd się przyznać) przypisywałem im szczątkową wrażliwość – dzisiaj jednak szli razem z nami, jakby szukali w nas pociechy i obrony (niesłusznie, bo nie nadawaliśmy się, może z wyjątkiem Tallenta, do bronienia ich przed czymkolwiek). Ich milczenie było dotąd nie tylko milczeniem, ale kompletnym brakiem dźwięku – w przeciwieństwie do nas nie sapali, brnąc naprzód, nie przystawali, aby otrzeć pot z czoła; wyglądało na to, że potrzebują mniej powietrza do przetrwania w upale dżungli. Jednak tego popołudnia miałem okazję usłyszeć wydawane przez nich odgłosy – ciche odpowiedzi dawane niewidocznym owadom i gwizdnięcia, jakimi informowali się nawzajem o swoim położeniu – które należały do ścieżki dźwiękowej dżungli.

W tej to ciszy spadło z nieba owo coś – coś mokrego i ciężkiego, co z soczystym, obscenicznym plaśnięciem wylądowało na ziemi niczym połeć surowego mięsa spuszczony z dużej wysokości. Przestraszyło naszych przewodników tak, że znowu zaczęli mówić (ja sam chyba wrzasnąłem) i skupili się nad tym czymś, co okazało się owocem, lecz owocem, jakiego jeszcze nie widziałem: obrzydliwie priapicznym, długim na prawie pół metra i pękatym jak bakłażan, o tym specyficznym odcieniu świeżego różu, który mają tropikalne zachody słońca. Ale naprawdę wyróżniało go to, że się ruszał – coś wzdymało jego cienką, nieskazitelną skórkę i wygładzało ją na nowo – falował na całej swojej długości. Przewodnicy znów paplali z przejęciem wszyscy naraz, a Tallent, który do nich podbiegł, dołączył do chóru.

– To jest owoc manamy – wyjaśnił nam. – Rośnie tylko na tej wysokości. To znaczy, że jesteśmy już blisko.

Wziął owoc z rąk Fa'a i rozkroił go scyzorykiem. Z rozcięcia wylała się wielka masa wijących się pędraków o barwie i rozmiarach młodych myszy: spadały na ziemię i odpełzały pospiesznie, szukając schronienia; na tle mchu wyglądały jak strużki nagle ożywionej mielonej wołowiny. (Esme miała taką minę, jakby ją zemdliło. Ja też poczułem się niewyraźnie).

– Larwy hunono – objaśnił Tallent, którego niezmącona równowaga i brak obrzydzenia wobec czegokolwiek, czym może go zaskoczyć natura, wydały mi się nagle nieludzkie i lekko podejrzane. – Żyją w tych owocach w okresie inkubacji, a dojrzawszy, eksplodują z niego w postaci motyli, najpiękniejszych motyli, jakie widziałem. – Uśmiechnął się do nas. – Stanowią tutaj rzadki przysmak, podobnie jak sam owoc.

Co rzekłszy, zgarnął z miąższu ostatnie larwy i tępą krawędzią noża ukroił nam obojgu po plastrze owocu manamy. Nie miałem wielkiej ochoty go skosztować, ale nie widziałem innego wyjścia: Esme już podnosiła swój plaster do ust. Miąższ, koloru identycznego jak skórka, miał słodkawy smak, lekko włóknistą konsystencję i mięsistą elastyczność ścięgna. Tallent zaproponował mi drugą porcję, ale pokręciłem głową, na co on wzruszył ramionami i oddał resztę manamy przewodnikom, którzy jęli łapczywie rozrywać ją palcami. Na tle ich burej skóry owoc wyglądał jeszcze delikatniej i bardziej przypominał ciało. Nagle zdjął mnie irracjonalny strach.

Szliśmy dalej, a owoce manamy spadały na ziemię coraz częściej, zawsze z tą samą szokującą gwałtownością. Spojrzałem w górę: widać było tylko ich spody, tak że niebo zdawało się usiane dryfującymi guzami zawieszonymi w powietrzu jak dziwaczne różowe księżyce. Drzewa manama, których kora tworzy wiele warstw łuskowatych skorup, zaczęły w końcu wypierać inne gatunki drzew – na przykład wszechobecną dotychczas kanavę – aż praktycznie zmonopolizowały las, emanując dziwnym zapachem czegoś nieczystego i ludzkiego.

Już zaczynałem się martwić, że Fa'a nigdy nie odnajdzie swojego drzewa, tego oznaczonego, gdy Uva wydał okrzyk i wskazał palcem pień manamy, na którym widniała wielka plama krwi, rozchlapana w sposób niemal komiczny. Gdy podeszliśmy bliżej, stwierdziłem, że to nie krew, lecz coś żywego, podobnego do obdartego ze skóry, sterczącego organu, tak jakby drzewo wykształciło własną anatomię. „O Boże – pomyślałem – czy nic w tej dżungli nie może się zachowywać, jak należy? Dlaczego nie przestrzega się tu praw przyrody? Dlaczego wszystko musi tak nachalnie sugerować czary?". I dopiero z bliska, podszedłszy z niechęcią do manamy, przekonałem się, że jest ona rzeczywiście drzewem, a to, co brałem za pulsujące serce czy też płuco, było w istocie rojem motyli o karminowych skrzydłach w złote cętki. Wykluły się widocznie z larw. Gdy Tallent odgonił je ręką, z wielkim smutkiem patrzyłem, jak rozpraszają się w powietrzu i przez chwilę krążą nad nami na podobieństwo groźnej chmury. Zrozumiałem, że motyle wróciły na drzewo, na którym się wykluły, aby karmić się jego sokiem, twardniejącym – tak jak mówił Tallent – w matową, szklistą, pęcherzykowatą masę.

Dotarliśmy na miejsce. To było drzewo, przy którym Fa'a spotkał swoich nieludzi – cel naszej wielodniowej wędrówki. Lecz poczucie sukcesu przyćmił oczywisty dla mnie niebawem brak dalszego planu. Chyba to przemyśleli? – pytałem sam siebie nieco histerycznie. Czyżbyśmy mieli czekać pod tym drzewem jak dzieci z bajki na hipotetycznych półludzi, aż zjawią się przed nami jako ożywione fantazje? Wyobraźnia podsunęła mi obraz powrotu w gąszcz dżungli, w jej wilgotne, lepkie macki, przez które dobrniemy na brzeg morza, a potem – co? Powrócimy jakoś na U'ivu, skąd Esme i Tallent udadzą się do Kalifornii, a ja... nie wiem dokąd. Doznałem poczucia wykorzenienia, jak kiedyś w domu Smythe'a, i z goryczą zadałem sobie pytanie, kiedy wreszcie nauczę się odgadywać, czy okoliczności, w których się znalazłem, są ułudą, czy zwyczajnym pechem.

W końcu, po dłuższej naradzie z Fa'a, Tallent oznajmił, że w tym miejscu rozbijemy obóz na noc, a wędrówkę podejmiemy nazajutrz. Ani Esme, ani ja nie spytaliśmy go o szczegóły – prawdopodobnie ze strachu, ale przede wszystkim dlatego, że żadne z nas nie zwykło się z nim konfrontować – tylko potulnie złożyliśmy plecaki na ziemi. Tallent, pamiętam, mówił jak człowiek pokonany, co mnie osobiście ucieszyło, chociaż powinienem był się zaniepokoić: przecież, jak sam powiedział, przywiodła nas tu jego intuicja – bez Tallenta byłem niemądrym chłopczykiem zagubionym w lesie pełnym wariatów i mitów.

W nocy śniłem, jak zawsze, ale – czy to dzięki słońcu, które wróciło w porze czuwania, czy z racji tego, że wciąż trzymałem się uparcie fałszywego złudzenia, iż dotarłem do przełomowego momentu w swoim życiu, czy też może z winy owoców manamy, których głośne spadanie zakłócało spokój nocy chaotyczną symfonią – śniły mi się rzeczy przyziemne, miłe sercu i tak zwyczajne, że nigdy nie podejrzewałem, iż za nimi zatęsknię: stary skórzany but, na którego podeszwie przyschło gówno, wiąz, który rósł przed naszym domem i symbolizował wszystko, co majestatyczne i dystyngowane, niebieska koszula, która kiedyś należała do ojca i wypłowiała prawie do białości, i Owen – jego twarz krążąca niczym planeta po falującej połaci jedwabistej czerni, z miną nieczytelną, a jednak wyczułem, że pełną litości.

„Nad kim się lituje? – pomyślałem we śnie. – Nade mną?".

* * *

Nazajutrz wstaliśmy, zjedliśmy i usiedliśmy. Dokładnie mówiąc, usiedliśmy my troje, Esme, Tallent i ja, bo nasi przewodnicy gdzieś się oddalili. Stawało się jasne, że wobec braku planu mamy siedzieć i czekać, jak psy, aż coś się wydarzy.

Kto wie, jak długo tak siedzieliśmy. Wiele godzin, to pewne, ale ile? Chwilami słyszeliśmy szuranie i krzątaninę przewodników. Zerkałem ukradkiem na Tallenta (który pisał zawzięciej niż zwykle – tylko o czym? Miałem ochotę spytać go o to, bo moim zdaniem nie zdarzyło się nic, co mogło zainteresować antropologa) i unikałem patrzenia na Esme; kładłem się na plecach i próbowałem policzyć pędy pewnego gatunku lian (żylaste, jakby zakurzone), które dyndały splątane z wysokiej gałęzi manamy. Wspominając ten dzień, nie umiem – do dziś nie umiem – pozbyć się lekkiego zażenowania. Młodzi niestety marnują przygody. Powinienem był wykorzystać ten czas na rekonesans, na grzebanie w poszyciu (o wiele tu bogatszym i łatwiej dostępnym niż w miejscach, gdzie obozowaliśmy jeszcze parę dni temu), na wyszukiwanie nieznanych roślin (odczuwam fizyczny ból na wspomnienie mnogości traw, paproci, kwiatów i drzew, jakich wcześniej nie widziałem, a mogłem je opisać tego popołudnia) czy choćby na śledzenie naszych przewodników realizujących tajemnicze, obsesyjne misje. Zamiast tego leżałem na plecach i liczyłem liany. Liany! A taki byłem zawsze dumny ze swojej ciekawości i nienasyconego, jak mi się zdawało, głodu intelektualnego. Tymczasem skonfrontowany z wszechobecną obcością nie robiłem nic i niczego nie obserwowałem.

Jest pewien problem z byciem młodym i rzuconym w osobliwe miejsce: człowiek zakłada, że jeszcze nie raz trafią mu się w życiu okolice równie obce i egzotyczne. Co bardzo rzadko bywa prawdą, albowiem większość zjawisk z najbliższego otoczenia powtarza się z nudną wprost dokładnością: ptaki, czworonogi, owoce, niebo, ludzie. Mogą się różnić wyglądem, ale w podstawowych zachowaniach są identyczne: ptaki świergoczą i trzepią skrzydłami, czworonogi polują lub beczą, owoce są pozbawione czucia i się nie ruszają, niebo jest zachmurzone albo pogodne, ludzie noszą ubrania, zabijają, jedzą i umierają. Na Ivu'ivu, jak już nieraz podkreślałem, nic nie działo się tak, jak powinno – lecz ja nie miałem dostatecznego doświadczenia, żeby w pełni pojąć i docenić tę niezwykłość. (Z perspektywy czasu widzę, że chyba potrafił tego dokonać Tallent. Może właśnie takie, a nie antropologiczne obserwacje notował w swoim dzienniku, dokumentując dziwność tego miejsca). Tylko starzy umieją się dziwić, patrząc dookoła, ponieważ my, starzy, wiemy, jak dalece jednorodny jest świat, jak dogłębnie wszystkie problemy zostały już rozpoznane i opisane.

Chciałbym móc powiedzieć, że po długim oczekiwaniu otoczyli nas nagle ludzie Fa'a, zjawiając się tak niespodziewanie i dramatycznie jak owoce manamy. Ale nic podobnego. Tallent, po kolejnej dłuższej naradzie z kręcącym głową Fa'a, oznajmił, że rozdzielimy się i pójdziemy w różne strony, każde ze swoim przewodnikiem, aby – jak to ujął ogólnikowo – „zbadać teren i poszukać tropów". On sam z Fa'a udawał się na północ, a Esme i ja mieliśmy iść odpowiednio na wschód i zachód. Gdy słońce stanie w zenicie, mieliśmy zejść się wszyscy z powrotem pod drzewem.

Opowiadając tę historię, zdumiewam się na nowo kulawą prowizorką tego rozwiązania. Wówczas jednak wydawało się ono najrozsądniejsze, najpraktyczniejsze, wprost optymalne. W sytuacjach nielogicznych człowiek czepia się pierwszego lepszego pozornie logicznego pomysłu, choćby i lichego, nieudolnie maskującego brak rzetelnych planów.

Ruszyliśmy więc w wyznaczonych kierunkach, niezbyt przekonani, że naprawdę na coś się natkniemy. Ludzie Fa'a – akurat! Skąd mieliśmy wiedzieć, że w ogóle istnieją? „Przecież widziałeś opa'ivu'eke" – przypomniałem sobie, zaraz jednak inny głos wewnętrzny zaoponował: „Widziałeś żółwia, i tyle. Żółwia, z którego zrobiłeś boga. Jesteś już tak samo opętany jak cała reszta". Na to nie miałem odpowiedzi. Głos miał rację. Byłem opętany.

II

Pierwszy dostrzegł to Fa'a.

Dowiedzieliśmy się o tym później, znacznie później, gdy słońce już zaszło i całą dżunglę spowił zjawiskowy czerwony blask, a powietrze zgęstniało w szkarłatną mgłę. Czekaliśmy – Esme, Tu, Uva i ja – na powrót Tallenta z Fa'a; Tu i Uva denerwowali się coraz bardziej i na zmianę wybiegali na wzgórze (jeden zawsze zostawał na straży naszych plecaków, jakbyśmy byli ich więźniami albo dziećmi, za które zresztą musieli nas uważać).

Nagle ujrzeliśmy Tallenta i Fa'a schodzących ze zbocza. Fa'a już z daleka histerycznie nawoływał kolegów. Tallent szedł za nim, mając za plecami jeszcze kogoś. Staliśmy murem, obserwując, jak wynurzają się spośród drzew. Na twarzach obu przewodników dostrzegłem lęk, który musiał malować się i na moim obliczu. Ale zanadto wybiegam w przyszłość.

Opuściwszy nas rankiem, Tallent i Fa'a poszli dalej, za drzewo z motylami (które, nie umawiając się, uznaliśmy za punkt graniczny: przed nim był teren już nam znany, za nim – *terra incognita*. To rozróżnienie poczyniliśmy tylko dla porządku, bo przecież *terra incognita* była wszędzie – to, co leżało za drzewem, było dla nas równie niezdobyte jak obszar przed nim), i zapuścili się w dżunglę. Po kilkuset metrach wędrówki dotarli do jeszcze rzadszego lasu, w którym korony drzew tworzyły za to gęstsze parasole, tłumiąc światło i dostęp powietrza – panował tam względnie chłodny mrok. Dotychczas używałem tych słów na przemian, ale tutaj był raczej las, nie dżungla: zaklęta puszcza z baśni, w której na polanach stoją czarne chaty z lukrecji lukrowane bielą słoniny, a mówiące ludzkim głosem wilki chodzą na dwóch łapach w babcinych czepcach na głowie. Zmieniła się też roślinność: znikły drapieżne, żywiące się owadami orchidee, wulgarnie mięsiste bromelie, niskie sagowce, a ich miejsce zajęły przytomniejsze w kolorach kolonie grzybów i zwarte kępy paproci.

Szli, jak sami ocenili, około godziny, gdy usłyszeli odgłos – nic nadzwyczajnego, jakby szelest papieru nad głowami. Dwa dni wcześniej nic by sobie z tego nie robili – ot, jeszcze jedna rodzina małpek vuaka buszująca po drzewie kanava albo nieznośny ptak podobny do tukana, którego neonowożółte odchody plamią pnie drzew jak farba olejna. Tutaj jednak zwierzęta były milczące i płochliwe – Fa'a z Tallentem napotkali już włochate leniwce wielkości labradora zwieszające się sennie z gałęzi i pająki o niebiesko, lśniąco nakrapianych grzbietach wędrujące po swoich misternych szklistych pajęczynach – a panująca tu cisza była ciszą miejsca, które wstrzymało oddech, ciszą napiętą i nerwową, jakby za chwilę miała eksplodować kolorami i hałasem wielkiego przyjęcia. Szelest kazał im więc przystanąć i nadstawić uszu. Tallent złapał się na tym, że odlicza, całkiem bez sensu, jakby po którejś liczbie coś się miało okazać.

Doszedł do siedemdziesięciu trzech, gdy Fa'a złapał go za ramię i wskazał palcem: jakieś pięćdziesiąt metrów w lewo od nich coś schodziło po pniu drzewa. Schodziło niezbyt pewnie, niezbyt zwinnie, a gdy się wyłoniło spod liści, Tallent wziął je zrazu za leniwca, a nie człowieka: człowiek schodziłby nogami w dół, a to stworzenie złaziło głową w dół, jakby na rękach ciasno obejmujących pień drzewa, po którym ześlizgiwała się bezwładna, bezużyteczna reszta ciała. Gałęzie manamy,

mocne i prostopadłe do pnia, rosną niemal od podstawy drzewa aż po jego szczyt, ale to stworzenie nie korzystało z nich jak
z drabiny, co uczyniłby człowiek. Ześlizgiwało się po pniu
jak wąż (chociaż kora manamy czyni poślizg wręcz niemożli-
wym), a natknąwszy się na gałąź, zamierało w bezruchu, skon-
fundowane, najwyraźniej nieświadome, że może ją wykorzystać. Gdy dotknęło głową stóp drzewa, też zamarło na chwilę,
po czym przerzutem ciała padło na ziemię i dość długo leżało
na plecach, z rozpostartymi ramionami i nogami, nie wydając
żadnych dźwięków. Fa'a wyciągnął rękę, wstrzymując Tallenta
przed podejściem do stworzenia (było to niepotrzebne, jak powiedział potem Tallent, gdyż stał jak zaklęty i nie mógł się ruszyć) i przez kilka chwil trwali nieporuszeni, gapiąc się na to coś
leżące na ziemi.

Gdy wreszcie wstało z ziemi, zrobiło to stopniowo: najpierw
uniosło się do pozycji siedzącej – bez użycia łokci, zamachem
ciała od pasa w górę, jak podciągnięte niewidzialnym wielokrąż-
kiem – a potem, po kolejnej pauzie, zerwało się na równe nogi.
Zaczęło chodzić, a Fa'a i Tallent schowali się za drzewo, żeby
to obserwować.

Istota była nieco niższa od Fa'a, mogła mierzyć z metr dwadzieścia, i była płci żeńskiej, o czym świadczyły obwisłe piersi. Miała twardy i okrągły brzuch i szerokie, płaskie stopy (takie
same miał Fa'a, chociaż nieco węższe) o mięsistych, podkulo-
nych palcach. Była bardzo owłosiona – jej włosy łonowe tworzyły gęstą, splątaną kępę, a włosy na głowie wyglądały jak lita
bryła czerni, tak były kędzierzawe i skołtunione. Nogi też miała
czarne od cienkich włosków, a plecy porastało delikatne futro.
Wszystko czepiało się jej włosów – strzępy liści, błoto, owoco-
wa pulpa i odchody. Tallent spostrzegł, że z jej włosów łono-
wych sterczy larwa hunono, niczym dodatkowy organ. Jej ruchy
były ludzkie, ale jakby niewyćwiczone, jakby wyuczone przed
laty i pomału, stopniowo zapominane. Patrzyli, jak się schyla
(sztywno, zgięta w pasie) po owoc manamy, w który wgryzła się

z furią, przy czym hunono wyciekły jej między palcami, rozmazując się w różową pastę wokół jej ust. I nagle, znów gwałtownym ruchem, odwróciła się i spojrzała wprost na Fa'a i Tallenta: Fa'a skulił się za drzewem, wydając cichy syk grozy i obrzydzenia, ale Tallent wyszedł zza pnia i lekceważąc błagalnie ostrzegawcze machanie Fa'a, skierował się ku istocie.

Stąpał wolno, ostrożnie, wiedząc już, że jej ruchy następują bez uprzedzenia, i zbliżywszy się na odległość dziesięciu metrów, przystanął. Ona tymczasem obserwowała go, a z jej ust i dłoni wciąż spadały larwy, odbijając się od brzucha i lądując na ziemi. Usta miała głupkowate, groteskowo rozdziawione i nie spuszczała z oka Tallenta.

Postąpił o krok bliżej. Obserwowała go. Dał jeszcze krok. Wciąż nic. Jeszcze jeden krok i prawie zdoła jej dotknąć. Więc zrobił ten krok.

Zaczęła przeraźliwie skowyczeć, ton jej głosu wznosił się i opadał, modulowany od warczenia po cienkie skomlenie, i trwało to chwilę. Tallent usłyszał z tyłu Fa'a, który krzyczał: „Odsuń się! Odsuń się!" – ale się nie odsunął, tylko stał twardo może metr od istoty, z ręką wyciągniętą w jej stronę, ona zaś wciąż ściskała w garści manamę, roniąc larwy, a jej skowyt był jedynym odgłosem w tej cichej, strasznej, nawiedzonej puszczy i nie ustawał, przeraźliwy, arytmiczny, nieprzerwany.

Wtem umilkła. Zamknęła usta i dźwięk się urwał, w puszczy brzmiało jedynie jego echo, i znów zabrała się do jedzenia manamy, siorbiąc i chłepcząc, drążąc owoc różowym językiem, a z kącików jej ust wyślizgiwały się jak rzęski różowe larwy. Jakby całkiem zapomniała, że Tallent przed nią stoi. On zaś przemówił do niej, wypowiadając kilka prostych słów po u'ivuańsku – „Hej, kim jesteś?" – a gdy mu nie odpowiedziała, cofnął się do Fa'a, na co istota nie zwróciła najmniejszej uwagi.

– Fa'a – szepnął Tallent. – Podaj mi puszkę mielonki.

Palcami oderwał pokrywkę, kalecząc się w pośpiechu, i zaczął paznokciami wydłubywać mięso, idąc ponownie ku istocie.

Kiedy miał ją na wyciągnięcie ramienia (czy też, zreflektował się, ona miała jego), położył na ziemi grudkę mięsa i cofnął się o krok w stronę Fa'a, i cofał się dalej, co krok zostawiając za sobą grudkę różowego mięsa (w tym samym odcieniu co owoc manamy, uświadomił sobie nagle, chociaż wcześniej nie miał takiego skojarzenia), aż wycofał się za drzewo, gdzie stał Fa'a z wytrzeszczonymi oczami.

Istota zauważyła mięso dopiero po dłuższej chwili. Dokończyła jeść owoc – skonsumowała go nad wyraz starannie, wylizując skórkę szerokim, płaskim językiem i wysysając ją z taką siłą, że wciągała policzki – i stała jakiś czas bez ruchu, dysząc ciężko, jak po wielkim wysiłku, przy czym jej brzuch to wzdymał się, to opadał.

Odwróciła się – i wdepnęła w mielonkę. Tallent patrzył, jak mięsna papka, gęsta jak lawa, oblepia błotnistej barwy skórę istoty. Ta na moment jakby znowu o wszystkim zapomniała: zmieniła się w dyszący posąg z głupkowato wywalonym językiem, zagapiony w nicość. Potem spojrzała w dół, jakby mimochodem, jak gdyby podziwiała nową parę butów, i dostrzegła mięso: opadła szybko na kolana i zaczęła je chciwie obwąchiwać, a z jej nozdrzy dobywały się smarkliwe emfatyczne dźwięki. Węszyła tak przez jakiś czas, krążąc na czworakach (jak świnia) wokół zdobyczy, aż przysiadła w kucki (jak małpa) i płaskimi dłońmi podniosła miękkie mięso do ust. Skonsumowawszy pierwszą porcję, zrobiła mały odpoczynek i beknęła, a potem, nie wstając z kucek, przesunęła się do drugiej kupki mięsa i podjęła rytuał – obserwacja, obserwacja, węszenie, węszenie, jedzenie, jedzenie, beknięcie – i tak dalej, aż zbliżyła się do drzewa na tak małą odległość, że Fa'a i Tallent poczuli jej zapach, kompostowy odór, który był mniej przykry, niż można się było spodziewać – a wówczas Fa'a rzucił się na nią i oburącz chwycił ją w pasie.

Myślał, że będzie się szamotała, broniła, ale ona tylko obejrzała się na niego; wessała usta, przekrzywiła głowę i wytrzeszczyła oczy, jakby te trzy czynności były ze sobą powiązane. Tallent i Fa'a czekali, aż zacznie znów skowyczeć, ale nie wydała głosu. Minęła chwila. Usta istoty przybrały swój normalny głupkowaty wyraz, oczy wróciły pod powieki, głowa opadła na piersi: była jak marionetka z poluzowanymi sznurkami, gotowa wrócić do pudełka, gdzie będzie czekać cierpliwie, aż ożywi ją następna osoba.

Fa'a puścił ją – usiadła ciężko – i patrzył na nią wraz z Tallentem.

– Takie widziałem – powiedział. – Właśnie takie. Było ich dużo, mężczyzn, kobiet. Zachowywali się tak jak ona: stali, gapili się i wydawali bezsensowne odgłosy. Gdzie teraz są? Dlaczego ona jest sama?

Martwił się, chociaż trudno powiedzieć, czy o istotę, czy o siebie i Tallenta, bo byli sami w lesie i mogła ich otaczać chmara nieludzi. Tallent nie był pewien, o co mu chodzi. Wyczuł jednak, że Fa'a jest zmordowany i przerażony – widocznie miał nadzieję, że wymyślił te istoty, a teraz otrzymał dowód, że to nie było zmyślenie, że oto ożył na jego oczach kolejny mit, a myśl ta oszołomiła go i przeraziła.

– Wracajmy – rzekł łagodnie Tallent, chociaż już postanowił, że zabierze z sobą tę kobietę, i rozumiał, że jej obecność zdenerwuje nieszczęsnego Fa'a.

Ale odkrycia nie dało się cofnąć; to Fa'a go tutaj doprowadził, a teraz cierpiał z powodu tego, o czym wiedział.

I tak rozpoczęli powolny marsz w dół zbocza: Fa'a przodem, milczący i spięty, za nim Tallent, a za Tallentem – myśleli, że trzeba będzie ją skusić następną porcją mielonki, ale poszła sama z siebie, wyszczerzona jak dynia na Halloween, odsłaniając w uśmiechu ostre, lśniące jak krzemień zęby – ta istota. Chwilami zbaczała albo przystawała, żeby się pogapić lub podrapać, a wtedy Tallent podchodził do niej i kiwał palcem, co chyba rozumiała, bo podejmowała marsz.

Fa'a, który chciał jak najprędzej się od niej oddalić i wrócić do swoich ziomków, wyrwał do przodu – dlatego kiedy krzyknął,

Tallent zrazu go nie dojrzał i ruszył za samym głosem, potykając się o korzenie drzew i ślizgając po płatach mchu, aż wreszcie ujrzał to, co pokazywał Fa'a: cienką włócznię długości około półtora metra, wbitą w pień manamy, z którego pociekł spieniony sok. Wyszarpnęli ją we dwóch, stękając z wysiłku, walcząc z uchwytem drzewa, i zobaczyli ostro wycyzelowane ostrze, które wyszło z pnia bez szwanku, w jednym solidnym kawałku. Fa'a już wcześniej był nieswój. Teraz Tallent, po raz pierwszy, odkąd się znali, widział go śmiertelnie przerażonego. U'ivuanie są wyśmienitymi włócznikami, dorosły mężczyzna nie rozstaje się z włócznią; doskonale łowią dziki, ośmiornice – i ludzi. Każdy U'ivuanin wie, że włóczni nigdy, przenigdy się nie zostawia. Włócznia U'ivuanina to jego dusza – *Ma'alamakina, ma'ama**, mawiają – więc gdy wojownik ginie w walce, towarzysze odnajdują jego włócznię i zwracają ją rodzinie zmarłego. Włócznia to jedyny przedmiot, na punkcie którego U'ivuanie są sentymentalni, chociaż to może za słabe, za miękkie określenie. Lepiej powiedzieć, że jest to jedyny przedmiot, który wielbią. Wszystko inne jest *la* – bez znaczenia**.

---

* Dosłownie: „Moja włócznia, moje ja".
** Pojęcie *la* – które Norton tłumaczy tutaj jako „bez znaczenia", chociaż inni interpretują je jako bliższe buddyzmowi zen i jego pojęciu *mu* oznaczającemu „nicość" – jest zapewne najważniejszą zasadą tradycyjnej u'ivuańskiej filozofii (nie mylić z mitologią i religią, które są w znacznej mierze animistyczne).

Teolog David Hohlt w książce *Kraina La* (Farrar, Straus & Giroux, Nowy Jork 1987) twierdzi wręcz, że chociaż buddyzm nie dotarł nigdy na U'ivu, to kluczowe wartości u'ivuańskiego systemu wierzeń są „bliższe wczesnemu buddyzmowi niż obecnym interpretacjom tej religii i praktykom religijnym, obserwowanym w całej dzisiejszej Azji". Filozofię u'ivuańską, pisze Hohlt, można wręcz uznać za rodzaj prabuddyzmu, co byłoby przyczynkiem do teorii o nieuchronności powstania systemu wierzeń, którego podstawy człowiek musiał dla siebie stworzyć. Obserwacja ta dotyczy tak kultury u'ivuańskiej, jak i wszystkich głównych religii w dziejach ludzkości.

Znam pewną opowieść związaną z *la*, której się nauczyłem na pamięć podczas pobytu na U'ivu w roku 1972. Było bardzo gorąco, a wilgoć, owady

Nic więc dziwnego, że Fa'a się wystraszył: porzucona włócznia, i to dłuższa niż wszystkie mu znane, była jak zły omen w tym nieziemskim, nieprzyjaznym miejscu. Nic też dziwnego, że Tallent dał się ponieść ekscytacji, chociaż nie okazał tego wobec Fa'a: miał oto dowód, drugi po stojącym obok niego stworzeniu, że ponad nimi istnieje inny świat. Wystarczyło go znaleźć.

* * *

Nazwaliśmy ją, mało oryginalnie, Ewą – pierwszą kobietą swojego gatunku. Kiedy Tallent cicho i z napięciem rozmawiał z przewodnikami, Esme i ja zaprowadziliśmy Ewę nad rzekę, żeby ją umyć.

Muszę przyznać, że Esme dobrze się obchodziła z tą kobietą, delikatniej, niż mógłbym przypuszczać. Ewa bała się wody – jej zimna, jej wilgoci – więc gdy poczuła ją na skórze, zaczęła piszczeć i wyć, na co zaraz przybiegł Tu, zaniepokojony o bezpieczeństwo moje i Esme.

Zaczęliśmy od pleców. Naszą myjką była biała szmata, w której z przykrością rozpoznałem jeden z podkoszulków Tallenta (od jak dawna był w posiadaniu Esme?). Z każdym jego

| 151

---

i nieznośne zapachy wprawiały mnie w stan dezorientacji i oszołomienia. Przechodząc przez tworzący osadę krąg ubogich, lichych chat, natknąłem się na trzy półnagie u'ivuańskie dziewczynki, które trzymając się za ręce, chodziły wolno w kółko i śpiewały. Miały cienkie, urocze głosy małych dzieci – piękne, nawet gdy fałszują. Obserwowałem je.

Gdy potem powiedziałem o tym Nortonowi, on pochwalił mi się, że wie, o czym jest piosenka dziewczynek. Myślałem, że to jakaś wyliczanka, ale się myliłem. Był to pierwszy wiersz, jakiego u'ivuańskie dziecko uczy się na pamięć, pieśń skandowana przy narodzinach i przy śmierci:

Czym jest życie?   *La.*
Czym jest śmierć?   *La.*
Czym jest słońce, woda, niebo, las?   *La.*
Czym jest mój dom, moja świnia, moje paciorki, moi przyjaciele?   *La.*
A czym jest życie bez mojej włóczni?   *O, la. La. La.*

pociągnięciem skóra Ewy zmieniała kolor – od szarego poprzez brunatny i brązowy aż po czarny. Bardzo uważałem, żeby nie szorować jej za mocno, ale Esme była mniej delikatna i tarła skórę, jakby i pigment stanowił warstwę brudu do usunięcia. Nadal jednak robiła to sumiennie, bez okrucieństwa, a przesuwając myjkę między piersiami i pod pachami Ewy, rozsuwając jej dłonie, żeby dostać się do podbrzusza, relacjonowała swoje czynności:

– Teraz umyjemy ci łokcie, a teraz przedramiona. Jesteś bardzo silna, prawda? A teraz dłonie i na koniec szyję.

Zupełnie jakby robiła to codziennie, jakby Ewa nie różniła się niczym od trzęsących się półludzi, których Esme myła już w dżungli, w chłodnej rzece wijącej się poza granicami naszego wzroku.

Ewa natomiast była cierpliwsza, niż się spodziewałem. Dopiero kiedy zaczęliśmy ją czesać, rozdzielając kołtun gałązką manamy, zaczęła warczeć gardłowo i obnażać ostre kły. Esme odsunęła się, unosząc dłonie na znak uległości. Z czyściejszą Ewą (której wygląd nie bardzo się jednak poprawił) wróciliśmy do innych i zmusiliśmy ją do przyjęcia pozycji siedzącej.

Potem nakarmiliśmy ją – oczywiście karmiliśmy tylko ja, Esme i Tallent; przewodnicy odmówili. Brała z naszych rąk śliskie grudki mielonki to ustami (jej wydatne, wilgotne, kojarzące się z waginą wargi całowały moją skórę), to znów płaskim wnętrzem dłoni. Palców zdawała się nie używać. Odczekaliśmy, aż zasnęła w pozycji na wznak, obserwując ją przy świetle latarki Tallenta. Odbyliśmy małą dyskusję, czy ją związać, i ostatecznie skrępowaliśmy jej nadgarstki długim sznurem, którego koniec przywiązaliśmy do pobliskiego drzewa. Zostawiliśmy jej trochę luzu, tyle, żeby mogła poruszać dłońmi, ale nie dość, żeby się uwolniła. Kiedy ją krępowaliśmy, zesrała się, oblizując przy tym usta i wzdychając przez sen. W ciemności jej odchody miały dziwny kolor, amarantowy, jakiś taki płodowy i obrzydliwy od całego tego mięsa. I chociaż w lesie pociemniało tak, że nie pozostało nam nic innego, jak położyć się spać, to jestem pewien, że nikt z nas, poza Ewą, nie zasnął tej nocy: leżeliśmy nieruchomo i wsłuchując się w jej pełne zadowolenia pochrząkiwania, fukania i jękliwe westchnienia, wyczekiwaliśmy jasności słońca na niebie.

Następne dni były pełne zajęć. Planowanie kolejnych posunięć, wycieczki do lasu, zbieranie pożywienia i ustalanie tras pozostawiłem innym, sam zaś skupiłem się na Ewie. Mierzyła sto trzydzieści centymetrów, była krępa, nabita i chyba musiała mieć dzieci, nawet całkiem sporo, bo jej piersi były wyssane do cna, a sutki stwardniały w szare tarki, szorstkie jak skóra na słoniu. Badania pochwy nie udało mi się zrobić – próbowałem, ale darła się i rzucała tak strasznie, że nawet przewodnicy do spółki z Tallentem, każdy trzymający jedną kończynę, nie zdołali jej okiełznać – lecz przypuszczałem, że kobieta menopauzę ma już za sobą, do którego to wniosku doszedłem na podstawie jej szacunkowego wieku oraz gęstości owłosienia na ciele. Nie mając innych u'ivuańskich kobiet do porównania, nie mogłem ustalić, czy wszystkie są tak kosmate, czy też Ewa jest wyjątkiem. Jej zęby, jak już wspomniałem, miały kształt ostrosłupów, ale dziąsła miała zdrowe, twarde i suche pod dotknięciem, a jej oddech nie zalatywał zgnilizną. U podstawy czaszki, częściowo zamaskowany kędzierzawymi włosami i wałkami skóry na karku, miała mały prymitywny tatuaż, rozmazany jak kleks, lecz dość czytelny, aby rozpoznać w nim symbol, który Tallent swego czasu nakreślił na ziemi: znak opa'ivu'eke. Kiedy go pokazałem Tallentowi, ten wyciągnął rękę, żeby go dotknąć, lecz w ostatniej chwili cofnął dłoń, zawieszając palce nad znakiem, a włosy Ewy opadły mu na knykcie.

Ewa jadła co popadnie, ale umiała odróżnić rzeczy jadalne od niejadalnych: garści trawy, którą eksperymentalnie przed nią położyliśmy, nie tknęła (chociaż obwąchiwała ją przez dłuższą chwilę, i to tak energicznie, że drobne źdźbła zasysała nosem, aż zaczynała kaszleć), pałaszowała jednak wszystko to, co myśmy jedli. Głodna była rano po obudzeniu, a potem w południe, w innych zaś porach nie domagała się jedzenia, ale gdy je znalazła, zjadała natychmiast. Zawsze mieliśmy dla niej coś na ząb po obudzeniu, raz jednak nie daliśmy jej śniadania – obserwowaliśmy, jak, zrazu zdziwiona i dysząca, dźwiga się do pionu i zaczyna szukać, grzebiąc nogą w ściółce, aby zgarnąć na kupkę liście, mech i pędraki, a potem wybrać i zjeść te ostatnie. Wiedziała więc, co jest jadalne, a jednak chyba nie rozróżniała smaków: sami skosztowaliśmy jej pędraków, tłustych, ruchliwych i białawych jak stearyna – okazały się nieznośnie gorzkie, aż człowiek krzywił się i krztusił, a w ustach wysychało mu na znak protestu. Ewa natomiast się nimi obżerała, żując całe ich garście w dziarskim, równym rytmie, komicznie żołnierskim w swej uporczywości, a potem głośno przełykając. Obserwując ją, doszliśmy do wniosku, że dżungla jest znacznie bardziej jadalna, niż sądziliśmy; tak nas zaabsorbowały owoce manamy, że nie zwróciliśmy uwagi na pędraki, na kruche, żyłkowate, sałatowate liście rosnące gęsto u podstawy drzew, na blade budyniowate woreczki pełne jajeczek nieznanego owada, spoczywające w zagłębieniach u styku grubych korzeni. Nie smakowały nam te nowe odkrycia – liście były wprawdzie kruche jak wodorosty, ale bez smaku, a owadzie jajeczka lepkie i gęste jak śluz – ale podziwialiśmy przemyślność Ewy w ich znajdowaniu, zwłaszcza że według naszych przewodników nie był to pokarm U'ivuanina, który nie umiałby go nawet nazwać.

Jeżeli idzie o temperament, Ewa była spokojna, ale do czasu. Momentami wiedziałem, co ją może zdenerwować (na przykład próba zbadania pochwy), chwilami jednak nie – potrafiła być miła, pozwalała zbadać sobie gardło i jamę ustną, akceptowała miarkę lekarską, którą opasywałem jej talię, uda i czaszkę, a potem nagle rzucała się na mnie, szczerząc zęby i wytrzeszczając oczy, aż tęczówki zdawały się pływać w białej galarecie. I równie nagle pokorniała, wracając do swojego zwykłego sennego stanu z półotwartymi ustami o spieczonych wargach, spomiędzy których wyzierał język, niepokojąco różowy i ładny jak peonia. Te jej skoki nastroju nieodmiennie mnie deprymowały, chociaż po kilku pierwszych przestałem w nich dostrzegać złośliwość, a widziałem tylko znudzenie. Ewa była po swojemu niespokojna: co dzień budziła się, jakby nie pamiętała dnia poprzedniego, a jej cierpliwość wobec nas miała swoje granice. Ciekawiło ją tylko jedzenie i poszukiwanie jedzenia.

Nocą, gdy ją nakarmiliśmy i związaliśmy (Tallent, Esme i ja byliśmy przeciwni wiązaniu, ale Fa'a twardo się go domagał, podnosząc jako argument znalezioną włócznię i paplając tak szybko, że Tallent zgodził się z nim dla świętego spokoju), zaczynaliśmy rozmawiać o odkryciach minionego dnia. Przewodnicy (którzy teraz kładli się spać koło nas) zapuszczali się z każdym dniem coraz dalej w dżunglę w poszukiwaniu innych porzuconych włóczni lub innych Ew, ale jak dotąd nie znaleźli niczego. Ich menuet z dżunglą, ich wypady i odwroty nic nam nie dawały i nabraliśmy pewności, że wkrótce przyjdzie nam samym wtargnąć w busz i penetrować wyspę, aż znajdziemy to, na co Tallent miał nadzieję, a czego Fa'a się lękał.

Zdawałem relację z dziennej obserwacji Ewy, czując, że Esme chętnie by się włączyła – jej niecierpliwość i potrzeba wtrącania swoich trzech groszy panoszyła się między nami, wyczuwalna jak żywa istota – ale siedziała cicho, pozwalając Tallentowi zadawać pytania i reagować na szczegóły mojego raportu.

– Ile ona według ciebie ma lat? – spytał Tallent którejś nocy.

Odpowiedziałem, że to trudno stwierdzić, ale oceniam ją na jakieś sześćdziesiąt*, biorąc pod uwagę pasma siwizny w jej

---

* Jedną z unikalnych cech U'ivuan był ich sposób mierzenia czasu. U'ivuańska *o'ana*, czyli rok, dzieli się na cztery okresy po sto dni. Pierwszy okres to *'uaka*, pora deszczowa, kiedy pada dosłownie codziennie, nieraz godzinami bez przerwy. Potem następuje *lili'uaka*, pora „małych deszczy", gdy w powietrzu wisi wilgoć, ale pada rzadziej i jest cieplej. Następna pora roku, *lili'aka*, czyli „małe słońce", jest najprzyjemniejsza: deszcz pada rano, ale szybko wyparowuje i przez resztę dnia jest słonecznie i w miarę włosach, stan uzębienia i obwisłość skóry na podbrzuszu, a także to, że polega ona raczej na zmyśle węchu niż wzroku – przyszło mi bowiem do głowy, że jej zachowanie typowe dla świń, czyli obwąchiwanie wszystkiego z bliska, może być koniecznością, wyuczonym odruchem kompensującym osłabiony wzrok. Nawet o zmierzchu, gdy jej ulubione pędraki lśniły bielą jak gwiazdy, nie była w stanie wyzbierać ich z ziemi, dopóki nie zgarnęła ich na kupkę wraz ze ściółką i nie przybliżyła twarzy do każdego z osobna. Pewności oczywiście nie miałem: nie było jak sprawdzić mojego przeczucia, a Ewa nie mogła się ze mną porozumieć. Jednak zdawało się, że krótkowzroczność jest jej jedyną poważniejszą ułomnością – nie licząc rzecz jasna braku ludzkiej mowy i słabej pamięci – odpowiednią zresztą do wieku. Poza tym była w dobrej, nawet świetnej kondycji, zwłaszcza jak na kogoś, kto wedle wszelkich oznak od jakiegoś czasu żył

sucho, to znaczy tak sucho, jak to możliwe w klimacie tropikalnym. Rok zamyka *u'aka*, pora najgorętsza, kiedy deszcze są rzadkie, krótkie i gwałtowne, tak że nawet drzewa zdają się więdnąć w bezlitosnym słońcu. (Podróże Nortona po Ivu'ivu musiały przypaść na koniec *lili'uaka*, chociaż on tego nie precyzuje).

Poza porami roku U'ivuanie nie mierzyli czasu: nie znali godzin, minut, tygodni czy miesięcy, a ich system liczbowy sięgał zaledwie tysiąca. Dzień zaczynał się, gdy wzeszło słońce (a podczas pory *'uaka* – gdy niebo się rozjaśniło), kończył się zaś, gdy słońce zaszło (lub nastała noc). Urodziny wyznaczał dzień w porze roku, kiedy człowiek przyszedł na świat, a więc ktoś urodzony siedemnastego dnia pory małego słońca mówił, że obchodzi urodziny w *lili'uaka oholole*, czyli „siedemnastego małego słońca". Uwzględniając czterystudniowy rok, sześćdziesięcioletnia U'ivuanka miałaby 65,7 lat według kalendarza zachodniego. Norton stosuje jednak w swej narracji kalendarz u'ivuański, aby uniknąć zamieszania, gdyż większość u'ivuanologów takim się właśnie posługuje w swoich badaniach i pracach.

Minione trzydziestolecie przyniosło erozję wielu specyficznie u'ivuańskich tradycji, co było skutkiem rosnącego zainteresowania tym krajem (o które Norton obwiniał siebie) i wielkiego napływu chrześcijańskich i mormońskich misjonarzy, którzy w XX wieku zyskali tam pozycję, jakiej nie osiągnęli ich XIX-wieczni poprzednicy. Obecnie większość U'ivuan stosuje kalendarz zachodni i doskonale opanowała rachubę czasu cywilizowanego świata (co im nie przeszkadza być notorycznymi spóźnialskimi).

w dżungli samotnie. Dobrze jadła, dobrze spała i dobrze się wypróżniała. Miała silne kończyny i zawiły rysunek mięśni łydek. Jej słuch był nadzwyczajny: potrafiła usłyszeć świst spadającego owocu manamy, którego ja bym nijak nie wychwycił. Co rano, mierząc jej puls, zachwycałem się na nowo jego dźwięcznym rytmem, przywodzącym na myśl echo dalekich bębnów. (Gdy byłem starszy, przypomniałem sobie z trwogą i zazdrością jeszcze jedną jej cechę: ewidentny brak poczucia samotności i wrażenie, że nie potrzebuje nikogo i niczego z wyjątkiem jedzenia. Nasze towarzystwo w niczym nie zmieniło rutyny jej codziennej egzystencji).

– Sześćdziesiąt – mruknął Tallent.

– Mogę się mylić – dodałem pospiesznie.

– Nie – zaprzeczył Tallent. – Prawdopodobnie masz rację. Ale sześćdziesiąt... To mnie dziwi.

Nie dodał jednak nic więcej, więc po chwili czekania Esme wymamrotała, że pora się kłaść, a ja poszedłem z nią rozłożyć nasze maty, pozostawiając Tallenta własnym myślom, których charakter mogłem jedynie zgadywać.

* * *

Przeciętna u'ivuańska kobieta ma metr trzydzieści pięć wzrostu, przeciętny u'ivuański mężczyzna – metr pięćdziesiąt pięć. Przeciętna u'ivuańska rodzina ma czwórkę dzieci. U'ivuanie są krępi i nabici. Mają szerokie stopy (dzięki którym są dobrymi pływakami), długie uda (dzięki którym są świetnymi wędrowcami), masywne ramiona (dzięki którym doskonale miotają) i małe, kwadratowe dłonie. Ich kobiety, tak jak wszystkie kobiety w klimatach tropikalnych, wcześnie zaczynają menstruację (nawet jako ośmiolatki, chociaż zazwyczaj jako dziesięciolatki), a menopauzę przechodzą przed czterdziestką. Jako rasa U'ivuanie słyną z doskonałego słuchu i nadzwyczajnego węchu. Ich zęby są podatne na próchnicę. Główną przyczyną śmierci, tak wśród mężczyzn, jak i wśród kobiet, jest dyzenteria – zapewne skutek picia tej samej wody, w której się kąpią. Średnia długość ich życia wynosi pięćdziesiąt dwa lata*.

Oczywiście badając Ewę, nie miałem o tym wszystkim pojęcia. Dlatego następnego ranka, gdy Tallent poprosił mnie o przebadanie naszych trzech mężczyzn jako niedoskonałej grupy kontrolnej, nie spodziewałem się odkryć niczego specjalnego. Zdziwiło mnie chyba jedynie to, jak bardzo podobni do Ewy – przynajmniej powierzchownie (a tylko na powierzchowności mogłem bazować) – są nasi przewodnicy, na przykład pod względem stanu dziąseł, elastyczności ciała, dobrego słuchu i szybkich odruchów. Wyrozumiale poddali się moim badaniom, posłusznie otwierając usta, gdy ja otwarłem swoje, i oddychając głęboko, gdy teatralnie nabierałem powietrza. Zaimprowizowałem nawet badanie wzroku: na kartkach z notesu wyrysowałem markerem grube znaki, po czym odsunąłem się na jakieś sześć, siedem metrów i pokazywałem plansze mężczyznom, a oni na palcach podawali mi dostrzeżoną liczbę znaków.

– Jak tam nasi panowie? – spytał mnie wieczorem Tallent.

– Cieszą się dobrym zdrowiem – wydukałem.

– Na ile oceniasz ich wiek? – indagował łagodnie.

– Są w wieku Ewy – odparłem. Tego byłem pewien. – Plus minus sześćdziesiątka. Tu może być o parę lat młodszy: zęby ma mniej zniszczone, wzrok nieco lepszy.

Nie dodałem, że wyniki badania wzroku mnie zadziwiły: wszyscy trzej mężczyźni mieli słaby wzrok, słabszy, niż się spodziewałem.

---

* To już oczywiście nieaktualne. Jak wszyscy mieszkańcy tej planety U'ivuanie są dziś wyżsi i tężsi i żyją dłużej, potwierdzając współczesny paradoks, który polega na tym, że jesteśmy jednocześnie zdrowsi i mniej zdrowi. Dzisiaj przeciętny U'ivuanin dożywa lat sześćdziesięciu trzech (kobiety żyją z reguły rok, dwa dłużej), a jako że dyzenterię na dobrą sprawę wyeliminowano dzięki założeniu kanalizacji, główną przyczyną ich śmierci są obecnie choroby serca, o których kiedyś na wyspach nie słyszano. Wpłynęło na to rozpowszechnienie się żywności w puszkach i zamiłowanie do alkoholu.

Najpierw myślałem, że nie zrozumieli polecenia, ale okazało się, że je rozumieją, tylko zwyczajnie nie są w stanie poprawnie go wykonać.

– Aha – skwitował Tallent i zamilkł na chwilę. – Masz rację co do Tu: j e s t młodszy od pozostałych. – Znowu zamilkł. – Tu ma czterdzieści lat, Uva czterdzieści jeden, a Fa'a czterdzieści dwa.

Zakomunikował mi to bez triumfu, tylko jakby ze smutnym zdziwieniem.

Zabrakło mi słów.

– Ależ… to niemożliwe – bąknąłem bez sensu.

Tallent odpowiedział swoim przelotnym, melancholijnym uśmiechem.

– W tym kraju są starszyzną – powiedział. – Tak tutaj wyglądają czterdziestolatkowie. Powstaje jednak pytanie… – Skinął głową w stronę Ewy. – Dlaczego nasza sześćdziesięciolatka wygląda na lat czterdzieści?

– Prawdopodobnie wyjaśnienie jest proste – odparłem. – Pomyliłem się. Ona nie ma sześćdziesięciu lat. Musi być mniej więcej w ich wieku.

– Nie sądzę – rzekł Tallent i przywołał Fa'a, który widząc, dokąd Tallent zmierza, podszedł bardzo niechętnie.

Wszyscy nasi przewodnicy unikali Ewy, ale Fa'a chyba najbardziej. Zatrzymał się parę metrów przed nią, a kiedy Tallent odgarnął ciężkie, skołtunione włosy Ewy, żeby pokazać mu jej tatuaż na karku, wyciągnął szyję, wspiął się na palce i jak żuraw wychylił do przodu, byleby nie musieć podchodzić bliżej.

Gdy zobaczył tatuaż, jego reakcja całkiem się odmieniła. Na moment zastygł w swojej dziwnej pozie z rękami założonymi na plecach, jakby parodiował angielskiego dżentelmena, a potem wolno przybliżył się do Ewy. Podobnie jak za pierwszym razem Tallent, tak i on teraz zatrzymał opuszki palców tuż nad tatuażem i szybko cofnął dłoń jak oparzony. Z furią trajkotał coś do Tallenta, a ja, nie rozumiejąc słów, pojąłem, że pyta: „Co to ma być? Jakiś żart?", po czym dobiegła mnie uspokajająca odpowiedź Tallenta:

– Nie, to nie żart. Spokojnie. Spokojnie.

Po tylu dniach i wysłuchanych rozmowach język u'ivuański nadal brzmiał dla mnie jak bełkot zwarć krtaniowych i agresywnych „u" wypunktowanych trzema czy czterema pozbawionymi wdzięku spółgłoskami. Po latach, w Marylandzie, stałem na placu zabaw, patrząc, jak miejscowe dzieci naigrawają się z moich nowo przybyłych synów i córek: wetknąwszy ręce pod pachy, dzieciarnia ganiała za nimi, wrzeszcząc jak goryle z kreskówki: „Oo-oo-a-a! Koo-oo-ka-a!". Nie mogłem nie zgodzić się z ich interpretacją.

Fa'a odszedł, tupiąc gniewnie: widocznie nie doszli z Tallentem do porozumienia.

– Czym on się tak zdenerwował? – spytałem.

Tallent westchnął.

– Rozpoznał jej tatuaż – rzekł, wskazując na Ewę, która pochrząkując jak świnia, opuszczała się właśnie na ziemię. – Spodziewałem się tego. Tatuaż z opa'ivu'eke noszą ci, którzy przekroczyli sześćdziesiątkę. Wykonuje się go podczas specjalnej ceremonii, po której następuje wielka uczta. – Zamilkł na chwilę. – Nigdy tego nie widziałem.

Nie zrozumiałem.

– Ale dlaczego to go tak rozeźliło?

– Bo U'ivuanie nie dożywają sześćdziesiątki.

– Nigdy?

– Fa'a nikogo takiego nie zna. Jego babka, najbardziej długowieczna osoba w znanych dziejach jego wioski, co Fa'a w kółko mi powtarza, miała w dniu śmierci pięćdziesiąt osiem lat. Fa'a nie słyszał o nikim, kto by dożył sześćdziesiątki. To wiek nieosiągalny i wielce pożądany. Miałeś więc rację, Nortonie. Ewa ma sześćdziesiąt lat – co najmniej tyle – a my musimy dociec, dlaczego i jak przeżyła tak długo.

Wtedy od strony potoku nadeszła Esme i Tallent opowiedział jej, co zaszło. Usiadłem obok nich, na wpół słuchając, ale w rzeczywistości obserwując Fa'a, który stał w pewnym oddaleniu od kuzynów (zajadających się, jak przewidział Tallent, solonymi vuakami i pojękujących z rozkoszy), patrząc gdzieś w dżunglę. Znienacka, widząc, jak te krótkowieczne stworzenia pożerają inne krótkowieczne stworzenia, zajęte w życiu tak jak oni wyłącznie poszukiwaniem smakołyków, pomyślałem, że dżungla jest bardzo smutna. Miałem ochotę zachęcić Fa'a, żeby podelektował się vuaką, póki czas: miał wszak czterdzieści dwa lata i małe szanse ponownego powrotu na tę wyspę. Ale patrzyłem tylko na nich trzech jak na postacie w dioramie, a za moimi plecami Tallent i Esme debatowali cicho nad tym, jak to możliwe, żeby Ivu'ivuanie dożywali sędziwego wieku lat sześćdziesięciu.

* * *

Puszcza była taka, jak ją opisał Tallent – wyciszona i omszała, i magiczna. Czułem w niej ukojenie i grozę: była groźna, p o n i e w a ż koiła.

Poznałem, że puszcza tak działa, po zmianie zachowania przewodników wobec Ewy. Nie stało się przyjazne ani obojętne – wciąż dostrzegałem, że ich drobne palce zaciskają się na drzewcach włóczni, gdy zbliżali się do Ewy – ale przemawiali do niej po u'ivuańsku, a chwilami nawet głaskali jej skórę lekkimi muśnięciami, krótkimi, bez nacisku.

Tylko Fa'a pozostał wyniosły i patrzył na Ewę nieprzeniknionym wzrokiem, chociaż to właśnie on kiedyś po kolacji podszedł do mnie i wskazując na Ewę, powiedział „Ew" (tak wszyscy trzej przewodnicy wymawiali jej imię).

– Tak – potwierdziłem. – Ewa.

– Ew – powtórzył Fa'a i wręczając mi patyk, zasugerował gestem pisanie na ziemi.

Był jedynym piśmiennym z ich trójki – Esme mi mówiła, że jego ojciec chodził przez jakiś czas do szkółki misyjnej – więc przyglądał się z ciekawością, jak kreślę na ziemi jej imię dużymi drukowanymi literami.

– Aha – powiedział. – E'wa.

Wymówił to jak słowo u'ivuańskie.

– Ewa – poprawiłem, ale on się uśmiechnął (pierwszy raz widziałem go uśmiechniętego: miał takie same spiczaste zęby jak Ewa) i pokręcił głową.

– E'wa! – powtórzył i od tej chwili ona była dla nas Ewą, a dla przewodników Ee-wą.

Dni mijały w atmosferze dość przyjemnego, ostrożnego zawieszenia broni. Ewę prowadziliśmy na zmianę. Była tak strasznie zapominalska i miała tak ograniczoną zdolność koncentracji, że nie zdejmowaliśmy jej z szyi luźnego postronka. Jedzenie kładliśmy jej na ziemi, patrząc, jak opuszcza się na kolana, węszy i chrząka. Któregoś wieczoru, gdy zatrzymaliśmy się na nocleg i jedliśmy swój posiłek złożony z owoców manamy, mielonki i zrzynków nadrzewnych grzybów o aksamitnej skórce, o których wiedzieliśmy dzięki Ewie, że są jadalne, ona nagle dźwignęła się z ziemi i tupiąc płaskimi stopami, ruszyła w las. Była kapryśna, miała nieprzewidywalne i często zagadkowe zainteresowania, więc nieraz kierowała się gdzieś z determinacją – co było zarazem śmieszne i irytujące – a jeden z nas potulnie dreptał za nią po to tylko, by stwierdzić, że przedmiotem jej fiksacji był zwyczajny owoc manamy dygocący od larw hunono albo woda ciurkająca na duży płaski liść.

Tego wieczoru pełniłem dyżur przy Ewie, więc ze znużoną rezygnacją zostawiłem kolację i ruszyłem za nią. Długi koniec smyczy wlókł się jej śladem jak warkocz Roszpunki. Chód miała tak ciężki i pozbawiony wdzięku, że z reguły nie doceniałem jej tempa – zanim przystanęła na skraju naszej polany, sapałem i ostatnie metry przeszedłem powoli.

Wpatrywała się w głąb lasu, w jego czerń i cienie, ale to mnie nie zaniepokoiło: potrafiła wszak godzinami gapić się w pustkę z rozdziawionymi ustami i nieobecnym wzrokiem.

– Chodź, Ewa – powiedziałem, ale gdy się schyliłem, aby podnieść koniec postronka, dostrzegłem obiekt jej fascynacji jakieś pół metra niżej: coś żółtego, grubego i błyszczącego.

Cofnąłem się o krok i żółć zniknęła, aby zaraz znów pojawić się w tym samym miejscu. Czas nagle stał się długą brzęczącą struną, która wibrowała straszliwym, niezrozumiałym znaczeniem i miała być świadkiem moich dalszych posunięć.

Jasne, że byłem przerażony. Pozostali byli niedaleko za mną, może w odległości siedmiu minut marszu, a nawet mniej, jeżeliby szli szybko – ale w tym momencie nie byłem w stanie o nich myśleć, nie mogłem myśleć nawet o Ewie, chociaż słyszałem jej miarowy, głośny oddech i podobne do odgłosu piły szuranie palców, którymi drapała się po głowie. Całą moją uwagę przykuwał ten żółty owal, który zdawał się mrugać niczym robaczek świętojański. Pomyślałem nagle o mitologii greckiej, o Hadesie, przekonany, że polanę okalają nie drzewa, lecz wody Acherontu, a żółta plama to migocząca latarnia Charona.

Musiałem się dowiedzieć, co to jest. Zrobiłem krok do przodu i wyciągnąłem przed siebie ręce jak ślepiec, macając drogę w ciemności, pewien, że lada chwila wdepnę w zimny szlam rzeki.

Moje palce zamknęły się na pierwszym wymacanym obiekcie, ale moje zmysły tak ogłupiały, że dopiero po chwili zorientowałem się, że trzymam rękę, odciętą rękę, której wprawdzie nie widziałem, ale która w moim uchwycie nabrała kształtu. Wówczas odzyskałem głos i wrzasnąłem, a Ewa razem ze mną – i ręka też wrzasnęła, a w tle rozległy się jeszcze inne wrzaski; wrzeszczeliśmy wszyscy tak przeraźliwie, że słyszałem, jak puszcza budzi się ze snu: trzepot skrzydeł ptaków i nietoperzy, chóralny łopot, furkotanie owadów, odgłosy nieznanych ukrytych stworzeń wyrwanych z idylli snu i przemykających z jednej niewidocznej gałęzi na drugą – nasz wrzask zakłócił krystaliczny spokój puszczy.

Znaleźli się koło mnie w mgnieniu oka: Tallent, Esme, Tu, Uva i Fa'a, wszyscy w komplecie. Zaczęli mnie szarpać, oderwali moje dłonie od tej ręki, a samą rękę wyciągnęli z chaszczy –

i zobaczyłem, że to cały człowiek, wzrostu Ewy, też nagi, z twarzą zarośniętą fantastyczną brodą, z ustami wciąż rozwartymi do krzyku, a ten żółty błysk to były jego zęby odcinające się jasnością od czerni twarzy.

W tle za nim ujrzeliśmy inne ręce, nogi, włosy, kończyny i gdy Esme uspokajała Ewę, a Tallent brodacza (tylko mnie nie miał kto uspokoić), przewodnicy wyciągali z mroku postać za postacią, aż naliczyłem ich siedem. Stały oto przed nami, czterech mężczyzn i trzy kobiety, nadzy i fantazyjnie półodziani, czyści i umorusani, mówiący i niemi.

Później, kiedy zebraliśmy ich w obozie, stwierdziliśmy, że jako grupa nie wyróżniają się niczym specjalnym – tyle tylko, że wszyscy byli Ivu'ivuanami i każdy (sprawdziliśmy) miał na karku tatuaż z żółwiem. Na moje oko byli w dobrej kondycji fizycznej: puls (gdy się uspokoili) mieli regularny, zęby i dziąsła mocne. Żaden z mężczyzn nie dzierżył włóczni, co wzburzyło naszych przewodników, którzy uznali to za straszne kalectwo, co najmniej takie jak serce bijące na wierzchu. To była bardzo długa noc: badaliśmy ich po kolei, rozmawialiśmy z nimi, zapomniawszy o Ewie przywiązanej do drzewa parę metrów dalej, lecz ona najwyraźniej nie miała nam tego za złe.

Wszyscy nowi znali Ewę. Ten, który wyglądał na przywódcę grupy, złapany przeze mnie brodacz, miał na imię Mua i podobnie jak reszta mógł być w wieku Ewy. Umieli mówić. Mówili wszyscy, wszyscy logicznie, jedni bardziej inteligentnie, inni mniej. Do tego jednak wrócę za chwilę. Ważne jest to, że szukali Ewy (która, jak się okazało, naprawdę nazywała się Pu'u, „Kwiat"), bo oddaliła się od ich grupy.

Zdawali się zadowoleni, że Mua ich reprezentuje, ale po chwili niektórzy zaczęli mu przerywać i przekrzykiwać się nawzajem, a nasi przewodnicy – którzy dotychczas siedzieli cicho i ściskali w garściach włócznie, mocno wystraszeni – zaczęli im odpowiadać i gadać między sobą, podczas gdy biedny Fa'a popatrywał na nas, starając się nadążyć za tym rejwachem.

Wreszcie, wreszcie, udało nam się ich wszystkich położyć i całe towarzystwo się pospało, nawet Tallent, a do puszczy wróciła beznamiętna cisza. Nie spaliśmy tylko ja i Fa'a, gdyż tej nocy pełniliśmy wartę. Siedzieliśmy naprzeciwko siebie, a pomiędzy nami osiem ciał, zamiast jednego, spoczywało na ziemi, tworząc nieforemną elipsę. Spali wyjątkowo bez wdzięku – usta rozdziawione, mięsiste nozdrza drgające jak u psów – i we śnie stanowili dziwne hybrydy o dziecięcych ciałach i starczych twarzach, twarzach wiedźm, magów, czarowników. Spojrzałem na Fa'a, który od początku warty nie odezwał się ani słowem. Ledwo go widziałem ze swojego miejsca, tak gęsta była ciemność, ale widocznie wyczuł, że na niego patrzę, bo uspokajająco odsłonił zęby, których biały błysk upewnił mnie, że Fa'a jest ze mną, że oglądamy te same rzeczy i żyjemy w tym samym śnie, jakkolwiek nieprawdopodobnym.

* * *

Następny dzień należał do mnie. Tallent i Esme zaczęli z pomocą Fa'a przesłuchiwać niektórych naszych Ivu'ivuan, a ja robiłem reszcie badania neurologiczne – najprostsze, podstawowe, ale nie mniej przez to interesujące (zwłaszcza że innych przeprowadzić nie mogłem). Do pomocy miałem Tu, który mówił troszkę po angielsku: poleciłem mu przynieść trzy rzeczy, których miejscowe nazwy znałem, i położyć je przed badanymi.

– Imię? – spytałem, usiadłszy na smolistej ziemi przed jednym z nich (wszyscy siedzieli w kucki).

Uzbrojony byłem w notes i wieczne pióro. „Po diabła – pomyślałem, widząc, jak atrament rozmazuje się i przesiąka przez kartkę – przywiozłem tutaj wieczne pióro?".

– *Ko'okina?* – przetłumaczył Tu.

– Mua.

Mężczyźni nazywali się Mua, Vanu, Ika'ana i Vi'iu, a kobiety – Ivaiva, Va'ana i Ukavi. Ivaiva i Va'ana były siostrami, zapewne bliźniaczkami dwujajowymi. Ivaiva była pulchniejsza, o weselszej twarzy, za to Va'ana bardziej dystyngowana, o tyle, o ile było to możliwe w jej sytuacji.

Pokazałem im obiekt.

– Co to jest?

– *Eva?* – przetłumaczył Tu*.

– *Manama.*

Drugi obiekt.

– *Eva?*

– *Hunono.*

Trzecim obiektem była włócznia znaleziona przez Fa'a. Kiedy ją wyciągnąłem, Tu struchlał na moment, ale zaraz wziął się w garść i odważnie zapytał:

– *Eva?*

– *Ma'alamakina.*

– *E, ma'alamakina* – zgodził się Tu. (Później dowiedziałem się, że „włócznia" to po prostu *alamakina*, ale obaj myśliwi poprzedzili to słowo wyrażającym cześć przedrostkiem *ma*).

Przeszedłem do następnej osoby. Kiedy przepytałem już wszystkich – Va'ana, pomimo swoich inteligentnych oczu, pomyliła manamę z czymś, co nazywa się „ponona" (Tu narysował

---

* U'ivuanie i Ivu'ivuanie mówili jednym językiem, z tym że współcześni lingwiści są zdania, że Ivu'ivuanie posługują się „czystym u'ivuańskim", oryginalną wersją tego języka, niezanieczyszczoną i niezmienioną choćby przez wpływy zachodnie. Dobrym przykładem jest odpowiednik słowa „chata": po ivu'ivuańsku to *male'e*, a po u'ivuańsku – po prostu *malé*. Zmiany dokonał podobno XIX-wieczny misjonarz Daniel Makepeace, który uparł się oczyścić język tubylców ze zwarć krtaniowych i „zbędnych sylab". Język Ivu'ivuan zachował pamięć ludu, który nie miał styczności z resztą świata, a ponadto nie znał techniki, zawodów ani nawet, w zasadzie, pojęcia czasu. Nie istniało w tym języku słowo „doktor", bo ciężarnymi i chorymi zajmowali się akuszerka i zielarz; nie było słowa „lampa" ani nazwy żadnego innego kraju poza własnym. U'ivu natomiast, które przybyszom często wydaje się odcięte od świata, zamieszkane jest przez ludzi, którzy mają jakie takie pojęcie o innych ludach, wynalazkach i kulturach poza własną, nawet jeśli ich zainteresowanie kontaktem z obcymi jest słabe.

dla mnie na ziemi rekinowate stworzenie i wskazując je palcem, powtórzył kilkakrotnie „ponona, ponona"), a Vanu i Vi'iu nie rozpoznali żadnego z obiektów – usiadłem z powrotem naprzeciwko Mui i poprosiłem, żeby wymienił z pamięci obiekty, które mu pokazałem (dla przetłumaczenia tej instrukcji potrzebowałem zbiorowej pomocy Tallenta i Fa'a).

Mua zapamiętał hunono i alamakinę, ale manamy już nie. Podobnie było z innymi – nie zapamiętali prawidłowo nazw obiektów, które im pokazałem niespełna godzinę wcześniej. Jedynie Ukavi podała prawidłowo wszystkie trzy słowa, chociaż przypomnienie ich sobie zajęło jej całe pięć minut, które spędziła, głównie gapiąc się na drzewo, jakby miała nadzieję zobaczyć tam rzeczone obiekty. Wyniki testu były tak marne, że postanowiłem raz jeszcze skorzystać z pomocy Fa'a i powtórzyć badanie. Fa'a miał niski, łagodny głos i chociaż nie rozumiałem, co mówi, wyobrażałem sobie, że swoim cichym, zachęcającym tonem dodaje badanym otuchy: „Co widziałaś? Przecież pamiętasz. Powiedz mi".

| 167

Niestety, zebrał wyniki nie lepsze niż Tu. Zauważyłem zresztą, że część grupy jest zmęczona – odwracali oczy od Fa'a, zanim zdążył się odezwać.

Tak wielu rzeczy nie mogłem zbadać. Nie mogłem ich poprosić o odczytanie zdania i powtórzenie go z pamięci, ponieważ nie umieli czytać. (Tallent twierdził wprawdzie, że niektórzy U'ivuanie czytają jeszcze prehistoryczny alfabet ola'alu, ale gdy poprosiłem Tu o nakreślenie na kartce kilku podstawowych symboli – mężczyzna, kobieta, morze, słońce – patrzyli na nie w osłupieniu). Nie mogłem ich spytać, jaki mamy dzień tygodnia, bo, wstyd się przyznać, sam już tego nie wiedziałem. Zresztą problemem była nie tylko ich słaba pamięć, ale i niezdolność do utrzymania uwagi.

Wszyscy cierpieli na otępienie umysłowe, za to kondycję fizyczną – przykładem Ewa – mieli imponującą: szybki refleks, wyśmienitą równowagę i koordynację ruchów. Bez ostrzeżenia rzuciłem do Mui owoc manamy (spękany i żywy od larw po przejściu przez liczne ręce), a on go złapał całkiem odruchowo i odrzucił mi wdzięcznym łukiem. Mieli też, tak jak Ewa, doskonały słuch: stanąłem pół metra od Ukavi i potarłem palcami przy jej prawym uchu, a cała siódemka – oraz Tu – odwróciła się w stronę dźwięku, który dla mnie był nie głośniejszy niż szept. Mieli wrażliwy węch i dotyk – przeciągałem gałązką paproci po spodach ich lewych stóp, na co odskakiwali jak skaleczeni ostrzem – za to słaby wzrok. Gdy oddaliłem się od Mui podczas zabawy w łapanie owocu manamy, zauważyłem, że zamyka oczy i nasłuchuje, skąd nadlatuje owoc, wcale nie patrząc. W ostatniej sekundzie wystawiał rękę i owoc z głośnym plaśnięciem lądował mu w dłoni.

Wyglądali też na bardzo zdrowych, zdrowszych niż sześćdziesięciolatkowie w Stanach. Piersi kobiet były wprawdzie obwisłe, ale twarze gładsze, a włosy mężczyzn nadal czarne (jak nasi przewodnicy nosili je zwinięte w węzeł na karku), wszyscy też mieli szokująco gęste owłosienie łonowe, które z daleka wyglądało jak jakieś kosmate stworzenia wczepione w ich podbrzusza. Byli muskularni i zręczni, chociaż nie szybcy: stąpali ciężko, przygarbieni, jak Ewa, co nadawało im wyraz dziwnej rezygnacji. Przypominali w tym robotników wychodzących z fabryki po długim dniu ogłupiającej pracy albo więźniów zmierzających do cel.

To był ciężki dzień; dopiero gdy noc zamgliła i zagęściła powietrze, mieliśmy okazję ponownie porozmawiać z Muą. Każdy rozpoznałby w nim przywódcę na tle innych. Mua, w przeciwieństwie do pozostałych, patrzył w oczy, podczas gdy oni natychmiast odwracali wzrok, był najczyściejszy i – co nie powinno mieć znaczenia, ale jednak – najkompletniej ubrany. Ika'ana, Ukavi i Ivaiva też byli szczątkowo przyodziani, ale na nich strój wyglądał bardziej na dekorację niż praktyczną osłonę ciała. Ika'ana nosił w talii pleciony naszyjnik z lian, z którego dyndało pięć zębów (ciekawe, czy ludzkich), a Ukavi miała szyję owiniętą pasmem sztywnej, włóknistej tkaniny w kolorze rzekotki. Pasek tej samej tkaniny – której później dotknąłem, stwierdzając, że wcale nie jest taka szorstka, jak się zdaje, a przeciwnie: aksamitna w dotyku – oplatał prawe udo Ivaivy. Poza tym nie mieli na sobie nic. Mua natomiast nosił przepaskę na biodrach, która wprawdzie niewiele zakrywała (włosy łonowe sterczały zza niej gęstą kępą), ale sprawiała wrażenie czegoś praktycznego.

– Zadam mu kilka pytań – powiedział do mnie Tallent – i będę tłumaczył odpowiedzi, a ty je jak najdokładniej spisuj.

Spojrzał mi w oczy z nieprzeniknioną miną. Wybrał sobie do pomocy m n i e. Esme z przewodnikami miała pilnować reszty Ivu'ivuan na płaskowyżu – już prowadziła ich do strumienia po wodę.

– Zgoda? – zapytał Tallent.

– Zgoda – odparłem.

Z niewiadomego powodu obleciał mnie strach, strach przed tym, co usłyszę, i strach o to, czy podołam spisywaniu. Zdawało mi się – chociaż Tallent nic takiego nie mówił – że ten wywiad, ta chwila, ma w sobie coś doniosłego i nieprzekazywalnego, i nagle ujrzałem siebie w mglistej siwowłosej przyszłości, stojącego przed zafascynowanym audytorium i opowiadającego o tym wszystkim: „Zaczęło się właśnie wtedy. Wtedy poznałem ich wielki sekret". Na razie jednak nie miałem pojęcia, co to za sekret, i nie wiedziałem nawet, czego powinienem chcieć się dowiedzieć.

– Zaczynamy – zarządził Tallent, więc nabrałem powietrza i odwróciłem się do Mui, który czujnie przekrzywiał głowę, gotowy na to, co ma nastąpić. Trzymałem pióro w pogotowiu.

* * *

– Moja rodzina nie była taka jak inne rodziny – opowiadał Mua. – Inne rodziny z Ivu'ivu rodzą się na tej wyspie, tak jak ich rodzice, dziadkowie i krewni. Ivu'ivu jest ich światem, nigdy innego nie mieli. Ale mój ojciec nie był z Ivu'ivu. Pochodził z U'ivu, z tamtejszej rodziny plantatorów. Sadzili drzewa makava, zna je pan? Są podobne do manamy, ale owoc mają mniejszy, różowszy, a jego miąższ ma słodszy smak. Nie zawiera jednak hunono, więc nie cieszy się powodzeniem wśród miejscowych. Pewnego dnia, w roku, w którym umarł wielki król, matka mojego ojca ciężko zachorowała. Stękała i przewracała się z boku na bok. Ból zdawał się pochodzić z brzucha, który był wzdęty i twardy. Przez cały dzień i całą noc rzucała się i krzyczała, a mój ojciec – miał wtedy dwanaście o'ana – nie wiedział, co ma robić. Jego ojciec przebywał wtedy w gaju makava, gdzie jak zawsze przez całą lili'aka zbierał plony. Gaj nie był zbyt daleko – mój ojciec mógł dotrzeć do niego w jeden dzień, gdyby się pospieszył, ale musiałby wtedy zostawić pięcioro młodszego rodzeństwa i matkę, która jęcząc, kazała mu przysiąc, że będzie się nimi opiekował. Więc co mógł zrobić? Nic. Musiał zostać i patrzeć, jak matka miota się na macie niczym wyjęta z wody ryba.

Drugiej nocy krzyki matki mojego ojca wzmogły się i sąsiedzi, którzy przyszli potrzymać ją za rękę i poklepać po policzku, zdecydowali, że ktoś musi odprawić ka'aka'a. Była to bardzo stara praktyka polegająca na wycięciu kawałka ciała z bolesnego miejsca i zakopaniu go w ziemi. Ojciec ojca mojego ojca był mistrzem ka'aka'a; kiedy byłem mały, ojciec opowiadał mi, że widział, jak ojciec jego ojca rozbija kobiecie czaszkę niczym kokos za pomocą tępego kawałka drewna i kamienia. Coś wyciekło ze środka, ojciec ojca mojego ojca zaszył ranę nicią z tavy i kobieta już nigdy więcej nie skarżyła się na ból głowy.

W owym czasie w wiosce mojego ojca został już tylko jeden mistrz ka'aka'a. Kiedyś było ich wielu, ale od przybycia ho'oala ich liczba zmalała. Mistrz ka'aka'a przyszedł i zaintonował pieśń nad matką mojego ojca, którą sąsiadki trzymały, bo bardzo się rzucała i krzyczała. Mojemu ojcu i jego rodzeństwu kazano czekać przed chatą, ale chata miała okienko, przez które mój ojciec jako najwyższy zajrzał do środka i zobaczył, że mistrz *ka'aka'a* bierze do ręki długi kij – pochodzący być może z gaju makava należącego do ojca mojego ojca, gdzie ten zbierał właśnie plony, jako że trwała *lili'aka* – i ostrzy go starannie. Następnie uniósł kij nad głowę i zamaszystym ruchem wbił go w brzuch matki mojego ojca, która wrzasnęła tak głośno, że zatrząsł się dach chaty.

Mistrz *ka'aka'a* wykroił spory klin ciała z brzucha matki mojego ojca i uniósł go nad głowę, intonując pieśń do A'aki i Ivu'ivu, żeby ocalili matkę mojego ojca, żeby ją uzdrowili i pocieszyli. Potem zawinął ochłap w szmatkę z włókna tavy i poprosił jedną z sąsiadek o zakopanie go pod drzewem kanava. Matka mojego ojca darła się jak opętana.

Sąsiadka właśnie wychodziła z chaty – tymczasem na zewnątrz zebrała się cała wioska, żeby śpiewać dla chorej; niektórzy szykowali się do wyprawy po ojca mojego ojca, którego gaje znajdowały się o dzień drogi, jeżeli iść szybko, a ojciec mojego ojca zbierał tam owoce makavy – a krzyki matki mojego ojca nasiliły się do tego stopnia, że wioskowe zwierzęta, świnie, kury i konie, też zaczęły się drzeć i jak mówił mi ojciec, cały świat zdawał się składać wyłącznie z dźwięków. Zmęczyło go już stanie na palcach przy okienku, ale dźwignął się jeszcze raz i zrobił to w samą porę, żeby zobaczyć, jak mistrz *ka'aka'a* sięga do wnętrza brzucha jego matki i coś stamtąd wyciąga. Z perspektywy mojego ojca wyglądało to na wielką, lśniącą grudę tłuszczu, jaki kobiety wytapiają z koniny, żeby go używać do gotowania. Ale wyślizgnęło się to z ręki mistrza *ka'aka'a* i upadło na ziemię, gdzie, ku przerażeniu mojego ojca, rozpękło się jak kamień na drobne odłamki.

Nastał wielki rwetes: mistrz *ka'aka'a* wytykał palcem matkę mojego ojca, krzycząc, że miała w brzuchu opa'ivu'eke, że przez cały ten czas nosiła w sobie boga. Gdy wieśniacy to usłyszeli, zaczęli pchać się do ciasnej chaty, żeby zobaczyć dowód na własne oczy, a widząc, co z niego zostało – potłuczona skorupa – zaczęli lamentować. Mężczyźni pobiegli do domów po włócznie. Nie było jasne, opowiadał mi ojciec, co zamierzają zrobić. Czy jego matka, która nosiła boga w brzuchu, była demonem, jak twierdzili niektórzy, czy też należało ją wielbić? Dlaczego nic nie powiedziała? Co to znaczyło, że nosiła opa'ivu'eke? Nic podobnego nigdy jeszcze się nie wydarzyło, więc ludzie nie wiedzieli, czy matka mojego ojca przyniesie im szczęście, czy pecha, czy należy ją leczyć, czy uśmiercić. W tym zamieszaniu zapomniano o mistrzu *ka'aka'a*, który przecież zawinił rozbiciem boga. Wymknął się on niepostrzeżenie, lecz wcześniej zdążył przekonać wieśniaków – mistrzowie *ka'aka'a* słyną bowiem z daru perswazji i krasomówstwa – że za to wszystko, co zrobił, należy mu się pochwała, a nie nagana.

Zanim wieśniacy zdecydowali, co uczynić z matką mojego ojca, ta umarła, a wtedy ludzie, rozgniewani na nią, że zdecydowała o swoim losie, zanim oni to zrobili, puścili się w pogoń za moim ojcem i jego rodzeństwem. Kobiety zeskakiwały z drzew, zawodząc przenikliwie, jak to potrafią tylko kobiety, a ich mężowie dźgali uciekinierów włóczniami. Mój ojciec, który był najstarszy i najszybciej biegał, ujrzawszy śmierć drugiej z kolei siostry, puścił się co sił w nogach ku gajom makavy, w których jego ojciec zbierał plony.

Pędził i pędził, aż natknął się na wielką martwą dziką świnię leżącą przy ścieżce. Było to dziwne, bo dzikie świnie zwykle trzymają się dżungli, a gdy wędrują, to stadnie. Czasem chory osobnik odłączał się od stada, ale były to nader rzadkie przypadki.

Chociaż świnia wyglądała na martwą, mój ojciec zachował czujność. Stało się już za dużo niezwykłych rzeczy, a samotna świnia to nie mógł być dobry omen. Ale przybliżywszy się, mój ojciec wydał okrzyk, bo to nie była świnia, tylko jego ojciec, tak zwęglony, że mój ojciec wziął łuszczące się płaty skóry na grzbiecie za chyb dzika. Mój ojciec mówił, że na zawsze zapamiętał, jak leżał jego ojciec, z podkulonymi rękami i nogami, które stopiły się od ognia w jedną wielką bryłę. Mój ojciec domyślił się, że jego ojca musieli napaść wieśniacy, którzy widzieli żółwia wyjętego z brzucha matki mojego ojca.

I tak mój ojciec został sierotą, sam na świecie. Jeszcze rano był najstarszym z sześciorga rodzeństwa, miał ojca, który hodował drzewa makava, i miał matkę, i siostry, i braci. A teraz nie miał nic. Do wioski wrócić nie mógł, a nie miał nikogo, kto mógłby mu pomóc – rodzeństwo jego ojca i matki od dawna nie żyło, a nikogo innego nie znał na świecie.

Ojciec wgramolił się do dziupli drzewa kanava, które rosło nieopodal zwęglonego ciała jego ojca. W nocy przyśnił mu się Opa'ivu'eke: przyszedł do niego i powiedział, że matka mojego ojca jest przeklęta za to, że nosiła w łonie jego potomka, ale mój ojciec może klątwę odwrócić, jeśli porzuci wszystko, co mu znane, i uda się na Ivu'ivu, aby już nigdy stamtąd nie powrócić.

Rano mój ojciec obudził się przerażony, ale zdecydowany. U'ivuanie nie bywali na Ivu'ivu, gdyż wyspę tę zamieszkiwali tylko bogowie, duchy i potwory. Czasami słuchał nocnych opowieści dorosłych o Ivu'ivu, o tym, że wyspa ta ożywia się po ciemku i pływa po morzach, orząc wodę potężnym kadłubem i zakłócając pływy, aby przed świtem wrócić na swoje miejsce. Słuchał opowieści o drzewach, które gadają szeptem, o ślizgających się bezgłośnie kamieniach, o mięsożernych roślinach. Każdy twierdził, że zna jakiegoś głupca, który wypuścił się tam na rekonesans i nigdy nie wrócił.

Ale mój ojciec wiedział, że nie ma wyboru, bo po tym, co spotkało jego ojca, rozumiał, że nawet jeśli na Ivu'ivu nie jest bezpiecznie, to pozostanie na U'ivu oznacza pewną śmierć.

Poszedł na brzeg morza. Nie miał nic do sprzedania, nic do oddania, a nawet gdyby miał, to chyba żaden rybak nie zgodziłby się popłynąć na Ivu'ivu – perspektywa całodziennej przeprawy i strach zniechęciłyby każdego do przewiezienia go łodzią. Och! – pomyślał mój ojciec – gdybym tak umiał latać! Gdybym tylko umiał pływać jak delfin! Przypomniał mu się sen o żółwiu i poczuł złość, a potem ogarnęła go rozpacz. Jak może spełnić to niedorzeczne polecenie?

Gdy tak stał nad brzegiem morza, bardzo smutny, ujrzał nagle, że coś ciemnego przemyka pod powierzchnią wody. Pomyślał, że to ławica drobnych, srebrzystych rybek, które każdy umiał złowić domowego wyrobu siecią, żeby je ugotować nad paleniskiem. Ich ości były tak delikatne, że zjadało się te rybki w całości. Nagle, ku wielkiemu zdumieniu mojego ojca, to coś wyłoniło się z wody i ojciec zobaczył, że jest to przeogromny żółw, największy, jakiego kiedykolwiek widział, wyższy i szerszy od niego, o łapach wielkich jak liście paproci lawa'a: wiosłował szybkimi, silnymi zamachami i wpatrywał się w mojego ojca leniwym wzrokiem żółtych oczu. Ojciec był tak zdumiony, że nie mógł się ruszyć, wtedy jednak żółw wylazł połową ciała na ląd i ojciec zrozumiał, że ma wsiąść okrakiem na jego grzbiet, a żółw zaniesie go na Ivu'ivu.

Mój ojciec nigdy nie przeżył takiego uniesienia jak wtedy, płynąc na grzbiecie żółwia. Żółw ostrożnie pokonał płycizny, uważając, by nie poranić sobie łap o wielkie połacie koralowców, ale gdy znaleźli się na otwartych wodach, pruł niezwykle szybko, mijając stada rekinów, wielorybów, a raz nawet wspaniałą flotę innych opa'ivu'eke, których były setki, każdy tak wielki jak ten, na którym płynął mój ojciec: podnosiły głowy nad wodę, wpatrywały się w niego, jakby pozdrawiały go miriadami rozjarzonych oczu.

W mig dotarli do Ivu'ivu, a gdy mój ojciec gramolił się z grzbietu żółwia, przez chwilę poczuł pewność, że żółw, który go obserwował oczami o rozmiarach i barwie mango, zamierza do niego przemówić. Ale nie przemówił. Mrugnął tylko do ojca, odwrócił się i odpłynął na morze, a ojciec pochylił głowę w jego stronę na znak szacunku i stał w tej pozie, dopóki słyszał chlupot wiosłujących łap. Potem jedynym dźwiękiem pozostał szum fal.

Przez wiele dni mój ojciec wędrował. Chociaż wsłuchiwał się jak najpilniej, nie usłyszał gadających ze sobą drzew; chociaż czuwał wytrwale, nie poczuł nocnych wędrówek wyspy. Widział za to stada dziwnych ptaków o jaskrawym niebiesko-żółto-czerwonym upierzeniu: przefruwały między drzewami w szumnych, kląskających grupach. I widział trajkoczące vuaki, które obsiadały gałęzie drzew tak gęsto, że te uginały się pod ich ciężarem. I gaje makavy, tak dzikie i pełne owoców, że jego ojciec rozpłakałby się na ich widok.

Po bardzo długim czasie mój ojciec dotarł do wioski, gdzie – choć nie było to łatwe, bo podejrzliwa ludność wzięła go za ducha – został wreszcie przyjęty, a na czternaste urodziny dostał włócznię. W końcu założył rodzinę.

Minęły lata i dalej nikt nie wierzył, że mój ojciec przybył skądinąd. Tamtejsi ludzie nie wierzyli w U'ivu. Bo i czemu mieliby wierzyć? Nie widzieli przecież tamtej wyspy. Informacji mojego ojca, że ich wyspa jest jedną z trzech tworzących kraj o nazwie U'ivu, nigdy wcześniej nie słyszeli, więc nie mieli powodu, aby dać jej wiarę. Dla nas, Ivu'ivuan, Ivu'ivu jest całym światem. Ja sam przez wiele lat nie wierzyłem w opowieści ojca – sądziłem, że je zmyśla, by nas zabawić. W końcu jednak zacząłem myśleć, że ojciec mówi prawdę. Dlaczego? Po pierwsze dlatego, że mój ojciec jest człowiekiem bardzo uczciwym. Nie pamiętam, żeby upierał się przy prawdziwości czegoś, co prawdą nie jest. A po drugie, opowiada tę samą historię od tylu lat, że nie mogę mu nie wierzyć, a ponieważ jest moim ojcem – wierzyć muszę.

Przypominam, że przez cały czas, gdy Mua mówił, ja wpatrywałem się w Tallenta. Słów Mui oczywiście nie rozumiałem, więc usiłowałem interpretować reakcje Tallenta, a konkretnie jego mimikę. Pożytek z tego był niewielki. Tallent zmieniał chyba niektóre słowa w tłumaczeniu, upiększając i rozwijając zdania Mui, ale jego reakcji nie mogłem odczytać, zwłaszcza że dyktował tonem spokojnym i pozbawionym emfazy, nawet wtedy gdy Mua ekscytował się w swojej relacji. Później, gdy we trójkę z Tallentem i Esme odczytaliśmy moje notatki, gdy udzielono mi pewnych wyjaśnień i nakreślono kontekst, nie mogłem się nadziwić spokojowi Tallenta, jego doskonałemu opanowaniu w sytuacji, gdy z każdym zdaniem Mui musiał czuć się coraz bliższy odkrycia, jakiego się nawet nie spodziewał.

Raz tylko usłyszałem, jak głos Tallenta się zmienia, i po latach żałowałem, że nie obserwowałem go wtedy pilniej, że nie wyryłem sobie tamtej chwili w pamięci jak w wosku, żeby móc ją potem oglądać jako jeden z tych rzadkich momentów, kiedy człowiek czuje, że płyty tektoniczne przesuwają się pod nim i życie zmienia się na zawsze: po jednej stronie wypiętrzonej ziemi zostaje przeszłość, a po drugiej stronie teraźniejszość i już nigdy nie da się ich zespolić.

– Zapytam Muę, kiedy umarł jego ojciec – mruknął do mnie Tallent, nie spuszczając oka z Mui. – *Mua, e Koa huata ku'oku make'e?*

Mua odpowiedział natychmiast, gwałtownym gestem wskazując grupę tubylców, a Tallent zamarł w bezruchu i w tym momencie – jakkolwiek dziwnie to zabrzmi – doznałem wrażenia, że kuli się w sobie i zaraz wniknie w miękki grunt dżungli, który otworzy się jak paszcza wielkiej bestii, by pochłonąć go w całości.

– On jeszcze żyje – przetłumaczył Tallent i popatrzył na mnie, a jego twarz w ciemności (przepytywaliśmy Muę już co najmniej od godziny), pod miedzianej barwy skórą, zbielała jak kość. – Jego ojcem jest Vanu. Możemy z nim porozmawiać, jeśli chcemy.

* * *

Esme i Tallent rozmawiali przez cały dzień, także ze mną, żeby mi uzmysłowić znaczenie opowieści Mui. Wędrowaliśmy już dalej; nasi lunatycy (tak nazwałem ich w duchu ze względu na ich somnambuliczny ślinotok i zmętniałe spojrzenie, jakby brnęli przez gruby osad snu) rozdzieleni zostali na trzy grupy i powiązani za nadgarstki długą lianą, której koniec przytroczony był do pasa jednego z przewodników. Szliśmy znowu pod górę, nie znając jednak kierunku, gdyż Mua nie umiał albo nie chciał powiedzieć nam, gdzie leży jego wioska. Nie było jednak innej drogi jak pod górę: po naszej lewej i prawej stronie las zamknął się na nowo, pnie drzew tak się tłoczyły, że w dzielących je milimetrach przestrzeni wyrastały najwyżej pastorały paproci.

Oczywiście gdy tylko Tallent skończył tłumaczyć odpowiedzi Mui, odłączyłem Vanu od grupy (spał już i kilka razy gniewnie odtrącił moją rękę, zanim zdołałem go dobudzić) i przyprowadziłem do Mui. Obserwowałem go, kiedy Tallent próbował zainicjować rozmowę we trzech. Czy Vanu wyglądał na starszego niż Mua? Może odrobinę: jeżeli Mua wyglądał na sześćdziesiątkę, to Vanu mógł mieć na oko pięć, sześć lat więcej. Czy byli do siebie podobni? Być może. Mieli tak samo płaskie kości policzkowe, tak samo wysuniętą dolną szczękę i takie samo niskie czoło zryte poziomymi bruzdami na podobieństwo kory drzewa. Z drugiej jednak strony wszyscy tubylcy wydawali mi się tacy sami i gdybym zamiast Vanu przyprowadził Ika'anę, na pewno też dostrzegłbym w nim podobieństwo do Mui.

Ale później, gdy rozmawiałem z Tallentem – a w każdym razie próbowałem z nim rozmawiać, bo Esme, która przez większą część drogi wlokła się w ogonie, szła teraz tuż za nami, jak mały biały piesek – relacjonując mu moje obserwacje, dowiedziałem się, że przegapiłem coś ogromnie ważnego, coś, czego – jak mi z radością wytknęła Esme – i tak bym na pewno nie zrozumiał.

Chodziło przede wszystkim o króla.

– Pamiętasz, jak Mua powiedział, że jego ojciec miał dwanaście lat w roku śmierci króla? – spytał mnie Tallent.

– Oczywiście – odparłem. – Ale mógł mówić o dowolnym królu, nieprawdaż? Na przykład o ojcu obecnego króla.

– Wówczas wystarczyłoby, żeby powiedział po prostu „król". Ale on powiedział inaczej. Użył wyrażającego najwyższą cześć słowa *ma*, które odnosi się tylko do jednego króla, Vaki I, tego, który zjednoczył wyspy. A kiedy umarł król Vaka I?

Nie odpowiedziałem, bo oczywiście nie wiedziałem.

– W roku tysiąc osiemset trzydziestym pierwszym – wyrwała się nie wiedzieć skąd Esme.

– Właśnie – potwierdził Tallent. Dałbym głowę, że we dwoje ćwiczyli ten dialog poprzedniej nocy, postanowiłem więc nie dać się wciągnąć w ich grę. – A przypominasz sobie, Norton, że Mua mówił o uzdrowicielu *ka'aka'a*?

– Owszem – przytaknąłem, przypominając sobie obraz uzdrowiciela podnoszącego na rękach kamiennego noworodka przy wtórze pieśni i krzyków kobiet.

– Praktyk *ka'aka'a* zakazał syn króla Vaki, król Maku, w roku tysiąc osiemset pięćdziesiątym, i to pod groźbą kary śmierci. Tak więc…

– Dokładnie w tysiąc osiemset czterdziestym dziewiątym – poprawiła go Esme, zachłystując się niemal z zadowolenia.

– Tak, przepraszam, w czterdziestym dziewiątym. To zaś oznacza…

– Ale przecież musieli znaleźć się tacy, co nie usłuchali. Skoro to była ich tradycja…

– Nic nie rozumiesz, Norton – przerwała mi Esme i tak straszną miałem ochotę dać jej w twarz, że aż zakręciło mi się w głowie. – U'ivuanie nigdy nie są nieposłuszni królowi. Przenigdy.

– Co chcesz przez to powiedzieć? – zaatakowałem błyskawicznie, zanim Tallent zdążył wygłosić formułkę potwierdzającą słowa Esme, zanim do spółki przypomnieli mi, jaki jestem głupi. – Że Vanu urodził się w roku tysiąc osiemset trzydziestym pierwszym?

– Raczej w tysiąc osiemset dziewiętnastym – poprawił mnie łagodnie Tallent.

Zmartwiałem i popatrzyłem na nich.

– Proszę was. Proszę. Nie mówcie mi, że wierzycie w jego opowieść.

– A czemu nie? – spytał Tallent tym samym spokojnym, racjonalnym tonem.

Zatkało mnie. „O Boże – pomyślałem sobie – popełniłem straszliwy błąd". Przypomniał mi się Sereny, ten nasz dobrotliwy Sereny, który zmierzył mnie takim smutnym i zrezygnowanym spojrzeniem, kiedy mu powiedziałem – jakże bezmyślnie! – że z największą rozkoszą polecę na wyspę, o której w życiu nie słyszałem, z nieznajomym antropologiem i spędzę tam prawie pół roku. Ogarnęło mnie przemożne pragnienie wydostania się z tej wyspy, lecz zaraz potem poczułem tępy ból: nigdy stąd nie uciekną. Uświadomiłem sobie, jak bardzo jestem samotny między lunatykami, przewodnikami i Tallentem, który nieustannie mi się wymykał, skazując mnie na towarzystwo nieatrakcyjnej Esme z tą jej okrągłą, błyszczącą twarzą, w tych szortach khaki wybrzuszających się w kroczu.

– No cóż – rzekłem wreszcie, najspokojniej jak potrafiłem. – Choćby z powodu żółwia.

– A! – Tallent machnął ręką jak na kelnera proponującego mu potrawę, na którą nie ma ochoty. – Zapomnij na chwilę o żółwiu. Ważne jest…

– Kamienne niemowlę – wyliczałem dalej.

– Ależ takie istnieją – wtrąciła się Esme.

– Tylko że są n i e z m i e r n i e rzadkie* – dokończyłem. – Powiedz mi, Tallent – poprosiłem, bo musiałem to wiedzieć, chociaż bałem się odpowiedzi – czy ty naprawdę wierzysz, że Vanu ma sto trzydzieści jeden lat?

Tallent spojrzał na mnie przeciągle, zanim odpowiedział, a potem przemówił łagodnym tonem:

---

* *Lithopedion* (kamienne dziecko) to płód obumarły *in utero*, zbyt duży, żeby mógł zostać wchłonięty przez ciało matki (jako że śmierć następuje zwykle po pierwszym trymestrze ciąży), który wapnieje, aby nie doszło do zakażenia. Kobieta może żyć normalnie przez kilkadziesiąt lat, a nawet do śmierci, nosząc w łonie kamienne dziecko. Co więcej, może rodzić kolejne dzieci. Jest to zjawisko nader rzadkie, istne kuriozum medyczne, dziś już właściwie nieznane w cywilizowanym świecie.

– Wiem, Nortonie, że to się może wydawać nieprawdopodobne, a nawet niemożliwe. Ale nie znajduję innego wytłumaczenia. A zresztą... – Zatoczył ręką szerokie koło obejmujące wszystko, co nas otaczało: drzewa obwieszone mikroskopijnymi małpkami i wielkimi leniwcami, kamienie brodate zielenią i skały porośnięte sierścią mchu, Ewę i jej ziomków dreptających za przewodnikami w powolnym, nierównym szeregu. – A zresztą co tutaj n i e j e s t niemożliwe?

Na to niestety nie miałem odpowiedzi. Nawet Esme zamilkła. Nie pozostało nic innego, jak kontynuować marsz. Przez pewien czas żadne z nas się nie odzywało i tylko odgłosy dżungli zastępowały rozmowę.

* * *

A więc byłem naukowcem (przypuszczalnie), lekarzem (rzekomo) i kolegą (niestety) dwojga ludzi przekonanych, że osobnik, który wygląda na lat sześćdziesiąt pięć, ma lat sto trzydzieści jeden.

Wiedziałem, że mają mnie za sztywniaka, nudnego konserwatystę pozbawionego intelektualnej ciekawości, wiedziałem też, że odgadli, iż ja uważam ich za pajaców, niezdyscyplinowanych i skłonnych do niebezpiecznych fantazji. Rzecz w tym, że tylko jedno z nas się tym martwiło. Esme zdawała się wręcz uszczęśliwiona i czepiała się Tallenta jak grzybnia wilgotnej rośliny.

Trudno było się nie dąsać. Nawet Tallent, którego spostrzegawczość, gdy idzie o zmiany nastroju, jakich doświadczają wszyscy normalni ludzie, była mniej niż śladowa, na chwilę zrównał ze mną krok.

– Nie martw się, Norton – powiedział, podając mi owoc manamy (popękany, pękaty, pełen hunono), ale ja już nie wstydziłem się przyznać, że manama mi nie smakuje.

Trudno było także pogodzić się z myślą, że zabiegając o dyscyplinę naukową i logikę, niechcący dałem Tallentowi i Esme dodatkową pożywkę dla ich bajki. Zarządziłem ponowne badanie naszych znajd, mając nadzieję na ustalenie ich prawdziwego wieku. Okazało się to jednak większym wyzwaniem, niż sądziłem, głównie dlatego, że jak się okazało, nie ma wielu zapisanych faktów na temat Ivu'ivu: tutejsi ludzie nie znają takich pojęć jak król, czas i historia. Nigdy wcześniej nie widzieli *ho'oala* – gapili się na nas w milczeniu, pojedynczo i grupowo, co śmielsi skubali palcami nasze nadgarstki, naśladując badanie lekarskie, jakiemu byli przez nas poddawani – i nic dziwnego, bo żaden *ho'oala* nie zapuścił się jak dotąd na Ivu'ivu. Właściwie jednym z najbardziej pamiętnych wydarzeń minionych dekad (słowo „stulecie" nie chce mi przejść przez gardło) było przybycie Vanu – ten dzień zapamiętali i Ika'ana, i Vi'iu, i Ivaiva, i Va'ana. Każde z nich relacjonowało go jednak trochę inaczej, ubarwiając po swojemu (Vi'iu twierdził, że Vanu przybył do nich na grzbiecie monstrualnego, człapiącego mozolnie opa'ivu'eke, niczym jakiś mikronezyjski Wisznu), ale wszystkim wrył się w pamięć mały, chudy Vanu w śmiesznych podartych portkach z włókna tavy, za młody na swoją pierwszą włócznię. Bliźniaczki zgodnie utrzymywały, że były wówczas w trakcie swojej ceremonii ślubnej, którą przerwało pojawienie się Vanu – podobno chłopiec nie mógł oderwać oczu od piekącego się na ucztę boczku*. Tylko Ukavi oświadczyła, że w dniu przybycia Vanu nie było jej jeszcze na świecie. Pamiętała jednak, że jako młoda dziewczyna oglądała ślub Vanu. Jej wspomnienia były pełniejsze i pewniejsze, gdy dotyczyły dalekiej przeszłości – podobnie było z pozostałymi tubylcami.

– Mógł mieć jakieś siedemnaście lat, kiedy się żenił – powiedział później Tallent, gryzmoląc w notatniku. – A więc Ukavi urodziła się wkrótce po jego przybyciu, co znaczy, że ma

| 181

---

* Dziewczynki wydawano zwykle za mąż w wieku lat czternastu, więc jeśli historia Ivaivy i Va'any była prawdą, to w roku 1950 miały one po sto trzydzieści trzy lata.

w przybliżeniu... ile lat? Sto dziewięć? Sto osiem? Coś koło tego.

Ale dopiero historia Ika'any naprawdę poruszyła Tallenta i Esme. Jak się okazało, Ika'ana urodził się pięć lat przed wielkim trzęsieniem ziemi – jedynym wydarzeniem, które zdawali się pamiętać wszyscy mieszkańcy Ivu'ivu. Była to dla wyspy straszliwa katastrofa (wstrząsy odczuwano aż na Fidżi w kierunku zachodnim i na Hawajach w kierunku północnym). Mitologia u'ivuańska interpretowała ją jako burzliwą kłótnię małżeńską Ivu'ivu i A'aki (powód owej kłótni był nieznany), która przerodziła się w wojnę: obaj bogowie, chcąc zniszczyć się nawzajem, atakowali wszelką posiadaną bronią. A'aka wezwał na pomoc swoje rodzeństwo, bogów nieba, żeby burzyło się i szalało w jego imieniu, a Ivu'ivu wzniecił niebotyczne fale, które prawie sięgały słońca. Gdy kataklizm się skończył, bogowie postanowili, że już nigdy więcej nie będą ze sobą walczyć, po pierwsze (jak chce legenda), ponieważ przekonali się, że ich siły są wyrównane i żaden nigdy nie wygra z drugim, a po drugie, ponieważ prosił ich o to stary i chory od dawna Opa'ivu'eke, któremu nie chcieli sprawiać przykrości. Po u'ivuańsku trzęsienie ziemi nazywało się Ka Weha – „Walka".

– Byłem jeszcze mały podczas Ka Weha – opowiadał Ika'ana Tallentowi. – Ale pamiętam, jak ziemia pode mną pękła i rozstąpiła się jak owoc *no'aka**. Pamiętam też, że matka wbiegła ze mną w kępę paproci i tuliła mnie, dopóki bogowie nie przestali się kłócić. I jeszcze pamiętam, że gdy wróciliśmy do wioski, wszystkie *male'e* płonęły od domowych palenisk, a moja matka powiedziała, że mamy szczęście, bo jest początek *'uaka* i niedługo przyjdą deszcze, a wtedy będziemy bezpieczni. Tej nocy

---

* Blisko spokrewniony z kokosem okrągły, tykwowaty owoc rosnący na pnączach (jak arbuzy) i osiągający wielkość melona. Na U'ivu owoce te zwane są potocznie *uka moa*, „świńskie jadło", a to ze względu na czarną szczecinę pokrywającą ich powierzchnię.

modliliśmy się i tańczyliśmy dla bogów i ich szczęścia, i od tamtego czasu nie było więcej walk.

Mówił o wiele więcej, ale Tallent, który, pochylony, zadawał pytania i zawzięcie notował, na mój użytek przetłumaczył tylko tyle, a kiedy go spytałem, co jeszcze mówił Ika'ana, zamyślił się i powiedział, że musi się nad tym chwilę zastanowić.

– Nad czym? – drążyłem, ale mi nie odpowiedział.

Ważne jest w każdym razie to, że Ka Weha miała miejsce w roku tysiąc siedemset siedemdziesiątym dziewiątym. Ika'ana musiał mieć zatem około stu siedemdziesięciu sześciu lat.

– To niemożliwe – zaprotestowałem i poczułem, że znów dławi mnie panika.

– Mamy rok tysiąc dziewięćset pięćdziesiąty – rzekł Tallent spokojnie, ale z lekką nutką irytacji: zaczynałem go denerwować. – Podczas Ka Weha Ika'ana miał pięć lat. Matematyka nie kłamie, Nortonie.

Matematyka nie kłamała. Ale wszystko inne tak. W jednym tylko Tallent miał rację: był rok tysiąc dziewięćset pięćdziesiąty. Kilka metrów od nas siedział Ika'ana, zajadając swoją porcję mielonki. Oczy lekko mu łzawiły. Obok niego siedział Fa'a, rytmicznie zaciskając i rozluźniając palce na włóczni. Miałem ich o parę kroków od siebie, ale nadal nie umiałem określić na podstawie wyglądu, który jest młodszy, a który starszy, kto tu zwariował, a kto jest po mojej stronie.

Część IV

Dziewiąta chata

I

Nazwałem to i będę nazywał wioską, ale tak naprawdę to nie była wioska, tylko zwykła polana okolona dwudziestoma kilkoma prymitywnymi chatami z wysuszonych liści palmowych. Wyłoniła się z dżungli niespodziewanie jak miraż.

Przedarliśmy się przez wyjątkowo gęste skupisko drzew. Przewodnicy stękali, torując sobie przez nie drogę ramionami, za przewodnikami, szurając i potykając się, szli w niezbornym szyku nasi lunatycy, a pochód zamykaliśmy my: Esme, Tallent i ja. Przecisnąwszy się przez zwarty szpaler manam, stanęliśmy na skraju wioski.

Pierwsze, co zobaczyłem, to były ciała. Leżały, gdzie popadło: kobiety na wznak, z dziećmi u boku, mężczyźni rozkraczeni, z rozdziawionymi ustami, stado dzikich świń z podkulonymi po kociemu przednimi nogami i zjeżonym chybem, czarnym i połyskliwym jak kolce jeżozwierza. Pośrodku polany dopalało się małe ognisko. A nad ogniskiem wisiało niezidentyfikowane zwierzę obdarte ze skóry, mniejsze od świni i poczerniałe w miejscach liźniętych przez płomienie, o nietkniętych jeszcze oczach, które patrzyły na nas z wyrzutem.

Była to scena masakry, zbiorowej śmierci. Dopiero gdy spojrzałem drugi raz, uważniej, stwierdziłem, że piersi kobiet falują, kciuki mężczyzn gładzą sennie drzewca włóczni, których nie wypuszczali z garści nawet przez sen, a sierść na ryjach świń drży z każdym ich wydechem.

Jako pierwszy z nas odezwał się Fa'a i choć nie zrozumiałem jego słów, po tonie poznałem, że nie jest zaskoczony*.

Za nami tłoczyli się lunatycy, nietypowo dla siebie milczący, i wszyscy razem przez dłuższą chwilę obserwowaliśmy uśpioną wioskę.

Nagle jednak, bez żadnego powodu, Ewa wydała typowy dla siebie wibrujący okrzyk i śpiące towarzystwo zerwało się na równe nogi: mężczyźni wyprostowali się jednym zręcznym ruchem, kobiety ze strachu zawtórowały Ewie wrzaskiem, a świnie chrząkały, chroniąc się u boku mężczyzn i świdrując nas błyszczącymi, złośliwymi oczkami. Tylko zwierzę skwierczące nad ogniem pozostało na swoim miejscu. Później wspominałem ten incydent jako powtórkę z dnia, w którym naszli nas

* Wieśniacy oddawali się *lili'ika*, czyli drzemce rozpoczynanej tradycyjnie zaraz po południowym posiłku i trwającej do późnego popołudnia. Zwyczaj *lili'ika* zrodził się zapewne z konieczności: w gorących miesiącach nie dawało się pracować na słońcu. Poza tym Ivu'ivuanie mieli zwyczaj czuwać do późnej nocy, gdyż właśnie wtedy odbywają się najlepsze polowania (znaczna część cenionych przez nich zwierząt łownych to stworzenia nocne).

Chociaż misjonarze, jak zauważył Norton, nie doprowadzili do wielu nawróceń, to czasem udawało im się przez wysłannika przekonać króla, że *lili'ika* jest przejawem zacofania i nie sprzyja rozwojowi państwa – dlatego król Tuimai'ele zakazał *lili'ika* w roku 1930, co było najznaczniejszą spuścizną po misjonarzach. Tradycja *lili'ika* przetrwała jednak na Ivu'ivu, jako że tamtejsi mieszkańcy nie mieli króla, a tym bardziej królestwa, o czym też pisze Norton.

Znamienne, że Norton nie wspomina w swych zapiskach o królu Tuimai'ele, który był postacią ze wszech miar fascynującą. Żył od zarania XX wieku (czyli w czasie pobytu Nortona na wyspie miał pięćdziesiąt lat) i rządził krajem od dwunastego roku życia. Jego stosunki z wysłannikami Zachodu były skomplikowane. Z jednej strony musiał znać opowieści o tym, jak jego dziadek, król Maku, zniósł *ka'aka'a* jako praktykę barbarzyńską i zacofaną, a uczynił to prawdopodobnie pod presją protestanckich misjonarzy, którzy wówczas mieli jeszcze swój przyczółek w północnej części nasi lunatycy, wyłaniając się z gąszczu całą bandą – tyle że tym razem to my byliśmy intruzami w sztuce, w której nie przewidziano dla nas roli.

Jeszcze później – po wielu latach – przypomniała mi się ta scena i towarzysząca jej panika, gdy jedno z moich dzieci oglądało telewizję. Na ekranie leciała kreskówka: korpulentny myśliwy z wadą wymowy wdarł się do wioski zaludnionej przez podobnie kurduplowate ludziki, z tym że te były czarne, a w czerni ich ciał wyróżniały się tylko mięsiste czerwone usta w kształcie ziaren kakaowca i jasne białka przerażonych oczu. Myśliwy ganiał pierzchające w popłochu czarne stworzenia, wymachując włócznią i wrzeszcząc bez sensu, a całość obrazu tworzyła zwariowany balet.

Tak też było wówczas i z nami. Mieszkańcy wioski uciekali z krzykiem, my biegaliśmy za nimi, też pewnie z krzykiem,

---

wyspy U'ivu. Ale musiał też znać opowieści o swoim ojcu, królu Vake'ele, który jeszcze jako dziecko, ale będąc już monarchą, wyrzucił z kraju ostatnich misjonarzy w roku 1875, wkrótce po katastrofalnym tsunami, które zniszczyło w przeważającej mierze rodzącą się społeczność.

Rządy Tuimai'ele cechowała wielka ciekawość Zachodu, który był dla króla obszarem zakazanym, a przez to ekscytującym. Równie wielka jak ciekawość była jednak podejrzliwość króla wobec Zachodu. Powiada się (chociaż brak zapisków na ten temat), że jedną z przyczyn gniewu Vake'ele było to, że misjonarze kazali mu wyrzec się włóczni, jeśli chce zostać chrześcijaninem. Ten jeden warunek sprawił, że kilkudziesięcioletnie osadnictwo białych przybyszów w państwie U'ivu zostało powstrzymane – Vake'ele wygnał ich, toteż Tuimai'ele wychowywał się w U'ivu bez białych.

Zanim jednak doszło do banicji, Vake'ele zaprzyjaźnił się z kilkoma misjonarzami. Jeden z nich – jego imię zaginęło w niepamięci – podarował mu serię książek z obrazkami, które król podobno przekazał w spadku synowi. Chociaż Tuimai'ele prawie nie umiał czytać, książki były dlań dowodem istnienia świata poza jego światem i to właśnie ten król próbował później zakładać placówki dyplomatyczne w krajach Południowego Pacyfiku. Niestety, nie mógł poświęcić się w całości temu dziełu, w związku z czym w pierwszej połowie XX wieku U'ivu było na Zachodzie prawie nieznane – dopóki Tallent z Nortonem nie rozpowszechnili na świecie wiedzy o istnieniu takiego kraju.

a każdy, kto obserwowałby nas z boku, pomyślałby, że bawimy się w berka. Można sobie wyobrazić, ile godzin zajęło Fa'a (biedny Fa'a!) przywrócenie czegoś na kształt porządku – wreszcie mężczyźni ostrożnie opuścili włócznie, a ich świnie legły z powrotem na ziemi, potulne już, choć czujne. Stało się to jednak dopiero po wielu godzinach. Gdy wreszcie kobiety usiadły po jednej stronie polany w otoczeniu dzieci, nasi lunatycy pod strażą Uvy i Tu pospali się na skraju osady, a większość mężczyzn i świń przycupnęła po drugiej stronie, pośrodku wioski pozostaliśmy Tallent, Esme, ja i Fa'a – no i piekące się nad ogniskiem stworzenie*, które miało już tak zwęglony grzbiet, że płatki skóry fruwały w powietrzu niczym ćmy. Byłem kompletnie wycieńczony.

Naprzeciwko nas siedzieli trzej miejscowi o krzepkim wyglądzie, ciemnych, gęstych włosach i długich, żylastych, świetnie umięśnionych kończynach. Przez chwilę badaliśmy się wzrokiem z pewną nieśmiałością, jak narzeczeni przed ceremonią ustalania warunków ślubu. Mężczyźni trzymali włócznie na sztorc prawymi dłońmi i, tak jak Fa'a, rozwierali i zaciskali palce na drzewcach gestem tyleż rytmicznym, ile nerwowym, który chwilami, gdy robili to równocześnie, wyglądał na wyćwiczony, tak jakby mieli lada chwila zaintonować pieśń.

---

* W poprzednich wersjach opowieści Norton sugerował, że owo stworzenie mogło być istotą ludzką. Reporter „New York Timesa” Milo Smoak cytuje go w swojej książce *Zaginieni chłopcy* (HarperCollins, Nowy Jork 1989): „Pierwszą rzeczą, którą ujrzałem, wchodząc do tej wioski [ludu Opa'ivu'eke], było ognisko płonące dzień i noc. Nad ogniskiem wisiało stworzenie, którego nazwy nie zdołałem ustalić – był to prawdopodobnie rodzaj ssaka, gdyż na jego głowie widniały czarne niteczki, pękające od żaru jak szkło. Głowa była za duża jak na psa, a kończyny za długie jak na świnię. Przypatrując się, pomyślałem, że stworzenie może należeć do naczelnych, chociaż nigdy jeszcze nie widziałem tak masywnej małpy. Bałem się pójść dalej za tym rozumowaniem, żeby nie dojść do nieuchronnego wniosku" (s. 298).

Pierwszy odezwał się siedzący pośrodku – zresztą nawet gdyby nie siedział pośrodku, domyśliłbym się, że to ich przywódca: był nieco wyższy od innych, nawet na siedząco, pierś miał nienaturalnie wypiętą do przodu, a jego świnia była większa od świń jego towarzyszy, o pięknie błyszczącej, jakby świeżo namaszczonej sierści.

Fascynowały mnie te świnie, bo takich jeszcze nie widziałem, ani na obrazku, ani w naturze. Wyróżniały się przede wszystkim rozmiarami: były wysokie jak źrebaki, grube jak niestrzyżone owce, olbrzymie, muskularne – byłyby wspaniałe, gdyby nie ich brzydota. Na stojąco dorównywały prawie wzrostem swoim panom, lecz były znacznie od nich potężniejsze: miały beczkowate torsy i chociaż zauważyłem, że nie są zbyt zwinne – biegały, podciągając śmiesznie tylne nogi przy jednoczesnym wyrzucie przedniej części ciała, więc wydawało się, że skaczą – to racice miały twarde jak skała, a nogi grube i gęsto owłosione. Najbardziej jednak zdumiały mnie ich kły, zakrzywione po obu stronach pyska, kredowobiałe i wyszczerbione na końcach. Świnie siedziały ładnie, jak kocięta, z podkulonymi nogami – wszystkie z wyjątkiem świni przywódcy, przez cały czas naszego spotkania ugniatającej kopytem przedniej nogi krwawy strzępek futra, który musiał być kiedyś żywą istotą. Obserwowałem, jak tarza go w ziemi albo ciągnie tam i z powrotem leniwym ruchem, którego beztroskie okrucieństwo miało w sobie coś ludzkiego – była jak grubas w prążkowanym garniturze grający w kości na oczach drżącej ofiary. Nie spuszczała nas przy tym z oka: gdy Fa'a, a potem Tallent przemawiali, odwracała wielki łeb od jednego do drugiego, popatrując co chwila na swojego pana, jakby sprawdzała jego reakcję, co było najbardziej deprymujące.

Wokół mnie trwała przez cały czas gardłowa konwersacja. Po długich przemowach wodza wioski następowały odpowiedzi Fa'a i Tallenta. Czy wszystko było dobrze? Nie za dobrze? Trudno stwierdzić. Po łagodności głosów Fa'a i Tallenta poznałem, że silą się na spokój i pojednawczość, lecz nie umiałem stwierdzić, ile ich to kosztowało. Z boku słyszałem nosowy oddech Esme, ale ona często tak sapała, więc nie było to żadną wskazówką. Zauważyłem, że mężczyzna, a za nim Fa'a i Tallent odwracali się od czasu do czasu i patrzyli na lunatyków, którzy nie odwzajemniali ich spojrzeń, a kiedy tak się działo, Fa'a i Tallent zniżali głos i zaczynali mówić szybciej, bardziej nagląco.

Naturalnie i temu zdarzeniu powinienem był poświęcić więcej uwagi, by utrwalić w pamięci każdy gest i westchnienie – niestety, wówczas oddałem się marzeniom. Obserwowałem równą granicę między wioską a puszczą, gdzie linia drzew urywała się nagle, okalając polanę niczym krąg ludzi – zupełnie jakby wioska była kolistym teatrem, a my aktorami. Kusiło mnie, żeby odwrócić głowę i spojrzeć na zgrupowane z tyłu kobiety i dzieci, ale się nie odważyłem. Zamiast tego obserwowałem warchlaka wielkości dzikiego kota, bawiącego się w ziemi za plecami członków rady wioski. Musiał być bardzo młody, bo jeszcze nie wyrosły mu kły i miał wielkie, wilgotne oczy. Bawił się, przeskakując tam i z powrotem przez granicę pomiędzy wioską a lasem: jeden mały skok – i był z ludźmi, drugi skok – i był w świecie przyrody. Hop, hop. Hop, hop. Jakie to było proste. Przez dłuższy czas nie mogłem oderwać od niego oczu.

* * *

Coś mnie niepokoiło w tej wiosce, ale co – to pojąłem dopiero w nocy, leżąc na macie z liści palmowych i czekając na sen.

Negocjacje trwały długo, tak długo, że wreszcie dzień poszarzał, zrobiło się chłodniej, a dziatwa za moimi plecami zaczęła się domagać jedzenia. Wówczas rozmowa skończyła się nagle i wszyscy – trzech z ich strony, czworo z naszej – wstaliśmy. Fa'a i Tallent skłonili się lekko tamtym, którzy się nie odkłonili. Dołączyliśmy do naszej grupy lunatyków, trzej przedstawiciele wioski poszli pogadać z innymi mężczyznami, a kobiety, wymierzając klapsy dzieciom, poznikały w chatach, żeby wynieść coś na kolację.

Nie miałem dobrych przeczuć, siedząc z naszą grupą na granicy lasu, gdy parę metrów dalej życie wioski toczyło się tak, jakbyśmy nie istnieli, ale Tallent podszedł do Esme i do mnie, by nas upewnić, że wszystko jest dobrze.

– Możemy tu zostać, na razie – powiedział. – Więcej opowiem, gdy ich nakarmimy.

Posiłek był żałosny: próbowałem przełykać manamę, której soczysty miąższ rósł mi w ustach. Kilka kobiet zdjęło wreszcie znad ogniska piekące się zwierzę – tak już zwęglone, że wiatr rozwiał mu całkiem część grzbietową – i zastąpiły je wielkim połciem czerwonego mięsa, ekstrawagancko przetykanego białymi nitkami tłuszczu. Woń pieczeni (a raczej woń samego dymu) uczyniła owoc manamy tym bardziej nieznośnym, aż w końcu musiałem go odłożyć i zadowolić się wspomnieniem jedzenia mięsa: jego opornej konsystencji, powolnego obracania kęsa w ustach, krwistego soku o cierpkim, metalicznym posmaku. Kobiety nie piekły mięsa zbyt długo – ledwie zbrązowiało, a dwie z nich zdjęły je znad ognia i położyły na wielkim liściu lawa'a. Wówczas podbiegli mężczyźni i dzieci, by szarpać mięso gołymi rękami, ciągnąc każdy w swoją stronę. Nad ogniskiem zaś zawisł drugi, mniejszy połeć mięsa, który po upieczeniu zjadły kobiety.

Układanie lunatyków do snu trwało bardzo długo i zmęczyło nas tak, że nie mieliśmy siły rozmawiać. Ale jak już wspomniałem, gdy się położyłem, słysząc wokół siebie chrapanie Esme i pozostałych, widząc plecy stojącego przy dogasającym ognisku Fa'a (nawet jeśli zawarto układ z mieszkańcami wioski, Tallent nie zrezygnował z nocnej warty), dotarło do mnie to, co wcześniej zauważyłem, lecz czego nie umiałem wysłowić: w wiosce nie było starych ludzi. Trzej przedstawiciele społeczności mogli być po trzydziestce, góra po czterdziestce. I nikt z miejscowych nie wyglądał starzej. Była to wioska młodych.

Oczywiście nie miałem okazji przyjrzeć im się z bliska. Postanowiłem sobie następnego dnia bardziej uważać. Ale zapadając w sen, usłyszałem w głowie ciche pytanie: „Co to wszystko znaczy?".

„Nic", odpowiedziałem głosowi. Byłem zmęczony.

Ale już wtedy wiedziałem, że się mylę.

* * *

– Wyjaśnienia zostawmy na później – powiedział nam Tallent.

Nastał dzień, a nasi lunatycy byli niespokojni, zwłaszcza Mua, który paplał coś do Fa'a, a ten go uspokajał gestem uniesionych dłoni. Nocą Fa'a i Tallent przeprowadzili lunatyków głębiej w las i żeby ich znaleźć, musiałem przejść kilkadziesiąt metrów, kierując się głosami.

– Muszę się dowiedzieć, co ich niepokoi – powiedział Tallent, po czym zwrócił się do Esme: – Możesz zabrać kobiety nad potok i dać im wody?

– A ja? – upomniałem się.

Spojrzał na mnie ze znużeniem.

– Ty możesz wracać do wioski. Mamy ich pozwolenie.

– Dobrze – odparłem. Byłem trochę zły, że Tallent nie poprosił mnie o pomoc w dociekaniu przyczyny niepokoju lunatyków. Z drugiej jednak strony nudzili mnie oni, a miałem chęć na rekonesans.

– Tylko, Nortonie…

– Słucham?

– Nie denerwuj ich, dobrze?

– Oczywiście – zapewniłem go całkiem serio.

Przyjrzał mi się i chyba chciał coś jeszcze powiedzieć, ale Fa'a wezwał go po imieniu – „Po! Po!" – więc odwrócił się ode mnie i odszedł.

Ludzie w wiosce poruszali się jak muchy w smole, jakby dopiero co wstali, chociaż wcale nie było tak wcześnie: chaty rzucały już niewyraźne cienie na ziemię, robiło się ciepło. Spodziewałem się jakiejś reakcji na swoje przybycie, ale nikt nawet nie podniósł oczu. Zachowywali się tak, jakby postanowili mnie ignorować, co uznałem za pewne osiągnięcie, zważywszy na absurdalność mojej obecności w ich gronie. Jedna z kobiet minęła mnie z kolejnym połciem mięsa, tym razem różowym, ale też poprzerastanym tłuszczem. Rzuciła go na wciąż tlący się ogień. Inna wyciągnęła z chaty pleciony kosz pełen czegoś, co przypominało sosnowe szyszki, i zaczęła obierać to z liści jak karczochy. Trzecia kobieta brała od niej te liście i namaczała je w koszu pełnym wody. W drugim końcu wioski widziałem wodza, naprzeciwko którego siedziałem wczoraj, więc uniosłem rękę na powitanie. On jednak patrzył gdzieś obok mnie, jak znajomy z drugiej strony ruchliwej ulicy, który udaje, że mnie nie zna. Sztuczność tego zabiegu rozbawiła mnie.

Chat było trzynaście w pierwszym pierścieniu otaczającym ognisko i dziewięć w drugim, wszystkie wysokości jakichś dwóch i pół metra, o prostej, stożkowatej konstrukcji. Pośrodku każdej tkwił pal, chyba z pnia palmy, od którego – jak wstęgi na jarmarcznym słupie – biegło siedem grubych lin splecionych w warkocz, napiętych jak kable i przytwierdzonych kołkami do ziemi. Ten szkielet okrywał kilkuwarstwowy czerep z liści palmowych. Zwisał on z przodu, gdzie można było go podwiązać, robiąc wejście. Chaty w pierwszym pierścieniu służyły do spania: do obrzeża strzech przytroczone były plecionką maty palmowe, każda długości niespełna półtora metra, a szerokości metra. Wnętrza chat były puste – pachniały sianem i ziemią – i obszerne: uznałem, że w środku może wygodnie nocować dwoje dorosłych i dwoje dzieci.

Chaty drugiego pierścienia – a właściwie półpierścienia, półksiężyca, który osłaniał tyły połowy chat noclegowych – miały tę samą konstrukcję i kształt, ale służyły za magazyny. W pierwszej trzymano mięso. Gdy wyszła stamtąd kobieta, wszedłem do środka: klepisko znajdowało się tam na głębokości jakichś trzech metrów, a na dnie wykopu leżały paczki owinięte w błyszczące ciemnozielone liście. W ziemi wycięto prymitywne schodki, po których zszedłem, i podniosłem jedną paczkę: była chłodna i ciężka od czegoś zwartego i sprężystego. Ale gdy gramoliłem się na górę, noga mi się omsknęła i wylądowałem w liściach na dnie wykopu. Ziemia pode mną zakołysała się łagodnie, a gdy sięgnąłem pod warstwę liści, poczułem zimną wodę i uświadomiłem sobie, że mieszkańcy wioski dokopali się do podziemnego strumienia, który chłodził mięso.

Trzy następne chaty mieściły artykuły suche, z których wiele uwiązano do plecionek rozpiętych we wnętrzach na podobieństwo lampek choinkowych. Rozpoznałem sznur małpek vuaka zawieszonych na ich cienkich, bezwłosych ogonkach i sznur suszonych owoców manamy, których niemowlęca skórka stwardniała w pomarszczony pancerz. Był też rząd mango o słodkawym zapachu, ale i inne rzeczy, których nie znałem: jedne wyglądały jak rozpłaszczone, upiornie uśmiechnięte jaszczurki, inne jak grube cygara – srebrzyste woreczki, z pozoru puste, ale swym ciężarem ściągające sznur prawie do ziemi; były też półprzezroczyste bursztynowe trójkąty cętkowane czarną szczeciną. W koszach stojących pod ścianami odkryłem znane już mi szyszki (zaskakująco ciężkie i omszałe jak grzyby), nasiona różnej długości i grubości, rozmaitych kształtów grzyby i musztardowej barwy porosty, a jeden kosz był pełen czegoś, co wyglądało jak ścinki paznokci, lecz okazało się larwami hunono.

Tylko w piątej chacie kogoś zastałem: siedzące tam trzy kobiety obrzuciły mnie szybkim spojrzeniem i powróciły do swoich cichych zajęć. Dwie splatały liny ze świeżych liści palmy, a trzecia rwała liście na wąskie pasy. Warkocz liny wymagał trzech takich pasów, każdy dziesięciocentymetrowej szerokości. Podstawę warkocza stanowiła część środkowa liścia, ta z żyłą, którą oplatały delikatniejsze pasy z brzegów liścia. Liście były długie, na oko dwumetrowe, a po spleceniu pasów z jednego liścia przytraczano do nich nowy liść za pomocą krótkiego skręcanego sznura z kędzierzawej roślinki podobnej do mchu hiszpańskiego. Wokół kobiet piętrzyły się sterty zwiniętych lin i wisiały suszące się liny różnej długości i grubości. W dwóch sąsiednich chatach trzymano zapasy lin, pokrycia na chaty i inne wyroby z palmy: pętle (pewnie dla świń) z długimi postronkami o potrójnym splocie, półtorametrowej wysokości stertę palmowych mat i długie słupy z palmowych pni, zaostrzone na jednym końcu i po wbiciu w ziemię mogące posłużyć za trzon chaty.

W kolejnej chacie nie było nikogo, ale i ona stanowiła swego rodzaju warsztat, gdyż pośrodku klepiska miała wgłębienie, w którym ktoś mógł usiąść, a przed wgłębieniem leżał duży kamień o wygładzonej powierzchni, służący zapewne za stół. Po lewej i prawej stronie stołu piętrzyły się stosy palmowych drągów, cieńszych niż te w poprzedniej chacie – odgadłem, że tu mieści się wytwórnia włóczni*.

Podziwiałem tę wioskę, nawet jej prostotę. Owszem, tamtejsze życie było prymitywne, lecz naznaczone krzepiącym poczuciem obfitości, świadomością, że wszystko ma swoje miejsce i że każda życiowa potrzeba – pokarmu, schronienia i broni – jest należycie rozumiana i zaspokajana. Było to życie sprowadzone do podstaw, ale ze wszech miar spełnione. Ile społeczeństw może powiedzieć, że rozpoznało wszystkie swoje

---

* Wieśniacy dbali o zaopatrzenie magazynów: nawet później, gdy świat zewnętrzny wtargnął do nich bardziej agresywnie i nie mieli już czasu ani ochoty polować, gromadzili zapasy żywności i sprzętów wystarczające na co najmniej jedną porę roku. (Zaopatrzenia nie nadzorował jeden magazynier, lecz każda z chat magazynów miała wyznaczoną osobę odpowiedzialną za przechowywane tam zapasy, a wybór dozorców spośród dorosłych wieśniaków odbywał się co *o'ana*). Uzupełnianie zapasów trwało przez okrągły rok, jednak najwięcej prac – zbiory, sortowanie, oczyszczanie, konserwowanie, zbieractwo i łowienie zwierzyny – przypadało na sezon *lili'uaka*, czyli porę „małego deszczu". Norton, jak wiemy, przybył tam pod koniec *lili'uaka*, więc zastał świeże zapasy, owoce pracy minionych trzech miesięcy.

potrzeby i o wszystkie zadbało? Tu zaś były i żywność, i źródło wody, i narzędzia do obrony – i to nie tylko w wystarczającej ilości, ale też w nadmiarze. „Oto jest miejsce – pomyślałem z uznaniem – w którym nie ma niezaspokojonych potrzeb, a więc nie ma chciwości".

Tym bardziej zaintrygowała mnie ostatnia chata, dziewiąta. W odróżnieniu od pozostałych nakryta była nie pojedynczą, lecz podwójną palmową kapą. Taka sama kapa okrywała wewnątrz klepisko, na niej zaś leżała mata podobna do tych służących do spania, tyle że szersza, jakby na dwie osoby. Coś jeszcze odróżniało tę chatę od pozostałych: tylko w niej zauważyłem dekoracje. Do pala podtrzymującego konstrukcję przywiązana była skorupa opa'ivu'eke, tak pięknie wypolerowana, że każda z jej rogowych płytek lśniła niczym rżnięty klejnot, nawet w panującym tu półmroku. Wyglądało to tajemniczo, zwłaszcza w zestawieniu z prostą funkcjonalnością pozostałych chat. Uniosłem nawet rąbek dywanu, aby sprawdzić, czy nie kryje się pod nim jakieś wyjaśnienie – może sekretny bunkier albo podziemny magazyn. Ale niczego takiego nie znalazłem, tylko nagie klepisko. Wyszedłem z chaty i oddaliłem się, lecz nadal czułem jej obecność, jakby istniała tylko po to, by mi uzmysłowić, że moja zgrabna teoria o prostocie tutejszego życia może być błędna.

* * *

Dopiero po spenetrowaniu wszystkich chat poczułem, że jestem głodny, i pociągnęło mnie do ogniska.

Tu powinienem sam sobie przerwać i wyjaśnić, że wioska wydawała się oazą spokoju – pomimo wszechobecnych świń i włóczni i choć byłem tam intruzem – a to głównie dlatego, że była maleńka. Wystarczyło mi jakieś osiemdziesiąt kroków, żeby ją przejść od końca do końca. I wszystko, pomijając świnie, było w niej miniaturowe: niskie chaty, niscy ludzie, niskie nawet płomienie wiecznie płonącego ogniska.

Stanąłem blisko ognia i czekałem, aż ktoś zaproponuje mi jakieś jedzenie. Wokół mnie tętniło pracowite życie: grupa pięciu kobiet ubijała kamieniem duży bezkształtny połeć mięsa nierozpoznawalnego gatunku, grupa sześciu sortowała stos owoców manamy, poobijane i nieruchome sztuki krojąc wzdłuż w cienkie plastry, a pulsujące larwami kładąc na oddzielną kupkę. Trzy kobiety, które wcześniej zajmowały się szyszkowatymi warzywami, teraz uwijały się przy stercie czegoś o kształcie parówek, krótkich jasnozielonych walców, które rozcinały ostrym brzegiem liścia palmowego i jednym zręcznym ruchem wyłuskiwały z nich nerkowate nasiona o barwie lilaróż, wielkości mojego kciuka. Kobiety rozmawiały, ale nie bez przerwy, tylko zrywami: jedna coś mówiła, a druga wyrażała na to zgodę cichym, świszczącym pomrukiem, tak że chwilami brzmiało to jak bzyczenie stada os.

Na prawo od ogniska siedzieli kołem mężczyźni, naliczyłem dziewiętnastu włącznie z wodzem wioski – którzy krótkimi, grubymi liśćmi o zębatych jak piła krawędziach polerowali i ostrzyli włócznie. Podszedłem bliżej i zobaczyłem, że pośrodku ich kręgu stoją dwie miski zrobione z połówek łupiny no'aka, a w każdej misce jest odrobina jakby budyniu – czegoś galaretowatego, o kolorze rozcieńczonego mleka. Naostrzywszy koniec włóczni, każdy z mężczyzn zanurzał w misce końce dwóch palców i nacierał drzewce tą substancją, powtarzając czynność kilka razy. W przeciwieństwie do kobiet mężczyźni prowadzili ciągłą rozmowę, a ich głosy mieszały się, tworząc monotonne echo, które brzmiało bardziej jak śpiew niż jak mowa.

Pożałowałem, nie pierwszy i nie ostatni raz, że nie mówię po u'ivuańsku. Nagle usłyszałem swoje imię, a po chwili ukazała się Esme.

– Paul chce z nami porozmawiać – oznajmiła.

„Paul – pomyślałem – nie Tallent". W jej ustach jego imię brzmiało jak prowokacja. Odwróciłem się i podążyłem za nią do lasu. Na odchodnym obejrzałem się, ale nikt za nami nie patrzył.

– Ciekawie spędziłeś ranek? – zagadnął mnie Tallent.

Zauważyłem, że jest zmęczony. Lunatyków nie było widać. Czy sobie kpił? Nie wiedziałem.

– Owszem – odparłem. – Widziałem coś dziwnego.

I opowiedziałem mu o zagadkowej substancji, w której mężczyźni maczali palce, zadowolony, że odkryłem coś nowego.

– Ach, to – rzekł Tallent, uciskając czoło opuszkami palców. – To pewnie był tłuszcz zwierzęcy. U'ivuanie wytapiają go i używają do polerowania włóczni. – Westchnął. – Ale ciekawie się dowiedzieć, że robią to także tu, na Ivu'ivu.

– Aha – bąknąłem.

A więc moje odkrycie nie było żadnym odkryciem. Oczywiście, że namaszczali włócznie, jak mogłem się tego nie domyślić? Nie miałem odwagi spojrzeć na Esme, bo nie zniósłbym jej triumfu i rozradowania odkryciem kolejnego dowodu mojej naiwności.

– Siadajcie – powiedział Tallent, a my posłusznie wykonaliśmy polecenie. – Jesteście głodni? – Sięgnął za siebie po kiść żółtych jak żółtko jajka bananów. Ich łodyga musiała mierzyć z metr, ale same banany miały długość najwyżej dziesięciu centymetrów, chociaż były idealnie uformowane i łagodnie wygięte, jak ostrze szabli. – Fa'a ściął je dopiero przed chwilą. Spróbujcie, są pyszne.

Istotnie, nie miały mącznego smaku, były wyjątkowo soczyste i tak słodkie, że drażniły język.

– Kazałem przewodnikom zabrać ludzi nad potok, żebym mógł z wami spokojnie pogadać – rzekł Tallent. Zanim powiedział coś więcej, zjadł parę bananów. – Chociaż pozwolono nam tutaj zostać… może raczej powinienem powiedzieć: chociaż toleruje się naszą obecność, to musimy pamiętać, że obowiązują tu pewne prawa, których trzeba bezwzględnie przestrzegać.

Wyliczył nam te prawa. Wolno nam obserwować mieszkańców, ale na rozmowy z nimi musimy mieć pozwolenie wodza. Nie wolno dotykać świń ani włóczni. Nie mamy prawa do ich jedzenia, chociaż jeśli nas poczęstują, powinniśmy je przyjąć. Musimy przestrzegać ich rozkładu dnia, to znaczy spać do południa, bo tak jak oni będziemy aktywni w nocy (w tej regule nie dopatrzyłem się sensu). Mamy się trzymać z dala od mieszkańców osady, głęboko w lesie, o ile nie otrzymamy innego polecenia. A co najważniejsze: nie wolno nam przyprowadzać do wioski lunatyków. Dla dobra ich samych i mieszkańców.

– Ale dlaczego? – spytała Esme.

– Nie wiem dokładnie – przyznał Tallent. – Mogę wam tylko powiedzieć, że większa część wczorajszych negocjacji dotyczyła lunatyków. To ich obecność tak zaniepokoiła miejscowych.

– Przecież oni są stąd – powiedziałem.

– Tak – przyznał Tallent. – Tutejsi ich znają. W każdym razie znają Muę. I chyba jeszcze Ukavi, a może także Ivaivę, Va'anę i Vi'iu, sądząc po tym, jak omijali ich wzrokiem. Wszystko jest możliwe. Tak czy owak, nie chcieli się z nimi spotkać. A Mua wczoraj w nocy, gdy wyście już spali, kilka razy powiedział do Fa'a: „Nie chcę tam wracać. Nie chcę tam wracać".

Milczeliśmy przez chwilę, próbując rozgryźć słowa Mui.

– Jak to zrozumiał Fa'a? – spytała Esme.

– Nie wiedział, co myśleć. Powiedział mi tylko to, co już sam zauważyłem: że Mua się boi. Ale nie tylko to. – Tallent wyciągnął ręce nad głową, parodiując nonszalancki gest. – On chciał się tu znaleźć, chciał odwiedzić wioskę, tylko nie śmiał.

Zamilkliśmy ponownie.

Nocą rozegrała się ta sama scena: nieznośny odór pieczonego mięsa, pojękiwania i paplanina lunatyków, chrobotanie hunono w owocach manamy, mrok lasu zaciskający się wokół mnie jak wylot sakiewki. Raz jeszcze przed zaśnięciem spróbowałem zebrać rozproszone myśli. Jakie to ma znaczenie, że tubylcy znają niektórych lunatyków, a innych nie? Dlaczego Mua boi się wioski i tęskni do niej jednocześnie? Coś wiązało te wszystkie fakty. Czułem to przez skórę.

Tylko co?

II

Czas kondensuje i spłaszcza wspomnienia, ale z dużą pewnością stwierdzić mogę, że wkrótce po tej zagadkowej rozmowie wypadki zaczęły toczyć się bardzo szybko. Po latach zrozumiałem, że zdarzyło się równocześnie kilka rzeczy, które zrazu wydawały się dość odrębne – w jakiejś mierze powiązane, ale jednak niezależne od siebie.

Po pierwsze, wódz zaprosił Tallenta, Esme i mnie na zwiedzanie wioski. Mam świadomość, że umniejszam w tej relacji znaczenie naszego odkrycia tego plemienia, ale czynię tak dlatego, że miało je niebawem przyćmić moje własne odkrycie. Dziś, wiele dekad później, muszę powiedzieć, że nawet bez tej mojej rewelacji znalezienie wioski byłoby dużą sensacją. Wówczas jednak każde odkrycie dziwnie nas wyciszało. Tyle zastanawiających rzeczy wydarzyło się w trakcie naszej wyprawy, że wszyscy chyba spodziewaliśmy się niezwykłości na każdym kroku, co sprawiło, że znaleziska traktowaliśmy jak oczywistość – a przecież trafiliśmy na zaginiony lud, mikrospołeczeństwo sześćdziesięciu sześciu osób, których nikt jeszcze nie badał.

Wiem już, dzięki przysłuchiwaniu się rozmowom Tallenta z Esme i dzięki licznym książkom i ekspedycjom, które poprzedziły nasze odkrycie i nastąpiły po nim, że wielu innych też próbowało odnaleźć zaginiony lud. Mniej więcej co pokolenie odkrywana jest rzekomo nowa grupa ludzi (rzecz prawie nie-prawdopodobna z matematycznego punktu widzenia, świat jest już bowiem nieźle spenetrowany, a mimo to mniej więcej raz na dziesięć lat marnuje się czas i pieniądze na obalenie hipotezy o istnieniu nieznanego ludu). Lecz jeśli odliczyć ewidentne oszustwa, potencjalnie nieznanych ludów jest bardzo niewiele. A gdy im się dobrze przyjrzeć, okazuje się, że większość tych „zaginionych" plemion jest zaginiona tylko dla białego człowieka: to, że przedstawiciele cywilizowanego społeczeństwa natrafiają na grupę tubylców w Amazonii, nie oznacza wcale, że ten lud jest nieznany dziesiątkom innych, lepiej udokumentowanych sąsiednich plemion. Nasze odkrycie miało szczególną wagę, ponieważ tej grupy ludzi nie oglądał jeszcze nigdy biały człowiek, a co więcej, rzadko oglądali ich nawet U'ivuanie. Przez setki lat żyli, polowali, rozmnażali się i umierali tylko w mitach, w mrocznej baśni o pół ludziach, pół potworach, opowiadanej przez lud, z którego się wywodzili.

W tym świetle zaskakiwała, a nawet irytowała dziwna obojętność, z jaką wioska traktowała naszą obecność. Ta zdolność przystosowania się do niemal każdego zjawiska, na które się natknęli (lub, jak w tym przypadku, które natknęło się na nich) intrygowała mnie najbardziej ze wszystkich ich cech i dziwactw. W późniejszych latach, jak wiadomo, wioskę odkrywali wielokrotnie cywilizowani goście, którzy przypływali tłumnie na Ivu'ivu, chcąc poznać sekret innej unikalnej własności mieszkańców, chociaż ja byłem zdania, że powinni się skupić na wyizolowaniu genu, który zapewniał tym ludziom tak wielki, niezmącony spokój i zdolność przyswajania (bądź ignorowania) nowości i rzeczy nieprzyjemnych, a nawet niesłychanych.

W tamtych dniach, gdy Esme i Tallent notowali, przeprowadzali dalsze bezowocne wywiady z lunatykami i znów notowali, ja bardziej szczegółowo penetrowałem wioskę. Początkowo Esme i Tallent byli przeciwni zakłócaniu rutyny tubylców, w związku z czym godzinami przesiadywali jak gargulce na dwóch przeciwległych skrajach osady, obserwując mieszkańców przy codziennych zajęciach i zapełniając notatniki opisami najbardziej prozaicznych czynności. (Kiedyś, korzystając z tego, że Esme poszła się kąpać, zajrzałem do jednego z jej notatników i znalazłem w nim sześciostronicowy opis srającej kobiety, w którym kilka akapitów poświęcono samemu gównu – jego konsystencji, barwie, zapachowi, strukturze itd.). Mnie jednak nie obowiązywała jej etyka zawodowa, rzeczywista ani jakakolwiek inna, więc z radością przekraczałem granicę lasu, by wejść w kolisty obszar wioski.

Najbardziej lubiłem obserwować dzieci. Były drobniejsze niż te, które znałem z Ameryki, i o dziwo ładniejsze. Elementy wątpliwej urody ich rodziców – klocowate nogi, przesadna objętość włosów, wielkie uszy i topornie wyrzeźbione rysy twarzy, które sprawiały wrażenie na pół stopniałych – u dzieci prezentowały się uroczo. Swoją nagość nosiły z wdziękiem. Były też śmielsze niż mali Amerykanie; chłopcy, nawet dwulatki, bawili się zaostrzonymi patykami, udając, że to włócznie, i atakując się nimi wzajemnie z dzikim piskiem, i zarówno chłopcy, jak i dziewczynki mieli zwyczaj – początkowo dla mnie nieznośny – wskakiwać z rozpędu na grzbiety świń, na których lądowali z głośnym łup! (zwierzęta, nawykłe widać do takiego traktowania, tylko majtały ogonem jak na muchę albo strzygły uszami).

Znamienne było też to, że dzieci prawie w ogóle nie pilnowano. Żyło ich w wiosce dwadzieścioro sześcioro*, od czterech niemowlaków po trzech chłopców co najmniej czternastoletnich,

---

* W tradycyjnej kulturze U'ivuan dzieci wychowywała wspólnota. Chociaż spały z rodzicami w swoich *male'e*, odpowiedzialność za karmienie i dyscyplinowanie ciążyła na wszystkich dorosłych. Dlatego większość pierwszej generacji dzieci Nortona pochodziła z wyspy U'ivu, gdzie zarzucono stary model wychowania zbiorowego na rzecz tradycji zachodniej (być może pod wpływem misjonarzy); w rezultacie sieroty i dzieci rodziców dysfunkcyjnych pozostawione były same sobie, dopóki nie adoptował ich nieformalnie i nie przygarnął ktoś z dorosłych członków społeczeństwa. Dlatego nikt z U'ivuan nie zgłaszał obiekcji, gdy Norton przysposobił niechciane dzieci.

co poznałem po tym, że nie rozstawali się ze swoimi palmowymi włóczniami, które ich przewyższały o jakieś pół metra. W przeciwieństwie do innych prymitywnych społeczeństw nie kazano tu dzieciom pracować, nawet najstarszym – całymi dniami tylko się bawiły. Starsi chłopcy robili czasem samotne lub grupowe wypady do dżungli, z których wracali z vuakami, zatkniętymi na włócznie jedna nad drugą w równych stosikach jak prześcieradła w bieliźniarce, albo z liściem palmowym, na którym wiły się uzbierane pędraki. Nieraz patrzyłem, jak dzieci bawią się nad potokiem, tym samym, wzdłuż którego przywędrowaliśmy tutaj na górę, chociaż w tej okolicy szerszym i jeszcze bardziej wartkim, który gnał po skałach i gałęziach, porywając strzępy kwiatów i liści rzucanych do wody przez dzieci*. Wiedziałem od Tallenta, że dzieciom kazano unikać lunatyków, czemu, o dziwo – bo inne było moje późniejsze doświadczenie z dziećmi – podporządkowały się bez szemrania. Mnie też niekiedy nakazywano trzymać się z dala od lunatyków, gdyż Tallent i Esme przeprowadzali z nimi rzekomo ważne wywiady – ale mnie właśnie w takich dniach do nich ciągnęło.

Kobiety całymi dniami sortowały fasolę, vuaki, manamy, liście palmowe, palmowe drewno, palmowe plecionki. Ilekroć je widywałem, zajęte były jakąś pracą. Czerpały dumę i radość ze swojej zapobiegliwości: gdy dzień się kończył i dookoła szarzało, taszczyły kosze do odpowiednich chat i rozkładały tam zapasy, a potem stawały w wejściach i z zadowolonym cmokaniem przyglądały się uzupełnionym magazynom, z których dzięki ich pilnej pracy nigdy nie ubywało zapasów. W odróżnieniu od Esme, którą podsłuchałem, jak którejś nocy klarowała Tallentowi, że tutejsze kobiety muszą zawdzięczać swoją wydajność

| 205

---

* Ten potok, który, jak później odkryto, przepływa wzdłuż przez całą wyspę Ivu'ivu, stanowił główne źródło wody pitnej, używanej też do kąpieli i, jak zaobserwował Norton, do zabawy. Po latach okazało się, że wyspa poprzecinana jest też siecią wód podziemnych, które wieśniacy tak sprytnie wykorzystali w magazynie mięsa.

jakiejś osobliwej wyższej technice, szybko zorientowałem się, że mieszkanki osady mają tu dużo czasu, bo go po prostu nie marnują na to, czemu kobiety reszty świata poświęcają długie godziny. Nie miały na przykład ubrań, więc nie musiały robić prania. Włosy, podobnie jak mężczyźni, zwijały w węzeł na karku i nigdy nie widziałem, żeby je myły albo czesały. Nie sprzątały w chatach, nie naprawiały mat – jeśli mata się wystrzępiła, składano ją i łamano na podpałkę, a z magazynu pobierano nową. No i, jak już wspomniałem, nie pilnowały dzieci.

Któregoś ranka obserwowałem, jak dwie kobiety – jedna tak gruba, że nie mogła objąć rękami kuli brzucha – splatają liście palmowe przed jedną z chat magazynów. Parę metrów dalej niemowlę płci żeńskiej czołgało się ku wyschniętemu strąkowi fasoli, który wypadł z kosza. Dopełzłszy do niego, mała oczywiście wzięła strąk do buzi i po chwili zaczęła się nim dławić. Patrzyłem z fascynacją, jak traci oddech i przewraca się na plecki, wierzgając pulchnymi kończynami i czerwieniejąc na buzi jak rzodkiewka. Wreszcie odkaszlnęła tak mocno, że strąk wyskoczył jej z ust, a wtedy zaniosła się płaczem. Przez cały ten czas żadna z kobiet nawet nie drgnęła. Mogły oczywiście nie widzieć małej – zdawały się skupione na plecionce – ale nie podniosły oczu nawet na jej płacz. Jak się okazało, nie miało to znaczenia, bo po paru minutach dziecko przekręciło się z powrotem na brzuszek i popełzło dalej, zapewne w poszukiwaniu następnej niebezpiecznej rzeczy do gryzienia*.

---

* W wiosce żyło się głównie na dworze. W porze *lili'uaka* wieśniacy nosili prowizoryczne parasole z liści lawa'a nabitych na ostry koniec łuski palmowej; każdy miał swój parasol i przenosił go z miejsca na miejsce, by móc się schronić przed deszczem tam, gdzie zamierzał usiąść. Tylko podczas *'uaka*, „dużego deszczu", musieli siedzieć w chatach, czego nienawidzili – na ogół przesiadywali przygnębieni w wejściach do swoich *male'e* i nawoływali się wzajemnie, przekrzykując nawałnicę. Norton powiedział mi kiedyś, że nie mógł zrozumieć, dlaczego nie zbudują sobie jednego dużego baldachimu, pod którym schroniliby się wszyscy.

Mężczyźni codziennie polowali. Połowa grupy zostawała w wiosce – polerowali włócznie, rozmawiali, głaskali świnie – a druga połowa ze swoimi świniami znikała w lesie. Widząc ich powracających z łupami – zawsze niepokojąco nierozpoznawalnymi, gdyż zdzierali z nich skórę na poczekaniu i do domu nieśli samo mięso, już porąbane na duże kawały o nierównych brzegach – z trudem przypominałem sobie, że jesteśmy na wyspie. Nie czuło się tu bliskiego sąsiedztwa morza, był tylko ten potok, za płytki, by żyło w nim cokolwiek oprócz najdrobniejszych rybek. A przecież otaczał nas ocean. Nie miałem jednak pojęcia, co myślą o nim miejscowi, jak go postrzegają, jakie mają z nim doświadczenie i czy kiedykolwiek w swojej historii szukali na nim przygody albo pożywienia*.

Jedynym zwierzęciem, które cenili Ivu'ivuanie, była dzika świnia, chociaż i jej nie fetyszyzowali. W późniejszych dekadach, zwiedziwszy wiele odległych i zacofanych cywilizacji, zacząłem rozpoznawać zwierzęta, motywy dekoracyjne i zachowania, które je w tajemniczy sposób łączą, tak jakby wszystkie te społeczności zaopatrywały się w jednym dżunglowym domu towarowym, obsługującym wyłącznie ludy prymitywne. Wszyscy nosili jakieś paciorki, którymi również handlowali, wszyscy zdobili swe ciała i wszyscy trzymali psy, parszywe, wygłodzone, łaciate stworzenia, chude lub przeraźliwie chude, zaniedbane i permanentnie niedożywione. W naszej wiosce jednak nie było psów (nie zdobiono tu także ciał), a jeśli ktoś czasami przyprowadził jakieś zwierzę (zazwyczaj dlatego, że było ono za duże na to, by myśliwi zdołali je sami zabić i poćwiartować), było bezzwłocznie zabijane i ćwiartowane. Raz myśliwi

---

* Wieśniacy, o dziwo, nie tylko nie znali oceanu, ale w ogóle nie wiedzieli o jego istnieniu. Tallent opisał przypadek tubylca zabranego nad ocean, który wziął go za „niebo bez chmur". Myślał, biedak, że świat został postawiony na głowie, a on sam wkracza do królestwa Pu'uaki, bogini deszczu. Paul Tallent, *Wyspa bez wody. Mitologia i izolacjonizm Ivu'ivuan*, „Przegląd Etnologiczny Mikronezji", t. 30, lato 1958, s. 115–132.

przytaszczyli leniwca zawieszonego łapami na włóczni jednego z nich. Był taki wielki, że dwaj ludzie niosący włócznię musieli oprzeć jej końce na głowach, a nie na ramionach – a i tak leniwiec wlókł się po ziemi, rysując na niej smutne, wdzięczne desenie swoim srebrzystym futrem. Myśliwi dobrnęli do miejsca za magazynem mięsa, gdzie ziemia miała stale rdzawe zabarwienie, i zaczęli się pastwić nad zwierzęciem z przesadną gorliwością i siłą: dźgali je gdzie popadło ostrzami włóczni i okładali drzewcami. Leniwiec się nie bronił: leżał na boku ze skrępowanymi kończynami i wydawał jękliwe kocie dźwięki, którymi nie przejmował się nikt oprócz mnie. Gdy mężczyźni zakatowali ofiarę, przyłączyły się do nich kobiety i wszyscy pospołu obdarli leniwca ze skóry – którą, podbitą perłową warstwą tłuszczu, rzucono świniom, a te z miejsca ją pożarły – następnie zaś poćwiartowali go, pozawijali w świeże liście palmy i bananowca i złożyli w wykopie magazynu mięsnego. Działali metodycznie, więcej niż zadowoleni, ale mniej niż rozradowani, a po skończeniu powycierali ręce i kobiety zajęły się szykowaniem posiłku.

208 |

Nie mieli sentymentalnego stosunku do zwierząt, ale z dużym sentymentem odnosili się do własnej egzystencji. Wciąż na nowo uderzała mnie mała liczebność tej społeczności – zastanawiałem się, jak to jest żyć w świecie, w którym wszystkich ludzi można policzyć na palcach. Lecz ta mała społeczność nie była w żadnym razie niekompletna: obowiązywały w niej wszystkie rytuały praktykowane w cywilizacjach tysiąc razy większych. Życie, zresztą krótkie, jawiło się jako ciąg barwnych ceremonii i hucznych celebracji zdarzeń, które w liczebniejszych społeczeństwach uchodziły za codzienne, warte najwyżej zdawkowego komentarza. Przykład: co miesiąc odbywała się ceremonia na cześć początku menstruacji i druga z okazji jej zakończenia. Celebrowano stosunki seksualne: gdy pierwszy raz ujrzałem kobietę i mężczyznę znikających w jednej chacie, cała wieś zaczęła dziko jodłować, aż dzieciaki (było już bardzo późno) popodnosiły kudłate główki, rozglądając się zaspanym wzrokiem. Przez kilka pierwszych tygodni spędzonych w wiosce byłem świadkiem obchodów na cześć pierwszych kroków dziecka (zresztą znanej mi już amatorki niebezpiecznych przysmaków), na cześć otrzymania przez chłopca pierwszej włóczni, na cześć urodzin dziewczynki i na cześć powrotu do wioski myśliwych, którzy upolowali chyba całe pokolenie małpek vuaka, piszczących żałośnie w pękatych prowizorycznych workach z liści palmowych ciągnionych przez dwóch mężczyzn, a także uroczystości, której powodu nie udało mi się dociec: czterej mężczyźni i cztery kobiety tańczyli (a raczej podrygiwali) nierytmicznie wokół ogniska, trzymając przy czołach wyszczerzone jaszczurowate przedmioty, jakie już widziałem w magazynie artykułów suszonych, a na koniec wrzucili je do ognia na oczach przypatrujących się temu z powagą współplemieńców*.

Któregoś wieczoru zaszedłem do wioski, zakończywszy dyżur przy kąpieli lunatyków, i ujrzałem całą społeczność stojącą wokół dziewiątej chaty i wydającą niski, jakby metaliczny pomruk przypominający buczenie generatora. W otworze chaty stał wódz wioski, stosunkowo wysoki i stosunkowo majestatyczny, w koronie z bladych liści paproci, których zawinięte czuby chwiały się na słabym wietrze jak czułki żuka. Wódz coś powiedział, a jedna z kobiet łagodnym gestem wypchnęła naprzód

---

* Cztery pierwsze wspomniane przez Nortona rytuały opisuje szczegółowo Tallent w swojej przełomowej książce o Ivu'ivu, *Ludzie na drzewach. Zaginione plemię Ivu'ivu* (Simon and Schuster, Nowy Jork 1959) – jednym z kanonicznych dzieł współczesnej antropologii. Ostatnia ceremonia – ta, w której ośmioro członków wioski tańczy wokół ognia z jaszczurkami przy czołach – to dość tajemniczy rytuał zwany *tua'ina*, odprawiany tylko przy częściowym zaćmieniu Księżyca. (Ivu'ivuanie mieli złożony system obserwowania faz Księżyca, który też został doskonale opisany w książce Tallenta). W kulturze u'ivuańskiej jaszczurka – w tym przypadku rzadki gad zwany *e'olu'eke* – uchodzi za znak Księżyca, któremu przypisuje się osiem faz. Podczas częściowego zaćmienia specjalnie wybrane kworum oddaje cześć Księżycowi, błagając go o powrót do normalnego stanu. Jaszczurki trzymane są przy czołach na znak szacunku, a na koniec poświęcane ogniowi, aby dym poszedł w górę i jego woń przebłagała bogów niebios.

młodego chłopaka. Wciąż jeszcze miałem trudności z odgadywaniem wieku U'ivuan, ale dowiedziałem się później, że chłopiec dopiero co skończył *maku*, czyli osiem *o'ana*, a więc liczył sobie około dziesięciu lat według kalendarza zachodniego. Chłopiec i wódz stanęli twarzą w twarz, wódz oparł dłonie na ramionach chłopca i coś do niego powiedział, a chłopiec pochylił głowę. Wódz przemówił ponownie i usunął się na bok, a chłopiec wszedł do środka. Wódz za nim.

Tłum zaczął przybliżać się do chaty, obstępując ją kołem i mrucząc coraz donośniej. Kobieta, która wypchnęła chłopca zza swoich pleców, usiadła naprzeciwko wejścia, twarzą do widocznego przez otwór wnętrza chaty, a obok niej usiadł mężczyzna – domyśliłem się, że to rodzice chłopca.

Ja też się przybliżyłem, tak że kucałem tuż za rodzicami, wraz z nimi patrząc w głąb chaty rozświetlonej małym ogniem płonącym pod skorupą żółwia, która w nikłym blasku wyglądała złowieszczo – jak trofeum z pokonanej bestii, które z czasem nabrało mocy talizmanu.

Chłopiec leżał na wznak na macie. Twarz miał bez wyrazu, ale jego prawa dłoń, widoczna od strony wejścia, zaciskała się i rozwierała miarowo, tak jak dłonie mężczyzn ściskających włócznie, chociaż żadnej włóczni tam nie było. Wódz stanął nad nim okrakiem i zaintonował kilka słów. Mormorando przybrało na sile. Wódz opuścił się najpierw na kolana, a potem legł całkowicie na chłopcu i trwał tak przez kilka minut. Nie był zbyt potężny, ale chłopiec był bardzo mały, toteż ciało wodza okrywało go całkiem, tak że widać było tylko zaciskającą się i zwierającą dłoń na tle palmowej maty.

Czy wiedziałem, co się teraz stanie? Chyba tak. Chociaż wszystko to zakrawało na gorączkowy sen – ten zaśpiew, to niesamowite światło, mormorando, dalekie pochrząkiwania świń, nagie spocone plecy i uda wodza – gdy w końcu wódz odezwał się krótko i chłopiec przekręcił się na brzuch, byłem zszokowany gwałtownością, z jaką to się stało.

Może „gwałtowność" nie jest tu właściwym słowem, bo chociaż wódz zachowywał się stanowczo, to nie wykazywał specjalnej agresji. Obok niego zauważyłem miseczkę z łupiny no'aka wypełnioną tłuszczem, którym teraz wódz namaścił chłopca, po czym odbył z nim stosunek seksualny, który nie miał nic wspólnego z gwałtem. Chłopiec leżał przez ten cały czas spokojnie i bez słowa, z rękami wyciągniętymi po bokach, twarzą do maty, pracując miarowo prawą pięścią.

Wódz wstał, podszedł do wyjścia i skłonił się rodzicom chłopca, którzy odpowiedzieli mu tym samym. Potem coś powiedział i grupa ośmiu mężczyzn, w tym tych dwóch młodzieńców, którzy przynieśli z polowania mnóstwo vuak zatkniętych na włócznie, stanęła przy nim u wejścia do chaty. Wódz zdjął z głowy koronę z paproci i włożył ją na głowę jednego ze starszych, którego pamiętałem z negocjacji w dniu naszego przybycia do wioski. Ten zaś wszedł do chaty i powtórzył czynność wodza. Skończywszy, skłonił się rodzicom chłopca (a oni jemu) i przekazał koronę następnemu, i tak dalej, aż wszyscy odwiedzili chłopca w chacie. Wtedy wódz przemówił, a chłopiec dźwignął się na kolana, po czym wstał powoli i podszedł do otworu chaty, gdzie stał wódz. Na tle ognia widać było tylko ich sylwetki. Wódz postawił chłopca przed sobą i obrócił go powoli przed rodzicami, a wówczas spostrzegłem, że chłopiec ma wewnętrzne strony ud i łydek wytatuowane zaschłą krwią. Poza tym jednak wyglądał tak samo jak przed wejściem do chaty: miał tę samą poważną minę, doskonałą figurę i te same ciemne, nieprzeniknione oczy. Wódz przemówił do niego ponownie, włożył mu na głowę krzaczastą koronę z paproci i dotknął obiema dłońmi jego skroni, jakby go błogosławił.

Ceremonia skończyła się nagle. Mormorando umilkło, tłum ziewających i przeciągających się gapiów rozszedł się do domów, wódz dołączył do swoich towarzyszy i razem poszli do świń, a chłopiec z małą głową w płomieniach paproci został wchłonięty przez grupę rówieśników, którzy skierowali się do magazynu mięsnego. Chłopca wyróżniał z grupy tylko kaczy chód. Ceremonia zakończyła się tak nieefektownie, że przez moment nie byłem pewien, czy to wszystko nie było halucynacją.

* * *

Wiem, że nie wypada tak mówić, lecz zawsze (nawet przed powyższym zdarzeniem) wierzyłem, że grupy etniczne mają skłonność do określonych zachowań czy też, mówiąc ściślej, są naturalnie wyposażone w pewne cechy. Na przykład Niemcy i Japończycy (nikt chyba nie zaprzeczy) mają naturalną skłonność do wyrafinowanego okrucieństwa, Francuzi do luksusowej prokrastynacji, która uchodzi za leniwy wdzięk, Rosjanie do alkoholizmu, Koreańczycy do opryskliwości, Chińczycy do skąpstwa, a Anglicy do homoseksualizmu. Ivu'ivuanie natomiast lubują się w rozwiązłości. Jakiś tydzień po tamtym wie-

czorze spacerowałem po leśnych ostępach z uczuciem zagrożenia i lekkiej klaustrofobii wywołanej wielogodzinnym pobytem w wiosce, gdy nagle dostrzegłem chłopca z dziewiątej chaty w towarzystwie jednego z dzierżących włócznię podrostków. Tym razem starszy chłopiec opierał się o drzewo, a młodszy robił mu fellatio. Nasuwał się wniosek (który zgodnie z moim przypuszczeniem wyciągnęła Esme, kiedy opowiedziałem jej i Tallentowi o tym, co widziałem), że chłopiec jest młodocianym niewolnikiem seksualnym. Ja jednak w to nie wierzyłem. Przez miesiące spędzone w wiosce napatrzyłem się na swobodę erotyczną, jakiej wcześniej nie znałem. Widywałem pary (mężczyzn i kobiety, ale też inne kombinacje) spółkujące w chatach albo w lesie i dzieci w każdym wieku obłapiające inne dzieci, ale także i dorosłych. Przed Ivu'ivu nie przychodziło mi do głowy, że dzieci mogą lubić seks, ale tu, w wiosce, zdawało się to całkiem naturalne – i takie było.

Wróćmy jednak do ceremonii. Ledwie się zakończyła, pobiegłem do Tallenta, który czytał przy świetle latarki jeden ze swoich notatników, i spróbowałem spokojnie zrelacjonować mu to, co widziałem. Jak już mówiłem, często nie umiałem rozszyfrować miny Tallenta, jednak tym razem odczytałem ją z łatwością – wyrażała kolejno szok, niedowierzanie, niesmak, podniecenie i zazdrość, przy czym emocje te następowały po sobie jak obrazki na pokazie slajdów.

Niestety, Esme obudziła się w połowie mojej relacji i zmuszony byłem opowiedzieć całe zajście od początku. Esme, co mnie nie dziwi, nie przyjęła moich rewelacji życzliwie – w zasadzie oskarżyła mnie o kłamstwo, gardłując coraz piskliwiej, aż Tallent musiał ją przywołać do porządku.

– Ja w to nie wierzę – wysyczała w końcu (mówiliśmy szeptem, żeby nie obudzić lunatyków). – Dotychczas nic nie wskazywało na takie perwersje, nie było wykorzystywania dzieci, nie było...

– Ale jest – uciąłem. – I nie ma mowy o wykorzystywaniu. Chłopak był potem w świetnej formie.

Prychnęła.

– Chcesz mi wmówić, że młody chłopiec zgwałcony przez dziewięciu mężczyzn...

– W ogóle mnie nie słuchasz, do cholery? – warknąłem. – On nie został zgwałcony. Jego rodzice byli przy tym obecni. Nie doszło do żadnej przemocy.

– To jest przemoc z natury rzeczy, Norton! Wszystko mi jedno, czy rodzice przy tym byli, czy nie.

Rozmowa zaczynała być nudna, zmierzała donikąd i kto wie, jak długo by jeszcze potrwała, gdyby nie Tallent, który obserwował nas z boku. Obiecał porozmawiać o tym nazajutrz z wodzem wioski i w ten sposób zakończył konwersację.

Porozmawiał, tak jak obiecał. Okazało się, że według wodza incydent, którego byłem świadkiem, to rytuał zwany *a'ina'ina*, któremu poddawany jest każdy chłopiec, który ukończył *maku o'ana*. Istotą ceremonii jest nauka sposobów uprawiania miłości – a kto miałby nauczyć tego lepiej niż dorosły mężczyzna?

Czy istnieje lepsza metoda rozładowania młodzieńczej agresji i napięcia niż otwarcie drogi do męskości? Dziewczynki, jako mniej pobudzone seksualnie, nie mają podobnego rytuału, ale też są edukowane w tym zakresie. Wódz zaprosił nas ponadto na następną *a'ina'ina*, która miała się odbyć za trzy noce. Dodał, że to bardzo niezwykłe, iż dwóch chłopców świętuje osiem *o'ana* niemal jednocześnie, ale tak się zdarzyło w tym roku.

Uznałem wyjaśnienie wodza za wielce rozsądne. Esme, rzecz jasna, była odmiennego zdania. Opinii Tallenta nie umiałem odgadnąć. Tak czy owak trzy noce później znaleźliśmy się wszyscy przed dziewiątą chatą, gdzie wódz witał i zapraszał na inicjację innego chłopca, pulchniejszego i nie tak uroczo bystrego jak tamten pierwszy. Wszystko odbyło się dokładnie tak, jak to opisałem – mruczenie, inkantacja, ogień, uległość chłopca, korona z paproci – a mimo to Esme kategorycznie nie chciała później o tym rozmawiać. Pomaszerowała ku swojej macie jak obrażona nastolatka i gdyby miała pod ręką drzwi, na pewno by nimi trzasnęła. Rzuciła się na matę, przekręciła na bok i udawała, że śpi, chociaż dwa razy w nocy obudziło mnie jej pochlipywanie.

Po latach, gdy każde z nas wiodło już całkiem inne życie, Esme wydała książkę o swoim pobycie na Ivu'ivu*, nie wspominając

---

* Esme Duff, *Życie wśród nieznających śmierci. Studium Ivu'ivu* (Harper & Row, Nowy Jork 1977) to dość sentymentalny pamiętnik z wypraw Duff na tę wyspę. Norton uważał Duff za znakomitą i skrupulatną kronikarkę życia wsi – opisuje ona na przykład zawartość chat magazynów – ale nie bardzo podobały mu się jej opisy ludzi, na przykład to, że dzieci nazywa „pulchnymi cherubinkami", a u kobiet odnotowuje „sarnie oczy". Dzieło Duff nie wspomina o ceremonii *a'ina'ina* ani o katowaniu leniwca, które szczegółowo opisuje Norton. Nortonowi, którego obecność na pierwszej wyprawie z roku 1950 ledwo się tu wspomina, poświęciła autorka tylko jeden długi akapit, który częściowo przytaczam:

„W późniejszych latach Perina w pojedynkę doprowadził wyspę do upadku [...]. Nie wiadomo, czy w ogóle zależało mu na ivu'ivuańskiej kulturze, nie mówiąc już o ludziach, czego dowodem brak szacunku dla ich najświętszych tabu [...]. Chociaż przypisuje mu się, ani słowem o rytuale *a'ina'ina*. Ciekaw byłem, dlaczego go pominęła, i nawet zacząłem pisać do niej list, którego jednak nigdy nie dokończyłem, bo jak wiadomo, pochłonęły mnie pilniejsze sprawy. Nie przestałem jednak uważać tego pominięcia za najgorszy rodzaj hipokryzji intelektualnej: dokumentując kulturę, nie wolno tak po prostu pomijać szczegółów, które są autorowi niemiłe, szokują lub nie mieszczą się w z góry ustalonym schemacie narracji. Jeszcze później jednak zadałem sobie pytanie, czy jej reakcja nie wynikła przede wszystkim z zazdrości. Przecież takie rytuały jak *a'ina'ina* to cenne skarby antropologiczne, a to ja, nie ona, zaobserwowałem ten rytuał jako pierwszy. Zazdrość w takiej sytuacji mógłbym zrozumieć, a nawet współczuć Esme, zwłaszcza w świetle dalszych zdarzeń, które znacznie umniejszyły wagę jej obecności.

Co do mnie, to nie czułem się powołany do oceny tego rytuału. Nie ukrywam, że mnie zdziwił, nawet zaszokował, ale dzięki niemu przemyślałem swoją wizję dzieciństwa i seksu w ogólności, dochodząc do wniosku, że nie istnieje jedna słuszna postawa ani wobec pierwszego, ani drugiego. Może to zabrzmi bardzo naiwnie, ale wcześniej sądziłem, że na świecie istnieje kilka absolutów – że pewne zachowania i czyny, na przykład zabójstwo, są z gruntu złe, inne zaś z gruntu dobre. Jednak czas spędzony na Ivu'ivu nauczył mnie, że etyka i moralność są kulturowo względne. A reakcja Esme pokazała mi, że relatywizm kulturowy jest pojęciem łatwo przyswajalnym intelektualnie, ale dla wielu nie do przyjęcia emocjonalnie*.

---

niesłusznie, «odkrycie» nieśmiertelności – jeśli coś takiego można odkryć – to, w moim przekonaniu, zawsze interesowała go wyłącznie własna nieśmiertelność, w imię której wyzyskiwał ludność miejscową".

Niestety, książka Duff nie miała wznowień od roku 1980, skończyli ją drukować po trzech latach od pierwszego wydania.

* W liście, który napisałem do Nortona po otrzymaniu tego rozdziału, spytałem go, czy sam opisał *a'ina'ina* w jakimś studium antropologicznym. Odpowiedział, że owszem, nawet kilka razy, lecz artykuły nie zostały

Była jeszcze jedna niewidoczna i nie całkiem miła konsekwencja bycia świadkiem rytuału *a'ina'ina* – coraz częściej śnił mi się Tallent. Trochę się wstydzę do tego przyznać, bo brzmi to infantylnie, ale lata dzieciństwa miałem wówczas nie tak daleko za sobą. Po obudzeniu się nie pamiętałem treści tych snów, tylko sam fakt, że występował w nich Tallent, a ja byłem szczęśliwy. Dzień dłużył mi się potem, smutny i nieznośnie ponury, jak pejzaż bez kolorów, tak że zacząłem traktować jawę jak przykrą konieczność, którą muszę znieść, zanim będę mógł powrócić pod przytulny czarny koc nocy.

przyjęte – widocznie rewelacje o *a'ina'ina* zbytnio zaprzeczały idei idyllicznego, miłującego pokój społeczeństwa, narzucanej światu przez pokolenie u'ivuanologów, które przyszło po Tallencie. Trzeba tylko mieć nadzieję, że obecna generacja u'ivuanologów przyjmie mniej romantyczny, a bardziej trzeźwy punkt widzenia na naszą wyspę i zrewiduje obowiązujące poglądy na jej kulturę, zwłaszcza jeśli idzie o dzieci i seksualność.

III

Wbrew pozorom nie chcę tutaj sugerować, że straciliśmy zainteresowanie lunatykami i ich zagadką. Moje wypady do wioski nie odbywały się ich kosztem. Nadal znaczną część czasu poświęcaliśmy na kąpanie ich, karmienie, obserwacje i wywiady – chociaż wszystko to stało się bardzo nudne. Mnie rozczarowywali, bo miałem teraz coś nowego – wioskę i jej mieszkańców – co domagało się uwagi, a poza tym lunatycy z powodu swoich ograniczeń stanowili mało zajmujący obiekt badań. W gruncie rzeczy przypominali białe myszy, które uśmiercałem co rano w laboratorium: byli przydatni, ale nie fascynowali. Wszyscy wiedzieliśmy, że jest w nich coś szczególnego i ważnego, ale ani nie umieliśmy zgadnąć, co by to miało być, ani nawet sformułować pytania, które mogłoby nas zbliżyć do odpowiedzi. Ja jednak miałem w tej kwestii przewagę nad Tallentem i Esme: wiedziałem, po prostu czułem, że istnieje związek między sędziwym wiekiem lunatyków a młodością mieszkańców osady, między niechęcią mieszkańców osady do lunatyków a tęsknotą tych ostatnich do wioski, mimo że wzdragali się tam wejść czy choćby patrzeć w tamtą stronę – woleli całymi dniami gapić się w mrok puszczy. Nie umiałem tylko nazwać tego związku. Drażnił mnie jak chochlik przyczajony w ciemnym kącie, który w najmniej odpowiednich chwilach kiwa na mnie palcem, ale czmycha z chichotem, gdy zaczynam się skradać w jego stronę.

Lunatycy tymczasem nic a nic się nie zmieniali. Niewiele zdołaliśmy z nich wyciągnąć na temat ich życia ponad to, co już wiedzieliśmy: że Vanu przybył na wyspę, że Ika'ana pamiętał Ka Weha. Gdy wypytywaliśmy ich o życie w wiosce i w puszczy, dawali niepełne, mgliste odpowiedzi: Ika'ana – bo nie pamiętał, a Mua z jakiegoś innego powodu, objawiającego się wahaniem, ostrożnością.

Pewnego ranka, jakieś dziesięć tygodni od przybycia na wyspę, Tallent przyszedł do nas, gdy jedliśmy nasze żałosne śniadanie. (Chociaż nie takie już żałosne, bo spełniła się obietnica Tallenta i mogliśmy teraz rozpalać ogień, na którym piekliśmy szaszłyki z vuak upolowanych przez Fa'a – okazały się zaskakująco smaczne, trochę jak ortolany).

– Mamy zaproszenie na następną ceremonię – oznajmił Tallent.

– O Boże – mruknęła Esme.

– Dzisiaj wieczorem – sprecyzował. – Urodziny wodza.

Nie przyszło mi wcześniej do głowy, że wódz jest normalną osobą – był dla mnie po prostu wodzem. Nagle uświadomiłem sobie, że nie znam nawet jego imienia, nie wiem, które kobiety i dzieci są jego, nie mam nawet pojęcia, dlaczego jest wodzem. Czy był nim z urodzenia, czy z racji zasług?*

– Co się tam będzie działo? – spytała kwaśno Esme.

Była teraz przekonana, że każdy tutejszy rytuał wiąże się z seksem z udziałem dzieci, chociaż w istocie dotyczyło to tylko dwóch czy trzech obrzędów.

– Pewności nie mam – odparł Tallent – ale zapowiada się większa feta: szykują dodatkowe ognisko i robią wielkie porządki.

---

* Na Ivu'ivu w przeciwieństwie do U'ivu funkcja wodza wiązała się z zasługami. Najczęściej przyznawano ją pierwszemu, kto zabił dzika przed otrzymaniem *ma'alamakina*. Zdobywca tego zaszczytu nie obejmował funkcji wodza aż do śmierci lub abdykacji urzędującego przywódcy.

Spojrzałem ku wiosce – faktycznie płonęły tam dwa ogniska.

– Ile lat kończy wódz? – spytałem, właściwie tylko dla podtrzymania rozmowy.

Ale Tallent obejrzał się na mnie i uśmiechnął.

– Sześćdziesiąt – odrzekł, jakby mi dawał prezent.

S z e ś ć d z i e s i ą t. Słowo to zawisło w powietrzu jak dym. Formułowałem w duchu następną wypowiedź, starając się oddzielić kolejne pytanie od natłoku słów cisnących się na usta.

Esme jak zwykle wszystko popsuła.

– Sześćdziesiąt! – zapiała. – Tyle co Ewa!

– Tyle ile wynosi przypuszczalny wiek Ewy szacowany na podstawie wyników badań fizycznych Nortona – przypomniał jej łagodnie Tallent.

Mógł się nie wysilać, bo Esme go nie słuchała. Szczerze mówiąc, ja też niezbyt uważnie. W związku z rewelacją Tallenta musiałem dokonać pewnego przewartościowania. A więc nie była to wioska młodych ludzi, lecz ludzi wyglądających młodo, którzy młodzi są lub nie są. Nie rozumiałem jeszcze, co to znaczy, ale czułem, że na pewno c o ś znaczy.

– Wódz jest najstarszy w wiosce – dodał Tallent, przypatrując mi się bacznie, jakby dawał mi kluczową podpowiedź, która pozwoli mi przypomnieć sobie, gdzie ukryłem wyjaśnienie.

Ale sobie nie przypomniałem. Musiałem pomyśleć w samotności. Oświadczyłem Tallentowi i Esme, że idę na spacer.

– Ceremonia rozpoczyna się o zmierzchu – zawołał za mną Tallent. – Wróć do tego czasu.

Krążyłem wokół wioski, zataczając coraz większe koła, ale do zachodu słońca nic nie wymyśliłem. Było to nader frustrujące i w tym zniechęceniu wszystko mi zbrzydło – wilgotne, gąbczaste runo leśne, suche roślinne szczątki spadające mi na głowę i barki, odległe pojękiwania i pobekiwania lunatyków. Irracjonalnie znienawidziłem Tallenta, który mnie przywlókł na tę wyspę i postawił wobec wielkiej tajemnicy, wcale się nie spodziewając, że ją rozwiążę.

Do wioski wszedłem w bardzo kiepskim humorze. Zbliżyłem się jednak do ogniska, przy którym widziałem Tallenta i Esme z tubylcami: siedzieli wszyscy w dwóch długich szeregach, rozdzieleni ogniem. Ku mojemu zdziwieniu obok Esme dostrzegłem Fa'a, który siedział zapatrzony przed siebie, z włócznią na kolanach.

– Fa'a tutaj? – zagadnąłem Tallenta, siadając po jego lewej stronie.

– Tak – odszepnął (miejscowi już rozpoczęli swoje wibrujące mormorando). – Wódz zaprosił wszystkich przewodników, ale tylko Fa'a zdecydował się przyjść.

Zanim zdążyłem się zastanowić nad znaczeniem tej informacji, pojawił się wódz: zbliżał się powoli do czoła dwuszeregu. Chociaż tak samo jak reszta mieszkańców nie miał na sobie nic, to kroczył, jakby odziany był w pyszną szatę i obwieszony klejnotami – na prostych plecach mógłby dźwigać ciężkie purpurowe aksamity, a na długiej grubej szyi nosić złote łańcuchy i wisiory z diamentami. Miał przynajmniej koronę – podwójną opaskę z miękkiego połyskliwego tworzywa, błyszczącą w blasku płomieni. Nigdy nie wydawał mi się szczególnie przystojny, ale tego wieczoru porażał majestatem: jego namaszczona olejem skóra lśniła tak samo jak korona na głowie, włosy miał przyczesane i też natłuszczone oliwą – sięgały poniżej łopatek i okalały twarz na podobieństwo płomieni. Gdy się przybliżył, poczułem słaby odór zjełczałego tłuszczu. Jego świnia – największa i najgroźniejsza ze wszystkich świń w wiosce – też została wyczyszczona i przynajmniej ten jeden raz złośliwy błysk w jej małych ślepiach przygasł wobec lśnienia sierści i kłów, chyba specjalnie wyszorowanych na tę okazję. Po lewej ręce wodza szli mężczyźni, którzy towarzyszyli mu w naszych negocjacjach, a po prawej trzy kobiety, na oko po trzydziestce, i dwaj chłopcy, z których jeden należał do grupy podrostków z włóczniami uprawiających seks z chłopcem podczas ceremonii *a'ina'ina*.

Gdy wódz był już blisko pierwszego ogniska, usiadł i zaintonował pieśń, monotonną, rytmiczną, bez początku i interpunkcji; chwilami jego głos wznosił się do falsetu, który był prawie skowytem, a chwilami opadał do basu, który był niemal warczeniem. Po kilkunastu minutach tego koncertu wychwyciłem jakiś ruch na przeciwległym końcu szpaleru: dwóch zataczających się mężczyzn ciągnęło wielki głaz, zwieńczony drugim, prawie o tych samych rozmiarach. Kiedy się przybliżyli, tłum przerwał mormorando, aby wydać zbiorowe westchnienie, trudno powiedzieć, czy radości, czy niechęci. Mężczyźni zbliżyli się do naszego końca szeregu, a wówczas stwierdziłem, że to, co brałem za drugi kamień, jest w istocie olbrzymim żółwiem.

Nigdy jeszcze nie widziałem, i nigdy więcej nie miałem zobaczyć, tak wielkiego żółwia. Nawet dziś trudno mi znaleźć coś, z czym mógłbym go porównać. Mogę tylko powiedzieć, od czego był większy: od opony tira, od balii, od psa rasy wilczarz. Niespecjalnie wysoki – mierzył najwyżej pół metra – zawdzięczał swoją wielkość ogromnej średnicy. Chociaż po charakterystycznym garbie poznałem, że jest to opa'ivu'eke, stworzenie było całkiem niepodobne do tego, które widziałem w strumieniu.

Mężczyźni ustawili żółwia przed ogniskiem, w pobliżu nas i wodza, po czym usunęli się, dysząc z wysiłku. Wódz dalej śpiewał, a gdy wychwyciłem w jego pieśni słowo *opa'ivu'eke*, żółw jak na komendę powoli wysunął głowę ze skorupy. Siedziałem naprzeciwko niego, więc gdy otworzył oczy, zdawał się patrzeć prosto na mnie, jakby miał do przekazania tylko dla mnie przeznaczoną wiadomość.

– Co? – szepnąłem do niego, czując się śmiesznie.

Uniósł głowę, tę swoją małą, piękną głowę, wyciągając szyję, przy czym nie spuszczał mnie z oka, ja zaś bezwiednie nachyliłem się ku niemu. W tej samej chwili wódz przerwał pieśń i wydał donośny, przeraźliwy okrzyk, opuszczając przed sobą włócznię (której wcześniej nawet nie zauważyłem w jego ręku).

Głowa opa'ivu'eke wylądowała na moich kolanach: czarne oczka nadal się we mnie wpatrywały, a krew chlustała mi na szorty.

* * *

– Co za dziwaczna ceremonia – zrzędziła Esme w drodze powrotnej do obozowiska. Fa'a poszedł wcześniej, więc zostaliśmy tylko we troje. – Nie do wiary, że po czymś takim nawet nas niczym nie poczęstowali. To bardzo niezwykłe zostać zaproszonym na taką imprezę i nie uczestniczyć w uczcie. Ale pewnie powinnam być wdzięczna, że nie gwałcili dzisiaj żadnych dzieci.

Chociaż za nic nie zgodziłbym się z nią głośno, to muszę przyznać, że i mnie ta impreza wydała się zgrzebna i dość bezsensowna. Poza tym – zważywszy na wspólnotowy charakter wielu innych wioskowych ceremonii – dziwny był ten występ solowy: przez cały nudny wieczór patrzyliśmy, jak wódz ćwiartuje opa'ivu'eke (czynił to notabene w sposób wyjątkowo krwawy i żmudny, bo oderwawszy skorupę, która wydała przykre cmoknięcie, długo wybierał mięso gołymi rękami) i piecze go po kawałku nad ogniskiem, a tymczasem cała wioska mruczy, wyraźnie zgłodniała. Ponieważ widziałem, jak sumiennie wódz zabrał się do chłopca, nie powinno mnie było dziwić, że jest równie sumiennym (choć nie za szybkim) konsumentem. Przyglądaliśmy się, jak opieka i pałaszuje miękkie mięso żółwia, wyjada chrząstki i wysysa krew z łuskowatych łap, jak odebrawszy mi żółwiową głowę, chrupie oczy i podgrzewa w czaszce mózg, żeby go wychłeptać. Tylko jeden człowiek, doradca wodza – który też uczestniczył w pierwszej a'ina'ina – został poczęstowany kawałkiem żółwiny: wybrał sobie wątrobę i połknął ją jak ostrygę.

– Mnie ciekawi przede wszystkim, skąd wzięli opa'ivu'eke – powiedziałem. Nad moją pachwiną krążyły muchy, zwabione lepką, słodką krwią żółwia. – Taki duży nie mógł żyć w strumieniu, a nie zauważyłem tu innego zbiornika wody.

– Dobre pytanie – rzekł Tallent. – Musi tu gdzieś być coś, jakieś jezioro albo większa rzeka, w czym je poławiają. Chociaż nasi lunatycy tego nie potwierdzają, a pytaliśmy ich wielokrotnie.

Zamilkliśmy na chwilę. I nagle olśniła mnie myśl.

– Mua – powiedziałem do Tallenta. – Z nim trzeba porozmawiać.

– Przecież on śpi! – zaprotestowała Esme.

Zignorowałem ją.

– Proszę cię, Tallent – nalegałem. – Muszę mu zadać parę pytań.

Tallent westchnął. Ale co miał robić? Nie znał odpowiedzi, a jeśli mogłem ją dla niego uzyskać, musiał ulec.

– Zgoda – powiedział. – Esme, idź, powiedz Fa'a, żeby go obudził.

Minęło kilka tygodni od mojego ostatniego wywiadu z Muą – dużo czasu, a to dlatego, że, wstyd się przyznać, męczył mnie jego upór. Teraz jednak, patrząc na jego obrzękłą od snu twarz, nabrałem przekonania, że Mua zna odpowiedź – muszę mu tylko zadać właściwe pytanie, a wszystko się wyjaśni.

Poprosiłem Tallenta, by tłumaczył. Fa'a ostatnio już stale miał na twarzy wyraz lękliwej czujności. Przez kilka minut nic nie mówiłem, starannie obmyślając, jak zacząć wywiad; trudno się zdecydować na początek, gdy nie wyobrażamy sobie końca. Czułem się jak prokurator, który próbuje zmusić oskarżonego do przyznania się do zbrodni, chociaż o samej zbrodni nie ma pojęcia.

Mua siedział cierpliwie, zaspany. Czas nie miał chyba dla niego znaczenia.

– Mua – odezwałem się w końcu. – Czy pamiętasz obchody swoich sześćdziesiątych urodzin?

– O tak – odpowiedział Mua. – Była *vaka'ina*.

– Co to jest *vaka'ina*?

– Uroczystość.

– A co się dzieje podczas *vaka'ina*?

– Wchodzisz do chaty. Nacierają cię *umaku* [sadłem z leniwca] i twoją świnię też nacierają *umaku*. Idziesz do ogniska i śpiewasz pieśń *vaka'ina*.

– Co jeszcze?

– Jesz opa'ivu'eke.

Zrobiłem pauzę, żeby pomyśleć. Czułem się, jakbym stał przed zamkniętą bramą i grał ze sfinksem w grę, której zasady zna tylko on.

– A ty lubisz opa'ivu'eke?

– O tak.

– Czy… – Znów urwałem. Przysunąłem się do niego o krok. Mua wspiął się na palce, gotów uciekać. – Czy wszyscy lubią opa'ivu'eke?

Zawahał się, aż rozwarł usta w zmieszaniu. „Proszę! – błagałem w duchu. – Proszę!".

– Ja nie wiem – odparł wreszcie.

– Dlaczego nie wiesz?

– Bo nie wszyscy jedzą opa'ivu'eke.

– Dlaczego nie?

– Bo opa'ivu'eke jest tylko na *vaka'ina*.

– A dlaczego ktoś je opa'ivu'eke?

– Bo jest specjalny.

– Dlaczego?

– Bo ma sześćdziesiąt *o'ana*. Bo większość ludzi nie dożywa tylu *o'ana*.

– Więc kto dożyje, ten jest specjalny?

– Tak. I dlatego się je opa'ivu'eke.

– Dlaczego?

– Bo jak ktoś je opa'ivu'eke, to bogowie się cieszą.

– Czyli co?

– Pozwalają… – Widziałem, że zaczyna być zmęczony: twarz mu się wydłużyła i zbrzydła. – Pozwalają takiemu komuś żyć na zawsze. Tak jak obiecali.

Nikt się nie odezwał. Fa'a pochylił się do przodu, zaciskając dłoń na włóczni.

– Mua – przemówiłem bardzo cicho – ile ty masz *o'ana*?

Pokiwał głową.

– Sto i cztery – powiedział. – Może.

„Myśl!" – rozkazałem sobie.

– Mua, czy wszyscy twoi towarzysze, czy Vi'iu, Ivaiva, Va'ana i reszta jedli opa'ivu'eke?

– O tak.

– I wszyscy jedli go na swoje *vaka'ina*?

– Oczywiście.

Znowu zamilkliśmy.

– Zapytam go, kiedy opuścił wioskę – szepnął do mnie Tallent, po czym zadał to pytanie, a Mua pokręcił głową i odpowiedział krótko. Tallent odwrócił się z powrotem do mnie z przepraszającą miną.

– Nie pamięta – powiedział.

– *He kaka'a* – westchnął Mua. „Jestem zmęczony".

– Zaczekaj – powstrzymałem Tallenta. – Mua, skąd wy bierzecie opa'ivu'eke?

Spojrzał mi w oczy, nieco zaskoczony, jakbym go spytał, ile ma rąk.

– Z jeziora – odpowiedział.

– Z jakiego jeziora? Gdzie?

– Z jeziora na końcu lasu – odparł Mua, a potem, mimo naszych usilnych próśb, nie wyrzekł już na ten temat ani słowa.

– *He kaka'a* – powtarzał tylko.

– Zabierz go, niech idzie spać – polecił Tallent Fa'a.

Patrzyliśmy za nimi, gdy odchodzili.

* * *

Następnego dnia przyszedł gwałtowny upał. Słońce zdawało się kapać przez liście jak miód.

– *U'aka* – powiedział Tallent, wzruszając ramionami, kiedy spojrzałem na niego pytająco, czując suchość w gardle.

Pora upałów. Byliśmy już na Ivu'ivu nieco ponad cztery miesiące.

Tęskniłem za czymś zimnym i wodnistym, czymś innym niż włókniste owoce, w których ta wyspa zdawała się specjalizować, toteż wdzięczny byłem Fa'a, gdy przyniósł mi tykwę wielkości ogórka pokrytą apetycznym szorstkim brązowym włosiem. Utrącił jej szyjkę o kamień i zobaczyłem, że tykwę wypełnia przejrzysta ciecz, gęsta jak oliwa i chłodno słodka jak nektar z wiciokrzewu. Gdy Fa'a ujrzał, że to piję, przyniósł mi jeszcze cztery i pokazał, jak wyciągać palcem cienką warstwę miąższu. Chłodny, lekko słodkawy sok rozpływał się na języku w tysiąc kryształków.

Po śniadaniu poszedłem do Esme i Tallenta. Oznajmiłem im, że dzisiaj pójdziemy poszukać jeziora.

Esme nie chciała iść; mówiła, że nie ma żadnego jeziora, w każdym razie nie wiemy, gdzie ono jest, Mua jest zmęczony i co ja w ogóle spodziewam się znaleźć w tym jeziorze, itepe, itede. Mnie ten sceptycyzm i nagły zwrot ku praktyczności wydały się śmieszne u kobiety, która uwierzyła bez wahania, że Ika'ana ma sto siedemdziesiąt sześć lat, ale wiedziałem już dość, by się domyślić, że jej niechęć wynika nie z różnicy postaw filozoficznych, tylko ze zmiennej dynamiki między nami: to ja, a nie Tallent, miałem znaleźć to, czego szukaliśmy. Tallent przyjął to do wiadomości, ona nie.

– Doskonale – powiedziałem. – Nie musisz iść.

Z jej milczenia wywnioskowałem, że jednak pójdzie.

Pozostało ponownie wypytać Muę. Niestety, zauważyłem, że jest tak samo nieprzytomny jak minionej nocy. Zapowiadał się trudny dzień.

– Mua – zagadnąłem – gdzie my jesteśmy?

Tallent przetłumaczył mu moje pytanie.

Mua roześmiał się, uznawszy je za głupie.

– Na Ivu'ivu.

– Tak – potwierdziłem. – Ale gdzie dokładnie? – Wręczyłem mu patyk. – Możesz to narysować?

W odpowiedzi spojrzał na mnie z rozdziawionymi ustami.

Namyślałem się chwilę. Czułem, że Esme promieniuje satysfakcją. Wtem jednak wpadłem na pomysł.

– Mua – powiedziałem. – Potrzebuję twojej pomocy. – Popatrzył na mnie. – Szykuje się następna *vaka'ina*. I trzeba znaleźć opa'ivu'eke. Możesz nam w tym pomóc?

– Czyja? – spytał przytomnie.

– Jego – wskazałem na Tallenta.

– Aha – rzekł Mua, kiwając mądrze głową. Po chwili wstał i ruszył w stronę wioski.

Czyżby miało to być aż tak łatwe? Na to wyglądało. Trudność pracy z lunatykami, kłopotliwość bycia zależnym od ich odpowiedzi i wskazówek polegała na tym, że chwilami byli uparci i trzymali się własnej logiki, nie zważając na to, co oczywiste. Tallent nie miał rzecz jasna sześćdziesięciu lat, a jednak wyruszaliśmy na poszukiwanie jeziora żółwi niczym wesoła gromadka podróżników z opowieści wędrownego bajarza. A może lunatycy nie byli złymi obserwatorami, tylko po prostu widzieli wszystko inaczej niż my? Chociaż możliwe było, że nie widzą zupełnie nic: kiedy ktoś im mówi, że ma sześćdziesiąt lat, to ma sześćdziesiąt lat. Męcząca była ta ich logika lotnych piasków, stosowana niekonsekwentnie i przez to jeszcze bardziej frustrująca.

Osłonięci drzewami, przeszliśmy w pięcioro obok wioski – Fa'a zawrócił i pobiegł zlecić Tu i Uvie pilnowanie lunatyków, po czym znów do nas dołączył – lecz na zapleczu dziewiątej chaty Mua przystanął i marszcząc czoło, obejrzał się na ścianę puszczy. Chrząknął znacząco i poprowadził nas za gruby pień manamy, gdzie była ukryta kręta, najeżona kamieniami ścieżka wiodąca łagodnie pod górę.

Dobrze było znów wędrować po tak długim zamknięciu w wiosce. Powietrze było ciepłe, ziemia przyjemnie pachniała ciastkami, nam zaś ciążyły tylko notesy i pióra. Zauważyłem, że Tallent szkicuje na bieżąco prymitywną mapę terenu, który przemierzaliśmy.

Trasa nie była trudna, ale nie pokonalibyśmy jej nigdy, gdyby nie Mua. Miejscami ścieżka kompletnie zanikała, gdzie indziej zaś zmieniała się w bitą drogę, szarą jak sierść osła i usianą setkami kredowobiałych skamielin. Rozpoznawałem wśród nich pancerzyki owadów o cienkich jak nitki odnóżach, segmentowate grzbiety skorpionów i wiele innych stworzeń, niepodobnych do niczego, co znałem. Mua też był chyba zadowolony, że idziemy, bo nucił coś nosowo. Patrząc, jak się przedziera przez pnie i paprocie, po raz kolejny zdumiałem się jego sprawnością fizyczną i tym, że z tyłu wyglądał na nie więcej niż trzydzieści lat.

Listowie wokół nas to gęstniało, to znów rzedło, tak że chwilami znajdowaliśmy się w ciemnym czarnozielonym kokonie, chwilami zaś w pejzażu przypominającym łąkę przepysznie porośniętą pierzastymi żółtymi krzewami i nielicznymi smukłymi drzewami o gałęziach ekstrawagancko przyozdobionych zmierzwionymi festonami liści. Na tych łąkach widzieliśmy nad głowami niebo, jasne i do bólu błękitne, i czuliśmy muskania całych chmar owadów. Uświadomiłem sobie, że pozostawaliśmy dotąd w niewoli drzew, że drzewa nas więziły, odcinając od światła, wiatru i powietrza, od dźwięków i przestrzeni – tego wszystkiego, czego pragnie każde żywe stworzenie na ziemi.

Zauroczony dawno nieodczuwanymi wrażeniami, nie spostrzegłem zrazu, że Mua zwolnił, a idący obok mnie Fa'a wręcz przystanął. Po kolejnym czyśćcu drzew wkroczyliśmy bowiem na łąkę – piątą czy szóstą z kolei – i w odległości może pół kilometra przed nami połyskiwało jezioro. Przez chwilę nie wierzyłem, że tam jest. Nie dlatego, że było szczególnie duże (zajmowało mniej więcej powierzchnię wioski) czy szczególnie piękne, czy w ogóle jakoś szczególne, ale dlatego, że w ogóle było. Tak jak zapomniałem bez mała, jak to jest iść w słońcu nieprzefiltrowanym przez konary drzew, tak też zapomniałem, jak wygląda zbiornik wody, która nie pozostaje w ciągłym ruchu, tylko po prostu j e s t. Instynkt kazał mi tam biec, poczuć rozstępującą się pod moim ciałem taflę wody, ale rzecz jasna nie zrobiłem tego.

– Opa'ivu'eke – oznajmił trzeźwo Mua.

Rozejrzeliśmy się. Wokół jeziora nic nie rosło – ani trzciny, ani drzewa, ani krzaki. Granica wody była tak wyraźna i precyzyjna jak granica wioski (zastanawiałem się później, czy budowniczowie wioski wzorowali się na jeziorze). Lecz gdy podeszliśmy bliżej (bezwiednie poruszaliśmy się jak jeden organizm, jakby to miało nas ustrzec przed nieznanym niebezpieczeństwem), spostrzegłem na powierzchni wody płaty maleńkich, przezroczystych jajeczek, trochę tu, trochę tam, delikatnych i ślicznych, jakby szklanych.

Podszedłszy jeszcze bliżej, stwierdziliśmy jednak, że to nie żadne jajeczka, tylko pęcherzyki powietrza i równocześnie z okrzykiem pierwszego z nas z wody wynurzyła się głowa żółwia, z lekko rozdziawionym pyskiem, przymkniętymi oczami i pomarszczoną szyją wyciągniętą do słońca. Potem wychynęła następna i następna, aż naliczyliśmy siedem opa'ivu'eke. Wynurzały się bezdźwięcznie, woda nawet nie plusnęła, a kiedy zanurkowały z powrotem, ich miejsce zajęła inna grupa, tym razem sześciu, z których trzy były najwyraźniej dziećmi, bo łebki miały nie większe od orzecha włoskiego. Wypływały i znikały pod wodą, dając nieskomplikowany, uroczo zsynchronizowany pokaz, który w zdumieniu oglądaliśmy z odległości paru metrów. Z opóźnieniem uprzytomniłem sobie, że buczenie owadów zastąpił cichy śpiew Fa'a, wykonującego tę samą (chyba) pieśń, którą zaśpiewał na widok żywego opa'ivu'eke, tego małego, na początku naszej podróży.

– *Hawana* – stwierdził Mua, spoglądając na jezioro. „Dużo". Powiedział jeszcze coś, co Tallent przetłumaczył: – Czasem jest ich dużo, a czasem mało.

Potem rozgadał się o czymś do Tallenta, który pokręcił głową. Mua wyraźnie nalegał, a Fa'a mimo woli wydał stłumiony okrzyk.

Tallent popatrzył na nas zaszokowany.

– On mówi, że muszę sobie wyłowić jednego, a on mi pomoże go nieść.

Coś wykluwało mi się w głowie.

– Zapytaj go, czy ja mogę sobie wybrać opa'ivu'eke.

Tallent zrobił to, po czym odwrócił się do mnie i pokręcił głową.

– Tylko ludzie, którzy skończyli sześćdziesiąt *o'ana*, mogą dotknąć żółwia. Tak powiedział.

– Czyli ty możesz, bo podobno wkrótce kończysz sześćdziesiąt *o'ana*, i on też może, bo już skończył sześćdziesiąt.

Obok mnie Fa'a przestępował z nogi na nogę, gapiąc się w las za jeziorem.

Tallent skonsultował moje stwierdzenie z Muą i kiwnął głową.

– Spytaj go... spytaj go, co by się stało z kimś, kto dotknie opa'ivu'eke przed ukończeniem sześćdziesięciu *o'ana*.

Z miejsca dostrzegłem poruszenie na twarzy Mui. Jego odpowiedź była długa i chyba zawiła. Tallent zmarszczył brwi, koncentrując się maksymalnie na jego słowach. Przerwał mu kilkakrotnie, domagając się wyjaśnień, a Mua odpowiadał szybko, wymachując rękami.

– On mówi – zaczął relacjonować Tallent, tak podniecony, że z trudem zmuszał się do mówienia wolno i dobitnie – mogę się mylić, ale... on mówi, że ten, kto dotknął opa'ivu'eke, ściąga wielkie przekleństwo na swoją rodzinę. Ktoś z rodziny winowajcy dożyje wprawdzie sześćdziesięciu *o'ana* i zje opa'ivu'eke, ale po jakimś czasie zacznie powoli tracić *ama* i zmieni się w *mo'o kua'au*.

A potem niespodziewanie uśmiechnął się do mnie tym swoim jasnym, lśniącym uśmiechem i zrozumiałem, że myśli o naszym pierwszym tygodniu na wyspie, gdy opowiadał mi bajkę o myśliwym i mit o *mo'o kua'au*, stworzeniu bez miłości i bez mowy, które widział Fa'a, buszujące po lasach Ivu'ivu. Dziś, wiele dekad później, rozpamiętując to, muszę przyznać, że jego triumf – nasz triumf – był przedwczesny (nie mieliśmy wszak pojęcia, co to wszystko znaczy), ale w owej chwili doznaliśmy niesamowitej ulgi, zwłaszcza on – pewnie czuł, że się nie wygłupił. Podążył za opowieścią i opowieść okazała się… jeśli nie prawdą, to potwierdzonym mitem. Jasne, że w rzeczywistości było to tak, jakby pognać do Nowego Meksyku, bo usłyszało się, że gdzieś tam w małym miasteczku mieszkają ponoć kosmici, i od mieszkańców miasteczka usłyszeć, że tak, widzieli kosmitów. Ale wówczas porzuciliśmy na krótko logikę i jej wymogi.

– Spytaj go – poprosiłem – co się dzieje z kimś, kto stał się *mo'o kua'au*.

Tallent to zrobił.

– Zostaje wygnany – przetłumaczył odpowiedź.

– Spytaj go – ciągnąłem, podniecony nie mniej niż Tallent – czy on sam został wygnany.

Spytał, a Mua milczał długo, przez co najmniej trzy minuty, patrząc na jezioro, gdzie opa'ivu'eke wciąż odprawiały swoją prostą, awangardową choreografię. Kiedy wreszcie przemówił, usłyszałem nie tyle odpowiedź, ile smutne, świszczące westchnienie, toteż zrozumiałem, co Mua powiedział, zanim jego słowo do mnie dotarło.

– *E* – powiedział. „Tak".

* * *

Po powrocie do wioski (która zdawała się teraz nieznośnie ciasna, duszna i zamknięta) odbyłem mój więzienny spacer po lesie. Wielokrotnie okrążałem polanę, zanim dotarłem do mojego drzewa. Drzewem, które uznałem za swoje, była manama rosnąca właściwie samotnie. Otaczało ją niewiele innych drzew i mogłem usiąść albo nawet położyć się na grubej warstwie mchu, który odgradzał jej pień od leśnego podłoża. Aby dotrzeć do mojego drzewa, musiałem iść przez kwadrans na zachód od obozu, a potem skręcić w prawo przy drapieżnej orchidei, której kwiaty barwy moczu wypluwały dwa długie, spiralne pręciki koloru świeżej krwi.

Pod drzewem zastanowiłem się nad tym, co już wiedziałem. Po pierwsze, wiedziałem, że U'ivuanie uważają opa'ivu'eke za święte. Po drugie, wiedziałem, że nie wolno dotknąć opa'ivu'eke przed ukończeniem sześćdziesięciu o'ana – a wówczas należało go zjeść. Po trzecie, wiedziałem, że w ivu'ivuańskiej ceremonii zjadania opa'ivu'eke mogą uczestniczyć tylko sześćdziesięciolatkowie i starsi. Po czwarte, wiedziałem, że osiągnięcie tak zaawansowanego wieku jest rzadkością, o czym świadczyło to, że tylko jeden doradca towarzyszył wodzowi w jego *vaka'ina*. A więc zaledwie dwóch z sześćdziesięciorga sześciorga mieszkańców osiągnęło wiek sześćdziesięciu o'ana. Po piąte, wiedziałem, że Mua i jego towarzysze mają po co najmniej sześćdziesiąt lat (na razie nie zastanawiałem się, o ile więcej), a więc musieli kiedyś zjeść opa'ivu'eke. A po szóste... po szóste, znałem opowieść Mui: kto dotknie opa'ivu'eke przed swoim czasem, ten skaże kogoś z rodziny na los *mo'o kua'au*, czyli na banicję.

Do tego miejsca sprawa była prosta – dokonałem syntezy informacji. Esme i Tallent też mogliby to zrobić. Esme i Tallent zapewne już to zrobili. Zdawało mi się, że słyszę głos Esme: „Oczywiście chodzi o opa'ivu'eke". Ale co z tego? Czy każdy, kto jadł opa'ivu'eke, stawał się w końcu *mo'o kua'au*? Tallent przetłumaczył to dosłownie jako „bez głosu", ale przecież wszyscy lunatycy poza Ewą umieli mówić. Nie zawsze z sensem, nie zawsze ciekawie, to fakt, ale umieli. Więc dlaczego zostali wygnani? I jeśli naprawdę winę za to ponosiły opa'ivu'eke, to czemu nadal je zjadali?

Wróciwszy do obozu, podzieliłem się częścią moich wniosków z Tallentem, ale swoich podejrzeń mu nie ujawniłem, bo nadeszła Esme, sapiąc głośno i tupiąc. Tallent namyślał się przez dłuższą chwilę ze zmarszczonym czołem i w końcu ustaliliśmy, że to ja przeprowadzę wywiad z wodzem. Wysłaliśmy Fa'a, żeby poprosił o audiencję.

Późnym wieczorem, gdy mieszkańcy wioski już zjedli, a grupa mężczyzn wyprawiła się na polowanie na skrzeczące, czerwonookie nietoperze, które jedzono zaraz po upieczeniu, zostaliśmy wezwani. Znów znaleźliśmy się przy ognisku we czwórkę (chociaż sugerowałem, że obecność Esme nie jest konieczna, a nawet okaże się zbędna, zważywszy na jej niechęć do wodza od czasu ceremonii *a'ina'ina*, bo przecież wódz mógł wyczuć jej nastawienie i się obrazić. Esme jednak zgromiła mnie wzrokiem i oświadczyła, że potrafi zachować milczenie i że zamierza nam towarzyszyć choćby nie wiem co). Naprzeciwko nas usiadł wódz, który miał przy sobie tylko świnię, już po dawnemu upapraną błotem. Coś żuł. Nie widziałem co, ale od czasu do czasu pomiędzy jego zębami migała maleńka jak kciuk trójpalczasta łapka porośnięta kępkami sierści.

Wiedziałem, że to nielogiczne, ale szukałem w wyglądzie wodza oznak transformacji. Przecież byłem świadkiem jego dwóch wielkich rytuałów przejścia, więc wydawało mi się naturalne, że odcisną one na wodzu jakieś piętno. Niczego takiego nie stwierdziłem, ale spostrzegłem coś na jego szyi: pętlę ze splecionych pędów winorośli, na której wisiał obtłuczony fragment czegoś twardego, powleczonego glazurą, co połyskiwało na tle skóry.

| 233

Przez jakiś czas siedzieliśmy w milczeniu, uprzejmie zażenowani; nikt nie kwapił się zacząć rozmowy. Wreszcie głos zabrał Tallent, a wódz odpowiedział mu skinieniem głowy.

– Powiedziałem mu, że byliśmy zaszczyceni zaproszeniem na jego *vaka'ina* – objaśnił Tallent.

– Tak – potwierdził wódz.

Znowu zapadła cisza.

– Wodzu – zacząłem, patrząc, jak jego głowa i głowa świni zwracają się powoli w moją stronę. – Czy często obchodzicie *vaka'ina*?

– O nie – odpowiedział wódz (Tallent oczywiście wszystko tłumaczył).

– Kiedy zdarzyło się to po raz ostatni?

– Trzy lata temu. To była *vaka'ina* Lawa'eke.

Mówił zaskakująco łagodnie. Jedną ręką trzymał włócznię, a drugą gładził grzbiet świni posuwistymi, długimi ruchami. Świnia mruczała z ukontentowania. Zauważyłem, że Tallent notuje: „Lawa'eke ok. 65 *o'ana*?".

– I to właśnie Lawa'eke towarzyszył ci w jedzeniu podczas twojej *vaka'ina*?

– *E*.

– A na *vaka'ina* Lawa'eke ktoś jadł wraz z nim opa'ivu'eke?

– *E*.

– Kto?

– Trzej inni.

– Czy możemy z nimi porozmawiać?

– Ich już tutaj nie ma.

– Umarli?

– Nie, nie umarli.

Nie byłem pewien, jak kontynuować.

– Więc gdzie są teraz?

– Daleko.

– Gdzie daleko?

Ręką, którą oderwał od grzbietu świni, wódz wskazał las za wioską.

– Daleko.

– Kiedy odeszli?

Zastanowił się, przekrzywiając głową.

– Jakąś jedną *o'ana* temu.

– A dlaczego odeszli?

– Bo zaczęli się stawać *mo'o kua'au*.

Poczułem, że siedzący obok mnie Tallent sztywnieje, oddech mu się zmienił.

– Jak poznałeś, że są *mo'o kua'au*?

– Widziałem, że się zmieniają. Wszyscy widzieliśmy, że się zmieniają.

– Jakie to były zmiany?

– Najpierw zapominali czegoś zrobić. Szli do lasu na polowanie i nie wracali. Zapominali zabrać włócznie. Rzucali w coś włóczniami i wracali bez włóczni, których potem musieliśmy szukać w lesie. Opowiadali wciąż te same historie. Ich mowa czasami nie miała sensu. Wtedy poznaliśmy, że są przeklęci i niedługo staną się *mo'o kua'au*.

– I co było dalej?

– Nasi najlepsi myśliwi wyprowadzili ich bardzo daleko w las, tak daleko, jak tamci jeszcze nigdy nie byli, i zostawili ich tam. Powrót do nas zajął myśliwym wiele dni. Zanim tamci odeszli, przypomnieliśmy im, że są przeklęci i nie mogą zostać w wiosce, bo stają się *mo'o kua'au*.

Zamilkliśmy wszyscy.

– Czy widzieliście ich jeszcze kiedyś?

Wódz wydał przenikliwy odgłos, jakby ktoś zderzył dwie drewniane kołatki (później okazało się, że tak brzmi jego śmiech), i ruchem brody wskazał lunatyków.

– *E.*

– Czy to lunatycy? – wtrąciła się zdumiona Esme, a wódz spojrzał na nią tak, że się zaczerwieniła.

– Który to z nich? – spytałem.

– Mua – odpowiedział wódz, a w jego głosie wyczułem obrzydzenie.

– Czyli Mua był jednym z tych, których rok temu wyprowadziłeś do lasu – powiedziałem.

– Nie ja. Inni.

– W porządku. A poznajesz kogoś jeszcze spośród nich? – spytałem. – Tych dwóch, którzy musieli odejść z Muą?

Spojrzał na nich, mrużąc oczy, chociaż jeśli wzrok miał tak słaby jak Fa'a i pozostali, to mała była szansa, że rozpozna ich sylwetki, nie mówiąc o twarzach.

– Nie – odpowiedział.

– Nie? Nikogo? Ani Ivaivy, ani Va'any? Ani Ukavi, ani Vanu?

Patrzył na mnie niewzruszony.

– Nie.

– Nie, bo to nie są ci, których wyprowadzono? Czy nie, bo ich nie poznajesz?

Poprawił się na ziemi.

– To nie są ci, których wyprowadzono.

„Aha – pomyślałem. – Jednak ich zna".

– A więc – podsumowałem, mówiąc powoli – *o'ana* temu grupa myśliwych wyprowadziła w las Muę i dwie inne osoby, które stawały się *mo'o kua'au*, ale z tych trzech widziałeś ostatnio tylko Muę? Czy to się zgadza?

Wyglądał na zniecierpliwionego.

– *E* – odrzekł.

– A co się stało z tamtymi dwoma?

Przekrzywił głowę, co dla mnie było znakiem, że się namyśla, ale i swoistym wzruszeniem ramion.

– Nie wiem – odparł.

– Twój ojciec… – Urwałem. Wódz czekał. – Twój ojciec obchodził swoją *vaka'ina*?

– Nie – odpowiedział bez wahania. – Ja jestem pierwszy w rodzinie. Ale ojciec Lawa'eke obchodził.

– Gdzie on jest?

– Tutaj.

– Tutaj? – Rozejrzałem się, jakbym mógł go rozpoznać, jakby miał się wyłonić z magazynu z mięsem albo nadejść do nas z innej strony. – Dlaczego nie był obecny na twojej *vaka'ina*?

– Źle się czuje.

– W jakim sensie źle?

Wódz westchnął, a mnie się wydało – chociaż trudno to było poznać – że widzę na jego płaskiej nieczytelnej twarzy smutek. A może żal?

– Stał się *mo'o kua'au*.

– Więc… będziecie musieli go oddalić?

– *E*.

– Kiedy zaczął być *mo'o kua'au*?

– Jakiś czas temu. Z początku to szło powoli. A teraz jest już całkiem *mo'o kua'au*.

– Lecz zatrzymałeś go tutaj?

Uczynił dziwny gest głową, jakby kiwnięcie w bok.

– To jest ojciec Lawa'eke – odpowiedział po długim namyśle.

Zamilkliśmy na chwilę.

– Kiedy obchodził swoją *vaka'ina*?

Wódz pomyślał.

– Jak byłem dzieckiem – odrzekł w końcu. – Wkrótce po mojej *a'ina'ina*. – Uśmiechnął się znienacka, odsłaniając bezbarwne pieńki zębów, takie same jak u Fa'a. – Dokonał mojej inicjacji.

Poczułem, chociaż jej nie widziałem, że Esme sztywnieje na jego słowa.

Nie wiedziałem, jak Tallent odniesie się do mojego następnego pytania – i rzeczywiście, gdy je zadałem, zrobił pauzę przed tłumaczeniem i rzucił mi pospieszne spojrzenie.

– Czy możemy go poznać? – spytałem.

Wódz milczał długo i zląkłem się, że go obraziłem. Przez ten czas słychać było tylko entuzjastyczne pochrząkiwania świni dojadającej jakieś resztki, piski dzieciaków w tle i szczekliwe nawoływania kobiet. Wreszcie jednak wódz stęknął i dźwignął się na nogi, a my podążyliśmy za nim i jego ociężałą świnią przez całą wioskę, aż na zaplecze dziewiątej chaty, do tego drzewa manama, za którym zaczynała się sekretna ścieżka.

Tym razem jednak ujrzeliśmy tam człowieka przywiązanego do drzewa grubą plecionką z liści palmowych – krótkim, mocnym powrozem z pętlą na jednym końcu, jaki musiał służyć do prowadzania świń. Czy ten człowiek był podobny do Lawa'eke? Chyba tak, chociaż nie pamiętałem dokładnie, jak wygląda Lawa'eke ani co właściwie odróżnia go od, powiedzmy, wodza (chociaż przypomniałem sobie, że był niższy). Ten mężczyzna nie sprawiał wrażenia dużo starszego od wodza – może tylko skórę miał nieco bardziej podobną do skórki od chleba, jakby spulchnioną, ale to mogło być z gorąca, z nadmiaru wody albo z braku wody lub z paru jeszcze innych powodów – i też miał włócznię, i gigantyczny kołtun włosów, i tak jak wódz skóropodobny naszyjnik z kilkoma jakby kamiennymi odłamkami*.

Stanęliśmy wszyscy półkolem nad ojcem Lawa'eke, przyglądając się, jak śpi. Nad jego otwartymi ustami krążyła mucha, coraz bliżej i bliżej, jakby się bawiła. Tallent, który stał za mną, wypytywał o coś wodza, a ten udzielał mu zwięzłych odpowiedzi. Jeżeli wódz się nie pomylił, to ojciec Lawa'eke miał około stu dziesięciu lat.

Po powrocie do obozu oddałem się rozmyślaniom. (Po kilku minutach gapienia się na ojca Lawa'eke uznaliśmy, że nie mamy tu co robić – wódz nie chciał go budzić, a gdy szturchnąłem śpiącego, odezwał się takim tonem, że nawet ja nie mogłem go zlekceważyć – rozeszliśmy się więc, każdy na swoją część polany). Wcześniej prosiłem Fa'a, żeby sprowadził mi Muę, i Fa'a właśnie wyłonił się z ciemności, ciągnąc za rękę lunatyka, który zataczał się i ziewał. Nieczytelna zazwyczaj mina Fa'a wyrażała teraz dezaprobatę. Obok mnie leżał Tallent i wzdychał. Esme, dzięki Bogu, poszła nad rzekę.

– Mua – zacząłem surowym tonem, chociaż nie było to potrzebne, bo Mua potulnie odpowiedziałby na każde pytanie. – To bardzo ważne. Znałeś wodza już dawniej, prawda?

Wlepił we mnie przerażony wzrok.

– Nie bój się – uspokoiłem go. – Wódz mówi, że możesz mi to powiedzieć.

---

* Norton nie mówi tego wprost, ale drugą poza tatuażem oznaką tego, że mieszkaniec wioski odbył ceremonię *vaka'ina*, była ozdoba ciała. Każdy, kto dożył sześćdziesięciu *o'ana*, nosił jakąś ozdobę – czy to naszyjnik, czy pelerynę, czy pas tkaniny (z przedmiotów tych później, w zmienionych okolicznościach, zrezygnowano). Te dodatki nie były, jak się sądzi, symbolami i nie miały własnego znaczenia – stanowiły po prostu przypomnienie, że czcigodna osoba ma nowy status i niezwykłe osiągnięcia.

Zupełnie jakbym mu oznajmił, że od dzisiaj do końca życia będzie się żywił mielonką, w jednej chwili jego twarz przybrała wyraz radości. Tallent rzucił mi ostrzegawcze spojrzenie, zanim przetłumaczył odpowiedź.

– Naprawdę?

– O tak – zapewniłem go. – Powiedział, że możesz zdradzić mi wszystko.

Wówczas Mua wyciągnął szyję, jakby za moimi plecami dostrzegł wodza, który mu błogosławi, ale robiło się już szaro, a wódz gdzieś przepadł.

– Byliśmy przyjaciółmi – powiedział, znów ze smutną miną.

– Pamiętasz tę noc, kiedy wyprowadzono cię do lasu?

Wypuścił oddech.

– Tak. Wyprowadzili nas bardzo, bardzo daleko i zostawili. Musieli.

– Kiedy to było?

Pokręcił głową.

– Nie wiem.

– Nie szkodzi – powiedziałem. – Ci dwaj ludzie, z którymi cię wyprowadzono, to byli mężczyźni czy kobiety?

– Mężczyźni.

– Czy oni są tutaj? W twojej grupie?

Znów głośno wypuścił powietrze. Poczułem, że podobnie jak wodza niecierpliwią go moje pytania. Z tym że zniecierpliwienie wodza wynikało ze znużenia tematem i napiętą czujnością, podczas gdy Mua po prostu czekał, aż mu zadam właściwe pytanie, na które chętnie odpowie, ujawniając wszystko, co ja chcę wiedzieć, a on chce powiedzieć. Na razie odparł tylko:

– Nie.

Ciągnęło się to długo: ja zadawałem niewłaściwe (najwyraźniej) pytania, a Mua udzielał mi zdawkowych odpowiedzi. Dopiero późno w nocy mogliśmy usiąść z Tallentem, żeby przejrzeć po kolei jego notatki, i nagle ze zbioru informacji wyłoniła się prawdziwa opowieść.

Pewnej nocy – Mua nie wiedział kiedy, ale jeśli wierzyć wodzowi, musiało to być mniej więcej jedną *o'ana* wstecz – Mua i dwaj inni mężczyźni zostali wyprowadzeni w las przez myśliwych. Wszyscy się tego spodziewali, wręcz na to czekali. Gdy Mua był młodszy, widywał mężczyzn i kobiety, którzy stawali się *mo'o kua'au* i których wyprowadzano do puszczy, zawsze późno w nocy i zawsze pod strażą najlepszych myśliwych z wioski. Pamiętał, jak spotkało to ludzi z jego grupy, wszystkich poza Ika'aną, Vi'iu i Ewą.

Szli przez las noc i dzień, a potem jeszcze jedną noc, aż Mua poczuł, że powietrze staje się lżejsze i bardziej rześkie, i zrozumiał, że świta. Każdy z wygnańców niósł przywiązaną do włóczni ciężką paczkę jedzenia w liściu palmowym. Jedzenie pozwolono im zatrzymać, ale włócznie musieli oddać. Wiedzieli z góry, że włócznie zostaną im odebrane, bo *mo'o kua'au* nie jest w pełni człowiekiem i nie ma prawa nosić włóczni. Gdy jednak przyszła chwila oddania broni, jeden z towarzyszy Mui odmówił.

240 |

– Nie chciał oddać – wspominał Mua. – Myśliwi żądali, grozili mu swoimi włóczniami, wreszcie zaatakowali go, próbując wyrwać mu włócznię. Byli to bądź co bądź najlepsi mężczyźni w wiosce. Tamten jednak, chociaż *mo'o kua'au*, był jeszcze silny i bronił się dzielnie. Przed laty – opowiadał Mua – był on jednym z wyprowadzających *mo'o kua'au* do lasu. Myśliwi usiłowali dosięgnąć go włóczniami, ale robił uniki, przeskakując z miejsca na miejsce, aż zmęczył się, odwrócił i uciekł w las z włócznią w dłoni. Jeden z myśliwych chciał go gonić, ale powstrzymał go drugi. „Zostawmy go – powiedział. – Zgubi się i tyle. Nigdy nie znajdzie drogi powrotnej". I już bez słowa oddalili się z czterema włóczniami. Zasmuciłem się bardzo – ciągnął Mua – bo to byli moi przyjaciele. Walczyłem wraz z nimi, polowałem, wszyscy uczestniczyli w mojej *a'ina'ina*, a teraz zostawiali mnie bez pożegnania. Ale rozumiałem, że tak musi być.

– Jedli opa'ivu'eke na twojej *vaka'ina*? – spytałem.

Pokręcił głową.

– Mieli dużo mniej *o'ana* niż ja – powiedział.

– Widziałeś ich teraz w wiosce?

– Nie. Już pomarli.

Powiedział to z tak zajadłą pewnością, że aż się zdziwiliśmy.

– Skąd wiesz?

Wzruszył ramionami.

– Wiem – odparł krótko. Po czym zaintonował: – *He kaka'a, he kaka'a.*

„Jestem zmęczony, jestem zmęczony".

– Zaczekajcie – zwróciłem się błagalnie do niego i do Fa'a, który już wstał, żeby go odprowadzić do pozostałych. – Mua, co się stało z tobą i tym drugim *mo'o kua'au*?

Westchnął.

– Szliśmy i szliśmy. Jedliśmy. Czasami łapaliśmy coś do zjedzenia, ale bez włóczni było trudno. Któregoś dnia natknęliśmy się na strumień, bardzo głęboki, bardzo wartki, i zatrzymaliśmy się przy nim na dłużej. Mój towarzysz z dnia na dzień robił się coraz bardziej *mo'o kua'au*, wszystko zapominał, musiałem go pilnować jak dziecka. Coraz więcej obowiązków spadało na mnie. Któregoś dnia wróciłem z wyprawy po coś do jedzenia i znalazłem go martwego.

– Jak umarł? – spytał łagodnie Tallent.

– W rzece – odrzekł Mua. Pokręcił głową. – Zapomniał poprosić wodę, by pozwoliła mu się napić, i woda go zadławiła. I umarł.

Zamilkliśmy wszyscy.

– I co zrobiłeś?

– Odszedłem.

– A znalazłeś kiedyś tego trzeciego człowieka? Tego, który uciekł myśliwym?

– Nie – odparł Mua. – Ale i on był coraz bardziej *mo'o kua'au*, więc pewnie też już nie żyje.

– Jak mógł umrzeć?

| 241

– Może skądś spadł? A może zapomniał poprosić o pozwolenie na napicie się wody i woda go przeklęła i zabiła?

– A jak spotkałeś się z... – wskazałem grupę – ...z nimi?

– No, szedłem, szedłem, w jedne dni miałem co jeść, w inne nie miałem, aż któregoś dnia natknąłem się na niektórych z nich, a potem na innych i polowaliśmy w grupie, i jedliśmy w grupie, a kiedy trzeba było, walczyliśmy między sobą.

Poczułem, że Tallent na mnie patrzy.

– Jakich innych? – zapytał.

– No, innych – odpowiedział Mua z lekkim zniecierpliwieniem. – Innych z lasu.

– Myśliwych?

– Nie, nie myśliwych. *Mo'o kua'au.*

– Więc są i inni?

– Oczywiście.

– Ilu? Gdzie są? Dlaczego z nimi nie rozmawiasz? Dlaczego się biliście? Dlaczego...

– *He kaka'a, he kaka'a* – wyśpiewał niemal drwiąco, jakby wyczuł moją desperację.

Fa'a stał obok ze zdecydowanym wyrazem twarzy.

– Zaczekaj – powiedziałem, ale tym razem to Fa'a pokręcił głową, ten Fa'a, który nigdy się nie sprzeciwiał, więc zapadła cisza.

– Tallent – szepnąłem, gdy patrzyliśmy, jak Mua i Fa'a odchodzą. – Musimy to natychmiast rozpracować.

– Zajmiemy się tym jutro – wtrąciła się Esme, nieco zbyt apodyktycznie jak na mój gust (niestety, zdążyła wrócić znad potoku).

– Jutro – potwierdził Tallent. – Jest późno.

Wcześniej nie zwróciłem na to uwagi – szybko przywykliśmy do stałych godzin wioskowego harmonogramu – ale teraz stwierdziłem, że jest naprawdę bardzo późno. Wszystko wokół nas ucichło; poza naszymi głosami i chrapaniem lunatyków słychać było jak zawsze tlący się ogień, który syczał sam do siebie w nieruchomym powietrzu.

* * *

Następnego ranka obudziłem się z uczuciem takiej nienawiści, że zaschło mi w ustach. Miałem dość lunatyków. Nienawidziłem ich. Nienawidziłem ich wkurzającego, przekornego sposobu udzielania informacji, nienawidziłem ich głupkowatych płaskich twarzy, nierozumnych oczu, skołtunionych włosów, gruszkowatych figur, beznadziejnej pamięci, gonienia w piętkę. Nienawidziłem ich wioski, wyspy i pogody (upał był tak dokuczliwy, że większość dnia przesypialiśmy; żałowałem, że nie mam ogona, by się oganiać od much, komarów, pcheł, kleszczy, mrówek, os, pszczół i ważek, które brzęczały wokół mnie dniem i nocą, bez ustanku, całymi chmarami), ich poruszających się owoców, ich niewyczerpanych zapasów mięsa (z których nie poczęstowali nas nawet kęsem), wydzierających się dzieci, stękających kobiet i milkliwych mężczyzn. Nienawidziłem tego, że wiatr wieje tak rzadko, jakby sam siebie żałował, że to, co mogło być spójne i obfite, było tak chaotyczne i kapryśne. Nienawidziłem tego, że Tallent nie puszcza mnie samego ścieżką na otwarte pole, że nie odpowiada na pytanie dlaczego, że nie pozwala mi wziąć Mui za przewodnika. Nienawidziłem leniwców, które tak potulnie poddawały się śmierci, popiskując żałośnie cienkimi głosikami, nienawidziłem świń wylizujących do czysta swoją skórę, jakby lizały lody. Nienawidziłem Tallenta, nienawidziłem Esme, nienawidziłem przewodników, a szczególnie nienawidziłem Mui i wodza, bo podejrzewałem, że gdyby tylko chcieli, mogliby nam rozwiązać całą zagadkę, tylko że z jakiegoś powodu – z lenistwa? przewrotnej natury? kto to wie? – woleli tego nie robić. A najbardziej ze wszystkiego nienawidziłem małości tutejszego życia i tego, że przy całej jego małości nie jestem w stanie rozwiązać tajemnicy tego życia, a nawet sformułować kluczowego pytania.

Oto tkwiłem uwięziony na wyspie (wiedziałem, że teraz Tallent już na pewno nie wyjedzie, skoro dostrzegł szansę dokonania ważnego odkrycia) i znałem tylko jeden sposób na wyrwanie się stąd – rozwiązać problem.

Muszę dodać, że i inne sprawy przyczyniały się do mojego rozdrażnienia. Od tygodnia widziałem, że wioska tętni aktywnością seksualną. Czy faktycznie było to coś niezwykłego, czy tylko ja stałem się na to szczególnie wrażliwy – nie wiem, dość że każdy dzień dostarczał nowych przykładów kopulacji, tak licznych, że ja, któremu nic, co ludzkie, nie jest obce, zacząłem się czuć znieważony. Spacer przez wieś oznaczał natknięcie się na parę z impetem bzykającą się tuż przy ognisku: jędrne ciała plaskały o siebie, jęki przypominały świńskie kwiki. Udzieliło się to nawet lunatykom – ich chóralne jęki często nie dawały mi zasnąć, a jednego dnia tak się nasiliły, że wstałem, aby sprawdzić, co się dzieje, i ujrzałem plątaninę wstrętnych, wiotkich ciał ocierających się o siebie, czemu towarzyszyły gwałtowne pieszczoty. Ich ruchy były niewprawne i pozbawione wdzięku. Moja obecność bynajmniej ich nie speszyła, a gdy zdesperowany, chcąc ich uciszyć, rzuciłem w ich środek owoc manamy, przerwali swą aktywność tylko na chwilę, zaraz jednak usłyszałem, jak manamę miażdży ciężar czyichś pleców.

Wracając na matę, stwierdziłem jeszcze coś niezwykłego: Tallent i Esme zniknęli. Ich maty leżały na swoich miejscach, ale były puste.

– Esme? – zawołałem cicho. – Tallent?

Bez odpowiedzi.

Natychmiast opadły mnie najgorsze myśli. Oczami wyobraźni ujrzałem Esme przyciśniętą plecami do drzewa i obejmującego ją Tallenta: jej brzydkie usta były rozwarte jak u karpia, a nadmiar jej ciała – szerokie biodra, wzdęty brzuch, ciastowate uda, strzępiasty dmuchawiec włosów – stanowił przykry kontrast ze zgrabną, zdyscyplinowaną sylwetką Tallenta.

Doznałem, wstyd się przyznać, udręki. Nie wiedzieć było nieznośnie, ale równie nieznośnie było wiedzieć. Mimo wszystko krążyłem wokół wioski, zapuszczając się coraz głębiej w las, i przy każdym okrążeniu nawoływałem ich cicho po imieniu. Gdzie się mogli podziać? Zataczając siódmy krąg, odważyłem się wkroczyć na ścieżkę za dziewiątą chatą i pójść nią tak daleko, jak się dało, dopóki nie zginęła pod kobiercem mchu, zmuszając mnie do wycofania się w dół zbocza. Paniczny lęk, że się na nich natknę, ustąpił nowemu zmartwieniu. Gdzie ci dwoje mogli pójść w tym ograniczonym świecie, że nie umiałem ich znaleźć? Czy często tak robią? I – ta myśl naszła mnie jako ostatnia, ale była najbardziej niepokojąca – czy ich zniknięcie nie oznacza, że zostałem tu sam, mając jedynie Fa'a do rozmów w łamanej angielszczyźnie i lunatyków pod opieką?

Rozważając to wszystko (z opóźnieniem uświadomiłem sobie, że pędzę z rozpostartymi ramionami jak jakiś zombi), spotkałem nagle chłopca. Byłem już głęboko w lesie, zataczałem chyba dziewiąty krąg. Zrazu wziąłem go za świnię. Stał plecami do mnie pod drzewem, a gdy dotknąłem palcami szorstkiego węzła jego włosów, aż krzyknąłem ze strachu i zdumienia, bo fakturą przypominały sierść.

On też krzyknął, ale chyba tylko mnie naśladował, bo kiedy przy nim ukląkłem (w sklepieniu liści była dziura, przez którą sączył się blask księżyca, tak że dostrzegłem jego rysy), sprawiał wrażenie spokojnego i patrzył na mnie bez lęku i podejrzliwości.

Dość szybko rozpoznałem w nim chłopca z pierwszej *a'ina'ina*. Był, jak już wspomniałem, wyjątkowo piękny: szczupły, ładnie zbudowany, z prawidłową postawą, ale najbardziej uderzającą jego cechą było spojrzenie, które czułem na sobie, chociaż ledwo co było widać w słabym świetle.

Speszyło mnie to spotkanie z nim w głębokim lesie. Stał nieruchomo, jakby czekał, aż go znajdę, co oczywiście było niemożliwe.

– Co tutaj robisz? – spytałem łagodnie, chociaż nie mógł mnie zrozumieć.

Nie powiedział nic.

– Jak masz na imię?

Znów brak odpowiedzi.

Wskazałem na siebie.

– Norton.

Wskazałem na niego.

– A ty?

On jednak tylko przekrzywił głowę, tak jak to robił wódz, po czym ją wyprostował i dalej na mnie patrzył.

– Jest późno – powiedziałem. – Nie powinieneś być w domu? Nagle, zanim wyrzekłem coś więcej, on położył rękę na moim policzku. Był to gest tak dziwny, tak szokująco intymny i dojrzały – pełen litości, mądry, wprost matczyny – że łzy stanęły mi w oczach. Zdawało mi się, że ten chłopiec ofiarowuje mi współczucie, jakiego pragnąłem, sam o tym nie wiedząc. Czując na policzku jego gorącą, suchą dłoń – chłopięcą dłoń, która gdy ją później obejrzałem, była lepka, brudnawa, usiana drobnymi rankami, ale od spodu miękka i taka jakaś niewinna – poczułem brzemię nieszczęścia i samotności minionych czterech miesięcy, minionych dwudziestu pięciu lat.

Staliśmy tak, zdawało mi się, bardzo długo, ja w bolesnym półprzysiadzie, on przede mną, z dłonią na moim policzku. Ponad nami księżyc wpłynął za chmurę i właśnie wtedy, pod nieobecność światła, chłopiec sięgnął po moją rękę i z powagą położył ją na swoich genitaliach.

Natychmiast ją cofnąłem. Ciemność była teraz tak gęsta, że widziałem tylko jego oczy (a on moje), a w tych oczach nie wyczytałem niczego, czego można by się spodziewać: żadnej presji, żadnej przebiegłości, żadnej gorliwości ani rozwiązłości, żadnego głodu ani gorączki. Nie umiem tego lepiej wyjaśnić – nie chciałbym popaść w sentymentalizm, mówiąc, że w tych oczach była mądrość czy jakaś szczególna inteligencja, ale mogę uczciwie powiedzieć, że wyzierała z nich przynajmniej swoista powaga.

Znów ujął mnie za rękę, bardzo delikatnie, jak uwodziciel, i zaczął wodzić nią po całym swoim ciele. Cofnąłem dłoń ponownie, a on raz jeszcze cierpliwie przeniósł ją na siebie.

„Ulegam czarom – pomyślałem. – Esme, ratuj mnie. Jestem uwięziony. Jestem zaklęty". Nie wiem zresztą, czy nie powiedziałem tego głośno. Ale nikt nie przybył mi na ratunek, w lesie było cicho i słyszałem tylko oddech chłopca, którego twarz zamazywała się i wyostrzała w zależności od tego, czy księżyc wyłaniał się, czy chował, flirtując z niewidzialnym kochankiem.

IV

Coś mnie nurtowało w rozmowach z Muą, a zwłaszcza w tej ostatniej. D l a c z e g o był *mo'o kua'au*? Co mu nadało status banity? Owszem, był zapominalski, zacinał się i często nudził (nie cytowałem tu mnóstwa jałowych rozmów, które odbyłem z nim w ciągu tych miesięcy), owszem, miał bardzo słabą pamięć krótkotrwałą (nazajutrz po naszej wyprawie nad jezioro zadałem mu na jej temat jakieś pytanie i okazało się, że w ogóle nie pamięta wycieczki, a moje nalegania wystraszyły go i zdenerwowały), ale miał świetną pamięć długotrwałą, a jego zdolność koncentracji, jakkolwiek nieimponująca, dorównywała uważności dziecka. Wszystko to razem mogło irytować, ale czy z Muą naprawdę było tak źle? Czy należy rezygnować z człowieka tylko dlatego, że jest zapominalskim nudziarzem?

Pracowałem nad wykazem wieku naszych lunatyków i ostatnio podzieliłem go na dwie mniejsze listy. Na jednej figurowali lunatycy znani wiosce, na drugiej – nieznani.

Znani:	*Nieznani:*
Mua (ok. 104 lata)	Ewa (?)
Vanu (ojciec Mui, ok. 131 lat)	Vi'iu (?)
Ivaiva i Va'ana (siostry, ok. 133 lata)	Ika'ana (ok. 176 lat)
Ukavi (108–109 lat)	

Nie licząc ojca Lawa'eke, wódz i Lawa'eke byli najstarszymi ludźmi w wiosce. W kolejnych rozmowach udało nam się skłonić obu do przyznania, że znają Muę, Vanu, Ivaivę, Va'anę i Ukavi, pamiętali też ich wyprowadzenie do lasu. Mimo usilnych prób nie doprowadziliśmy jednak do rozpoznania Ewy, Vi'iu ani Ika'any. Esme, jak to Esme, uznała ich niewiedzę za złą wolę.

– Oczywiście, że ich znają – upierała się.

Nie umiała jednak wyjaśnić, jaką korzyść mogliby odnieść wódz i Lawa'eke, wypierając się znajomości tych trzech osób.

– Mają swoje powody – orzekła.

Dopatrywała się kunktatorstwa nawet w tej najprostszej z cywilizacji – cywilizacji tak niewinnej, że jej lud nie troszczył się o ukrycie tego, że porzuca swoich starców z chwilą, gdy zaczynają odstawać od niejasnych reguł behawioralnych, które rządzą tą społecznością. Moim jednak zdaniem wyjaśnienie było o wiele prostsze: wódz i Lawa'eke nie znali trojga lunatyków, gdyż ci byli tak starzy, że ich wygnanie przypadło na czas dzieciństwa wodza i Lawa'eke. Zatem ci dwaj byli za młodzi, żeby pamiętać. Wydawało się to nader sensowne w przypadku Ika'any, bo jeśli teraz miał on sto siedemdziesiąt sześć lat, a został *mo'o kua'au*, mając lat, powiedzmy, sto dziesięć, to wyprowadzono go do lasu jeszcze przed narodzinami wodza i Lawa'eke.

Pozostawała tajemnica Vi'iu i Ewy. Podejrzewałem, że Vi'iu jest młodszy od Ika'any, chociaż nie za wiele. Na przykład nie przeżył kataklizmu Ka Weha, ale gdy Ika'ana o nim mówił, kiwał mądrze głową, jak ktoś, kto tak świetnie zna jakieś zdarzenie z opowieści, że już prawie zapomniał, iż sam w nim nie uczestniczył. Vi'iu był jednak niewątpliwie bardzo ograniczony – pamiętałem, jak źle wypadł w podstawowych testach neurologicznych, jak nie poradził sobie z rozpoznawaniem przedmiotów, które przed nim położyłem, jak rozpraszał się, kiedy tylko zaczynałem do niego mówić.

Ewa stanowiła całkiem odrębny problem. Wyróżniała się nawet z grupy lunatyków. Iluż rzeczy nie umiała robić! Ani mówić, ani słuchać, ani wejść w relację z innymi. Nie znała wstydu ani dobrych manier, nie chwytała niuansów logiki. Czasami, przyglądając się jej z pewnej odległości, odnosiłem wrażenie, że obserwuję przedmiot nieożywiony, któremu bezprawnie dany jest oddech – zataczała się, wydawała nagłe okrzyki, brała wszystko do ust, przyglądała się bacznie rzeczom najzwyklejszym, a rzeczy fascynujące ignorowała. Barwa skóry i klocowata figura nadawały jej chwilami wygląd ziemniaka – ziemniaka na dwóch nogach, wrzuconego pomiędzy nas. Jej życie sprowadzało się do oddychania, wzdychania i jedzenia.

Nagle jednak zrozumiałem: tak musi wyglądać *mo'o kua'au*. Te g o właśnie się wszyscy bali, t o był koniec bajki. Odszukałem w notesie definicję *mo'o kua'au* sformułowaną przez Tallenta (zanotowałem ją po naszej pierwszej rozmowie sprzed miesięcy): „Wyglądają normalnie, ale nie są zdolni do sensownej rozmowy. Potrafią tylko bełkotać i śmiać się z niczego rżącym chichotem głupców". Doszedłem do wniosku, że Ewa jest w pełni rozwiniętą *mo'o kua'au*. Była tym, kim pozostali mieli się dopiero stać. Pozostawało to kwestią czasu.

Popędziłem do obozu.

– Ojciec Lawa'eke! – wrzeszczałem już z daleka.

Wystarczyło, że poprosimy ojca Lawa'eke o zidentyfikowanie Ika'any i Vi'iu, którzy musieli żyć w wiosce za jego czasów. Trzeba go będzie też poprosić o zidentyfikowanie Ewy – jeśli jej nie pozna, będziemy mieli potwierdzenie mojego domysłu: Ewa jest tak stara, że nawet Ika'ana i Vi'iu jej nie znają. To będzie znaczyło, że Ewa ma dobrze ponad dwieście lat.

– Ojciec Lawa'eke! – krzyknąłem do Tallenta, który wraz z Fa'a prowadził kilku lunatyków do strumienia. Gdy mnie zobaczył, przekazał mu podopiecznych i ruszył w moją stronę.

– Tallent – wysapałem, czując, że szczerzę się od ucha do ucha. – Musimy n a t y c h m i a s t porozmawiać z ojcem Lawa'eke.

Wymówił moje imię, ale paplałem tak szybko, że przystanął, aby wysłuchać mojej teorii, która – wiedziałem, wiedziałem! –

była słuszna. Jeszcze nigdy nie byłem niczego tak pewny – absolutna euforia. Euforia, a zarazem poczucie, że to naturalne, że mi się po prostu należy. „To – pomyślałem – stanowi sens mojego życia: to uczucie, to zapierające dech podniecenie".

– Nortonie – odezwał się wreszcie Tallent, kiedy się trochę uspokoiłem. – Ojca Lawa'eke już nie ma. Wyprowadzili go do lasu wczoraj w nocy.

Byłem zdruzgotany. Napadłem na Tallenta, żądając, żeby mi sprowadził wodza (po co? żebym go skrzyczał? skarcił?) albo myśliwych, którzy zabrali ojca Lawa'eke (jeszcze nie wrócili), żądałem, żebyśmy wypożyczyli świnię, która nam wywęszy drogę do ojca Lawa'eke (nie miałem pojęcia, czy świnie to potrafią). Poraziła mnie niesprawiedliwość całej sytuacji. Znajdowaliśmy się w miejscu, gdzie całymi dniami nic – czasem dosłownie nic – się nie działo, a kiedy raz jeden potrzebny był niezmieniony stan rzeczy, właśnie wtedy zaszła nagła zmiana.

W końcu Tallent przekonał mnie, że nic się nie da zrobić.

– Ale i tak możemy sprawdzić twoją teorię – zauważył rozsądnie (chociaż ja nie byłem w nastroju do zdroworozsądkowego myślenia). – Jeżeli to, co mówisz, jest słuszne, to Ika'ana powinien pamiętać Ewę. Inaczej musiałaby mieć... ile? Prawie trzysta lat? To niemożliwe.

Tallent był tak poważny, tak pewny swego, że zachciało mi się śmiać. Jak szybko przywykliśmy do tego absurdu, do świata, w którym trzysta lat to niemożliwość, ale sto siedemdziesiąt sześć już nie! A kto wie, może trzysta lat wcale nie było niemożliwością? Może Ewa miała trzysta, czterysta, pięćset, tysiąc lat? Może została wygnana na długo przed Ka Weha, na długo przed narodzinami Ika'any, w czasach, gdy monstrualne opa'ivu'eke grasowały po okolicy tysięcznymi stadami, a otaczające nas drzewa były wiotkimi, dziewczęcymi siewkami? Może z miejsca, gdzie teraz stoimy, Ewa widziała we wszystkich kierunkach błękitne niebo i błękitne morze – dwie nieskończone płaszczyzny?

Okazało się jednak, że Tallent miał rację: Ika'ana rozpoznał Ewę. Została wygnana, gdy on był małym chłopcem, po Ka Weha (które zdarzyło się, gdy miał pięć *o'ana*), ale na krótko przed jego *a'ina'ina*. Ika'ana nie wiedział, ile lat miała Ewa, gdy ją zabrali, ale my z Tallentem ustaliliśmy już na podstawie badania innych, że pierwsze symptomy *mo'o kua'au* występują między dziewięćdziesiątym a sto piątym rokiem życia. Nawet jeżeli u Ewy pojawiły się wcześniej, to dziś nie mogła sobie liczyć mniej niż dwieście pięćdziesiąt lat. Jak to możliwe? – chciałem zapytać Tallenta.

Rodziła dzieci, ale zdaniem Tallenta żadne z nich nie dożyło sześćdziesięciu *o'ana*, podobnie jak mąż Ewy. Miała też wnuki, które przeżyła. Została więc sama, samotnie żyła w puszczy przez ponad sto lat, wędrując po wzgórzach, żywiąc się larwami, owocami manamy i wszystkim, co udało jej się znaleźć, zdana wyłącznie na siebie w świecie, który był jednocześnie boleśnie ciasny i boleśnie wielki. Puszcza była siedliskiem kolonii spokrewnionych stworzeń: zamieszkiwały ją rodziny małpek vuaka, z drzew dyndały pęki owoców manamy, leniwce, pająki i orchidee występowały zawsze w licznych grupach. A Ewa była sama – poszukiwaczka, która niczego nie szukała, dryfująca po morzu niepamięci, bez świadomości, czego kiedyś szukała ani do czego chciałaby wrócić.

– Zdziwiłem się, kiedy nas znalazła – wymamrotał Ika'ana z rozbieganymi jak zwykle oczami. – Nie myślałem o niej przez wiele lat. Ale kiedy ją zobaczyłem, pomyślałem sobie: „Ach, to ty". I to była ona.

– Ika'ana – powiedziałem, hamując złość, bo wiedziałem, że jest nieuzasadniona i że nic nie da. – Dlaczego nie mówiłeś nam tego wcześniej?

Nareszcie na mnie popatrzył.

– Nie pytaliście – odpowiedział.

* * *

Możliwe, że nie dokonywałem kolejnych odkryć w wymarzonym tempie, ale (pocieszałem się) każda nowa rewelacja prowadziła do nowego pytania, które domagało się ode mnie odpowiedzi. Miałem już jakieś pojęcie o wieku Ewy i wiedziałem, kto to jest *mo'o kua'au*. Dalsze wywiady z Ika'aną ujawniły, że Ewa nie urodziła się niemową, a to znaczyło, że jej milczenie i aspołeczna postawa były wynikiem uszkodzenia mózgu, demencji lub długotrwałego braku kontaktów społecznych.

Zaczynała mi się rysować teoria, która dziś wydaje się nader oczywista. Wyszedłem z założenia, że opa'ivu'eke wywołuje rodzaj… czego? Choroby? Przypadłości? Powiedzmy: stanu nienaturalnie długiego życia – nieśmiertelności. Lecz była to parodia nieśmiertelności, albowiem dotknięta nią osoba fizycznie zastygała w wieku, w którym była w momencie konsumowania żółwia, ale jej umysł starzał się dalej. Degenerował się po trochu: najpierw pamięć, potem funkcje społeczne, potem zmysły i na koniec mowa – aż zostawało tylko ciało. Umysł zanikał, zużyty przez lata, gdy jego połączenia nerwowe zmuszone były pracować wiele dekad dłużej, niż przewidywał jego organiczny program. Wyobraziłem sobie mózg Ewy jako lizawkę solną na pniu, wygładzoną i wylizaną do postaci ogryzka ołówka. Przecież to życie też musi mieć koniec, bo każde życie się kończy. Lecz powodem jego końca nie mogła być po prostu starość – raczej choroba, wypadek, morderstwo.

Dziwnie się czuję, wspominając tamto olśnienie jako siedemdziesięcioczterolatek. Kiedy się ma dwadzieścia pięć lat, doświadcza się takich pojęć na sposób czysto akademicki. Wieku nie można zrozumieć: jest on przedmiotem zainteresowania starych, a stary jest każdy starszy ode mnie. Dla młodego to temat bez znaczenia, nudne biadolenie słabeuszy i malkontentów. Jednak im bardziej się starzałem, tym częściej rozmyślałem o losie lunatyków, a dziś widzę z całą wyrazistością, czym on jest: przekleństwem. Przychodzi w życiu taki moment – dla mnie nastąpił kilka lat temu – gdy podświadomie przestawiamy się z apetytu na życie na pełną rezygnacji zgodę na jego koniec. Dzieje się to tak nagle, że zapamiętujemy sam tylko moment, i to subtelnie, jak przez sen.

Wówczas jednak moje myślenie było wolne od takich niuansów. Wiedziałem, że mam do zrobienia dwie rzeczy – obie niestety bardzo skomplikowane. Po pierwsze, spowodować, aby któryś z nas – ja lub Tallent – skosztował opa'ivu'eke. Nie było to oczywiście posunięcie idealne – z góry znałem jego skutek i związane z nim ryzyko – ale konieczne, jeśli miałem potwierdzić kluczową rolę opa'ivu'eke w tej przypadłości. Było bowiem możliwe (mało prawdopodobne, ale możliwe), że opa'ivu'eke odgrywa mniejszą rolę, niż się spodziewałem. Mogło chodzić o jakąś osobliwość genetyczną, właściwą tylko Ivu'ivuanom, którzy po przekroczeniu pewnego wieku mieli gwarantowaną nieśmiertelność. Drugim i ważniejszym zadaniem było zabranie przynajmniej dwóch lunatyków do laboratorium z prawdziwego zdarzenia, gdzie mógłbym im zrobić testy i badania krwi. Nie miałem pojęcia, jak się do tego zabrać. Lecz bez tych kroków mielibyśmy zmarnowane pięć miesięcy, a pięć miesięcy zdawało mi się wówczas wiecznością (ironia tej obserwacji nie uszła mojej uwadze). Bez badań krwi miałem do dyspozycji tylko bajki, a fikcja nigdy mnie nie interesowała.

Zacząłem od operacji nieco łatwiejszej, czyli od zdobycia opa'ivu'eke do dalszych eksperymentów. Tallent i Esme, tak jak przewidziałem, zgorszyli się moim planem. Rozpętała się długa i chwilami przykra dyskusja, w której przynajmniej Tallent dostrzegł celowość i konieczność realizacji mojej propozycji, ale odmówił udziału w doświadczeniu dla zasady, co uznałem za słabą i byle jaką wymówkę. Co zaś do Esme, to zaprzeczała ona nawet logicznej konieczności przedsięwzięcia dalszych kroków. Oskarżyłem ich o intelektualne tchórzostwo i sentymentalizm. Esme w rewanżu zarzuciła mi, że jestem potworem bez serca i bez szacunku, że chcę zniszczyć wszystko, co ona i Tallent próbują osiągnąć.

– A cóż ty takiego próbujesz osiągnąć, Esme?! – wrzasnąłem w odpowiedzi. – Uważasz, że szczegółowy opis ludzkiego gówna na coś ci się przyda?

Darliśmy się tak głośno, że kilku miejscowych odważyło się podejść do granicy swojej osady i obserwowało nas teraz z ciekawością i niejakim rozbawieniem, pokazując nas sobie palcami, podśmiewając się i szeptem wymieniając uwagi. Tallent próbował nas uspokoić, ale było za późno. Z perspektywy czasu widzę, żeśmy się wygłupili.

– Jak śmiesz mnie poniżać! Ja chcę im pomóc!

– Wcale nie chcesz im pomóc! Gdybyś chciała, robiłabyś to, co konieczne.

– To ty nie chcesz im pomóc! Traktujesz ich jak owady! Wcale nie dbasz o to, co zniszczysz swoimi poczynaniami!

– Ja tu w ogóle nie chciałem przyjeżdżać! Przyjechałem, bo mnie potrzebowaliście.

Tak, nasza kłótnia sięgnęła wkrótce takich wyżyn i eskalowałaby dalej, gdyby nie Tallent, który – pierwszy raz, odkąd go znałem, wściekły – stanął pomiędzy nami.

– Zachowujecie się skandalicznie – rzekł lodowatym tonem. – Esme, zaprowadź lunatyków nad rzekę i daj im pić. A ty, Nortonie… – Zgromił mnie wzrokiem i nagle uprzytomniłem sobie, jak rzadko każe mi się zajmować lunatykami, co zamiast sprawić mi ulgę, dotknęło mnie do żywego: czyżby mi nie ufał? – A ty idź się przejść. Dosyć tego.

– A co z opa'ivu'eke? – wyszeptałem, z obrzydzeniem słysząc swój błagalny ton.

– Nortonie – rzekł Tallent, wymawiając moje imię tak, jakby wygłosił całostronicowe przemówienie. – Rozumiem, czemu chciałbyś kontynuować ten… ten… eksperyment. Poczekaj. – Uniósł rękę, bo już miałem mu przerwać. – Obawiam się jednak, że to niemożliwe. Niemożliwe z powodów organizacyjnych, a co więcej, niestosowne. Pozwolisz przypomnieć sobie, że jesteśmy tu gośćmi? Że przebywamy tutaj z łaski wodza? Nie zapominaj o tym, Nortonie. Nie zapominaj, że te włócznie służą nie tylko do zabijania leniwców i vuak.

Zamilkłem, on też milczał; patrzyliśmy sobie w oczy.

– Obiecaj mi – powiedział, a jego głos odzyskał aksamitny ton i spokój. – Obiecaj, że nie będziesz się buntował.

– Obiecuję – wymamrotałem.

– Nortonie... – zaczął Tallent i urwał, czekając, aż na niego spojrzę. – Ostrzegam cię. Znam sposoby na przetestowanie twojej teorii, ale ten sposób do nich nie należy.

– Rozumiem, Tallent – powiedziałem, chociaż wiedziałem, że się myli. Nie istniał żaden inny sposób sprawdzenia mojej teorii. Jeśli Tallent odmówi mi pomocy, będę musiał działać sam.

* * *

Był taki krótki czas w ciągu nocy, kiedy aktywność wioski zamierała, godzina czy dwie, gdy spali myśliwi i dzienni, i nocni, gdy ognisko ledwo się tliło i słychać było tylko odgłosy miriadów niewidocznych stworzeń, które skradały się po nocnym lesie.

Wieczór upłynął w przykrym napięciu. Najpierw cicha kolacja z Tallentem i Esme, potem ciche wypełnianie dzienników, a na koniec ciche rozwinięcie mat. Później zadawałem sobie pytanie, dlaczego postanowiłem działać tak szybko, na łapu-capu, lecz przecież sytuacja naprawdę wymagała pośpiechu: musiałem się uwinąć, zanim stracę odwagę i zanim Tallent zrozumie nieuchronność moich działań.

Upewniwszy się, że mieszkańcy wioski śpią (chrapali tak głośno, że drzewa zdawały się wibrować), podczołgałem się do Mui. Ukradłem Tallentowi z torby latarkę, kiedy poszedł kąpać lunatyków, ale zamierzałem używać jej jak najoszczędniej. Teraz jednak była mi potrzebna do odszukania Mui – spał w grupie leżącej pokotem, tworzącej plątaninę kończyn i włosów, która zawsze wyglądała i pachniała jak niemyta, pomimo codziennych ablucji.

Mua leżał obok Ika'any, głowę trzymał na plecach Vi'iu, a jedną rękę przerzucił przez pierś Ivaivy. Przyklęknąłem powoli i potrząsnąłem jego ramieniem.

– Mua – szepnąłem, kiedy ocknął się wreszcie z głuchym stęknięciem, pokonując warstwy snu. – Potrzebuję twojej pomocy.

Dopiero wtedy przypomniało mi się, że Mua nie mówi po angielsku.

Chwyciłem jakiś patyk i nakreśliłem na ziemi symbol opa'i-vu'eke – kółko przecięte linią – po czym wskazałem na siebie.

– A – rzekł Mua, siadając na posłaniu.

Jedną z zalet otępienia umysłowego lunatyków było to, że nie żądali zbyt wielu wyjaśnień. Nawet gdybyśmy mogli się porozumieć słowami, Mua nie spytałby mnie, czemu go budzę w środku nocy, żeby iść po opa'ivu'eke, i dlaczego potrzebuję opa'ivu'eke właśnie teraz. Mua stawał się pomału zespołem reakcji zrodzonych z wielu lat uwarunkowań – widziałem wprawdzie niebezpieczeństwo całkowitego porzucenia logiki, ale w tamtej chwili byłem z niego zadowolony.

Obeszliśmy wioskę, mijając wzdychające świnie, bełkoczących przez sen mężczyzn, kobiety i dzieci, i skierowaliśmy się za dziewiątą chatę, gdzie weszliśmy z powrotem w dżunglę, która połknęła Muę jednym chciwym kłapnięciem. W nieprzeniknionej czerni ogarnął mnie tak zimny, irracjonalny lęk, że przez chwilę nie mogłem się ruszyć, zapomniawszy nawet o latarce. Nagle nadszedł na palcach Mua, który mnie szukał. Powtarzał w kółko coś, czego nie rozumiałem. Po chwili usłyszałem, że to pieśń, dwie frazy powtarzane raz po raz, tak że zatraciły pozór słów, stając się bezsensowne jak odgłos bębna, w którego rytm bezwiednie ruszyłem naprzód.

Dawno już nie zapuszczałem się tak daleko w dżunglę z silnym poczuciem celu, z tym że tam, gdzie wcześniej widziałem krzątaninę i życie, teraz dostrzegałem martwotę, olbrzymie cmentarzysko drzew, wyzbyte dosłownie wszystkiego. Nie umiem powiedzieć, skąd się wzięło to uczucie – chyba tylko z wrażenia, że największe tajemnice dżungli już odkryłem, a wszystkie nowe okażą się miałkie.

Szedłem za głosem Mui. Skręcił w prawo i nagle znaleźliśmy się na polanie, na małym płaskowyżu wysoko nad wioską. Ponad nami wznosiła się reszta Ivu'ivu, wyniosły, niezdobyty szczyt tej wyspy. Za plecami mieliśmy las, ciemny i cichy, a przed sobą nagie urwisko opadające do niewidocznego oceanu. Jak zahipnotyzowany szedłem coraz bliżej krawędzi, aż Mua powstrzymał mnie wyciągniętym ramieniem.

– *Ea* – powiedział. „Patrz".

Podniosłem więc oczy i przed sobą, nad sobą i po obu stronach ujrzałem niebo o niewiarygodnej, bezdennej czerni nabijanej ćwiekami gwiazd tak wielkich i jasnych, że widziałem twardość ich połysku, czułem otaczające je lodowe obłoki pyłu. Było ich takie mrowie, że niebo zdawało się raczej jasne niż ciemne, raczej pełne niż puste.

Jak dawno nie widziałem gwiazd! Patrząc na nie, na bezmiar nieba zakrzywiający się wokół mnie jak objęcia, myślałem o Owenie i zastanawiałem się, gdzie on teraz jest. Nadal w Connecticut? Czy może przeniósł się gdzie indziej, tak jak się czasem odgrażał? Nagle uświadomiłem sobie, że płaczę, i choć starałem się to robić bezgłośnie, doznałem dziwnej ulgi: wyrazisty, niemal zapomniany smak łez, słonych i gorących jak krew, przyniósł mi pocieszenie.

Mua nie przejął się chyba moimi łzami. Staliśmy tak przez dłuższą chwilę, a gwiazdy nad nami świeciły i mrugały. Wreszcie Mua odchrząknął i ruszyliśmy przed siebie.

Speszyłem się na moment – czy przechodziliśmy przez ten płaskowyż podczas pierwszej wycieczki do opa'ivu'eke? – a zaraz potem opadł mnie strach: dokąd teraz Mua mnie poprowadzi? Ale gdy odwróciłem się za siebie i ujrzałem szczelną czerń dżungli, zrozumiałem, że nie mam innego wyjścia, jak podążyć jego śladem.

Zanim dotarliśmy na ostatnią polanę, byłem kompletnie roztrzęsiony. W ciemności jawiły mi się potwory i duchy; w tym, czego nie widziałem, dopatrywałem się strachów całego mojego życia. Lecz nagle Mua ogłosił z powagą:

– Opa'ivu'eke.

Przede mną było jezioro, po którym bańki powietrza żółwich oddechów turlały się jak perły. Mua jedną ręką wskazał jezioro, a potem usunął się na bok, żeby obserwować sytuację.

Po raz pierwszy poczułem, że mój plan nie jest chyba do końca przemyślany. Gdy wioska spożywała posiłek, udało mi się wślizgnąć do magazynu palmowych plecionek i zwędzić dużą sieć, którą teraz niosłem na ramionach jak opończę. Jednak podchodząc do jeziora, zwątpiłem, czy ta sieć wystarczy do złowienia opa'ivu'eke. Czy żółwie szybko pływają? Czy mnie nie pokąsają? Gdyby nadarzyła się okazja ukradzenia broni, niewątpliwie bym to zrobił, ale takiej okazji nie było, więc musiała mi wystarczyć sieć. Obejrzałem się na Muę, jakbym szukał u niego rady, lecz on stał z założonymi rękami, wpatrzony gdzieś w dal, jakby chciał mi pokazać, że to, co przedsięwziąłem, jest moją prywatną sprawą, której on nie ma prawa nawet oglądać.

Ale niepotrzebnie się martwiłem. Gdy tylko zbliżyłem się do brzegu, opa'ivu'eke jakby mnie zauważyły, bo podpłynęły powoli wszystkie razem, rozgarniając łapami wodę tak delikatnie, że ledwo naruszały jej powierzchnię.

Wybrałem jednego z największych, zakładając, że rozmiar czyni go jednym z najstarszych – młodym chciałem zostawić szansę długiego życia. Wystarczyło, jak się okazało, żebym wszedł do wody – chłodnej i tak przejrzystej, że widziałem księżyc ślizgający się po grząskim dnie – i wyłowił go. Był dosyć ciężki i lekko oślizgły, ale bez trudu dał się wziąć do rąk. Pozostałe opa'ivu'eke natychmiast zmieniły szyk, zapełniając lukę po nieobecnym, przy czym obserwowały mnie wielkimi oczami. Mój opa'ivu'eke zachował się nietypowo jak na żółwia – nie ukrył się w skorupie, gdy wyczuł kontakt z człowiekiem, tylko przebierał łapami i kręcił głową, więc miałem takie wrażenie, jakbym trzymał wielkiego mrówkojada, opancerzonego, ale dziecinnie bezbronnego.

Zataczając się, doniosłem go na skraj lasu, na tyle daleko, żeby jego towarzysze nie zorientowali się, co robię. Byłem zmęczony marszem pod górę i dźwiganiem żółwia, więc przysiadłem obok niego, opierając rękę na skorupie, on zaś przymknął żółte oczy jakby z rozkoszy. Odpoczywaliśmy tak chwilę, napawając się powietrzem, ciszą drzew i prostym, głupim faktem życia.

Potem przyszedł czas. Miałem przy sobie scyzoryk (też podwędzony Tallentowi) i rulon dużych liści palmowych (skradziony z magazynu). Mój plan zakładał wykrojenie z opa'ivu'eke jak największej porcji mięsa (jeszcze nie wiedziałem, czy starczy mi sił i odwagi na oderwanie skorupy), zapakowaniu jej w liście, umieszczeniu w siatce i zagrzebaniu skorupy pod ściółką. Z pakunkiem chciałem wrócić na dół i wysuszyć mięso w gałęziach mojego drzewa. Część mięsa zamierzałem zjeść sam, by odnotować szkodliwe skutki, resztę zaś zabrać z sobą do Stanów, żeby gruntownie je przebadać.

Lekki wiatr zaszeleścił liśćmi, a kiedy opa'ivu'eke wyciągnął szyję, aby poczuć powiew, otworzyłem scyzoryk i ugodziłem go w kark. Myślałem, że pójdzie łatwo, jak krojenie masła, ale skóra okazała się znacznie twardsza, niż oczekiwałem, tak że w końcu musiałem odpiłować głowę, która najpierw zwisła na jedną stronę, potem na drugą, aż wreszcie tylko uparta nitka skóry łączyła ją z korpusem, by dopiero po dłuższej chwili pęknąć z elastycznym mlaśnięciem. Żółw nie wydał przy tym żadnego odgłosu poza przeciągłym westchnieniem przypominającym syk przebitej opony, ale oczy miał otwarte i źrenice stopniowo zanikały w tęczówkach jak plamki atramentu w wodzie.

Byłem tak pochłonięty żmudną pracą odcinania tylnej łapy żółwia, że źle zrozumiałem okrzyk Mui i odkrzyknąłem mu (oczywiście bez sensu), że jestem zajęty i musi poczekać. Kiedy jednak usłyszałem, że pędzi ku mnie przez wysokie trawy, drąc się niezrozumiale przez cały czas, musiałem przerwać zajęcie i podnieść wzrok, a wówczas zorientowałem się, że to nie Mua do mnie biegnie, lecz Fa'a.

W pierwszej chwili głupio się ucieszyłem. Świetnie, jest Fa'a! Zawsze czułem się bezpieczniej w jego obecności, mimo że starannie podtrzymywał swoją skrytą postawę. Ta jednak nie zdołała zatuszować jego narastającego z dnia na dzień rozczarowania naszą ekspedycją. Mimo to czułem – być może romantycznie – że w ciężkich chwilach Fa'a jest zawsze obok, niewzruszony i spolegliwy jak drzewo. Wyobrażałem go sobie jako pasterza, jako strażnika naszych snów i naszych polowań, jako człowieka, który za nas lustruje krajobraz i jest obecny przy każdym istotnym zdarzeniu. Tak jak i pozostali przewodnicy, którzy stopniowo tracili zainteresowanie misją i oddalali się – to znaczy nadal byli oczywiście w naszej ekipie, ale coraz więcej czasu spędzali na łapaniu vuak (zdumiewał mnie i lekko brzydził ich nienasycony apetyt na te ssaki) oraz na zbieraniu w lesie spadłych owoców, nasion i dziwnych narośli – Fa'a był zawsze na miejscu. Uva i Tu spełniali swoje obowiązki przy lunatykach, ale czynili to rutynowo: nad strumieniem gadali i śmiali się, stojąc z boku, podczas gdy co bardziej upośledzeni z ich podopiecznych chlapali się bezradnie w wodzie, nie wiedząc, po co ich tam w ogóle przyprowadzono. Fa'a natomiast, gdy wypadał jego dyżur, polewał im plecy, wytrząsał śmieci z włosów i pomrukiwał w odpowiedzi na ich zadowolone westchnienia. Szanowałem go; może nawet podziwiałem.

Szybko musiałem jednak zrewidować swoją reakcję, gdy ujrzałem minę Fa'a i usłyszałem ton jego głosu. Darł się, po prostu darł się, jedną ręką ściskając włócznię, a drugą wskazując martwego opa'ivu'eke i jego głowę (wciąż z otwartymi oczami) ułożone pośrodku największego liścia palmowego, w który miałem je zapakować jak prezent. Fa'a był tak zły, że oczy wyłaziły mu z orbit, a z ust strzykały gwiaździste strzępy piany. Chciało mi się śmiać.

A jednocześnie przypomniałem sobie, z jaką rewerencją Fa'a śpiewał przy naszym poprzednim spotkaniu z opa'ivu'eke, z jakim nabożnym lękiem obserwował ceremoniał *vaka'ina*, i uznałem, że trzeba dać mu się wyzłościć. Byłem pewien, że Fa'a nigdy by mnie nie tknął, tymczasem on nagle – nigdy nie dojdę jego intencji – uniósł ramię z włócznią, nie w geście groźby ani nawet nie w moją stronę, niemniej jednak napędził mi strachu, więc odruchowo zasłoniłem się zewłokiem żółwia, ze skorupą w charakterze tarczy, i zaatakowałem nim Fa'a, gdy się ku mnie pochylił. Gdy manewrowałem przed sobą żółwiem, kuląc się za nim, usłyszałem świdrujący pisk Fa'a. Wyjrzałem znad skorupy i okazało się, że musnąłem wyciągniętą rękę Fa'a jedną z dyndających przednich łap żółwia. Krzyki przerodziły się w jęki i Fa'a padł na kolana, trzymając przed sobą rękę, której dotknęła żółwia łapa, i lamentując.

262 |

Gdybym był mniej wrażliwy, pewnie parsknąłbym śmiechem. Ale tylko w pierwszej chwili, bo niebawem, patrząc, jak Fa'a kuli się na ziemi z prawą ręką – tą od włóczni – wyciągniętą w stronę żółwia, jakby w ofierze, pojąłem szczerość jego rozpaczy. Jęki przeszły w szloch, po którym zapadła cisza – tylko ramiona Fa'a drgały spazmatycznie i trwał tak, twarzą do ziemi, z porzuconą włócznią u boku. Przynajmniej raz byłem rad, że nie mówię po u'ivuańsku, bo Fa'a był teraz pewien, że czeka go los *mo'o kua'au* albo że skazał na taki los kogoś ze swojej rodziny, i żadne moje słowa nie przekonałyby go, że jest inaczej. Więc tylko obserwowałem go przez chwilę z fascynacją i współczuciem, aż nie pozostało mi nic innego, jak dokończyć żmudne zajęcie zawijania flakowatych kawałków mięsa opa'ivu'eke w atłasowe liście palmy. Ziemia wokół mnie była czarna od krwi.

* * *

Nasz marsz w dół był milczący i pospieszny, a zanim odesłałem Muę i oniemiałego, zataczającego się Fa'a z powrotem do grupy, zanim poprzywiązywałem moich sześć paczek żółwiego mięsa do najwyższych gałęzi drzewa, zaczęło się rozjaśniać i zaświer-gotały pierwsze poranne ptaki.

Wyglądało na to, że wszyscy zaczęliśmy udawać: Tallent – że kłótni nie było, Fa'a – że nie został przeklęty, a ja – że nie zro-biłem tego, co należało zrobić, bez zezwolenia i zachęty. Przez cały dzień zadziwiały mnie na przemian moja odwaga i deter-minacja z minionej nocy i moja pomysłowość. Niestety, nie miałem z kim podzielić się swoją opowieścią. Raz minąłem się z Fa'a – szedłem po wodę do potoku, a on stamtąd wracał – ale gdy dałem krok w jego stronę, odwrócił się i twarz mu stężała w wyrazie, jaki od tego dnia miała zachować na zawsze. Zrozu-miałem, że Fa'a nigdy nie zdradzi innym tego, co widział tam-tej nocy, bo inaczej musiałby stawić czoła własnej hańbie, włas-nej zgubie.

Tylko Mua zdawał się nie pamiętać niczego z naszej nocnej przygody. Po południu przyłapałem Fa'a na tym, jak obejmując dłońmi włócznię i wspierając podbródek na jej tępym końcu, wpatrywał się w Muę, ale czy z zazdrością, czy z politowaniem, tego nie umiałem powiedzieć.

Wcześniej przekradłem się do mojego drzewa, pozdejmo-wałem paczki i zakopałem je jak najgłębiej w miękkiej, mącz-nej, wilgotnej jak ciasto ziemi. Tylko jedną paczkę odłożyłem na bok i rozwinąłem. Przez kilka minut siedziałem nad nią w kuc-ki, przygotowując się do przełknięcia soczystego czerwonego mięsa z łapy opa'ivu'eke. Po to przecież, przypominałem same-mu sobie, wyprawiłem się do jeziora wbrew zakazowi Tallenta – po to, żeby skosztować i przełknąć opa'ivu'eke, udowadniając sobie, że nie ma się czego bać. A jednak paraliżowało mnie wa-hanie. Nie zjeść mięsa znaczyłoby przyznać się do strachu, po-twierdzić możliwość niemożliwego. Tak bardzo chciałem, żeby to była prawda, chciałem mieć rację, chciałem mieć dowód, że naprawdę coś odkryłem. A jednocześnie nie chciałem, żeby to była prawda – nie chciałem, aby cała moja wcześniejsza wiedza legła w gruzach, żebym musiał odrzucić pewniki i względy praktyczne jak nadgniłe owoce. Zjeść mięso żółwia znaczyłoby przyznać, że się myliłem, ale jednocześnie potwierdziłoby, że świat, jaki znałem, będzie trwał nadal, niezmącony, niezmieniony, z nienaruszonymi prawami.

Nie umiałem się na to zdobyć. Dziesiątki lat później wspominałem tę chwilę jak halucynację, uzmysławiając sobie, jak bliski byłem powiększenia szeregu lunatyków. Co by było, gdybym nie zapakował z powrotem żółwiej łapy i nie zakopał jej razem z resztą paczek, tylko pozwolił językowi dotknąć powierzchni mięsa, gdybym uległ przemożnej nielogiczności tamtego przedziwnego, nawiedzonego wieczoru?

W nocy śniłem sny ciężkie i rozmaite, przechodzące jeden w drugi. Śniło mi się, że brnę przez puszczę, pokonując strome wzgórze w drodze do wioski, a wszystkie drzewa są Ivu'ivuanami i nawołują się jak ptaki, ich stopy krwawią u korzeni, a włosy wplątują się w gałęzie. Przyśniło mi się, że wraz z wodzem jadę na skorupie wielkiego jak samochód opa'ivu'eke, który przemierza puste, wyschłe bagna, gdzie nie rośnie ani jedno drzewo, a gdzieś na horyzoncie, na tle śliwkowego nieba majaczy miniaturowe miasto ze spękanego od słońca betonu. Śniło mi się, że siedzę przy stole w drewnianym domu z grubymi belkami stropowymi, przede mną stoi blaszany półmisek, a na nim leży dziwne różowe stworzenie, czworonożne, galaretowate, i uświadamiam sobie, że to opa'ivu'eke bez skorupy. Naprzeciw mnie siedzi Fa'a w jasnej rozpinanej koszuli, z włosami schludnie przystrzyżonymi nad uszami, i podaje mi nóż i widelec, ale w momencie gdy dociera do mnie, że mam zjeść żółwia, ten trzęsie głową i otwiera oczy i pysk – a ten rozwarty pysk to usta tamtego chłopca z jego drobnymi spiczastymi zębami i małym jaskraworóżowym językiem.

Obudziłem się otoczony zwyczajnym lasem, Esme i Tallent leżeli obok jak zwykle i wciąż byłem na Ivu'ivu, wśród gęstej, czarnej nocy, jakich tu wiele. Wokół mnie nic się nie zmieniło. Nazajutrz rano Tallent ogłosił, że wyjeżdżamy.

V

Było to rozsądne, wiedziałem, i nieuchronne. Uprzedzono mnie, że nasz pobyt na wyspie potrwa co najmniej cztery miesiące, w każdym razie jakiś określony czas. Niemniej jednak wiadomość o wyjeździe była dla mnie szokiem. Po pierwsze, wbrew wszelkim pozorom towarzyszył nam tu przez cały czas jakiś plan, nawet w tej wiosce, gdzie nie było miejsca na rządy, technologie, ubrania, książki, szkoły i szpitale. Po drugie, szokujący był sam czas, jego nagły powrót jako istotnego czynnika w naszym życiu. Tutaj czas miał kształt długich, spiralnych zwojów drwiących z biologii i ewolucji; nie respektowało go nawet ludzkie ciało. A przecież definicja czasu, której mieliśmy być posłuszni, pochodziła ze świata, w którym ludzie patrzą na zegarki i umawiają się na spotkania, zaś jego upływ mierzy się w odcinkach krótszych niż pora roku. Niepokojąca była wiadomość, że tamten świat wciąż istnieje i choć wydaje się obcy, to właśnie on nam rozkazuje, podejmuje za nas decyzje, przesądza o naszych wyjazdach i powrotach. Przyszła mi do głowy śmieszna myśl, że może tubylcy żyją tak długo, ponieważ nikt im nigdy nie powiedział, że nie powinni.

Ten ostatni tydzień był pełen zajęć: musieliśmy przeprowadzić ostatnie wywiady, pobrać ostatnie pomiary, dokonać ostatnich badań, wykonać ostatnie szkice wioski, sporządzić ostatnie inwentarze zapasów w magazynie mięsa, magazynie produktów suchych, magazynie liści palmowych. Późną nocą, rozpakowując plecak, żeby zrobić w nim miejsce na paczki z mięsem opa'ivu'eke (wyżebrałem trochę soli od Uvy i zakonserwowałem porcje do zabrania tuż przed wyjazdem), natknąłem się na dwa tuziny igieł i strzykawek w otoczce z waty, które, gładkie i szklano-metalowe, wyglądały tu kuriozalnie, jakby to wioska była kulturą bardziej zaawansowaną, a te przedmioty były niewiadomej funkcji artefaktami z zamierzchłej przeszłości. W plecaku nie zostało mi już prawie nic: większość ubrań porozdawałem kobietom z wioski, które gapiły się bezradnie na moją marynarkę i koszule, dopóki im nie pokazałem, że można je podrzeć na pasy i użyć na przykład do związania dwóch palmowych lin albo do przytroczenia łap leniwca do drzewca włóczni. Mikroskop stłukł się na samym początku podróży, a ostatnio jego los podzielił termometr i wioskowe dzieciaki bawiły się srebrnymi kulkami jego rtęci, obtaczając je w pyle ziemi i zderzając, dopóki ich nie wyzbierałem i nie usunąłem.

Z opóźnieniem dotarło do mnie, że Sereny musi mieć o mnie niską opinię. Czy ktokolwiek rzeczywiście o mnie prosił? Czy to raczej oni namówili Tallenta albo jego nieroztropnego sponsora, żeby wziął mnie na ekspedycję? Skutek był taki, że Tallent szukał swojego mitycznego zaginionego plemienia i wbrew wszelkiemu prawdopodobieństwu je znalazł. Ale kto by pomyślał, że większego odkrycia dokonam ja – i to t a k i e g o? Nie wiadomo było z góry, że potrzebny będzie specjalista od nauk przyrodniczych, więc mój udział w wyprawie był nie tyle kwestią szczęścia, ile sprawką uczelni, która postanowiła pozbyć się najmniej obiecującego studenta, wysyłając go na absurdalną, skazaną na niepowodzenie misję. Upokorzyła mnie myśl, że nie dostrzegłem tego wcześniej, że byłem pionkiem w takiej marnej grze. Jednak pomimo tych przykrych rewelacji postanowiłem nie myśleć tak jak Smythe: „Ja im pokażę, udowodnię, że nie mają racji", chociaż jednocześnie nie mogłem się ustrzec planowania przyszłości, ponieważ miałem pewność, że odkryłem coś nadzwyczajnego, co na zawsze odmieni naukę i funkcjonowanie społeczeństw. Odkryłem mianowicie nieśmiertelność. Wypowiedziane głośno brzmiało to pompatycznie (dlatego nie mówiłem głośno), ale wagi tego odkrycia nie można było zignorować, nawet jeśli otaczał je magiczny pył.

(Co porabialiście tymczasem, Fitch i Brassard? Wstrzykiwaliście myszom wirusy. A ty co zrobiłeś? Odkryłem grupę ludzi, którzy nie umierają).

Teraz najważniejsze było przekonać Tallenta, że musimy zabrać z wyspy kilku lunatyków. Ku mojemu zaskoczeniu zgodził się na to bez większych oporów. Oczywiście, wygłosił długi wykład o niebezpieczeństwie wyrwania tubylców z ich naturalnego kontekstu kulturowego, co grozi niezdolnością do reasymilacji w rodzimej społeczności, ale argumenty miał słabe, żeby nie powiedzieć absurdalne. Bo jeśli miałem słuszność, nasi tubylcy zatracą wkrótce wszelkie poczucie własnego kontekstu, a poza tym ich społeczność i tak ich już odrzuciła, więc co nam szkodziło ich zabrać?

– No cóż – bąknął na koniec Tallent. – Powinniśmy przynajmniej spytać o pozwolenie wodza.

Wódz najwyraźniej miał to w nosie, co mnie nie zdziwiło. Wydawał się nawet dość zadowolony z naszej propozycji, chociaż jak już wspomniałem, z reguły nie zdradzał żadnych emocji. Bo i czemu miałby nie być zadowolony? Zgłosiliśmy się na ochotnika do zabrania czworga bezużytecznych *mo'o kua'au*, dzięki czemu na wyspie zostanie o czworo mniej chętnych do polowania na vuaki i zjadania manam, o cztery mniej osoby, które mogłyby pewnego dnia w swoich ustawicznych peregrynacjach znów wtargnąć do wioski.

– A co z resztą? – spytał wódz.

– Jak to co z resztą? – zdziwił się Tallent.

– Nie mogą tutaj zostać – oświadczył wódz.

Tallent otworzył usta i zaraz je zamknął. Nie miał już wyjścia.

– Zabierzemy ich – powiedział, a wódz skinął głową.

Po czym odwrócił się i odszedł. Nie wiem dlaczego – może to wpływ filmów i baśni – ale spodziewałem się dłuższego pożegnania, wymiany darów albo jakiejś innej ceremonii, zwłaszcza że ta kultura je uwielbiała. Ale nic podobnego nie nastąpiło. Zobaczyliśmy tylko plecy wodza i obłoczki kurzu wzniecone racicami drepczącej za nim świni. Przyszło mi do głowy, że mieszkańcy osady mogą nie mieć rytuału pożegnania, jako że nie przyjmowali u siebie żadnych gości: przed nami nikt tu nigdy nie zawitał i nikt – poza *mo'o kua'au* – stąd nie odszedł.

Nagle coś mi się przypomniało.

– Zaczekaj – powiedziałem Tallentowi. – Ściągnij go tu jeszcze na chwilę.

Tallent zawołał wodza, który odwrócił się i bardzo niechętnie podszedł z powrotem.

– *Ke* – rzekł beznamiętnie. „Czego?".

– Zapytaj go – poinstruowałem Tallenta – czy słyszał o kimś, kto obchodził swoją *vaka'ina*, ale nie stał się *mo'o kua'au*.

Wódz nie chciał odpowiedzieć, to było widać. Nie tylko dlatego, że był zmęczony tematem, ale przede wszystkim dlatego, że odpowiedzią potwierdziłby swój własny los. Do tej chwili mógł unikać kłopotliwego pytania, wyobrażając sobie – jak z pewnością każdy sześćdziesięciolatek przed nim i po nim – że on będzie tym pierwszym; w swoich marzeniach był wodzem na zawsze, co parę lat spożywał opa'ivu'eke na czyjejś *vaka'ina*, otaczało go stadko żon, dzieci, wnuków i prawnuków, jego magazyn mięsa nigdy nie stał pusty, jego magazyn liści palmowych wciąż uzupełniano. Będzie żył tak długo, że dokona inicjacji swojego prapraprawnuka w jego *a'ina'ina* – tak długo, że zobaczy, jak jego prapraprawnuk inicjuje własnego wnuka. Będzie żył tak długo, że młodziutkie sadzonki manam wzdłuż granicy wioski staną się dojrzałymi drzewami i obumrą, i zostaną zastąpione nowymi; tak długo, że pewnego dnia stanie się stary jak bogowie, tak stary, że objawią mu się A'aka i Ivu'ivu i może dołączy do nich jako trzeci i też otrzyma własne królestwo. Gwiazdy i deszcze, i wiatry, i wody, i słońce mają już swoich strażników, ale może i jemu coś przypadnie w udziale – na przykład drzewa albo kwiaty, albo też ptaki, których szpony wbijają się w wysokie gałęzie. Takie to wizje miewał na jawie wódz. Nic dziwnego, że często sprawiał wrażenie sennego i odurzonego – te wizje działały na niego jak narkotyk, cudne, pyszne, czarowne i zawsze dostępne.

Nocami jednak miewał wódz inne sny. Sny, w których wyprowadzają go do dżungli tak otępiałego, że już nie pamięta, że kiedyś był wodzem i że miał budzącą postrach świnię, która chodziła za nim krok w krok jak wierny sługa. Ktoś odbiera mu włócznię, może wnuk, którego inicjację sam przeprowadził. Całymi dniami wędruje po puszczy, szukając jedzenia, słyszy nad sobą nawoływania ptaków i małp, ale nie pamięta, jak się je łapie, jakie to kiedyś było łatwe, albo jeszcze gorzej: wspomnienie tego kołacze się na krawędzi świadomości, uzmysławiając wodzowi, że nic nie wie, chociaż prawie wie. Znajduje różowawy owoc, z którego czaszy wypełzają larwy jak włosy Meduzy, ale nie pamięta, że to jest coś do jedzenia, coś, co kiedyś lubił i pochłaniał całymi tuzinami. Lubił je suszone, gdy ich krawędzie były cienkie i chrupkie od skrystalizowanego cukru, lubił też utarte na pastę, którą smarował kawałek mięsa leniwca, bo wtedy słodkie mieszało się ze słonym. Jest sam, a kiedyś miał sześćdziesięciu pięciu ziomków; dzień staje się nocą, a noc dniem, lecz nic nie odmierza upływającego czasu – żaden ceremoniał, żadne wydarzenie, żadne śpiewy, seks ani polowania, a jest tylko zanikające poczucie własnego znaczenia, które topnieje tak łagodnie i gładko, że wódz tego nawet nie zauważa. To te sny ukazywały prawdę, wiedział o tym. Dlatego tęsknił za dziennym światłem, bo przy nim kontrolował swój umysł i wszystko poza nim. Pojąłem, jakiej dyscypliny, jakiej odwagi wymagało od niego dopuszczenie do wioski lunatyków – wiedział przecież, że każdy z nich jest żywym dowodem na prawdziwość wizji nocnych i fałszywość dziennych.

Nie odpowiedział nam na pytanie, tylko odszedł. Powtórzę: odpowiedź byłaby przyznaniem się do tego, co wódz za wszelką cenę próbował ukryć. Miał sześćdziesiąt *o'ana*. Niedługo – jeszcze nie zaraz, ale wkrótce – osaczy go przyszłość, w której przestanie poznawać sam siebie. Nie musiał mówić – jego milczenie starczyło mi za odpowiedź.

* * *

Marsz w dół był znacznie szybszy niż wspinaczka i mniej obfitujący w niespodzianki. Teraz też natykaliśmy się na połacie mchu, stada cykad, lśniące jak klejnoty pająki, rzadziej na roje komarów i motyli, a także na niewidoczne tukany pohukujące do siebie z niewidocznych czubków drzew. Blisko sześć miesięcy wcześniej była to dla nas trasa zachwytów i horrorów, teraz zaś ta ziemia odkryta już nas nudziła. Mieliśmy jednak z sobą lunatyków, związanych razem liną z liści palmy, którą nam chętnie wydano z magazynu; prowadziliśmy ich na zmianę: Fa'a, ja i Esme. Przed nami szedł Tallent, a przed nim – tak daleko, że straciliśmy ich z oczu – Uva i Tu.

Umówiliśmy się we czworo, Tallent, Esme, Fa'a i ja, że lunatyków, których nie zabieramy, zostawimy w bardziej przypominającej las części dżungli, w swoistym przedsionku wioski. Wódz nie sprecyzował, jak daleko mamy ich odprowadzić, lecz Fa'a zasugerował odległość trzech dni marszu, więc pod koniec trzeciego dnia zwolniliśmy kroku, dopasowując tempo do Ewy, zamiast jak zwykle ją poganiać. Fa'a od czasu do czasu nucił coś nosowo do lunatyków, a ci odpowiadali mu podobnie – nie były to piękne dźwięki, lecz utrzymywały się zaskakująco długo, aż do całkowitego zlania się z pomrukiem puszczy.

Powietrze wokół nas zaczęło się powlekać szarością, jak zmyte gwaszem, i zrozumieliśmy, że nie możemy się już ociągać.

Wszyscy, włącznie z Tallentem i oboma przewodnikami, którzy zawrócili z drogi, poszliśmy za Fa'a wiodącym lunatyków ku ogromnemu drzewu makava, największemu, jakie widziałem – nawet w sześciu nie zdołalibyśmy go objąć. Gdy Fa'a przemawiał do lunatyków swoim uprzejmym, cichym głosem, pozostali przewodnicy pozdejmowali im z rąk palmowe więzy, oddzielając od grupy tych czworo, których postanowiliśmy zabrać z sobą: oczywiście Ewę oraz Vanu i Muę, bo byli ojcem i synem, oraz Ika'anę – ze względu na jego rekordowy wiek, który go czynił ogniwem łączącym Ewę z całą resztą*. Uva powiązał ich nadgarstki palmowym postronkiem i odprowadził na bok – poszli za nim posłusznie i bez pytania. Im bliżej nocy, tym bardziej stawali się ulegli – aż przykro było patrzeć, jak łagodnie zgadzają się na wszystko.

Oddzieliwszy wybranych, zajęliśmy się tymi, których postanowiliśmy zostawić. Tu i Fa'a wzięli długą palmową linę i powiązali ich na nowo za nadgarstki, jak bezwolne papierowe lalki, ale luźnymi pętlami – tak luźnymi, że można by je zerwać jednym szarpnięciem – a potem umocowali końce liny do niskich gałęzi. (Lina miała ich chronić, tak przynajmniej sądziliśmy: dopóki będą stali razem, zamiast się rozleźć każde w swoją stronę, to... co właściwie? Będą mogli oglądać nawzajem swoje umieranie, zamiast umierać samotnie? Wówczas zdawało się to jednak dobrym pomysłem, chociaż trudno powiedzieć dlaczego). Przed związanymi Tallent, Esme i ja rozłożyliśmy jedzenie: mielonkę wyjętą z puszek na liście palmowe, kanavy, manamy i no'aki. Były też dziwne grzyby – przysmak Ewy – i porcje czegoś, co Tallent musiał zwędzić z magazynu artykułów suszonych: mały

272 |

---

* Norton mówił mi później, że bardzo żałuje, iż nie zabrał także Ivaivy i Va'any – zawsze dziwiło mnie, że tego nie zrobił – jako że były bliźniaczkami, a jako takie stanowiły szczególnie interesujący materiał do badań. Wówczas jednak był zdania, że potrafi objąć badaniami tylko cztery obiekty, i zdecydował, że cenniejsze będzie prześledzenie różnic między krewnymi z dwóch pokoleń, więc siłą rzeczy bliźniaczki zostały na wyspie.

stosik małpek vuaka, na które Tu i Fa'a zerkali łakomie, zanim się zdecydowanie odwrócili.

Po zakończeniu tych zabiegów odsunęliśmy się. Lunatycy patrzyli na nas wielkimi oczami, czarnymi i ufnymi jak ślepia leniwca, i coś w ich spojrzeniach, w połączeniu ze spożywczymi darami u ich stóp przypominającymi prezenty pod choinką, głęboko mnie wzruszyło, tak że przez moment czułem się porażony okrucieństwem tego, co robimy.

Wszyscy chyba poczuliśmy coś podobnego, bo choć nie rozumiałem mowy Fa'a, wyczytałem udrękę w jego głosie, gdy z czułością kładł dłoń na ramieniu każdego z nich, namawiając lunatyków do jedzenia. Później Tallent powiedział mi, co Fa'a do nich mówił: „Nie rozdzielajcie się. Opiekujcie się sobą. Zjedzcie, jak zgłodniejecie. Zostańcie pod tym drzewem. My szybko wrócimy".

Potem odeszliśmy.

– Nie odwracajcie się – przestrzegł nas Tallent, więc parliśmy ostro naprzód, chcąc jak najszybciej się od nich oddalić, gdy nagle oni, całą grupą, zaczęli nucić coś, co brzmiało tajemniczo i silnie, jak pieśń pożegnalna, chociaż niczym takim nie było.

Tej nocy wędrowaliśmy dłużej niż zwykle; w mroku widzieliśmy czasem czerwone błyski oczu nietoperzy przelatujących hałaśliwie nad naszymi głowami i neonowe lśnienie opancerzonych żuków tłoczących się na gałęziach i wydających klikające odgłosy, gdy na siebie wpadały. Najważniejsze było oddalić się jak najbardziej od porzuconych, więc nawet gdy marsz zaczął tracić sens, bo zwalnialiśmy tempo i być może krążyliśmy w kółko, nie zdecydowaliśmy się go zaniechać. Pod nieobecność światła w lesie wszystkie dźwięki się wzmagały, a z mroku wyłaziły zwidy i koszmary. Raz byłbym przysiągł, że coś wielkiego i kosmatego przemknęło mi po głowie, ale gdy zapytałem innych, czy coś poczuli, odpowiedzieli przecząco. Dokuczała mi świadomość, jakiej nie doświadczałem w wiosce: niewiadomego życia za ścianą drzew, której nie mieliśmy nawet zamiaru przekroczyć. Jeszcze za dnia obserwowałem rój ciem tak zwarty, że wyglądał jak jedno stworzenie: atakowały dwa drzewa kanava niczym kamikadze. Ku mojemu zdziwieniu zniknęły między pniami, wykorzystując niewidoczną dla mnie szczelinę. Co jeszcze daje radę pokonać barierę tych drzew? Był las nam znany, ale poza nim był może drugi, z całkowicie innym ekosystemem, z własnymi ptakami, grzybami, owocami i zwierzętami. Być może były też i inne wioski, od stuleci osłaniane przez drzewa, wioski, w których ludzie dożywali tysiąca lat w pełni władz umysłowych albo umierali w wieku lat kilkunastu, którzy nigdy nie uprawiali seksu z dziećmi albo robili to nagminnie.

Usłyszałem, że Fa'a i Tallent rozmawiają, a gdy Fa'a wreszcie sobie poszedł, spytałem Tallenta, co mówili.

– On się martwi – odrzekł Tallent, też wyraźnie zgnębiony. – Mówi, że nie trzeba ich było przywiązywać do drzewa.

– Przecież mogą z łatwością zerwać sznur.

– Tak też mu tłumaczyłem. Ale on żałuje, że kazał im zostać. Mówi, że nie zerwą sznura: będą tam siedzieć i czekać na nas, bo obiecaliśmy wrócić.

– I nie zapomną naszej obietnicy?

Tallent westchnął.

– Tłumaczyłem mu. Ale...

Na tym urwał.

Milczeliśmy przez chwilę.

– Więc co się twoim zdaniem teraz stanie? – zapytałem wreszcie.

– Fa'a mówi, że oni tam zostaną, nie tkną jedzenia i będą czekać na nasz powrót, aż poumierają z głodu.

– Czy on nie przesadza?

Przecież ci ludzie radzili sobie samodzielnie przez lata, przez dekady. A jednak częściowo podzielałem rozpacz Fa'a: skoro już wkroczyliśmy w życie lunatyków, skoro nadaliśmy im to miano, objęliśmy ich opieką, uznaliśmy za swoich, znalezionych i ważnych, trudno było wyobrazić sobie, że będą zdolni żyć bez nas.

Tallent znów westchnął.

– On chce po nich wracać. Chce ich zabrać do swojej wioski. Powiedziałem mu, że to niemożliwe. Ale on nazwał siebie zabójcą.

– Biedny Fa'a – rzekłem odruchowo.

To był dobry, poczciwy człowiek i nawet jeśli trochę histeryzował, doceniałem jego współczucie. Skoro nie mogłem nic zrobić, cóż innego pozostało, jak powiedzieć: „Biedny Fa'a".

– Biedny Fa'a – powtórzył cicho Tallent. – Biedny Fa'a.

* * *

I oto byliśmy prawie u celu. Doświadczywszy w odwrotną stronę podróży sprzed blisko sześciu miesięcy, dziwiłem się, jak znajome i przyjazne było otoczenie – oto potykałem się o te same śliskie sieci splątanych korzeni, padałem ze zmęczenia, brnąc przez zieleń, czułem napór wilgotnego powietrza jak nasiąkniętego wodą materaca. Nawet z lunatykami – którzy, trzeba powiedzieć, sprawowali się wzorowo, byli posłuszni i ulegli – byliśmy o cały dzień do przodu. Łódź miała przypłynąć po nas we wtorek, a już w niedzielę przed wieczorem zostało nam zaledwie siedem godzin marszu. Tallent zaimponował mi tym, że zachowywał rachubę czasu – wyjął nawet z plecaka kalendarzyk, w którym kolejne dni były odhaczone ołówkiem. Mnogość tych ołówkowych ptaszków czyniła nasz pobyt na wyspie zarazem dłuższym i bardziej realnym.

Postanowiliśmy wcześnie zatrzymać się na noc i spokojnie przejść resztę drogi następnego dnia. Na wtorek rano zostawiliśmy sobie dwugodzinny marsz na wybrzeże, bo nie warto było przychodzić tam wcześniej, gdyż zeżarłyby nas komary, których było tym więcej, im bardziej zbliżaliśmy się do wody. Wiedząc, że jesteśmy tak blisko morza, zacząłem się niecierpliwić: kiedy wreszcie zobaczę coś potężniejszego i bardziej niepoznawalnego niż dżungla i las, coś rozmigotanego światłem, coś, co zabierze nas z tego miejsca.

Wieczorem zjedliśmy resztkę mielonki. Przypomniały mi się suchary z pierwszych dni naszej eskapady i słowa Tallenta, że jeszcze za nimi zatęsknię. Tym razem nie mieliśmy sucharów – już dawno zostały zjedzone – ale ich brak uświadomił mi, jak niedoskonałym miejscem jest ta wyspa: na górze, w wiosce, był ogień, ale nie było wody, tutaj natomiast wszystko dosłownie nią ociekało. Drzewa były nabrzmiałe nagromadzoną wilgocią, ziemia przypominała gąbkę, a nasze ciała pociły się tak obficie, że wszystkie ubrania miałem lepkie. Mimo to miły był ten przedostatni posiłek na wyspie, bo to, co jedliśmy, miało drugorzędne znaczenie. Nawet lunatycy zdawali się rozumieć, że czeka ich coś wielkiego i emocjonującego, bo uśmiechali się głupkowato i paplali, a w pewnym momencie Mua puścił się w śmieszny niby-taniec podobny do pląsów kobiet z wioski po ustaniu miesiączki. Uva i Tu, którzy skorzystali z wolnego dnia, żeby zapolować na vuaki, i wrócili z pękatym, piszczącym workiem przypominającym wzdęty owoc manamy, byli szczególnie radośni: śmiali się, gadali i szczerzyli ostre zęby, szczęśliwi, że ich czas w tym przeklętym miejscu prawie dobiegł końca i niedługo wrócą do domu, cali, zdrowi i z godnym bogacza zapasem małpek. Tylko Fa'a zamknął się w sobie i gdy myśmy klaskali i pokrzykiwali w rytm tańca Mui, siedział z boku, obserwując po kolei wszystkich lunatyków i pocierając kciukiem drzewce włóczni. Trudno było nie zgadnąć, co sobie myśli: w lunatykach widział nie tylko swój los, lecz i swoją odpowiedzialność. Ich obecność była dla niego nieznośnym przypomnieniem tego, co zrobił i czym się stał. Kiedy wymamrotał coś do Tallenta i odszedł w las, nie przejąłem się zbytnio – pomyślałem tylko, że chce pobyć sam, z dala od nas. Na pewno chciał rozważyć w samotności swój nieuchronny wyjazd z Ivu'ivu – jakżeby inaczej? Wracał do domu jako człowiek przeklęty. Co powie swojej rodzinie?

Nazajutrz rano zbudziły mnie krzyki. Uva i Tu biegli ku nam, wołając Tallenta, a spłoszone owady i ptaki z piskiem pierzchały im z drogi.

– Fa'a! – krzyczeli. – Fa'a! – I jeszcze coś, czego nie zrozumiałem.

Tallent zerwał się z maty i pognał w ich stronę.

– Niech jedno z was zostanie z lunatykami! – rzucił przez ramię, ale oboje z Esme pobiegliśmy za nim, co, przyznaję po czasie, nie było zbyt mądre: lunatycy mogli przecież sobie pójść i nigdy więcej byśmy ich nie zobaczyli.

Pędziliśmy, a dżungla przynajmniej raz uszanowała naszą panikę, bo zdawała się nam sprzyjać. Nasze stopy nie wpadały w doły pod korzeniami, nie ślizgały się po mchu, lecz przefruwały nad przeszkodami, lądując na podłożu tak pewnie, jakbyśmy biegli po trawniku lub asfalcie.

Przed nami w pewnej odległości rosło drzewo, ogromna makava rozpościerająca nisko długie gałęzie jak macki ośmiornicy. A z jednej z tych gałęzi zwisał Fa'a. Użył sznura z liści palmy (tego samego, którym krępowaliśmy lunatyków), zrobiwszy na końcu niedoskonałą pętlę – tak niedoskonałą, że nie zacisnęła się na jego szyi i Fa'a umarł przez uduszenie; śmierć miał powolną i bolesną.

Uva i Tu wyli z odrzuconymi w tył głowami, z zaciśniętymi powiekami, obracając w ustach mięsiste języki. Esme płakała.

– Och – powtarzała. – Och, Fa'a.

Tallent wyglądał na zmęczonego, twarz mu się wydłużyła, ręce opadły po bokach.

Trzeba było nas wszystkich, żeby zdjąć Fa'a. Tu wspiął się na drzewo i odciął sznur nożem, a Tallent i ja złapaliśmy spadające ciało. Potem zanieśliśmy je do obozu, Tallent i Tu z jednej strony, reszta z drugiej, a solidnie rozbujany trup Fa'a pomiędzy nami.

Przez cały czas pobytu w wiosce nie byłem świadkiem śmierci. Narodzin – tak: dziecko, jak wszystkie dzieci na całym świecie,

| 277

wyślizgnęło się na świat oplecione sprężystą pępowiną, czerwono-sine jak każdy noworodek, a ja, wstrzymując oddech, by nikt mnie nie nakrył, podglądałem tę scenę zza chaty. Ale śmierci nie oglądałem ani razu. Dlatego nie wiedziałem, jak Ivu'ivuanie grzebią swoich zmarłych i czy w ogóle mają do tego wiele okazji*.

Tallent zwrócił mi uwagę na to, że u'ivuańska tradycja chowania zmarłych różni się od ivu'ivuańskiej. U'ivuanie wynoszą ciało w odległe miejsce na szczycie góry i zostawiają je tam na pożarcie zwierzętom. Po sześciu miesiącach wracają i ukrywają kości w miejscu znanym tylko rodzinie zmarłego, która nie zdradza sekretu pochówku w obawie, aby ktoś nie wykradł kości, a wraz z nimi ducha nieboszczyka.

W tej okolicy nie było jednak wzgórz. Po południu (zachowaliśmy śmierć Fa'a w tajemnicy przed lunatykami) Tu i Uva zabrali dokądś ciało. Nie było ich tak długo, że już zaczęliśmy się niepokoić, że nie wrócą, chociaż nienawidzili tej wyspy i zostawili z nami swój worek małpek vuaka. Powrócili o świcie, gdy

---

* Ivu'ivuański sposób pozbywania się zmarłych i obyczaj żałoby cechuje się zwięzłą oszczędnością, zwłaszcza w obliczu entuzjazmu, z jakim tubylcy świętują banalniejsze przełomy w życiu. Zmarły jest wystawiony przez jeden dzień pośrodku wioski z oczami zakrytymi falbankami paproci. Wieczorem, po ugotowaniu kolacji, układa się go na ognisku i spala przez całą noc. (Tallent, który był świadkiem takiej kremacji na powietrzu, daje w swojej książce niezwykle plastyczny opis wybuchania różnych części ciała i dogorywania szczątków w ogniu trwającego całą noc). Następnego ranka gasi się ognisko, zbiera szczątki i oddaje je krewnym zmarłego na pogrzebanie pod jednym z drzew stanowiących granicę wioski (każda rodzina ma wyznaczonych kilka drzew na takie okazje). Tallent podkreśla, że dni po śmierci nie są wypełnione płaczliwą żałobą, lecz „szlachetną, niemal majestatyczną ciszą i kontemplacją. Najbliżsi krewni zmarłego wypełniają jak zwykle codzienne obowiązki, lecz ich milczenie pośród rozgadanej społeczności jest rytuałem samym w sobie, toteż inni wieśniacy pozostawiają ich w spokoju, dopóki żałobnicy nie zasygnalizują, że są gotowi powrócić do życia wspólnoty. Taka cicha żałoba trwa czasem tylko kilka dni, a czasem miesiące. Jest ona dobitną manifestacją nieobecności w miejscu żywej obecności, uszanowania samotności w tłumie" (Tallent, *Ludzie na drzewach*, s. 178).

niebo już jaśniało, a w powietrzu roiły się chmary owadów barwy kurzu, z siatkowymi skrzydełkami o cienkich żółtych żyłkach przypominających pasma szafranu.

Byli wycieńczeni, poszarzali. Rozmawiali tylko z Tallentem.

– Gdzieś go schowali – przekazał nam. – Mówią, że wrócą tu za sześć miesięcy, aby ukryć jego kości.

Wszyscy jednak wiedzieliśmy, że do tego nie dojdzie, że szczątki Fa'a pozostaną tam, gdzie złożyli jego ciało, które będzie objadane przez mrówki, nietoperze, ptaki i żuki, aż zostaną same kości, białe jak masło.

Tak długo czekaliśmy na Tu i Uvę, że resztę drogi w dół musieliśmy prawie przebiec, żeby zdążyć na łódź. Tu niósł włócznię Fa'a, aby ją oddać jego rodzinie jako dowód tego, że Fa'a naprawdę nie żyje. Zanim doszliśmy do wąskiego wybrzeża, gdzie fala sięgała tak daleko, że ostatnie dziesięć metrów było ni to oceanem, ni to lądem, fuzją dwóch światów – ryby pływały nad trawami, a pod oleistą, migotliwą powierzchnią wody kwitły orchidee – słońce stało wysoko na niebie, tak wysoko, że zląkłem się, czy łódź już nie odpłynęła, pozostawiwszy nas na zawsze w pułapce tej wyspy, z dala od jednej cywilizacji, a za blisko tej, do której nie chciało się wracać. Zaraz jednak dobiegło nas dalekie pokasływanie silnika i łódź zmaterializowała się w pewnej odległości jako szarobrunatna smuga, która w miarę zbliżania się nabierała kształtu. Po sześciu miesiącach przerwy ta prymitywna krypa wydała mi się niesamowicie wyrafinowanym tworem śmiałego, zmyślnego społeczeństwa. Postać na dziobie podniosła ręce, a Tallent do niej pomachał. Ciekaw byłem, co też nasz kapitan pomyśli sobie o dodatkowych pasażerach i jak lunatycy zareagują na łódź, jak poczują się na otwartych wodach, kołysani falą oceanu. Z każdym przepłyniętym metrem będziemy się oddalać od tego miejsca – które już miało pozór snu, serii nierzeczywistych zdarzeń i spotkań – coraz bliżsi naszemu światu. Zastanowiłem się, czy to mnie uszczęśliwia, i ze zdziwieniem odpowiedziałem sobie, że nie.

Łódź była już tak blisko, że kapitan zobaczył, kogo mamy ze sobą, i jego usta ułożyły się w wielkie „O".

– Przyprowadźcie ich, szykujmy się do wejścia na pokład – polecił Tallent, już brodząc w płyciźnie, by pomóc przyciągnąć łódź do brzegu.

Tu, Uva, ja i Esme wzięliśmy lunatyków za ręce i pociągnęliśmy ich do wody. Opierali się przed zamoczeniem stóp, ale gdy już do tego doszło, zaczęli popiskiwać z radości, chociaż Ika'ana ścisnął mocniej moją rękę, a ja odwzajemniłem uścisk, by dodać mu otuchy.

– Chodź – zachęciłem.

Nie mógł wprawdzie zrozumieć, ale spojrzał na mnie ufnie łagodnym wzrokiem i aż trudno było uwierzyć, że był kiedyś wojownikiem i nosił włócznię cenniejszą niż życie. *Ma'alamakina, ma'ama.*

Brodziliśmy ostrożnie w stronę łodzi, zamykając pochód. Skaliste dno było nierówne, Ika'ana lekko się zataczał. Widziałem, jak kapitanowi zadrżały ręce, gdy dotknął nadgarstka Ewy, by pomóc jej wdrapać się na pokład. Za nami dżungla dymiła oparem wilgoci.

Ale ja się nie obejrzałem.

Część V

Pierwsze dziecko

I

To, co wydarzyło się później, jest tak doskonale udokumentowane, że chyba szkoda czasu na ponowne opowiadanie. Ukazało się kilka książek szczegółowo opisujących dziesięciolecie po moim pierwszym wyjeździe z Ivu'ivu – mam na myśli zwłaszcza pracę *Nieśmiertelni. Odkrycie, które zmieniło świat* Jeremy'ego Lauermana, która skupia się na pierwszych trzech latach po moim powrocie do Stanów, i książkę *Wyspa dobra i mała. Norton Perina i stworzony przez niego świat* Katharine Hetherington, która zajmuje się późniejszymi latami moich badań nad tak zwanym syndromem Seleny i zawiera niemal talmudyczny wykład mojej mowy noblowskiej. Jest też książka Anny Kidd, *O słońcu, kamieniu i wszystkim między nimi. Biografia A. Nortona Periny*, którą cenię najwyżej z tego tercetu, nie za to, że przedstawia mnie jako postać niemal boską, ale za trzeźwe podejście do tematu i naukową przenikliwość autorki. Z każdym z trojga tych autorów odbyłem wielogodzinne rozmowy i stwierdzam, że wiernie opisali zarówno mnie, jak i moją pracę.

Nie wszystko jednak zostało opowiedziane i chciałbym, korzystając z tej okazji, wyjaśnić kilka utrzymujących się tajemnic.

Pierwsza dotyczy losu lunatyków. Chociaż wyjeżdżałem z U'ivu jako ktoś, kto dokonał największego bodaj odkrycia naukowego dwudziestego wieku, to do Ameryki wróciłem jako trędowaty. Mogłem sobie być podróżnikiem i mieć na koncie fantastyczne odkrycia, ale dla środowiska naukowego byłem badaczem bez laboratorium, a więc wyrzutkiem. Ja jednak, młody i łatwowierny, nie umiałem jeszcze należycie ocenić grozy sytuacji – widziałem się wręcz w roli ronina gotowego służyć każdemu, kto zapewni mu dom. Przytulisko znalazłem w Stanfordzie, gdzie Tallent – który w niespełna sześć miesięcy awansował w kręgach antropologicznych z buntownika na autentycznego bohatera – załatwił mi naprędce laboratorium i jakieś pieniądze pochodzące niewątpliwie z szemranego źródła*. Ponieważ

* Jak sugeruje Norton, jego układ z Uniwersytetem Stanforda był wielce niezwykły, tym bardziej że do dziś nie ustalono źródła jego finansowania. Katharine Hetherington w swojej książce wysuwa dwie hipotezy. Pierwszym (barwniejszym) kandydatem na sponsora jest niejaki Rufus Gripshaw, bogaty, ekscentryczny absolwent Stanforda, który dorobił się na wynalazku próżniowego zamknięcia, stosowanego obecnie w licznych fabrykach przetworów żywnościowych. Gripshaw miał obsesję na punkcie nieśmiertelności. Hetherington domniemywa, że Tallent wstawił się za Nortonem u dziekana szkoły medycznej, prosząc go, aby nakłonił Gripshawa do objęcia anonimowym mecenatem badań Nortona nad lunatykami. Teoria ta, jakkolwiek atrakcyjna (zwłaszcza że Gripshaw był osobiście zainteresowany projektem Nortona), zakłada, że Tallent interesował się pracą Nortona znacznie bardziej, niż to potwierdza sam Norton. Tu znowu brak zarchiwizowanych papierów i dzienników Tallenta utrudnia odtworzenie zdarzeń, a zwłaszcza jego motywów działania. Norton nigdy nie miał pewności co do stosunku Tallenta do niego i do jego pracy – być może Tallent sam nie był pewien, czy chce współpracować z Nortonem. (Z drugiej strony poparł jego pomysł sprowadzenia lunatyków do Stanów).

Poza Gripshawem Hetherington sugeruje, że Norton mógł być finansowany z „tajemniczego łapówkarskiego funduszu" jakiejś agencji rządowej zainteresowanej tworzeniem nowych leków. Ta teoria jest w istocie mniej sensacyjna, niż się zdaje. Był rok 1950, zaledwie pięć lat po wojnie, i wielkie pieniądze inwestowano zarówno w raczkującą dyscyplinę wirusologii, jak i w rodzący się przemysł broni biologicznej. Całkiem możliwe, że Stanford był jednym z uniwersytetów otrzymujących grant na takie badania i eksperymenty, a Norton czuł się w tej dziedzinie jak ryba w wodzie. (Katharine Hetherington, *Wyspa dobra i mała*, Pantheon, Nowy Jork 1992, s. 205–218).

skala moich działań była bardzo niewielka, musiałem dzielić się technikami z sąsiednim, znacznie większym laboratorium, co oczywiście powodowało tarcia. Główny problem polegał jednak na tym, że koledzy nie wiedzieli, co o mnie myśleć: miałem zbyt małe doświadczenie, by pokierować własną jednostką badawczą, a jednocześnie byłem zbyt otrzaskany w świecie, żeby podporządkować się cudzym poleceniom. Jasne było, że ktoś mnie protegeje – modliłem się codziennie, żeby nie odkryli, że jest to Wydział Antropologii.

Głupio to zabrzmi – w końcu nie wyjechałem na tak długo – ale ponowne przystosowanie się do Ameryki było trudniejsze, niż przewidywałem. Wszystko tu było oszałamiająco błyszczące i nowe – samochody lśniły jaskrawymi sztucznymi kolorami wylizanych landrynek, a obfitość i różnorodność strojów wprost poraża: dziurkowane buty, kapelusze, paski, torebki, brzęczące bransolety, sznury pereł, cały język krawieckiej przesady tam, gdzie wystarczają mały woreczek i sztuka tkaniny. Zadziwiła mnie też skąpa roślinność wielkich miast złożonych z ciągów szarych kamienic, gdzie zamiast drzew wyrastały mysioszare gmachy, wypluwające milczących ludzi w niezliczonych warstwach zbędnej odzieży.

Za to w laboratorium miałem swoje Ivu'ivu. Chciałem, by przeniesienie się z wyspy na ląd, z epoki kamiennej do współczesności było dla lunatyków jak najmniej bolesne, w związku z czym musiałem ich narkotyzować już od chwili przybycia na wyspę U'ivu, która ich przeraziła i przytłoczyła. (W tamtych czasach można było zrobić coś takiego, nie narażając się na zarzuty komisji etyki: ułatwić przenosiny, które inaczej mogłyby ich zabić swoją nagłością i brutalnością). Podałem im narkotyk przed lotem do Kalifornii (cały czas kontrola pulsu i oddychania, świecenie punktową latarką w czarne kropki źrenic) i później, podczas jazdy samochodem do podziemnego bunkra pod laboratorium, gdzie trzymaliśmy ich przez kilka dni, wykańczając dla nich docelowe lokum. Obudziłem ich dopiero w nowym domu. Był to pokój o wymiarach pięć na pięć metrów, bez okien, żeby nikt nie mógł ich podglądać, z gołymi ścianami i linoleum na podłodze zasłanej liśćmi palmowymi i zastawionej roślinnością w doniczkach, która mniej (fikus) lub bardziej (sagowiec) miała im przypominać Ivu'ivu. Wstawiłem tam nawet terrarium z żółwiem, ale pewnego ranka zastałem żółwia na wpół wyrwanego ze skorupy, ze zwisłym łebkiem i zadem wysmarowanym krwawymi fekaliami. Lunatycy nie byli agresywni, tylko coraz bardziej lękliwi, i to lęk kazał im czasem uciekać się do zachowań sobie obcych. Trzeba było bardzo uważać z podawaniem im środków uspokajających: przy zbyt dużej dawce stawali się ospali i trudno było ocenić, czy ich otępienie jest pochodną stanu umysłu, czy zostało wywołane sztucznie, przy zbyt małej dawce natomiast wpadali w panikę, orali paznokciami ściany i wyli bez powodu. Cała trudność polegała na tym, żeby utrzymać ich w stanie względnej przytomności umożliwiającej zaciekawienie się nowym otoczeniem – a jednocześnie w stanie względnego oszołomienia, żeby się nie zorientowali, czego im brakuje.

Miałem w tej pracy pomocnika: przydzielono mi doktoranta, Cheolyu Ryu z Seulu, przebywającego u nas na stypendium. Nie wiem, za jakie grzechy został przypisany do mnie – może dlatego, że był cudzoziemcem, dosyć zamkniętym w sobie – w każdym razie bardzo mi pomagał. Niechętnie mówił po angielsku (chociaż jego angielszczyzna była płynna mimo silnego akcentu), ale polecenia wypełniał skrupulatnie i bez sprzeciwu, a poza tym prowadził świetne notatki. To właśnie Cheolyu udoskonalił skład środka uspokajającego, który podawaliśmy lunatykom, ustalił też właściwe dozowanie bodźców. Wiedział dokładnie, po jakim czasie spędzonym w swoim pokoju zaczną się denerwować, i doszło nawet do tego, że nocami wyprowadzał ich na chwilę na świeże powietrze, w porze, gdy latarnie uliczne były przyćmione, a inne osoby korzystające z budynku – i nieświadome obecności w nim lunatyków – rozeszły się do domów.

Czasem towarzyszyłem mu w tych nocnych przechadzkach – każdy z nas trzymał za ręce dwóch lunatyków i wędrowaliśmy po krótko przystrzyżonych trawnikach, unikając chodników i zabudowań, czekając cierpliwie, aż nasi podopieczni poliżą korę eukaliptusa albo wyczochrają się plecami o szorstki pień cedru. W takich chwilach Cheolyu przypominał mi naszego biednego Fa'a: cechowały go ta sama wyrozumiała cierpliwość i ten sam instynkt opiekuńczy, który kazał mu odciągać lunatyków od betonu i kierować ku młodej buczynie, która wprawdzie nie przypominała manam, ale była lepsza niż nic.

Stan umysłowy lunatyków szybko się pogarszał. Przez pierwszy miesiąc po przyjeździe do Stanów stali się bardziej *mo'o kua'au* niż przez czternaście tygodni naszej znajomości na wyspie. Nadal nie mogłem wywnioskować, czy to wpływ otoczenia, czy czynników wewnętrznych, a może czegoś jeszcze całkiem innego, na przykład diety. Nie mieliśmy rzecz jasna owoców manamy, ale z pomocą Tallenta zdołałem w miarę wiernie odtworzyć ivu'ivuański jadłospis. Mięso leniwca zastąpiliśmy cielęciną (w tej kwestii działałem na wyczucie: leniwce były powolne, tłuste i łagodne, tak samo jak cielęta, więc uznałem cielęcinę za właściwy substytut), małpki vuaka – małymi kurczakami z rożna, a owoce manamy – owocami mango. W tamtych czasach dostać mango w Kalifornii było dużo trudniej niż dzisiaj i znaczną część wydatków laboratorium pochłaniał zakup tych owoców.

Nie trzeba było jednak wielkiej inteligencji, żeby się zorientować, że winę za stan umysłu naszych podopiecznych ponosi prawdopodobnie samo laboratorium. Z puszczy, po której poruszali się swobodnie wzdłuż i wszerz wyspy, przeniesieni zostali w ciasnotę pokoju i do laboratorium, gdzie ich kłuto, dźgano, tamponowano, zmuszano do sikania do plastikowych pojemników (jakich nigdy wcześniej nie widzieli) i oskubywano jak drób. Zastanawiałem się nieraz, jak postrzegają laboratorium: jako nadmiar bodźców czy jako ich niedobór. Z jednej strony zetknęli się tam z rzeczami, których nie mogli pojąć – na przykład szkłem, blatami ceramicznymi, plastikiem, metalem, z drugiej jednak pomieszczenie było ascetyczne: stanowiło pejzaż bez kolorów, dźwięków i zapachów wypełniony chłodną metalicznością – a więc nie miało w sobie nic, co mogłoby olśnić i zachwycić oko, które było olśniewane i zachwycane przez całe życie.

Bez względu na przyczynę lunatycy marnieli z dnia na dzień. Nie fizycznie, bo prześwietlenia oraz wyniki testów na odruchy i badań krwi, którą pompowaliśmy z nich co tydzień w znacznych ilościach, dowodziły, że są w nadzwyczajnej kondycji: ciśnienie krwi rewelacyjne, puls regularny jak metronom, kości nietknięte osteoporozą. Lecz jakby w rewanżu za tężyznę fizyczną (bo zmieniona dieta wygładziła i zaokrągliła ich ciała) ich moce umysłowe słabły w zastraszającym tempie. Po niedługim czasie nawet Mua nie czuł się na siłach, by rozmawiać z Tallentem, który odwiedzał go dwa razy w tygodniu.

– *E, Mua* – witał go Tallent, kładąc mu rękę na ramieniu.

A Mua, jakby wyłaniał się z czeluści, powoli podnosił wzrok, a potem głowę, by sprawdzić, kto do niego mówi. Otwierał usta, ale nie wydawał głosu. Trwali tak, dopóki Tallent nie cofnął ręki i nie pokazał Mui ukrytego za plecami mango. Ale Mua dalej gapił się bezmyślnie. W końcu Tallent rozkrawał owoc i przypominał, że to się je, otwierając usta i wkładając do nich cząstkę włóknistego miąższu, żując i połykając – wtedy dopiero Mua uświadamiał sobie, że i on umie coś takiego robić.

* * *

Aby udowodnić moją teorię – że przyczyną długowieczności lunatyków jest spożywanie opa'ivu'eke – musiałem spróbować odtworzyć ten specyficzny stan u zwierząt. Jednak z powodów administracyjnych (czyli odwiecznej kwestii funduszy i miejsca) mogłem przystąpić do doświadczeń dopiero wiosną roku tysiąc dziewięćset pięćdziesiątego pierwszego*.

Moja amatorska konserwacja mięsa sprawdziła się doskonale, ale strzegłem swoich paczek z liści palmowych jak oka w głowie: umieściłem je w plastikowych pojemnikach i schowałem w zamrażarce, gdzie codziennie sprawdzałem temperaturę. Plułem sobie w brodę, że nie byłem dość odważny, by oderwać skorupę żółwia i wydłubać z niej mięso – teraz bowiem miałem tylko cztery łapy, głowę i płat ogona, a trudno było przewidzieć, ile mięsa będą musiały zjeść myszy, żeby doświadczyć efektu opa'ivu'eke. Nie miałem możliwości zdobyć więcej: wiązała mnie praca w laboratorium, a chociaż Tallent już planował powrót na Ivu'ivu latem, nie mogłem go poprosić o przywiezienie mi drugiego opa'ivu'eke, skoro nie wiedział, że mam pierwszego.

---

* Do tego czasu Norton zajmował się sprawami teoretycznymi, z których najważniejszą był jego artykuł w „Kronikach Herpetologicznych" z kwietnia 1951, opisujący opa'ivu'eke jako wcześniej nieznany gatunek żółwia słono- i słodkowodnego. Ten krótki, zaskakująco uroczy tekst dowodzi, że także Norton prowadził na wyspie szczegółowe notatki: jego obserwacje dotyczące zachowań opa'ivu'eke (znanego dziś pod nazwą *Chelonia perinia*) cytowane były w ciągu minionych dekad niezliczoną ilość razy. Pomijając satysfakcję odkrycia nowej formy życia i nadania jej imienia, artykuł ten stał się podstawą słynnej rozprawy Nortona *Prawo do wieczności*, opublikowanej blisko dwa lata później.

Artykuł z „Kronik Herpetologicznych" ściągnął na Nortona uwagę zoologów i przez krótki czas zastanawiał się on nawet, czy nie zmienić dziedziny zainteresowań – powstrzymało go tylko to, że w ogóle nie miał pociągu do gadów.

Nie wszystkich jednak zachwycił raport Nortona. Duff w swoim dzienniku stwierdza, że to ona i Tallent odkryli opa'ivu'eke i im należy się za to chwała. Nawet jeśli to prawda, to wszystkim naukowcom wiadomo, że – sprawiedliwie czy nie – za odkrywcę uważa się tego, kto pierwszy doniósł o odkryciu w piśmie naukowym, nie wystarczy więc notatka w dzienniku.

Nie wiadomo, co sądził Tallent o artykule Nortona dotyczącym opa'ivu'eke. W nielicznych pozostawionych przez niego dokumentach brak jakiejkolwiek wzmianki na ten temat, a sam Norton nigdy nie ujawnił, czy kiedykolwiek rozmawiał z Tallentem o swoim tekście.

Bardzo ostrożnie wydzieliłem więc porcje żółwia podane pierwszej grupie dwudziestu pięciu myszy. Poleciłem Cheolyu pokroić część przedniej łapy na dwadzieścia pięć kawałków nie większych od główki pinezki. Pozostawała mi nadzieja, że to wystarczy. Zakładałem, że skutek będzie widoczny – lub niewidoczny – już po pierwszym podaniu: albo zadziała, albo nie. Drugą grupę dwudziestu pięciu myszy nakarmiłem identycznej wielkości porcjami żółwiny z puszki, zakupionej u producenta karmy dla zwierząt.

Średnia długość życia myszy laboratoryjnej wynosi około półtora roku. Jeżeli moja teoria była słuszna, pierwsza grupa myszy powinna była przeżyć nie tylko następne trzy miesiące (wybrałem do eksperymentu pięćdziesiąt myszy piętnastomiesięcznych, aby w miarę możności odtworzyć wiek, w którym Ivu'ivuanin zażywa opa'ivu'eke), ale dwa lub trzy lata, a może nawet pięć. Po pewnym czasie powinny zacząć okazywać oznaki dezorientacji przy zachowaniu niezmienionej kondycji fizycznej. Powtórzyłem też – nieco przedwcześnie – doświadczenie na grupie stu myszy, z których połowie podałem opa'ivu'eke, a połowie żółwia z puszki. Z tym że to były mysie młode i miały dorastać w warunkach kontrolowanego doświadczenia.

Dni płynęły powoli. Cheolyu fantastycznie opiekował się myszami, podobnie jak lunatykami. Spodziewałem się częstszych wizyt Tallenta w laboratorium, lecz wpadał tylko raz na tydzień, a wówczas zajmował się głównie lunatykami, więc rzadko miałem okazję z nim porozmawiać; zresztą czułem się skrępowany w jego obecności. Odkąd jednak rozpocząłem eksperyment, byłem wdzięczny za krótki czas jego wizyt i ewidentny brak zainteresowania moimi poczynaniami – zdradzając mu swój zamysł, musiałbym przecież przyznać się do kradzieży opa'ivu'eke. Po trosze podejrzewałem, że Tallent wie, co zrobiłem, po trosze wmawiałem sobie, że jest mu to obojętne – byliśmy już z dala od wyspy, z powrotem w cywilizacji, gdzie nie miał nade mną żadnej władzy. W sumie jednak nie byłem przekonany o słuszności swoich domysłów, więc usuwałem mu się z drogi. Dobrze chociaż, że przychodził sam, bez Esme, której nie widziałem od powrotu do Stanów. Wiedziałem, że jest gdzieś na kampusie, że coś tam robi, ale dopóki nie musiałem jej oglądać i roztrząsać jej niejasnej (przynajmniej dla mnie) relacji z Tallentem, byłem zadowolony.

Życie w laboratorium to życie samotne, zwłaszcza gdy ma się tylko jednego kolegę i niepewną sytuację, a w dodatku unika się swojego rzekomego dobroczyńcy, ukrywając przed nim prawdziwy charakter swojej pracy, która jest w tej fazie eksperymentu, kiedy można tylko czekać, aż coś się okaże. Obowiązków naturalnie nie brakuje – w laboratorium zawsze jest coś do zrobienia, dziesiątki drobnych, niezbędnych czynności – lecz jest to często mało porywające. Zdesperowany, próbowałem nawet zagadywać Cheolyu, co okazało się swoistym eksperymentem rodem z teatru absurdu. Mówiłem coś do niego, mijało jakieś pięć minut i Cheolyu odpowiadał mi czymś, co mogło być reakcją na moją wypowiedź, ale równie dobrze mogło stanowić *non sequitur*. W takiej sytuacji dalsza konwersacja byłaby niewarta trudu i krępująca dla obu stron, więc uciekaliśmy zgodnie w milczenie, trwające długie godziny, a nawet dni.

| 291

A jednak nie był to okres całkowitej straty czasu, gdyż zacząłem sobie wypełniać puste dni nauką języka u'ivuańskiego. Tallent przyniósł mi elementarz, który skompilował do spółki z Esme (w przeważającej części wykaligrafowany jej pękatą kursywą wzorowej uczennicy): elementarz zawierał kilkaset słów i fraz z tłumaczeniami na język u'ivuański, a niekiedy także i na dialekt ivu'ivuański.

Paradoksalnie gdy ja uczyłem się języka lunatyków, oni go w tym samym tempie zapominali, więc sam sobie przepowiadałem nocą wyuczone słówka, bombardując powietrze krtaniowymi zbitkami.

* * *

Byłem zaskoczony, gdy po kilku tygodniach nowej rutyny dostałem list od Owena. Okazało się, że przebywa w pobliżu – uczył angielskiego na drugim roku w Mills (jak przyznał mi się później, już wtedy wiedział, że jest to kompletna strata czasu).

Umówiliśmy się na kolację. Owen miał kolegę z samochodem, który podrzucił go do Palo Alto. Już nie pamiętam, dlaczego woleliśmy zostać w okolicy kampusu, niż pojechać do San Francisco. Mój świat zdążył się skurczyć do tak ciasnych granic – laboratorium i mieszkanie na kampusie – że chyba już nie umiałem poza nim myśleć.

Na widok Owena doznałem miłego poczucia swojskości (dziwne wrażenie po miesiącach agresywnej obcości), chociaż zapuścił brodę i przytył od naszego ostatniego spotkania.

– Cześć – powiedział, wyciągając rękę.

– Cześć – powiedziałem, ściskając jego dłoń. – Przytyłeś.

Wzruszył ramionami i chrząknął z irytacją. Przypomniałem sobie, że nigdy nie miał za wiele poczucia humoru.

– Chodźmy.

Wypiliśmy coś i zagadnąłem go o pracę.

– Studenci zdolni?

– A jak myślisz? – odburknął. – Głupie pannice. Większość czasu spędzają zresztą tutaj – miał na myśli Stanford – albo w Cal, polując na facetów. – Westchnął. – Czuję się jak krowa w kurniku.

– Chyba jak lis – sprostowałem.

Zjeżył się.

– Nie – powiedział. – Jak krowa. Krowy są roślinożerne. Żywią się trawą. Kury ich nie interesują. To dla nich głupie, śmierdzące ptaki.

W ten sposób, jak przypuszczam, poinformował mnie po swojemu, że jest homoseksualistą. Potem już nigdy nie rozmawialiśmy o jego orientacji seksualnej, ale przy następnej okazji pojawił się w towarzystwie bardzo młodego mężczyzny, który zaśmiewał się nerwowo z wszystkich jego kiepskich dowcipów.

Po latach, gdy ten temat zaczęto poruszać publicznie, podsłuchałem, jak Owen chwali się komuś, jak to się kiedyś przede mną ujawnił. Jasne było, że wciąż pochlebia mu własny spryt, chociaż mnie przypomniała się tylko kulawa metafora o kurach.

Przy kolacji, słuchając jednym uchem wywodów Owena o college'u, znienawidzonej Kalifornii i losach mojego zimowego palta, którym Owen gasił pożar w swoim pokoju, myślałem sobie o jego skrajnej naiwności i przyziemności jego problemów, dochodząc do wniosku, że brat nigdy nie zniósłby tego, co ja zniosłem i co mnie gruntownie odmieniło. Ale nie pogardzałem nim – przeciwnie: ulgą było przestawać z kimś, czyje życie jest pasmem swojskości, czyje problemy są rozwiązywalne, kto znajduje przyjemność w rzeczach codziennych. Z zaskoczeniem przypomniałem sobie, że ja też kiedyś taki byłem. Ale już nie jestem.

II

Z wszystkich uczuć opisywanych w retrospekcji najnudniejsze jest chyba szczęście, a najtrudniejsza trwoga. Po latach pytano mnie wielokrotnie, jak się czułem, kiedy minął czwarty miesiąc, a potem piąty i szósty, a myszy nakarmione opa'ivu'eke nadal żyły, buszowały po papierowych grotach, szalały w kołowrotku i ssały wodę z butelek, gdy tymczasem grupa kontrolna powymierała między siedemnastym a dwudziestym miesiącem życia, została spalona i odeszła w niepamięć.

„Nie mogłem się nadziwić", odpowiadałem, i była to prawda, ale i nieprawda. Dopiero znacznie później (wówczas bowiem starałem się jeszcze być pokorny, ponieważ młodzi badacze zdobywali granty pokorą) umiałem przyznać, że pierwszy szok przyćmiewało ciche poczucie, że przecież miałem rację. Obserwując długowieczne myszy, nie doznawałem dreszczu odkrycia, lecz czegoś w rodzaju rozczarowania. Moja teoria zawsze miała dla mnie sens, nigdy w nią nie zwątpiłem, ale teraz pozostało mi konieczne (i żmudne) udowodnienie jej światu.

Działałem już na drugiej grupie myszy (tych poddawanych doświadczeniu od maleńkości), ale w lipcu pięćdziesiątego pierwszego roku rozpocząłem trzeci eksperyment, tym razem na grupie dwustu myszy piętnastomiesięcznych. Jeśli moja teoria była słuszna, to setka myszy nakarmionych opa'ivu'eke miała żyć średnio dwa razy dłużej niż naturalnie.

Podczas gdy ja zajmowałem się obserwacją myszy i ogłupiającą opieką nad lunatykami, Tallent zdobywał sławę. W październiku pięćdziesiątego pierwszego (moje karmione opa'ivu'eke myszy z pierwszej grupy miały już po dwadzieścia trzy miesiące i były w świetnej formie) opublikował raport zatytułowany *Zaginione plemię z U'ivu. Studium etnologiczne ludu Ivu'ivu* – tekst ukazał się w „Przeglądzie Etnograficznym". Przerzucając go gorączkowo, odkryłem całe stronice drobiazgowych opisów struktur rodzinnych, rytuałów (ze znamiennym pominięciem *a'ina'ina*), filozofii, mitów założycielskich, tabu, koncepcji czasu i stosunków społecznych, lecz stosunkowo mało – szokująco mało – informacji o długowieczności tego plemienia. Obszerny passus poświęcił autor opa'ivu'eke i szczegółowemu opisowi ceremonii *vaka'ina* (tak szczegółowemu, że rozmywała się w nim cała groza i dziwność tego zjawiska), a jakby ukradkiem, w posłowiu, zawarł taki komentarz:

Opisałem tu plemię zafascynowane nieśmiertelnością. Jakkolwiek jest to centralny motyw całej u'ivuańskiej mitologii, nie waham się nazwać go obsesją mieszkańców osady na Ivu'ivu. Wierzą oni, że spożycie mięsa opa'ivu'eke* – żółwia spożywanego podczas ceremonii vaka'ina *przez tych, którzy osiągnęli lub przekroczyli wiek sześćdziesięciu* o'ana *– zapewnia życie wieczne. Wierzeniu temu brak naukowego potwierdzenia, niemniej jednak istnieją dowody na to, że niektórzy członkowie tego plemienia są nadzwyczajnie długowieczni.*

---

* Tallent oczywiście cytuje w swoim artykule wcześniejsze studium Nortona o tym żółwiu.

Czytając te słowa, doznałem trzech uczuć jednocześnie. Po pierwsze, rozbawienia nieśmiałością Tallenta (czy nie on pierwszy upierał się, że Ika'ana liczy sobie setki lat?). Po drugie, osobliwej ulgi z powodu jego powściągliwości (nie tylko nie ujawnił odkrycia, które w sumie było moje, ale również pozostawił mi pole do wzbogacenia jego relacji moją). Po trzecie, niejasnego podejrzenia, że autorką posłowia jest Esme (o czym świadczył drętwy i oschły styl, a przede wszystkim najdalej posunięta ostrożność sformułowań).

Słusznie czy nie, poczułem się rozczarowany Tallentem. Jak już mówiłem, nie uważałem i nadal nie uważam antropologów za szczególnie twórczych i rozbrajających myślicieli, jednak w nim nauczyłem się podziwiać jednotorowość myślenia. Dał mi też pierwszą lekcję dziwnego zjawiska, które napotykają wszyscy podróżnicy w nieznane: że rzeczywistość nie tylko nie potwierdza naszych wcześniejszych mniemań, ale wręcz im zaprzecza. Bardzo łatwo jest być odważnym intelektualnie w takim miejscu, w którym akademia, środowisko naukowe, cała zachodnia historia i religia okazują się nie tylko nieistotne, ale wręcz fałszywe. Tylko że wyzbycie się wiedzy jest znacznie trudniejsze niż jej nabycie i nawet najodważniejszy umysł czuje w takiej sytuacji pokusę cofnięcia się przy pierwszej sposobności w to, co znane. Zdumieniem i smutkiem napawa fakt, że wiele odkryć i innowacji odkładano latami, dziesięcioleciami, wcale nie z braku wiedzy, lecz ze zwykłego tchórzostwa – z lęku przed ostracyzmem i szyderstwem kolegów.

Mnie na szczęście nigdy takie troski i obawy nie hamowały (nawet wolałem narazić się na ostracyzm kolegów, niż być przez nich hołubiony). Dlatego w roku pięćdziesiątym trzecim opublikowałem zwięzły artykuł postulatywny* – *de facto* ogłoszenie,

---

* Norton Perina, dr med., *Obserwacje o ludzkiej długowieczności na przykładzie ludu Ivu'ivu*, „Roczniki Epidemiologii Pokarmowej", t. 42, grudzień 1953, s. 324–328.

medyczny odpowiednik tez Martina Lutra na drzwiach kate-
dry* – w małym, nieistniejącym już dziś piśmie „Roczniki Epidemiologii Pokarmowej". W tekście tym ujawniłem moje odkrycie: znaczny procent myszy z pierwszej grupy żył nadal,
podobnie jak wszystkie myszy z grup drugiej i trzeciej**.

Moim biografom i młodszym naukowcom trudno pojąć
drwinę, pogardę, n i e n a w i ś ć, z jaką przyjęto ten artykuł.

---

* Rewolucyjny esej Nortona (znany jako *Postulat wieczności*) nie był
jedyną rękawicą rzuconą medycznemu i naukowemu establishmentowi.
W kwietniu tego samego roku w „Nature" ukazał się krótki postulatywny artykuł Jamesa Watsona i Francisa Cricka, *Struktura kwasu dezoksy-
rybonukleinowego*, w którym po raz pierwszy opisano DNA jako podwójną
helisę. Tekst ten, wraz z odkryciem Nortona, dał historykom nauki asumpt
do nazwania roku 1953 „rokiem cudów" – ironicznie, rzecz jasna, bo auto-
rzy obu tekstów negowali cuda mocą swoich badań.

Norton był pod wrażeniem umysłowości Watsona, lecz niekoniecz-
nie jego osobowości: dostrzegał jego obsesję na punkcie kobiet (do czego
Watson sam się przyznaje w dziennikach zatytułowanych *Genes, Girls and
Gamow*, Knopf, Nowy Jork 2002) i sławy.

** Celem trzech pierwszych eksperymentów Nortona było udowodnienie, że myszy nakarmione jedną porcją opa'ivu'eke żyją średnio znacznie
dłużej niż ich naturalne 18 miesięcy. Do września 1953 roku, kiedy Norton opublikował swój artykuł, 81 procent myszy z grupy A (25 osobników
15-miesięcznych) przeżyło 46 miesięcy, a więc średnia ich życia się po-
troiła. Z grupy C (100 osobników, także nakarmionych opa'ivu'eke w wieku
15 miesięcy) 79 procent żyło nadal, licząc 41 miesięcy, a więc średnia ich
życia wzrosła o 150 procent. Grupy kontrolne A i C – te, którym podawano
mięso żółwia z puszki – żyły średnio 17,8 miesiąca, a więc osiągały typowy
wiek. Norton nie omawia w tym artykule grupy B (50 mysich młodych nakarmionych opa'ivu'eke). W trakcie pisania artykułu wszystkie były żywe, licząc
31 miesięcy. Ponieważ jednak długość ich życia nie zdążyła się jeszcze po-
dwoić, Norton uznał, że publikowanie tego wyniku byłoby przedwczesne.

Doświadczenie Nortona miało podwójne znaczenie naukowe. Po pierwsze, dowiodło, że długością życia organizmu można manipulować za pomocą czynnika zewnętrznego. Po drugie, potwierdziło, że przedłużenie życia
do tzw. wyobrażalnej nieśmiertelności jest osiągalne poprzez spożycie tego
czynnika. W nieco ponad dwa lata Nortonowi udało się rozwiązać zagadkę, która trapiła wszystkie kultury od początku czasu. Nic dziwnego, że
odkrycie wywołało falę oburzenia i niechęci – jedynie lęk potrafi obudzić
takie uczucia.

„Roczniki Epidemiologii Pokarmowej" były pismem w najlepszym razie niszowym, a jednak mój tekst przeczytali ludzie, którzy normalnie nawet nie spojrzeliby na tego rodzaju pismo, i w następnych miesiącach łamy „Roczników..." zaroiły się od listów lekarzy i naukowców, oburzonych, że takie „dziecinne fikcje i wulgarne fantazje" zajmują miejsce rzetelnej problematyki naukowej itepe, itede. Koledzy z laboratorium za ścianą – nadal cięci na mnie za moją młodość, warunki pracy i tajemniczego sponsora – zaczęli wpadać do nas pod pretekstem pilnej rozmowy z Cheolyu, którego karmili coraz to nowymi obelgami pod adresem mojej pracy, zasłyszanymi u chemików i biologów. (Nie zrażało ich bynajmniej to, że Cheolyu wysłuchiwał ich z głupią miną, mrugając małymi oczkami zza okularów – wychodzili w poczuciu triumfu).

Czy to mnie martwiło? Wcale nie. Byłem pewien, że mam rację. Z każdym miesiącem moja pewność rosła, bo nakarmione opa'ivu'eke myszy żyły, a ich życie rozciągało się jak cienka guma – zresztą, jak już wspomniałem, nie miałem zwyczaju słuchać paplaniny, zwłaszcza w wykonaniu ludzi, których nie darzyłem szacunkiem.

Okazałem jednak brak mądrości praktycznej. W mało entuzjastycznym przyjęciu mojego eseju frustrowało mnie jedno: że opóźni ono dla mnie możliwość ułożenia sobie życia, jakiego pragnąłem. Wspominałem już o swoim ambiwalentnym stosunku do funkcjonowania w laboratorium i zdania nie zmieniłem. Rytm prac laboratoryjnych nie zawsze bywał stymulujący, ale w m o i m laboratorium miało być inaczej. Działanie w pojedynkę – bez nadzoru, bez konieczności tłumaczenia się komukolwiek i realizowania czyichś bezsensownych projektów – dawało wspaniałą wolność, jakiej bardzo wcześnie w życiu zapragnąłem. Chciałem prowadzić własne doświadczenia. Chciałem pisać, co zechcę, odpowiadać, na co zechcę, podążać za swoją pasją i ciekawością. Do tego potrzebne mi było własne laboratorium, a więc fundusze, a więc konieczność jak najszybszego udowodnienia swoich dokonań.

Dużo czasu poświęcałem rozmyślaniom nad tym pozornie nierozwiązywalnym problemem, podczas gdy Cheolyu karmił myszy, prowadził notatki i zajmował się lunatykami (z którymi ja miałem do czynienia coraz mniej). Ale oto, począwszy od końca lutego, wydarzyły się w krótkim odstępie czasu dwie rzeczy, które miały odmienić mój los. Pierwsza miała postać listu od – kto by się spodziewał – Adolphusa Sereny'ego. Sereny zwięźle gratulował mi szczęśliwego powrotu z U'ivu i – ujawniając się jako skryty herpetolog – eseju o opa'ivu'eke. Co ważniejsze jednak, pisał, że jest zaintrygowany moim artykułem w „Epidemiologii Pokarmowej" i zainteresowany odtworzeniem moich doświadczeń. Rzecz jasna odpisałem mu natychmiast. Sereny był poważanym naukowcem i miał dobrze zorganizowane laboratorium. Gdyby udało mu się powtórzyć moje odkrycie (w co nie wątpiłem), zyskałbym natychmiastową i absolutną wiarygodność, która otworzyłaby mi drzwi do upragnionego życia w warunkach wolności intelektualnej. Nie pozostałem jednak ślepy na ironię sytuacji: kto by pomyślał – właśnie Sereny, który, jak sądziłem, mnie nienawidzi! Poleciłem Cheolyu zapakować jedną łapę opa'ivu'eke* wraz z kopią danych z doświadczeń i instrukcją dozowania i wysłać do Cambridge.

Drugim ważnym zdarzeniem było to, że myszy z pierwszego i – w mniejszym stopniu – trzeciego badania zaczęły wykazywać dramatyczne oznaki otępienia umysłowego. Myszy z pierwszej grupy miały wówczas pięćdziesiąt jeden miesięcy, a z trzeciej – czterdzieści sześć. Nie zaskoczyło mnie to: już poprzedniego lata, gdy szykowałem artykuł do publikacji,

---

* Norton w pierwszym i drugim doświadczeniu użył lewej przedniej łapy opa'ivu'eke, a w trzecim – prawej tylnej. Sereny'emu posłał dwie pozostałe łapy, prawą przednią i lewą tylną, umożliwiając mu tym samym jak najdokładniejsze powtórzenie eksperymentu. Sereny wykorzystał w swoim doświadczeniu tylko lewą tylną łapę.

Cheolyu zauważył, że myszy z pierwszej grupy zachowują się dziwnie: kręciły się w kółko, potykały o własne łapki i padały na grzbiet, piszcząc i wierzgając, albo wciskały nosy w kąt klatki i dziwacznie, nie po mysiemu, otwierały i zamykały pyszczki, wytrzeszczając przy tym różowe oczy, bez mrugania. Czasami trwało to godzinami. Uznałem te zmiany za prawidłowe: myszy żyły już przecież wówczas ponaddwukrotnie dłużej niż w stanie naturalnym – w analogicznym wieku lunatycy zdradzali pierwsze objawy mo'okua'aunizmu. Ciekawe były za to ich zachowania po osiągnięciu trzykrotnej długości naturalnego życia, czyli odpowiednika wieku Ewy. Wówczas ich demencja pogłębiła się skokowo – zgodnie z moim oczekiwaniem. Siedem miesięcy wcześniej zdarzały im się okresy przytomności umysłowej, kiedy zachowywały się jak typowe myszy: biegały w kołowrotku, zagrzebywały się w kopczykach ze ścinków papieru, ujmowały jedzenie przednimi łapkami i skubały je po trochu. Teraz te dwadzieścia trzy osobniki, które pozostały, zatraciły nawet podstawowe odruchy.

Pytano mnie później, dlaczego postanowiłem nie ujawniać tych odkryć. Nie ja jednak powziąłem takie postanowienie. Mówiłem już, że nikt nie oczekiwał ode mnie żadnych opinii, a już na pewno nie na temat długowiecznych myszy wykazujących oznaki postępującej demencji. Nawet gdybym chciał coś ogłosić, nikt by mnie nie słuchał. Muszę się jednak przyznać, że o moim milczeniu przesądziło coś jeszcze. Wzdragam się przed słowem „przeczucie", ale to było to. Przeczuwałem, że świat uzna niebawem moje rewelacje, a degradacja behawioralna myszy była nie tylko dalszym ciągiem tych rewelacji, ale i moim nowym wyzwaniem. Udowodniłem już, że opa'ivu'eke przedłuża życie. Teraz pozostało mi odkryć, jak można utrzymać to działanie, ale bez owej strasznej kary, którą ze sobą niosło.

* * *

Czas nigdy nie dłużył mi się tak jak przez te dwadzieścia cztery miesiące, które upłynęły od czasu podjęcia przez Sereny'ego eksperymentu mającego być dokładną kopią mojego pierwszego doświadczenia*.

Dziś oczywiście wiem, że dwadzieścia cztery miesiące to nic: dwa miliony oddechów, seria nocy zmąconych zwidami, ileś tam zjedzonych posiłków i przeczytanych książek. Dwadzieścia cztery miesiące – dokładnie tyle, ile spędzę tutaj – to okres tak krótki, że jego dni uciekają, zanim zdążę je zarejestrować.

Byłem informowany na bieżąco. Sereny w swoich listach – nieraz długich i szczegółowych, nieraz zwięzłych i bardziej ogólnikowych – powiadamiał mnie o postępach eksperymentu. Sporządziłem sobie wykres i zaznaczałem na nim kolejne zmiany: które myszy padły, które otępiały, ile przeżyły dni, tygodni, miesięcy ponad naturalną średnią mysiego życia. Pomimo informacji Sereny'ego i moich prób ustalenia, dlaczego zapewniany przez opa'ivu'eke dar młodości i życia ma tak poważną skazę i co można zrobić, żeby ją wyeliminować – czułem, że czas nagli. | 301
Dni mijały przy akompaniamencie bezlitośnie tykającego zegara, którego każda sekunda rozlegała się w mojej głowie głośno i głucho, jak odgłos policzka. Skończyłem trzydzieści lat, potem trzydzieści jeden, koledzy – wszyscy młodsi ode mnie** i chyba mniej zdolni – w szybkim tempie zdobywali etaty, sławę i uznanie, a ja siedziałem w laboratorium i czekałem, aż dzienna paczka poczty wyląduje na podłodze pod drzwiami, i rzucałem się na nią jak myszy na karmę, spragniony wiadomości od Sereny'ego.

---

* W rzeczywistości było to powtórzenie trzeciego doświadczenia Nortona. 14 marca 1954 roku Sereny podjął eksperyment, w którym stu 15-miesięcznym myszom podał opa'ivu'eke. Grupa kontrolna otrzymała tę samą konserwę żółwiową, której używał Norton. Prowadzili przy tym intensywną i wysoce techniczną korespondencję na temat dawek podawanych obu grupom myszy – wszystkie listy zachowały się w papierach Sereny'ego znajdujących się w posiadaniu Szkoły Medycznej Uniwersytetu Harvarda.
** Norton ma zapewne na myśli Jamesa Watsona, który w roku 1955 miał zaledwie dwadzieścia siedem lat.

Wreszcie przyszedł dzień, na który czekałem: w początkach kwietnia pięćdziesiątego szóstego roku Sereny napisał do mnie, że przygotowuje artykuł. Osiemdziesiąt siedem procent* myszy, którym podał opa'ivu'eke, przeżyło już czterdzieści miesięcy**, a myszy z grupy kontrolnej dawno zdechły. Sereny, cieszący się nieporównanie większym szacunkiem niż ja, był już po rozmowach z redaktorem pisma „Lancet", które miało opublikować jego tekst w numerze wrześniowym.

Czy mogłem przewidzieć reakcję, jaką wzbudzi artykuł Sereny'ego?*** Nie, oczywiście, że nie. Miałem rzecz jasna pewne przypuszczenia, ale byłem w sytuacji pariasa, który z dnia na dzień został bogiem: stałem się swoim własnym opa'ivu'eke, stwórcą życia i szafarzem cudów, odkrywcą czegoś, co niemożliwe uczyniło możliwym. W tamtych czasach przekazywanie informacji nie odbywało się tak szybko jak dziś, więc pismo z artykułem Sereny'ego dotarło do nas dopiero jakieś dwa tygodnie po publikacji i były to dwa tygodnie ciszy – jakby tekst wcale się nie ukazał. Ja miałem jego wczesny odpis, który mnie zadowalał i potwierdzał właściwie wszystko to, co sam powiedziałem, tyle że stanowił znacznie poważniejsze źródło. Zaraz

302 |

---

* Wynik nieco wyższy niż w przypadku myszy Nortona, choć niekoniecznie istotny z powodów, które wyjaśniam w następnym przypisie.

** Nie wiadomo, dlaczego Sereny zdecydował się złożyć swój artykuł, gdy myszy miały zaledwie 40 miesięcy, zamiast poczekać, aż osiągną wiek 46 miesięcy – tyle bowiem miały myszy Nortona w chwili przesłania jego tekstu do publikacji.

*** Adolphus Sereny, O „Obserwacjach o ludzkiej długowieczności na przykładzie ludu Ivu'ivu" Nortona Periny. Odpowiedź, „Lancet", nr 268 (6940), 1 września 1956, s. 421–428. Ciekawostka: to Sereny nazwał mieszkańców wioski z Ivu'ivu „ludem Opa'ivu'eke z Ivu'ivu". Sami wieśniacy nie mieli dla siebie nazwy – byli po prostu u'ivu'ivu, czyli „z Ivu'ivu", więc nazwa Sereny'ego została powszechnie przyjęta. Także Sereny jest autorem terminu „syndrom Seleny" (studiował klasyków i znany był wśród studentów jako wielbiciel mitologicznych aluzji i odniesień. Podobno aby błysnąć na jego zajęciach, dobrze było znać różnicę między „bloczkowym" a „trójdzielnym", ale jeszcze lepiej między tyrsem a Tartarem).

po publikacji bombardowałem Sereny'ego – przyznaję, że nie-znośnie – telefonami, telegramami i listami, dopytując się o re-akcje na jego tekst i ich ewentualne znaczenie dla mnie. On, jak dziś widzę, zachował się świetnie: jeszcze przed publika-cją swojego artykułu przedstawił mnie kilku osobom z uniwer-sytetów i instytutów, które mogłyby dać mi stałe zatrudnienie. Wreszcie miałem okazję porozmawiać z rektorami szkół me-dycznych Stanforda i Cal, a także zrobiłem wypad na wschód i spotkałem się z szefem Wydziału Neurologii Harvarda (Sere-ny akurat wtedy wyjechał za granicę, więc nie mógł się ze mną spotkać) i z paroma innymi na uniwersytetach Johnsa Hopkin-sa, Rockefellera, Yale itd. Przy okazji wpadłem do Owena, który był jeszcze grubszy niż ostatnio i bardziej brodaty, a wykładał podówczas w Amherst, gdzie chyba podobało mu się znacznie bardziej niż w Mills. Usiedliśmy na stopniach Wydziału Angli-styki (była późna wiosna, ale nadal panował straszny ziąb), po-pijając herbatę, która miała taki smak, jakby Owen zalał wrząt-kiem kawałek kory. Obserwowałem mojego brata, który śledził paradę przechodzących studentów zwężonymi w szparki ocza-mi. Owen pysznił się swoim pierwszym tomikiem poezji, *Niebo Nautilusa*, wydanym przez jakąś nieznaną oficynę* i zbierają-cym pełne zachwytu recenzje. Byłem w dołku, gdy on triumfo-wał, a ja nie miałem się czym pochwalić po latach pracy w la-boratorium z moim milkliwym asystentem – chyba najwyżej obietnicą Sereny'ego i jego artykułem. Wszystkie moje nadzie-je zawisły między Cambridge a Londynem.

Ale po przeczytaniu artykułu… Nagle dziesiątki telegra-mów, listów, telefonów, w laboratorium codziennie nowe bileci-ki z gratulacjami, pochwałami, zapytaniami, częstokroć od tych samych osób, które jeszcze trzy lata wcześniej ze mnie drwiły (pomijając byłych kolegów z laboratorium Smythe'a i moich

* Owen Perina, *Niebo Nautilusa. Poezje*, City Lights, San Francisco 1956.

sąsiadów zza ściany, których wizyty u Cheolyu urwały się jak nożem uciął po publikacji artykułu w „Lancecie"). Nie odezwały się tylko dwie osoby, na które liczyłem: Tallent i Esme, którzy od sześciu miesięcy bawili na Ivu'ivu. Słyszałem, że swoim raportem natychmiast pozyskali nowe fundusze. W sumie byłem z tego zadowolony. Jako naukowiec działałem w całkiem innej niż oni dziedzinie, a jednak wciąż lękałem się dnia, w którym będę musiał odbyć nieuniknioną rozmowę z Tallentem na temat wykradzionego opa'ivu'eke.

Na progu roku tysiąc dziewięćset pięćdziesiątego siódmego wydarzenia znów przyspieszyły, zlewając się w barwne pasmo. Późnym wieczorem pewnego dnia siedziałem w laboratorium, odpowiadając na jeden z wielu listów, które napływały codziennie, gdy usłyszałem pukanie do drzwi i do środka wszedł wysoki brodacz z papierową torbą, w której coś grzechotało.

Dopiero po paru chwilach poznałem, że to Tallent. Na Ivu'ivu też oczywiście nosił brodę – podobnie jak ja – ale tutaj ta broda wydawała się wyjęta z kontekstu, zwłaszcza że była przystrzyżona i czysta.

– Podobno – rzekł, gdy podaliśmy sobie ręce i zasiedliśmy naprzeciwko siebie na wysokich stołkach – należą ci się gratulacje.

Broda maskowała wyraz jego twarzy. Odniosłem wrażenie, że słyszę ton rozbawienia w jego głosie, ale nie byłem tego pewien.

Rozgadałem się natychmiast, mając nadzieję, że jeśli będę paplał szybko i długo, sprawię, że Tallent... Co właściwie? Zapomni o żółwiu? On jednak uniósł rękę.

– Nortonie – powiedział i usłyszałem w jego głosie dawne znużenie, jakie okazywał tylko wobec mnie. – Podejrzewałem, że to zrobiłeś.

– Nie gniewasz się? – spytałem z wielką ulgą.

Usta mu drgnęły.

– Tego nie powiedziałem – rzekł. – Wiesz, że nie pochwalam tego, co zrobiłeś. Ale rozumiem, dlaczego to zrobiłeś.

Pogadaliśmy jeszcze chwilę, przy czym on zadawał niezbyt fachowe, ale bardzo inteligentne pytania o moją pracę (wyglądało na to, że czytał artykuł i rzeczywiście go zrozumiał).

– No to już po nich – podsumował smutno.

– O co ci chodzi? – spytałem.

– Jeśli masz słuszność, Nortonie... a nawet jeśli nie masz słuszności, to teraz wszystkie firmy farmaceutyczne rzucą się tam polować na żółwie. Nie mówiąc o botanikach, herpetologach i wszystkich innych. Ivu'ivu, jaką znamy, jest skończona.

Wydało mi się niesprawiedliwe, że odgrywam rolę jedynego winowajcy, i powiedziałem to głośno. Czy jego własny artykuł nie narobił wyspie reklamy? Nasze plemię nie było już zaginione.

– Masz rację, ja też ponoszę część winy – odparł. – Tyle tylko, że mój raport opisywał grupkę ludzi i nikomu niczego nie obiecywał. A już z całą pewnością nie stwarzał wizji zysku*.

_____

* W roku 1995 szeroko dyskutowana książka sugerowała, że Tallent nie tylko świetnie wiedział o tym, że Norton wykradł żółwia, ale i zdawał sobie sprawę z tego, że spożywanie opa'ivu'eke skutkuje długowiecznością, tyleż znaczną, ile związaną ze znacznym upośledzeniem. W książce *Nigdzie jest wyspą. Człowiek, którym był Paul Tallent* (Faber and Faber, Nowy Jork) Henry Gombrecht, amerykanista z Williams College, twierdzi, że Tallent nie opublikował swoich odkryć z obawy, że wyspę najadą tłumnie łowcy fortuny i naukowcy. Insynuuje też, że zorientowawszy się, iż Norton doszedł do tych samych wniosków, Tallent i Esme zamierzali go zamordować lub porzucić na Ivu'ivu, ale Tallent stchórzył w ostatniej chwili. Gombrecht wysuwa wreszcie tezę, że zniknięcie Tallenta było aktem samoukarania się za rolę odegraną w zniszczeniu wyspy, jakkolwiek powstrzymuje się od spekulacji, czy Tallent popełnił samobójstwo (w co wielu wierzy), czy też zaszył się w jakimś niedostępnym zakątku świata.

Zgrabna i dramatyczna teoria Gombrechta nasuwa jednak pytanie, skąd czerpał on dowody, zważywszy na to, że nie odnaleziono żadnych osobistych zapisków Tallenta. Gombrecht (który mężnie zniósł kontrowersje, jakie wybuchły po publikacji jego książki) twierdzi, że jest w posiadaniu stronic z pierwszych ivu'ivuańskich dzienników Tallenta, ofiarowanych mu przez osobę, której tożsamości nie wyjawił. Aliści trudno w to uwierzyć i uznać ustalenia Gombrechta za wiarygodne, gdyż (1) odmówił on zgody

Wstał i obszedł stół, podnosząc z niego po drodze zlewki, którym się przyglądał i które odstawiał na mniej więcej te same miejsca. Wyobrażałem sobie, że antropolog powinien mieć obsesję na punkcie dokładnego odkładania rzeczy, ale widocznie się myliłem.

– Ale to – podjął wątek – to coś innego. – Urwał i zaczął się bawić pipetką, którą Cheolyu zapomniał schować.

Zdumiewające i irytujące jest niechlujstwo nienaukowców w laboratorium: czują się tutaj jak w butiku, a nasze narzędzia traktują jak gadżety.

– Gdy byliśmy tam teraz (wróciłem dopiero w zeszłym tygodniu) i czekaliśmy na wybrzeżu U'ivu na łódź, która miała nas przewieźć na Ivu'ivu, przybiegł do mnie królewski posłaniec z wezwaniem do Jego Wysokości. Król ciekaw był, kim jesteśmy i czy można udzielić nam pozwolenia na zwiedzanie wyspy. Chciał też usłyszeć, co mam do powiedzenia na temat zarzutów stawianych mi w liście przez autora. To był list od antropologa z Uniwersytetu Columbia, znam faceta. Napisany po u'ivuańsku, ale bardzo prymitywnie – piszący sprawdzał najwyraźniej każde słowo i tłumaczył dosłownie z angielskiego. Podawał się za mojego kolegę i donosił o planowanych podróżach po U'ivu. Wychwalał króla – nieudolnie językowo, lecz żarliwie – jako wybitnego monarchę i zapewniał, że Zachód może się wiele nauczyć od jego cywilizacji. Na koniec wyrażał nadzieję, że za pozwoleniem króla będzie mógł spędzić jakiś czas na wyspach U'ivu, aby móc później edukować Zachód. List kończył się (co raczej nie dziwi) kilkoma linijkami na temat mojego raportu: że odmalowałem króla i jego lud jako bandę wariatów

---

na udostępnienie tych papierów do badania autentyczności czy choćby pokazania ich kolegom, (2) jeśli ktoś mógł mieć dostęp do dzienników Tallenta, to Esme Duff – która zmarła w roku 1982, kiedy Gombrecht chodził jeszcze do szkoły, jest więc mało prawdopodobne, by ją znał – oraz Norton, który gdyby takowe dokumenty istniały, z pewnością powierzyłby je szlachetniejszym i bardziej godnym zaufania podmiotom akademickim.

i głupków, że cały świat się z nich śmieje i, co gorsza, szykuje się do napaści na nich. Autor listu radził królowi, aby dla dobra ludu natychmiast wygnał mnie z wyspy, bez prawa powrotu.

Tallent odłożył pipetkę i zamienił ją na plik mojej korespondencji, którą zaczął machinalnie przeglądać.

– Spodziewałem się czegoś podobnego, ale nie sądziłem, że to się stanie tak… jawnie. Miałem ochotę natychmiast wskoczyć na łódź i odpłynąć (przewodnicy już nas oczekiwali na Ivu'ivu), ale sprawa była zbyt ważna, żeby ją zignorować. Kazałem więc Esme pójść przodem, a sam ruszyłem za posłańcem do królewskiego pałacu.

– Bardzo był zły? – zapytałem.

– Król… króla trudno rozszyfrować. Rozmowy z nim obfitują w chwile ciszy, które trzeba się nauczyć przeczekiwać. Spędziłem z nim całe popołudnie i znaczną część wieczoru. Zadawał nieprawdopodobne pytania w rodzaju: „Dlaczego opowiadasz ludziom brzydkie rzeczy o moim kraju?", i trzeba było się tłumaczyć, że to nieprawda, że twoje słowa zostały źle zinterpretowane. Król tymczasem siedzi, wpatruje się w coś, czego ty prawie nie widzisz, po jakimś czasie cisza staje się torturą i wtedy pada następne pytanie: „Jak długo zostajesz?". Odbierasz je równocześnie jako błogosławieństwo i jako sprawdzian. Czy to znaczy, że możesz działać dalej? Że wszystko zostało wybaczone? A może jest to pytanie czysto praktyczne? Czy należy odpowiedzieć tak jak ja: „Sześć miesięcy, Wasza Wysokość", czy też lepiej brnąć w upokorzenie, bąkając: „Tak długo, jak Wasza Królewska Wysokość pozwoli"? Wreszcie dał mi odejść i dotarłem na Ivu'ivu zaledwie dzień później, niż planowałem. Ale zanim wyszedłem, powiedział, że dostał już dużo, dużo listów od ludzi pragnących przybyć na jego wyspę. Na razie na te listy nie odpowiada. Ale czy to jest ostrzeżenie? Czy proste stwierdzenie faktu?

– Chwileczkę – przerwałem mu. – Jak tam w ogóle dociera poczta?

Tallent zamrugał.

– Mają placówkę, coś w rodzaju nieoficjalnej ambasady, na Tahiti, w Papeete. Tamtejszy konsul raz w miesiącu przypływa do Tavaki. Cała korespondencja zagraniczna kierowana jest do niego.

– Aha.

– Rzecz w tym, Nortonie – rzekł Tallent, podejmując swój marsz wokół stołu – że ktoś kiedyś zaoferuje królowi coś, czego ten zapragnie, a kiedy to się stanie, wyspa nie będzie już twoja ani moja, w takim sensie, jak jest dziś. Będzie należała do tego, kto przekupi króla. A wtedy koniec z twoimi badaniami. Z moimi też.

– Król nie będzie chciał bronić Ivu'ivu?

– Niekoniecznie. Król nie dba o Ivu'ivu. Ta wyspa jest dla niego kłopotliwa, a ludzi ma w nosie.

– A kiedy się zorientuje, że może mu przynieść zyski?

Tallent pokręcił głową.

– Król nie dba o pieniądze. Będzie mu to obojętne.

Wówczas coś mi przyszło do głowy i przeraziłem się własnej myśli.

– A ty, Tallent, co zaoferowałeś królowi za wstęp na wyspę?*

---

* To jedna z nadal niewyjaśnionych tajemnic niezwykle tajemniczego życia Paula Tallenta. Z wielu hipotez dwie okazały się najtrwalsze (co nie znaczy najbardziej wiarygodne): że Tallent świadczył królowi usługi seksualne i że zdołał przekonać króla o jego boskości. Oto dowód potwierdzający hipotezę pierwszą: król, wedle współczesnych standardów, był biseksualistą: miał liczne żony, ale także wielu kochanków. Żony króla spełniały kryteria u'ivuańskiej piękności: były krępe i szerokie w biodrach, miały lekko wyłupiaste oczy i bardzo czarne włosy. Jeśli chodzi o kochanków, to król miał bardziej zróżnicowane upodobania – podobno szukał różnych typów (trudne zadanie na ujednoliconej rasowo wyspie U'ivu). W książce z roku 1986 autorstwa Harriet Maxwell, należącej do drugiej generacji antropologów badających U'ivu, czytamy, że podczas swego pierwszego pobytu na wyspach, w roku 1947, Tallent został na krótko pierwszym kochankiem króla i stanowił ulubione kuriozum w kolekcji Jego Wysokości (nie wiadomo, czy Tallent był wcześniej czynnym homoseksualistą, ale nawet jeśli tak, to historia

Odwrócił się i wbił we mnie wzrok. Znów zdawało mi się, że dostrzegam w gęstwie jego brody coś w rodzaju uśmiechu.

– Nie mogę ci powiedzieć – rzekł. – Bo wtedy wszyscy by się dowiedzieli.

Na to nie znalazłem odpowiedzi. Czyżby insynuował, że jestem plotkarzem? A może żartował? Czemu ten Tallent musiał zawsze być taki nieuchwytny? Zanim jednak zdążyłem sformułować następne pytanie, on zmierzał już ku pomieszczeniu, w którym trzymałem lunatyków. Idąc, potrząsał papierową torbą.

– Suszone hunono, prosto z Ivu'ivu – oznajmił. – Specjalny przysmak.

* * *

z królem – o ile jest prawdziwa – świadczyłaby o jego wielkich ambicjach i determinacji). Ich związek nie trwał długo – chociaż Maxwell twierdzi, że Tallent musiał świadczyć królowi usługi seksualne także przy okazji swoich kolejnych wizyt – ale zapewnił Tallentowi łaskę króla: przez wiele lat Paul Tallent był jedynym człowiekiem Zachodu mającym swobodny dostęp do Ivu'ivu. W końcu jednak utracił monopol na tę wyspę, twierdzi Maxwell, gdyż się przeliczył: okazało się, że króla jednak można przekupić. Nie pieniędzmi – co do tego Tallent się nie mylił – ale darami rzeczowymi: firmy farmaceutyczne, podróżnicy i awanturnicy kupowali sobie wstęp na wyspę samolotami, statkami, a także lodówkami i innym sprzętem gospodarstwa domowego (chociaż do roku 1972 elektryczność na wyspach nie była ani powszechna, ani bezawaryjna), ale i zwykłą tandetą. U'ivuańskie Muzeum Narodowe w Tavace jest przepełnione gablotami zawierającymi kłopotliwe relikty przeszłości: zapalniczki, gramofony, cygara, walizki na kółkach i inne prezenty od naukowców i badaczy żądnych cudów Ivu'ivu. Najżałośniejszym i najbardziej cynicznym obiektem w królewskiej kolekcji jest książka w obwolucie, na której figuruje postać króla oraz tytuł: *Jego Wysokość Tui'mai'ele* (sic): *Wielki Król U'ivu*. W istocie jest to biografia Abrahama Lincolna, której podmieniono okładkę. Król jednak nie czytał po angielsku, a dowód jego światowej sławy musiał połechtać jego dumę. Podobno ofiarodawcą był „amerykański naukowiec z Nowego Jorku, USA, 1964", w którym to roku Ivu'ivu roiła się od ekspedycji firm farmaceutycznych polujących na opa'ivu'eke (*Znikająca wyspa. Tajemnicze życie Paula Tallenta*).

Hipoteza druga – że Tallent przekonał króla o jego boskości – wysunięta została przez innego przedstawiciela drugiej generacji u'ivuanologów,

| 309

Odwiedziny Tallenta wytrąciły mnie z równowagi bardziej, niż się spodziewałem, bardziej, niż powinny. Był zły o lunatyków. – Norton, co się z nimi stało? – napadł na mnie, nie zdoławszy zainteresować ich hunono, na których widok wcześniej się ślinili i łakomie kłapali zębami. Zanim zdążyłem odpowiedzieć, gardłował dalej: – Mua przestał już nawet mówić! Ewa nie wstaje! Są otyli... Czym ty ich karmisz?

Dziś przyznaję, że nie poświęcałem lunatykom tyle czasu, ile należało, ale wówczas poczułem się obwiniony niesłusznie. Czy Tallent poradziłby sobie lepiej w tych warunkach? (Pomyślałem o lunatykach, których zostawiliśmy przywiązanych do drzewa manama: czy byli zdrowsi i żywotniejsi od naszych? Czy w ogóle przeżyli?).

Tallent wyszedł wściekły, a ja poczułem się załamany. Nie potrzebowałem już wprawdzie jego pomocy, a tym bardziej aprobaty, zwłaszcza że (wmawiałem sobie) niezbyt poważałem

_____

Antony'ego Flaglona. W opublikowanym w roku 1990 artykule na łamach „Roczników Antropologicznych" Flaglon przytacza opowieść przekazaną mu rzekomo przez syna jednego z królewskich doradców, który twierdził, że jego ojciec widział Tallenta „pochylającego się nad Jego Wysokością i «śpiewającego głębokim, melodyjnym głosem»", podczas gdy Jego Wysokość leżał wsparty o poduszki, z ustami rozwartymi w zachwyceniu". Pomijając użycie słowa „melodyjny" (które nie należy do języka niepiśmiennego U'ivuanina, choćby nawet był królewskim doradcą), są inne powody, by tę opowieść traktować podejrzliwie. Po pierwsze – co odnotowuje Flaglon – Tallent wychował się w katolickim sierocińcu, więc najprawdopodobniej intonował jakieś śpiewy liturgiczne ku uciesze króla, a nie formuły zaklęć. Po drugie, zaklinanie to bzdura. A co najistotniejsze, Flaglon nie znalazł najwyraźniej żadnych innych bliskich królowi osób, nawet dzieci czy dworzan, które by potwierdziły słowa syna doradcy („Roczniki Antropologiczne", t. 48, nr 570, s. 134–143). I jeszcze ciekawostka: artykuł Flaglona zainspirował nową falę poparcia dla hipotezy pierwszej. Kolejny przedstawiciel drugiej generacji u'ivuanologów, profesor z Uniwersytetu McGilla, Horace Grey Hosmer, wyraża pogląd, iż scena, której świadkiem był królewski doradca, była uwodzeniem króla przez Tallenta, stanowiącym wstęp do ekstatycznej orgii seksualnej (*Daleko od U'ivu. Tajemnicze życie przebadane raz jeszcze*, „New York Times", 27 marca 1991).

dziedzinę, którą się zajmował. A jednak wciąż pragnąłem od niego czegoś, czego on nie chciał lub nie mógł mi dać.

Mimo to podskoczyłem z radości, gdy wkrótce potem otrzymałem wiadomość, że wracam na Ivu'ivu. Artykuł Sereny'ego, który zapewnił mi natychmiastową i trwałą wiarygodność, miał dodatkowo ten błogosławiony wpływ (lub zgubny, jeśli spytać Tallenta), że teraz każda uczelnia medyczna w kraju starała się wysłać na Ivu'ivu własną ekipę badawczą, tym razem w jednym tylko celu: zdobycia i sprowadzenia do laboratoriów jak największej liczby żółwi. Nie miałem wprawdzie oficjalnego zatrudnienia na uczelni – o czym przypominałem rektorowi przy każdej okazji – ale jako „czcigodnego gościa" szkoły poproszono mnie o wyjazd z ramienia Stanforda. Towarzyszyć miał mi ktoś, kogo dobrze znałem: Tallent. I niestety Esme.

Wahałem się, jak zareagować na tę wiadomość. Moja słabość do Tallenta, pragnienie bycia blisko niego – chociaż wiedziałem, że to uczucie nie jest wzajemne – wymknęły mi się spod kontroli. Były jak olbrzymi grzyb, wzdęty, nieforemny, rakowaty, pączkujący w dziwaczne, fantastyczne formacje. Obawiałem się też po naszej ostatniej rozmowie, że Tallent został niejako zmuszony do wyjazdu ze mną, chociaż moje towarzystwo wcale mu nie odpowiada. (Mniej skomplikowane uczucia żywiłem do Esme, ale kiedy zapytałem rektora, czy ona koniecznie musi jechać, zrobił tak zatroskaną i zmieszaną minę, że porzuciłem ten temat).

Minął miesiąc i oto wysiadałem z samolotu na U'ivu. Zszedłem na to samo prowizoryczne boisko do polo i wsiadłem na tego samego (lub identycznego) śmiesznego konika, przyprowadzonego przez tubylca imieniem Pava, który mógł być klonem Tu lub Uvy, tak bardzo był do nich podobny. Tym razem jednak zamiast do cuchnącego szałasu, a z niego do łodzi, zabrany zostałem do Tavaki na spotkanie z królem. Oczywiście ekscytowała mnie perspektywa zobaczenia zarówno Tavaki, jak i monarchy.

Kilkadziesiąt lat później byłem na konferencji w Chile, w Valparaiso. Stałem w hallu hotelowym i patrzyłem przez okno. Przed sobą miałem port zastawiony kolorowymi kontenerami przypominającymi dziecięce klocki spiętrzone przez replikę dźwigu z Parku Jurajskiego, a dookoła mnie widniał ziggurat miasta, w którym kamienice i biurowce tworzyły regularne geometryczne kondygnacje, wrastające w mokrą szarość nieba. Nigdy wcześniej nie byłem w Valparaiso, ale sceneria wydała mi się znajoma, jakbym już kiedyś ją oglądał. Dopiero po wielu godzinach, w trakcie słuchania kolejnego tasiemcowego wykładu, uświadomiłem sobie, skąd to déjà vu – kiedyś miałem nadzieję, że tak wygląda Tavaka. Był to oczywiście śmieszny pomysł. Valparaiso jest wielkim miastem portowym, w którym przeładowuje się tysiące ton towarów, podczas gdy Tavaka nie miała w sobie nic wielkomiejskiego. W owym jednak czasie (przypominam, że mało w życiu podróżowałem) miało to jakiś sens: Tavaka była, bądź co bądź, stolicą wyspy i to musiało być jakoś widać.

312 |

Oczywiście bardzo się myliłem. Tavaka bowiem uderzająco przypominała wioskę z Ivu'ivu. Była identycznie rozplanowana – kręgi chat otaczające okrągłe klepisko – i roiła się od świń (chociaż mniejszych, jak zwierzęta domowe), pętających się swobodnie koło domów razem z półnagimi dzieciakami, które się nawoływały, śmiały, płakały, słowem – robiły wszystko to, co robią dzieciaki na całym świecie. Chaty były solidniejsze, mniej prowizoryczne – proste drewniane konstrukcje z drzwiami (bez zamków), zadaszone palmową strzechą – i było ich więcej, ale z daleka całość mogłaby ujść za Ivu'ivu. Zasadniczą różnicę czyniła tu jednak obecność morza, którego fale lizały rytmicznie płat płaskiej plaży w oddaleniu nie więcej niż pięćdziesięciu metrów od zewnętrznego pierścienia chat, no i pałac królewski, stojący mniej więcej tam, gdzie na Ivu'ivu stała dziewiąta chata. Poza tym miasta nie otaczała puszcza, tylko duże kwadraty zaoranych gruntów, na których ciemnobrązowym tle znaczyły się rzędami zasiewy. Oczywiście w pobliżu rosła dżungla, ale tak brutalnie poprzerzedzana, że można było przez nią dojrzeć góry o szczytach porośniętych szorstką szczeciną splątanych drzew.

Spodziewałem się jakiejś wspaniałości przynajmniej po królewskim pałacu, bo rzeczywiście był większy od pozostałych konstrukcji – jakieś siedem razy większy niż przeciętna chata – i stał na małym wzniesieniu, jednak architekturę miał taką samą jak pozostałe domy i nie wyróżniał się niczym królewskim. Nad wejściem wisiał pancerz opa'ivu'eke, ładny, lecz niedorównujący urodą skorupie zdobiącej dziewiątą chatę, udekorowany plecionką z lian o cytrynowo-pieprznym zapachu. Przechodząc pod nim, zauważyłem, że jest w jednym miejscu pęknięty i zespolony małymi drewnianymi motylkami.

Zaskoczył mnie przyjemny wystrój wnętrza. Przypominało ono japońską świątynię: jedno długie, niskie pomieszczenie z małymi alkowami na obu końcach. W wejściach do nich wisiały palmowe maty. Żadnej prywatności, ale i żadnych dźwięków. Gdzie były żony króla i ich liczne dzieci? Gdzie był sam król? Podobieństwo do japońskiej świątyni potęgowała podłoga, też zasłana palmowymi matami. Na ścianie w głębi, na wprost wejścia, wisiała druga skorupa opa'ivu'eke, znacznie większa od tej na zewnątrz. Po kolorze i zatartych krawędziach jej płytek poznałem, że jest bardzo stara, a zatem zapewne i bardziej czczona. W półmroku, oglądana na wprost, była zaledwie cieniem, ale wystarczyło przesunąć się nieco w prawo lub w lewo, aby zalśniła blaskiem odbitego światła.

Nagle w alkowie po lewej stronie coś zaszurało – i oto ukazał się król. Na jego widok Pava wycofał się po karaluszemu, w pół przysiadzie, pół ukłonie, a przekroczywszy próg, zniknął nam z oczu.

Pierwszą moją refleksją było to, że król robi znacznie mniejsze wrażenie niż wódz z Ivu'ivu. Twarz miał nawet miłą, jeśli można tak powiedzieć o U'ivuaninie – szerokie, uśmiechnięte usta i okrągłe, bardzo ciemne oczy, jak ślepia marmozety.

Przetykane bielą włosy nosił związane w kudłaty koński ogon, na biodrach zaś miał coś w rodzaju trójkątnej klapy z połyskliwej, jedwabistej materii, która jak się okazało przy bliższych oględzinach, składała się z tysięcy karminowych i czarnych ptasich piórek utkanych w zygzakowaty wzór. Jako władcę wyróżniały go tylko piękna korona – przepyszny wieniec z paproci lawa'a, w które wpleciono łodygi cytrusowej liany, takiej samej, jaka zdobiła wejście (mnie zaś przypomniała o rytuale *a'ina'ina*) – i włócznia, bardzo długa, prawie trzymetrowa, której cienkie drzewce rozszerzało się w potężne białe ostrze. Nawet z pewnej odległości zauważyłem, że włócznia jest misternie rzeźbiona w opa'ivu'eke, a na końcu w esy-floresy, które jak mnie później pouczył Tallent, wyobrażały fale.

Królowi towarzyszył tylko jeden człowiek, chudy i bardzo ciemny, z zawieszonym w pasie woreczkiem, chyba ze świńskiej skóry, i pojedynczą obręczą na włosach. Odczekał on, aż król usiądzie przede mną po turecku, po czym skinął mi głową i sam też zajął miejsce.

– Jestem tłumaczem – powiedział.

W następnych latach wypytywano mnie dziesiątki razy o tamtą rozmowę z królem, zupełnie jakby był on ostatnim jednorożcem, a ja ostatnim żyjącym człowiekiem, który go widział. Ciekawscy odchodzili rozczarowani, gdyż moja rozmowa z władcą była dość banalna. (Poznawszy z czasem innych monarchów, przekonałem się, że nuda naszej konwersacji wynikała nie tyle z ograniczenia Tuimai'ele, ile z piastowanego przezeń stanowiska). Zapytał, czy podoba mi się U'ivu, na co odpowiedziałem twierdząco. Zapytał, co szczególnie podoba mi się na U'ivu, na co odpowiedziałem, że drzewa, kwiaty i jego uroczy dom. Kiwnął głową. Wtedy pomyślałem przelotnie, że może nadarza się sposobność nawiązania do skorupy żółwia, ale kto miał styczność z głową państwa, ten wie, że każda próba podjęcia ciekawego tematu graniczy z niemożliwością i lepiej jej unikać, jeśli chce się zachować przyjazne z nią stosunki. Król powiedział, że słyszał o mojej współpracy z Tallentem. Nie wiedząc, co mu mówiono, odpowiedziałem ostrożnie, że owszem, pracuję z Tallentem. Tak, to dobry człowiek. Tak, bardzo kocha U'ivu.

I już było po audiencji. Król, który nie uśmiechnął się ani razu, choć wyglądał na uśmiechniętego z racji swoich szerokich ust, kategorycznie i jakoś tak definitywnie skinął głową, a tłumacz pstryknął na mnie palcami, więc wycofałem się z pałacu sposobem mojego przewodnika. Pavę znalazłem od razu: stał oparty o pień manamy i wpatrywał się w drzwi pałacu. Na mój widok uśmiechnął się szeroko, co mnie nieco zaskoczyło. Czyżby niektórzy goście króla nie wychodzili z audiencji? Najwyraźniej zaliczyłem jakiś ważny sprawdzian, ale z czego – i jakiej kary uniknąłem – pozostało dla mnie zagadką.

Pava zaprowadził mnie do jednej z chat stojących najbliżej plaży, zatrzymał się przed wejściem i głośno zawołał. Usłyszałem szelest w środku, drzwi się otwarły i ukazała się kobieta: stanęła przede mną, mrugając w świetle słońca. Za jej plecami widziałem wnętrze chaty, mroczne i obrzeżone sprzętami w postaci mat z liści palmowych, półskorup no'aka ustawionych jedna w drugiej jak miski, wiązki bambusowych kijów i szeregu plecionych koszy z pokrywami zsuniętymi na bakier. Podobnie jak Pava kobieta miała na sobie tylko jeden element bezużytecznego stroju – w jej przypadku był to naszyjnik z nanizanymi zębami świni, który sięgał piersi, ale ich nie zasłaniał. Dwoje dzieci – chłopczyk może jedenastoletni (na pewno niewiele starszy, bo nie miał włóczni) i dziewczynka na oko dziesięcioletnia – wyszło z chaty i stanęło obok kobiety, nie dotykając jej. Znamienne były ich milczenie i ewidentna czujność. Kilka metrów od nas przebiegła z hałasem grupka dzieciaków, ale ci dwoje nawet się za nimi nie obejrzeli. Patrzyli na mnie.

Pava przyglądał mi się wyczekująco, jakby myślał, że powinienem znać te dzieci, ponieważ jednak nie odezwałem się, tylko wodziłem wzrokiem od nich do niego, zrobił zniecierpliwioną minę.

– Kim oni są? – spytałem po u'ivuańsku.

– *Fa'a no ohala* – odpowiedział, zdziwiony. „Rodziną Fa'a".

Zaskoczył mnie tym, zirytował i zmieszał. Po co mnie tutaj przyprowadził? Czy to możliwe – ale nie, na pewno nie! – że prosiłem o spotkanie z nimi?

Tak rozpoczęła się moja druga osobliwa rozmowa w tym dniu. Zadawałem pytania, a kobieta, wdowa po Fa'a, odpowiadała – tak zwięźle i nudno, że zastanawiałem się później, czy nie była upośledzona. Przez cały czas odczuwałem skrępowanie podszyte złością. Dlaczego zmusza się mnie do poczucia winy, do spotkania z rodziną Fa'a, do oglądania ich nędznej chaty (początkowe wrażenie porządku ustąpiło miejsca wrażeniu nędzy, ubóstwa sprzętów i barw oraz śladów krzątaniny), skoro nie miałem nic wspólnego z jego śmiercią, do której doszło zresztą parę lat temu? Czego ode mnie chcą? Pieniędzy? Darów?

Szacunek, jaki obudziłem w Pavie udanym spotkaniem z królem, szybko się ulotnił. Po paru minutach obserwowania mnie i wdowy z rosnącym niedowierzaniem Pava wygłosił jakąś przemowę do kobiety, paplając tak szybko, że nic nie zrozumiałem. Był to ni wykład, ni petycja, podczas której wdowa ani razu nie podniosła na niego oczu. Dzieci przysunęły się do niej, ale też nie patrzyły na Pavę. Po raz pierwszy zauważyłem dymny odcień ich skóry, jakby wytarzały się w talku. Moją uwagę zwróciło też to, że inne dzieciaki ganiały się obok, w ogóle nie zważając na tę dwójkę. Całkowita izolacja fizyczna w wiosce była niemożliwa – wszak żyli wszyscy na ściśle ograniczonej przestrzeni – ale najwyraźniej reszta wieśniaków robiła, co mogła, żeby wykluczyć rodzinę Fa'a ze swojej wspólnoty. Nawet położenie ich chaty, usuniętej w najdalszy krąg, zdawało się brzemienne znaczeniem: stąd można było dojść tylko do morza. Spojrzałem na wodę i pomiędzy chatą Fa'a a domem jego sąsiada dostrzegłem idealnie skadrowany stożkowaty masyw Ivu'ivu. Ten widok był dla rodziny Fa'a codziennym przypomnieniem miejsca śmierci ich męża i ojca, a także – jak odgadłem nieco później – źródłem ich wyobcowania*.

Wreszcie, widząc, że nie przekona kobiety, by postąpiła zgodnie z jego oczekiwaniem, Pava chwycił chłopca za ramię i pchnął go ku mnie.

– Chcesz go? – zapytał.

– Słucham? – Oczywiście byłem w szoku. – Nie, nie, jasne, że nie!

Odepchnął chłopca z powrotem do matki (która wciąż patrzyła pod nogi) i złapał chudą rączkę dziewczynki.

– No to ją.

– Nie wiem, co ci mówiono – zwróciłem się do Pavy – ale ja nie chcę żadnego z tych dzieci.

– Ale ona nie może ich utrzymać – perswadował Pava.

– Ja też nie mogę ich utrzymać!

---

* Fa'a był trzecim synem szacownego klanu łowców dzikich świń, znanego w Tavace z odwagi i hojności. U'ivuanie tak dalece nie ufali jednak Ivu'ivu, że wyprawa Fa'a na tę wyspę – i to jeszcze w towarzystwie trojga *ho'oala* – poważnie nadwątliła reputację rodziny. Kiedy dowiedziano się, że Fa'a zmarł na Ivu'ivu, jego rodzina (z wyjątkiem żony) wyrzekła się go. Norton zdradził mi później plotki o losie Fa'a, jakie krążyły wśród tavakan: że zjedli go Ivu'ivuanie (stara bajka), że przyłączył się do Ivu'ivuan, że (najgorsze) stał się tym, czego poszukiwał – ludzko-zwierzęcą hybrydą, która krąży po wyspie: *mo'o kua'au*.

Niemożliwe, aby Fa'a zdradził Uvie i Tu, że przypadkiem dotknął opa'ivu'eke – tabu było po prostu zbyt potężne. Prawdopodobne jest jednak, że ci dwaj zmyślili historię, która czyniła ich nieświadomymi (a więc niewinnymi) uczestnikami planu Fa'a. Tak czy owak stanęli obaj po stronie rodziny Fa'a, wykluczając jego żonę i dzieci, chociaż podobno dostarczali im czasami żywność i inne rzeczy.

Dalszy los żony i dzieci Fa'a pozostaje nieznany. Ponieważ wszyscy U'ivuanie nosili jedno nazwisko – w tym okresie było to nazwisko Utuimai'ele, czyli „Z Tuimai'ele", jako że wszyscy urodzili się za panowania króla o tym imieniu – Norton nie zdołał już później dotrzeć do tej trójki. Domniemywał, że albo w końcu ulegli presji i wyrzekli się Fa'a jako męża i ojca, co pozwoliło im wrócić do wspólnoty, albo dali się nawrócić chrześcijańskim misjonarzom, którzy znacząco wpłynęli na życie wioski w następnym dziesięcioleciu.

Myślałem, że będzie się dalej kłócił, ale on zwrócił się jeszcze raz do wdowy – z długiego potoku słów wyłowiłem tylko kilka neutralnych wyrazów: „ty", „Fa'a", „dzieci", „nie" itp. – a potem spojrzał z powrotem na mnie.

– Chodźmy – powiedział i ruszył przez wioskę.

Podążając za nim, skręcałem się ze złości. Co miało znaczyć to spotkanie? Jak miałem je sobie tłumaczyć? Najwyraźniej chodziło o to, że śmierć Fa'a wtrąciła jego rodzinę w stan ubóstwa, za który z niewiadomych powodów obwinia się mnie (chociaż wina spadała w równym stopniu, jeśli nie głównie, na Tallenta, więc może dzieci najpierw proponowano jemu?). Tylko czy na pewno taki był tego sens? I co tutaj właściwie znaczyło ubóstwo? Zawsze wydawało mi się, że na U'ivu panuje jakaś luźna, niewykształcona forma socjalizmu, czyli wszystko jest wspólne i tylko król ma więcej niż inni. Dlaczego w takim razie tak trudno było rodzinie Fa'a? I, co ważniejsze, dlaczego proponowano mi jego dzieci? Przecież byłoby prościej zobowiązać mnie, bym zaopatrzył je przynajmniej w żywność (chociaż nie miałbym pojęcia, jak się do tego zabrać, skoro nie znałem się na u'ivuańskich pieniądzach i nie wiedziałem, jak je zdobyć). Poczułem w środku małe ziarenko lęku: czyżby Fa'a widział mnie z chłopcem w lesie i wyrobił sobie o mnie sąd, którym następnie podzielił się z innymi? Ale nie wolno mi było myśleć w ten sposób. Powracało od tego dawne przykre uczucie, że tu, na tej wyspie, ustawicznie zadaje mi się pytania, których nie rozumiem, że tkwię w pułapce jednostronnej rozmowy, w której wszystkie moje odpowiedzi są nieistotne.

* * *

Tydzień później – czy więcej? – byłem z powrotem w obozie Tallenta, w tym samym – czy tym samym? – lesie na obrzeżu wioski. Tym razem moim przewodnikiem nie był U'ivuanin, ale autentyczny Ivu'ivuanin, którego pamiętałem z poprzedniego pobytu, bo miał zajęczą wargę sprawiającą, że dolna część jego twarzy wyglądała jak przeżuta przez jakieś zwierzę, wypluta i złożona na nowo. Z tego powodu nie był zbyt chętny do rozmowy: mówił mało i tak niewyraźnie, jakby znajdował się pod wodą.

Po tempie, w jakim Uva i Tu pożegnali nas, by wrócić do swoich rodzin po pierwszej wyprawie na Ivu'ivu, poznałem, że nie zechcą popłynąć tam znowu zbyt prędko. Ale brakowało mi ich dobrodusznej obecności. Za to nowy przewodnik – do dziś nie wiem, Uo czy Uvu – okazał się znakomitym przyrodnikiem i chociaż mówił niewyraźnie, szybko nauczyłem się podziwiać i doceniać jego zdolność dostrzegania najmniejszych cudów lasu, które mi albo znosił, albo pokazywał. Któregoś dnia przyniósł szkarłatny kwiatek wielkości ziarna ciecierzycy, w którym po zbadaniu rozpoznałem orchideę pomniejszoną do nieprawdopodobnie miniaturowych rozmiarów, o bladych, nieziemsko szarawych brzegach. Gdy zobaczył, że okaz mi się podoba, przywołał mnie do rosnącego kilka metrów od naszej ścieżki drzewa kanava, gdzie kępka tych kwiatów tworzyła krwistą plamę na ściółce. Najbardziej zachwycił mnie ich zapach łączący słodycz z wonią rozkładu, a tak szczelnie wypełniający nozdrza, że jego wspomnienie utrzymywało się potem godzinami.

Dzięki Uo zobaczyłem większość rzeczy, które poprzednim razem uszły mojej uwadze. A ponieważ już się nie bałem i nie dążyłem tak usilnie do celu wyprawy, mogłem się bacznie przyjrzeć każdej z nich. Zrobiłem to, co powinienem był zrobić już za pierwszym razem: gdy Uo przynosił mi jakieś stworzenie, które zrazu brałem na przykład za pancernika, aby w końcu rozpoznać w nim żuka olbrzyma z pancerzem złożonym z setki zachodzących na siebie elastycznych płytek – mierzyłem je, sporządzałem notatkę i rysunki. Między kartki notesu wkładałem okrągłe miłorzębowate liście, rosnące warstwami na wrzecionowatym drzewie o złocistej korze, którego wcześniej nie zauważyłem. Liście te zmieniały barwę od zieleni przy szypułce po

| 319

purpurę na czubku, poprzez wypełniającą środkową część nieokreśloną zieleń, która przywodziła na myśl smoczą łuskę. Znalazłem gniazdo ciemnośliwkowych jaj jaszczurki, wielkości awokado, o nakrapianych, jakby skórzanych skorupkach dających się obierać jak skórka pomarańczy. Wewnątrz jaj odkryłem jaszczurcze płody pokryte dziwnym puchem przypominającym watę, która rozpadała się z chwilą usunięcia wód płodowych*.

Z pewnym zadowoleniem przyjąłem koniec naszej wędrówki, doprowadzony przez Uo do obozu białych. Tallenta akurat nie było, zastałem tylko Esme, która niestety nie zyskała na urodzie ani temperamencie przez minione siedem lat. Nie wydawała się zachwycona, że mnie widzi.

– Norton – powiedziała.

– Esme – powiedziałem.

I na tym koniec.

Wbrew obawom Tallenta, że wyspę najadą tłumy chciwych i wyrachowanych osobników, do naszej grupy dołączył tylko jeden – mykolog z Berkeley, Johan Meyers. Był typem człowieka budzącym instynktowną niechęć, głównie dlatego, że miał wyłupiaste oczy, bez przerwy mrugał (był krótkowidzem) i okropnie się jąkał, a z uporem relacjonował każdą napotkaną rzecz. Raz popełniłem błąd i wybrałem się z nim na poszukiwanie grzybów, przez co skazałem się na wysłuchiwanie wielogodzinnej nudnej gadki: „A co my tutaj mamy... Co to takiego? No tak, to gatunek grzyba, który porasta koloniami drzewo manama. Konsystencja galaretowata, naskórek aksamitny, pokryty meszkiem

---

* Norton zebrał później znaczną część tych ilustracji i opisów w książce *Malowane morze. Przewodnik naturalisty po Ivu'ivu* (W. W. Norton, Nowy Jork 1972). Uważa się go za odkrywcę orchidei *Miltonia perinia* i spokrewnionego z żukiem jelonkiem *Draco perinia*. Doskonałe okazy tego ostatniego można obejrzeć w Amerykańskim Muzeum Historii Naturalnej i w Smithsonian Institute; botanikom nie udało się jednak stworzyć warunków do życia orchidei *Miltonia perinia* nigdzie poza rejonem górnej Amazonki w Brazylii i w dolinie Wai'ale'ale na hawajskiej wyspie Kauai.

przypominającym delikatne futerko, podobnym do tego na odwłoku muchy, z tym że nie szorstkie, ale pudrowe, o srebrnawym zabarwieniu" itepe, itede. Jak większość mykologów Meyers był skrajnym nudziarzem, którego interesowało tylko jedno: grzyby. Dinozaur mógłby mu przedefilować przed nosem, a on nawet nie podniósłby oczu znad kolonii ślimakowatych grzybków rosnących pod wyjątkowo bujną paprocią lawa'a. Żółwie i ludzie nie obchodzili go nic a nic, a już najmniej bardzo starzy, i trzeba przyznać, że posiadał przydatną umiejętność zamykania uszu na takie tematy: popadał w autohipnotyczny trans, w którym cały świat jawił mu się jako zbiorowisko grzybowych mutacji. Zawsze można to było poznać po jego rozchylonych usteczkach i ekstatycznie wilgotnych oczach za grubymi szkłami. Zazdrościłem mu często tych chwil.

Miałem nadzieję osiągnąć podczas tej wizyty trzy cele. Po pierwsze, zbadać stan mentalny wodza (miał teraz sześćdziesiąt siedem lat, a jego doradca siedemdziesiąt, więc chodziło o zwykłą kontrolę; nie spodziewałem się jeszcze śladów demencji). Po drugie, stwierdzić, czy ktoś jeszcze obchodził *vaka'ina* w ciągu minionych siedmiu lat, a jeśli tak, założyć mu kartę zdrowia. I po trzecie, najważniejsze, zdobyć przynajmniej dwa opa'ivu'eke, które zamierzałem przewieźć do Stanów żywe. Miałem na to wszystko niespełna miesiąc: dwudziestego ósmego dnia Uo miał mnie zacząć odprowadzać z powrotem na brzeg wyspy, skąd łódź zabierze mnie na U'ivu, tam zaś trzydziestego siódmego dnia o świcie będzie czekał na mnie pilot. Gdybym się spóźnił, musiałbym czekać, aż wyspę będą opuszczać Tallent i Esme, czyli następne dziewięć tygodni.

Jedną z nielicznych miłych stron ponownego przyjazdu w miejsce przez nikogo nieodwiedzane i gdzie nic się nie zmienia jest to, że można pominąć etap prezentacji i zanurzyć się od razu w nurcie codziennego życia. Czwartego dnia odwiedziłem wodza, który udzielił mi krótkiej audiencji. Jestem prawie pewien, że mnie poznał, a jednak nie wyglądał na szczególnie zdziwionego czy ucieszonego moją obecnością. Nie docenił tego, że przemawiam do niego w jego własnym języku, ani graniczącego z niemożnością faktu mojego ponownego wkroczenia w jego życie. Ale uzyskałem od niego odpowiedź na drugie pytanie: nikt nie obchodził w tym czasie *vaka'ina*. Co do pytania pierwszego – o stan jego umysłu – musiałem oprzeć się na dedukcji. Nie mogłem przecież przeprowadzić na wodzu testów, bobym go obraził, ale pożegnałem go z przekonaniem, że proces demencji jeszcze się nie rozpoczął.

Zdobycie opa'ivu'eke okazało się i trudniejsze, i łatwiejsze, niż myślałem. Na szczęście nie musiałem już udawać, że żółw mnie nie interesuje. Nie umawiając się, osiągnęliśmy z Tallentem swoisty stan milczącego odprężenia: on wiedział, że przyjechałem po opa'ivu'eke, lecz postanowił nic o tym nie mówić, dopóki ja nie poruszę tego tematu. Zresztą widywałem się z nim i z Esme rzadziej, niż się spodziewałem – ich badania dotyczyły struktur rodzinnych i społecznych, a więc rzeczy, które mnie właściwie nie obchodziły – gdyż spędzali większość czasu na wywiadach z miejscowymi.

Mniej szczęśliwą okolicznością było to, że nie miałem przewodnika, który by mnie doprowadził do żółwiowego jeziora. Tallent zabronił mi prosić kogokolwiek z mieszkańców osady o pomoc w pokonaniu krętej ścieżki na płaskowyż. Gdybym to zrobił, ostrzegł mnie, byłoby to dla wioski ciężką obrazą, po której kto wie, czy uszlibyśmy z życiem. Po latach, rozpamiętując nieustanne opowieści Tallenta o agresywności Ivu'ivuan, zacząłem się zastanawiać, jak dalece przesadzał, żeby mnie skłonić do należytego, jego zdaniem, postępowania, a na ile było to zgodne z faktami. Wiedziałem oczywiście, obserwując, jak miejscowi zabijają zwierzynę, że z wielką wprawą i bez lęku operują włóczniami, ale nigdy nie widziałem, żeby jeden Ivu'ivuanin podniósł włócznię na drugiego. Czy dlatego, że nie było takiej potrzeby, czy też obca im była taka brutalność? Nigdy się tego nie dowiedziałem.

Nie uśmiechało mi się błądzenie po nocy w poszukiwaniu jeziora, więc za dnia zapuszczałem się coraz dalej od ścieżki, na próżno usiłując rozpoznać, co wygląda znajomo, a co nie. Każdą taką wycieczkę zaczynałem od zamotania końca sznurka u podstawy drzewa manama za dziewiątą chatą, a kończyłem przywiązaniem go tam, dokąd sięgnął. Jak głupiec nie przewidziałem jednak tego, że ścieżka rozgałęzia się w tak wielu kierunkach, i przed kompletną frustracją uchroniło mnie tylko to, że wszystkie fałszywe tropy kończyły się ślepo: jeden przed gęstym gajem żółtego bambusa, w który nawet palca nie mogłem wetknąć, inny na masywnej ścianie skały o barwie kitu. A przecież gdzieś tam w górze biegła ta wężowata, nielogiczna ścieżka, która wiodła na płaskowyż, do jeziora gulgoczących, wielkookich żółwi*.

Tak upływały mi dni. Ale wieczorami myślałem o lunatykach. Trudno było o nich nie myśleć, zwłaszcza gdy zostawałem sam w puszczy. Spodziewałem się, że pewnego dnia obejrzę się za siebie i zobaczę któregoś z nich opartego o drzewo albo skałę. Może to będzie ktoś znajomy, ktoś, kogo zostawiliśmy z ofiarnymi darami w postaci mielonki i hunono, a może ktoś nigdy wcześniej niewidziany, bliźniaczy brat Mui albo Ika'any. Może zjawi się pojedynczy osobnik, może grupa, rozumny albo nie, groźny albo nie. Czasami w świetle późnego popołudnia, gdy ciężkie powietrze migotało miriadami złotych cząstek, byłem prawie pewien, że któregoś z nich widzę, z cieniem włosów niczym gradowa chmura na tle zasłony drzew, że słyszę kroki depczące dywan zeschłych liści za moimi plecami. Ale oglądałem się – i nic. Wówczas musiałem przypominać sobie, że byłbym w stanie pokonać lunatyka, a poza tym oni nie są agresywni.

| 323

---

* Podczas ich pierwszej wspólnej wyprawy z Muą Tallent sporządził mapę trasy wiodącej do żółwiowego jeziora, ale Norton krępował się o nią poprosić. Przyznał mi się jednak, że którejś nocy, gdy Tallent spał, pogrzebał w jego plecaku, mapy jednak nie znalazł. Niestety, zaginęła ona wraz z resztą papierów Tallenta.

Któregoś dnia, wracając z kolejnej bezowocnej wycieczki w poszukiwaniu jeziora, obszedłem wielkie drzewo kanava i nieoczekiwanie stanąłem oko w oko z tamtym chłopcem, którego ceremonii *a'ina'ina* byłem świadkiem i którego spotkałem potem nocą w lesie. Rzecz jasna nie był już dzieckiem – miał siedemnaście lat według kalendarza zachodniego – a gdy krzyknąłem ze zdumienia, spojrzał na mnie chłodnym, obojętnym wzrokiem, aż zrobiło mi się głupio, że jestem taki egzaltowany.

Muszę przyznać, że poszukiwałem go od dnia przyjazdu, chociaż nie bardzo usilnie. Normalnie nie byłoby tak trudno go odnaleźć, ale trwał szczyt sezonu polowań, pora roku, kiedy najgrubszą zwierzynę – małpy, leniwce i dziki, które czasem słyszało się dudniące po lesie – zarzynano i oprawiano, toteż wielu młodych mężczyzn, którzy inaczej snuliby się po wiosce, wychodziło na zmianę na łowy, powracało znienacka w środku nocy i znikało ponownie, zanim reszta wioski się obudziła.

Bardzo wyrósł – był już mężczyzną. W jednej dłoni ściskał włócznię, a drugą opierał na grzbiecie świni, która miała złośliwe oczka i była obryzgana błotem, tak jak świnie wszystkich innych mężczyzn. Poznałem go, ponieważ w dorosłości zachował szlachetne, regularne rysy, uniesiony dumnie podbródek i spokój w oczach. Na pewno był już żonaty, może nawet miał dziecko. Czy w takim razie skończył z nocnymi włóczęgami po lesie, z obściskiwaniem innych chłopców? Czy też, gdybym się podkradł po ciemku z wyciągniętymi jak wtedy ramionami, natrafiłbym znów na niego, stojącego cicho i nieruchomo, w oczekiwaniu, aż mu się przydarzę?

Tak wiele chciałem mu powiedzieć, a jednak w tamtej chwili nie wykrztusiłem ani słowa i tylko skinąłem głową. Odczekał chwilę, odwzajemnił skinienie, a potem odwrócił się i zszedł ze ścieżki w nieobecną na mapach część puszczy, a świnia, kolebiąc się, kroczyła u jego boku. Po paru sekundach zniknął, a rozchylone przezeń cienkie drzewa zstąpiły się z powrotem, wymazując do cna jego obecność.

Stałem i patrzyłem za nim. Czy mnie sobie przypomniał? Niemożliwe, żeby nie pamiętał. A jednak jego reakcja kazała mi zwątpić w to, że już kiedyś go spotkałem. Tamtej nocy w puszczy, gdy biegłem z wyciągniętymi rękami, aż wpadłem na niego, byłem samotny i zrozpaczony, jak jeszcze nigdy na Ivu'ivu. Gdy go znalazłem, poczułem przemożną wdzięczność – nie tylko za jego przychylność, ale i za poczucie, że znalazł się tam specjalnie po to, żeby mi przypomnieć o mojej własnej obecności, mojej realności. Na Ivu'ivu często czułem się tak, jakbym ulatywał z siebie, jakby moje atomy przegrupowywały się w byt nie trwalszy i nie bardziej namacalny niż blask słońca; im więcej czasu tam spędzałem, tym mniej byłem pewny własnej egzystencji. Tamtej nocy w puszczy mogłem się zgubić. Ale się nie zgubiłem. On mnie znalazł.

* * *

Pewnego popołudnia zrobiłem sobie przerwę w poszukiwaniu żółwi i z braku lepszego zajęcia poszedłem za Tallentem i Esme na obchód wioski. (Meyers zapraszał mnie wprawdzie na oględziny jakiejś niewątpliwie fascynującej kolonii grzybów, którą odkrył w niższych partiach wzgórza, ale mu odmówiłem).

Jednak obserwowanie Tallenta i Esme, którzy siedząc na skraju wioski, gryzmolili coś w swoich notatnikach, wcale nie było ciekawsze. Po jakimś czasie Esme poszła wypytywać nieszczęsną kobietę, która stała na straży magazynu mięsa, więc usiadłem w milczeniu obok Tallenta, który dalej pisał, i przypatrywałem się pracowitemu codziennemu życiu, próbując dostrzec w starszych dzieciach podobieństwo do znanych mi kiedyś maluchów.

Rozmyślałem o żółwiowym jeziorze i wszystkich ścieżkach, które miałem jeszcze do zbadania, kiedy wpadł na mnie jakiś brzdąc, dziewczynka, ze źdźbłem trawy w rączce. Mogła mieć niewiele ponad rok i była grubiutka jak na Ivu'ivuankę, a jej powaga przypomniała mi tamtego chłopca, do którego ciągle wracałem myślami.

– Cześć – powiedziałem. – Co tam masz?

Wlepiła we mnie wielkie oczy. W przeciwieństwie do wielu ludzi nigdy nie miałem trudności z porozumiewaniem się z dziećmi. Wystarczy udawać, że są inteligentnymi zwierzętami domowymi – jak świnia albo koń. W gruncie rzeczy znacznie bardziej powinno nas onieśmielać przemawianie do konia, gdyż jest to często zwierzę bystre i skłonne do pogardy wobec tych, których nie uważa za wartych swojej uwagi.

Pogadaliśmy sobie miło, dziecko i ja, na koniec mała wręczyła mi trawkę (za którą podziękowałem) i oddaliła się w podskokach. Gdzieś w połowie tej rozmowy poczułem, że Tallent przestał pisać i nas obserwuje, a po odejściu dziewczynki powiedział:

– Masz bardzo dobre podejście do dzieci.

– Naprawdę? – zdziwiłem się.

Nigdy nie przyszło mi do głowy, że istnieją dwie kategorie ludzi: ci, którzy mają podejście do dzieci, i ci, którzy go nie mają, i że zaliczam się do pierwszej grupy.

– Chcesz mieć własne dzieci? – spytał Tallent.

To mnie jeszcze bardziej zaskoczyło. Musisz pamiętać, że w latach pięćdziesiątych ludzie, zwłaszcza mężczyźni, nie wypytywali się nawzajem, czy chcą mieć dzieci. Zakładano, że będzie się je miało, a sympatia do dzieci, lub jej brak, niewiele się liczyła. Tak to się po prostu działo: człowiek się żenił, zdobywał pracę, płodził dzieci. Można było mieć jedno dziecko lub więcej, żonę piękną albo nie, pracę nudną albo nadzwyczajną, ale wszystko to były tylko warianty. Odpowiedziałem więc:

– Nie wiem. Nie zastanawiałem się nad tym. – I była to prawda.

– Mmm… – odparł Tallent. – Mnie się zdaje, że będziesz miał dzieci.

Zirytowała mnie ta jego pewność. Potrafił sprawić, że czułem się jak stworzenie z jego podręcznika, które ma spełnić określone przeznaczenie, znane wyłącznie jemu.

– A ty? – zaatakowałem.

Namyślał się chwilę, czego nie przewidziałem.

– Nie sądzę – odparł wreszcie.

– Dlaczego?

– Bo to nie dla mnie – odrzekł z uśmiechem skierowanym nie do mnie, tylko do czegoś lub kogoś rozpoznanego w oddali.

Podążyłem za jego wzrokiem, lękając się, że spogląda na Esme, ale nie ujrzałem nikogo, jedynie pusty plac z ogniskiem, nad którym snuło się oleiście rozgrzane powietrze.

* * *

Dopiero dwudziestego szóstego dnia udało mi się wreszcie dojść do żółwiowego jeziora. Żółwie podpłynęły do mnie, ufne i łagodnie zaciekawione jak krowy, a ja wyłowiłem dwa mniejsze, wielkości talerzy, i powkładałem je do kartonów z otworkami wentylacyjnymi.

Droga w dół nie była trudna, ale powolna. Chciałem ją jakoś oznaczyć, ale doszedłem do wniosku, że nie da się tego zrobić bez wiedzy i korzyści innych osób: nie mogłem przecież ryzykować wbijania w ziemię palików czy wycinania znaków na pniach drzew, bo jakiś przyszły podróżnik (chociaż nie byłem przekonany, że będzie ich tylu, ilu wieszczył Tallent) mógłby kiedyś pójść moją drogą. Ostatecznie więc uciekłem się do naszkicowania szczegółowej mapy, na której zaznaczyłem każdy zakręt i zmianę kierunku. W związku z tym musiałem co chwila odstawiać pudełka z żółwiami, żeby zaznaczyć kolejny odcinek trasy.

Dotarłszy do drzewa manama na tyłach dziewiątej chaty, skuliłem się za nim i doczekałem zachodu słońca. Esme i Tallent zostali wreszcie zaproszeni na uroczystą wieczerzę przy ognisku, gdzie mogli spędzić wiele godzin. Meyers wieczorami na ogół siedział w obozie i odkurzał ukochane grzyby sztywną miotełką (kupił takich cały zapas), posapując przez oślinione usta. Podkradłem się za magazynami do mojego

| 327

starego drzewa, gdzie gałęziami i garściami mchu zamaskowałem pudła. Miałem z sobą granulowaną karmę dla żółwi, kupioną w sklepie zoologicznym w Kalifornii; gdy nasypałem jej przed opa'ivu'eke, przez chwilę czy dwie patrzyły na nią, ale potem zaczęły jeść, co przyjąłem z ulgą.

Herpetolodzy pisali później artykuły o nadzwyczajnych cechach i właściwościach tego gatunku, lecz żaden nie wspomniał o najważniejszej, którą odkryłem: opa'ivu'eke łączą w sobie psią serdeczność z kocim egoizmem. Po posiłku łaziły po mnie przez kilka minut, a gdy głaskałem je po skorupach, nie uciekały, nie obrażały się, lecz z rozkoszy mrużyły oczy, zupełnie jak ich przodek sprzed tysięcy lat.

Kiedy tak siedziałem z moimi żółwiami, przypomniała mi się rozmowa z Tallentem o dzieciach. Przez ostatnie dwa tygodnie jedyną pociechę (i rozrywkę) znajdowałem w kontaktach z miejscową dziatwą. Wracając z kolejnych nieudanych wycieczek do żółwiowego jeziora, natykałem się na granicy wsi na rozbrykane dzieciaki, a obserwując je dłużej, zauważyłem, że w ich pozornie chaotycznej zabawie kryje się wiele gier i zachowań teatralnych. Lubiły zwłaszcza jedną sztuczkę, polegającą na tym, że dwoje dzieci stawało naprzeciwko siebie, balansując łupiną na palcu. Okręcały te łupiny coraz szybciej, a wygrywał ten, kto złapał właściwe tempo i utrzymał na palcu wirującą łupinę dłużej niż przeciwnik.

Było tam dziecko, które szczególnie chętnie obserwowałem i zagadywałem: chłopczyk siedmio-, ośmioletni, który swoim spokojem i uważnością przypominał mi nieco mojego chłopca z lasu. Nie był wyrzutkiem, ale trzymał się z boku: gdy dzieciaki grały w chwytanie przedmiotów albo ganiały się dookoła wsi, albo sprawdzały, kto odważy się wyjść najdalej za drzewo manama za dziewiątą chatą, piszcząc ze strachu i triumfu, kiedy zbiegały z powrotem na dół, ten chłopczyk obserwował je z palcem przy ustach i zatroskaną miną. Wzruszała mnie ta jego mina, tak dorosła, smutna i mądra. Poznaliśmy się i zaczął mi ufać do tego stopnia, że kładł mi niekiedy na ramieniu swoją małą rączkę albo sadowił się obok i przytulał do mnie całym ciałem, a ja opowiadałem mu o swoim życiu, o laboratorium, o Owenie. Nic z tego nie rozumiał, ale słuchał w milczeniu, jak gdyby moje słowa były ciepłym deszczem, tak przyjemnym, że nie chce się szukać schronienia.

W pewne bardzo gorące popołudnie, gdy jego rówieśnicy pognali na drugi koniec wioski, zauważyłem, że chłopczyk zasnął, przytulony do mnie. Miałem nadzieję zrobić przed wieczorem jeszcze jeden wypad na górę w poszukiwaniu jeziora, ale coś – może jego pełne zadowolenia posapywanie – mnie powstrzymało. Nie zmieniając pozycji, dałem mu spać. „Mógłbym mieć takie dziecko", pomyślałem. I zaraz dodałem w myślach: „Ale nie chcę żony". Było to niemożliwe, nawet tutaj, daleko od domu i jego twardych wymogów społecznych; nie umiałem sobie wyobrazić, jak mógłbym mieć jedno bez drugiego. Nie wiedziałem zbyt wiele o kobietach, ale nawet skromne z nimi doświadczenie nauczyło mnie, że są po prostu nie dla mnie. Żona! O czym bym z nią rozmawiał? Wyobraziłem sobie dni przesiedziane przy prostym białym stole, gdzie odkrawam kawałek mięsa spieczonego jak grzanka, znosząc klapanie żoninych kapci po linoleum, słuchając narzekań na brak pieniędzy, na dzieci, na moją pracę; widziałem siebie, jak w milczeniu wysłuchuję gadaniny o tym, jak jej minął dzień, o praniu, o tym, kogo spotkała w sklepie i co tam usłyszała. A potem wyobraźnia podsunęła mi inne sceny: biorę na ręce ciężkie od snu dziecko i kładę je do łóżka, opowiadam mu o owadach, polujemy razem na żuki i motyle, jedziemy po raz pierwszy nad morze.

Lecz tamtej nocy, leżąc bezsennie na macie, pamiętałem przede wszystkim gorąco tego młodego ciała tuż przy moim i maleńkość jego ręki. Czułem je wciąż i żałowałem tego, czego nigdy nie miałem i co chyba nigdy nie miało mi być dane.

III

Nic się nie zmieniło. I wszystko się zmieniło. Wróciłem do laboratorium: myszy wciąż żyły (głupsze i mniej mysie niż przedtem, nabrały nowego zwyczaju padania na bok z przebieraniem łapkami i z piskiem, niezdolne podnieść się z powrotem, co było zarazem frapujące i przerażające), podobnie jak lunatycy. Pokazałem tym ostatnim opa'ivu'eke z nadzieją uzyskania jakiejś reakcji, ale tylko popatrzyli, pomrugali i odwrócili się obojętnie.

To – i oczywiście Cheolyu – były jedyne pozostałości życia, które opuściłem niespełna pół roku wcześniej. Od nich zaczęło się (co stwierdziłem dopiero po fakcie) moje nowe życie, naznaczone koszmarami i cudami. Każdy dzień przynosił tyle nowych zdarzeń, że trudno mi opisać następnych kilka lat w porządku chronologicznym. Mogę jednak z całą pewnością powiedzieć, że Tallent miał rację.

Nie od razu zorientowałem się, że uczestniczę w wyścigu, do którego przystąpiłem nieświadomie, chociaż go zapoczątkowałem. Sereny donosił mi, że ten czy ów farmakolog albo ten czy ów fizjolog staje na rzęsach, żeby się dostać na Ivu'ivu. Sam Sereny się tam nie wybierał, twierdził, że jest za stary na taką śmiałą wyprawę. Ale należał do mniejszości. Z każdym dniem napływały nowe listy – błagalne, podstępne, grożące, niejasne – do mnie i do niego, z prośbą o bliższe informacje, z pytaniem, jak zamierzam wykorzystać wiedzę już posiadaną, z oznajmieniem chęci konkurowania ze mną w badaniach. O mojej niewinności świadczy fakt, że się nimi nie przejmowałem; cała ta historia lekko mnie oszołamiała, co uważałem nawet za zabawne. Mój niewczesny spokój brał się głównie z zaufania do króla U'ivu, który najwyraźniej nie kwapił się wpuścić na wyspę nikogo poza Tallentem (i jego współpracownikami). Poza tym, rozumowałem, skoro mnie, który byłem na Ivu'ivu dwa razy, znalezienie żółwiowego jeziora zabrało kilkanaście dni, to nowicjusze – ci nieliczni, którzy kiedyś postawią stopę na wyspie – będą na to potrzebowali wielu tygodni frustrujących prób. O pomocy miejscowych nie mają co marzyć, gdyż żółw stanowi wielkie tabu dla Ivu'ivuan (a co dopiero dla U'ivuan).

W tym czasie wszyscy już zakładali, że sekret tkwi w opa'ivu'eke. Życie wieczne! Nic dziwnego, że instytucje i koncerny gotowe były nie liczyć się z kosztami, w ogóle z niczym, byleby dostać się na wyspę w pierwszej kolejności. Nic dziwnego, że podejrzewano, iż ja sam pracuję nad wyizolowaniem sekretnego czynnika. Ja jednak wiedziałem więcej niż oni, więc bez trudu zachowywałem milczenie wobec ich pytań i podejrzeń: wiedziałem, że ta forma długowieczności jest straszliwie upośledzona. Dlatego jeśli badania miały być kontynuowane, trzeba było wcześniej wynaleźć antidotum.

Sereny dość szybko zorientował się, że coś tu nie gra.

– Pan mi czegoś nie mówi – zarzucił podczas jednej z naszych częstych rozmów telefonicznych.

Nie mam wprawy w udawaniu głupiego, nigdy nie miałem.

– O co panu chodzi? – spytałem bez przekonania.

– Z tymi myszami jest coś nie w porządku – odparł i opisał mi szczegółowo pogarszający się stan jego myszy.

Żyło ich nadal całe siedemdziesiąt dziewięć procent, podczas gdy u mnie z trzeciego eksperymentu pozostało sześćdziesiąt jeden procent*. Z przejęciem wysłuchałem, że ich objawy są niemal identyczne z objawami moich. Czułem się zmuszony zdradzić Sereny'emu, że to, co obserwujemy u myszy, stanowi powtórzenie tego, co zaobserwowałem wcześniej u lunatyków. Słuchał mnie z rosnącym zdumieniem, gdy mu opowiadałem o kondycji i domniemanym wieku przywiezionych z wyspy Ivu'ivuan.

– Nortonie – rzekł na koniec. – To wprost nie do wiary.

A jednak dowód miałem tuż obok, na sztucznie przez siebie stworzonej Ivu'ivu. Pogadaliśmy chwilę o tym, jak mógłbym dowieść swojej teorii na materiale ludzkim, i doszliśmy do wniosku, że to niemożliwe, bo nikt nie podejmie takiego ryzyka. Sereny spytał, czy mógłbym przeprowadzić tego typu doświadczenie na grupie Ivu'ivuan, których następnie przywiózłbym do Stanów, na co uświadomiłem sobie, że skutki działania mięsa żółwia uwidaczniają się dopiero po kilkudziesięciu latach, więc nawet gdybyśmy znaleźli chętnych w wieku czterdziestu czy pięćdziesięciu lat, musielibyśmy czekać następne czterdzieści czy pięćdziesiąt (co najmniej), zanim wystąpią u nich objawy. Przekonywałem Sereny'ego, że teraz najpilniejszym zadaniem jest znalezienie antidotum na efekt działania opa'ivu'eke.

– Rozmawiałeś już z kimś o tym? – spytał Sereny.

Ton jego głosu był lekki, ale nauczyłem się już nie ufać rywalowi, który udaje brak zainteresowania i ambicji, podkreślając, że rozmowa ma charakter czysto akademicki. Dlatego triumfowałem (starając się, by głos nie zdradził mego triumfu), gdy mogłem poinformować Sereny'ego, że tuż przed wyjazdem na Ivu'ivu złożyłem w „Rocznikach Epidemiologii Pokarmowej" artykuł, który został przyjęty do druku.

– Ach tak – rzekł Sereny po dłuższej chwili milczenia. Nie umiałem odgadnąć, czy jest zły, czy rozczarowany, czy może jedno i drugie. – Mam nadzieję, Nortonie, że wie pan, co robi.

332 |

---

* Mowa o stu myszach poddawanych doświadczeniu od piętnastego miesiąca życia.

Co rzekłszy, szybko się rozłączył.

Oczywiście, że nie wiedziałem, co robię. Artykuł do „Roczników..." wysłałem w panice, gdyż czułem się w pułapce dwóch niefortunnych okoliczności. Jeżeli będę zbyt długo zwlekał, Sereny bez wątpienia wyciągnie wnioski na temat myszy i napisze własny artykuł, z większą wprawdzie liczbą znaków zapytania, ale to nieistotne, bo i tak będzie pierwszy, a więc choćbym potem napisał coś odkrywczego, będę tylko kontynuatorem jego rewelacji. Z drugiej strony publikując zbyt wcześnie, obudziłbym czujność cwaniaków krążących wokół wyspy (i wokół mojej pracy), którzy zorientują się w powadze problemu torpedującego ich plany handlu nieśmiertelnością w butelkach. Wzmoże się polowanie na opa'ivu'eke i będę się ścigał z innymi o rozwiązanie kwestii, o której nic by nie wiedzieli, gdybym im nie powiedział. Oba wyjścia były złe. Tak czy owak wiedziałem przynajmniej, że będę mógł mieć pretensje tylko do siebie.

* * *

| 333

A potem, co wielu po mnie też odnotowało, wszystko poszło bardzo źle. Następna moja wyprawa na Ivu'ivu, jakieś osiem miesięcy później, przebiegła normalnie. Tym razem byłem sam. Przed powrotem na wyspę odbyłem następną nieciekawą rozmowę z królem. Była to ostatnia audiencja, której mi udzielił, choć wówczas jeszcze tego nie wiedziałem. Wiele rzeczy w tej wyprawie odbyło się, jak czas pokazał, po raz ostatni: ostatni raz byłem jedynym człowiekiem Zachodu na Ivu'ivu, a tym bardziej w samej wiosce; ostatni raz dotarłem bez przeszkód do żółwiowego jeziora, by zobaczyć kożuch baniek powietrza na jego powierzchni i ufnie podpływające do mnie opa'ivu'eke; ostatni raz mieszkańcy wioski nie zwracali uwagi na gościa, którego obecność nie zakłóciła w najmniejszym stopniu ich codziennej rutyny. Ostatni raz widziałem, jak miejscowi szykują i magazynują zapasy żywności w sposób znany im niewątpliwie od stuleci; ostatni raz mieszkańcy wioski obywali się bez konserw mięsnych, paczkowanych sucharów i puszkowanych owoców w syropie; ostatni raz oglądałem ich nagie ciała – piersi kobiet kołyszące się nad kopczykami nasion, genitalia mężczyzn klaszczące o uda, gdy myśliwi wracali z nocnych łowów.

Ale ta wizyta przebiegła jeszcze bez szwanku i pomyślałem sobie, pamiętam, że Tallent jednak się pomylił, bo wszelkie zmiany, o ile nastąpią, będą powierzchowne i nie naruszą tutejszego życia. Zauważyłem wprawdzie, że kilka drzew opasano czerwonym sznurkiem, wydzielając małe przestrzenie, z których każda opatrzona była przytwierdzoną do drzewa wizytówką z nieczytelną łacińską nazwą – była to niewątpliwie robota Meyersa. Ale jeśli tylko na tym miały polegać zmiany, to nie było się czym przejmować. Udało mi się znów odwiedzić żółwie (mapa się przydała), a nawet odszukać małego przyjaciela z poprzedniego pobytu, który chętnie towarzyszył mi w coraz dalszych spacerach po lesie. W upalne popołudnia zasypialiśmy, by rankiem badać teren (przy okazji znalazłem liczne kolonie grzybów, które zachwyciłyby Meyersa, więc pobrałem dla niego próbki i porobiłem rysunki). Spotkałem wodza, Uo, Lawa'eke i wielu innych, których znałem z widzenia, jeśli nie z imienia.

Zadawałem sobie później pytanie, czy podświadomie nie zaplanowałem tej wyprawy tak, żeby się zbiegła z publikacją mojego następnego artykułu*, ponieważ nie chciałem myśleć o konsekwencjach jego publikacji. Sądzę, że nie, chociaż wielu uważa inaczej i nie mam wpływu na ich opinię. Wiem za to na pewno, że zanim sześć tygodni później wróciłem do Stanforda (z dwoma nowymi opa'ivu'eke), w środowisku naukowym wrzało. Rzucano na mnie oskarżenia, pisano artykuły polemiczne, pismo „Roczniki Epidemiologii Pokarmowej" otrzymało rekordową

---

* *Deterioracja mentalna zaobserwowana wśród podmiotów po spożyciu żółwia opa'ivu'eke z Ivu'ivu,* „Roczniki Epidemiologii Pokarmowej", t. 47, styczeń 1958, s. 259–272.

liczbę listów. Wieść o moich dwóch odkryciach przeciekła nawet do prasy popularnej, w związku z czym udzieliłem wywiadów „Timesowi" i „Time". Równocześnie Tallent zerwał ze mną stosunki, chociaż nigdy nie dowiedziałem się dlaczego. Czy sądził (jak sądziło później wielu), że ostatecznie i definitywnie skazałem wyspę na zagładę? Że popsułem śliczny wizerunek nieśmiertelnego ludu? Że osiągnąłem sławę, jakiej on nie dostąpił? Cheolyu mówił, że pod moją nieobecność ktoś chciał się włamać do laboratorium. Któregoś ranka zamek był zryty dłutem, a drzwi odgięte na dole. Cheolyu uznał, że to jakiś naukowiec albo banda farmakologów, ale ja – chociaż głośno się z nim zgodziłem – podejrzewałem Tallenta, jakkolwiek mogłem tylko zgadywać jego motywy: chciał zniszczyć moją dokumentację? oswobodzić lunatyków? W następnych miesiącach usilnie próbowałem nawiązać z nim kontakt – pisałem listy, dzwoniłem, wyczekiwałem godzinami pod jego gabinetem i zdumiewająco obskurnym blokiem, w którym mieszkał. Błagałem rektora i dziekana o interwencję. Próbowałem nawet pogadać z Esme. Byłem jak nieszczęśliwie zakochana panna. Nie wiedziałem nawet, co chciałbym mu powiedzieć po nawiązaniu kontaktu – po prostu rozpaczliwie chciałem go zobaczyć i uzyskać od niego rozgrzeszenie. Odkrycia były moje (co stale musiałem sobie przypominać), ale gdyby nie Tallent, nie miałbym możliwości ich dokonać. („A gdyby nie ty – szeptał mi w głowie jakiś głos, odkąd dowiedziałem się, że król wpuścił na wyspę pierwszą ekipę farmakologów z firmy Pfizer – wyspa nadal byłaby bezpieczna").

Mogę powiedzieć tylko tyle, że próbowałem. Zrobiłem to, co uznałem za najlepsze. Dziś często czuję się rozdarty między skruchą a jej brakiem, gdy opowiadam tę część historii. Nie pojechałem na wyspę, żeby się dorobić – w przeciwieństwie do wielu, którzy byli tam po mnie – ani żeby przekonać tubylców do mojego stylu życia, diety i przekonań. Pojechałem tam dla przygody, z czystą nadzieją poszukiwacza. Nie chciałem zniszczyć ludu ani kraju, o co tak często jestem oskarżany. Lecz czy nie taki był skutek moich działań? Nie mnie wyrokować. Postąpiłem jak naukowiec. I gdybym musiał to powtórzyć – nawet wiedząc, jaki los spotkał Ivu'ivu i jej mieszkańców – zapewne postąpiłbym tak samo.

To nie do końca prawda: ja c h c i a ł b y m zrobić to ponownie. Nie zastanawiałbym się ani chwili.

* * *

Minęły dwa lata; miałem już własne laboratorium na Wydziale Wirusologii Narodowego Instytutu Zdrowia, gdzie spędziłem resztę życia zawodowego. Cheolyu wrócił do Korei, gdzie w końcu poprowadził swoje laboratorium na Seulskim Uniwersytecie Narodowym. Wciąż miałem pod opieką lunatyków, chociaż coraz mniej się nimi zajmowałem. Byli stale doglądani przez osoby wykonujące badania krwi, kondycji fizycznej, sprawności intelektualnej i odruchów*. Instytut urządził im w dodatkowym laboratorium bardzo przyjemną, przytulną przestrzeń z drzewami i zasłaną liśćmi podłogą; przydzielono im też pomocników do mycia i ubierania, bo chociaż pomieszczenie nie miało okien (nie chcieliśmy drażnić lunatyków obcym widokiem nagich, czarnych drzew), to nocą robiło się tam chłodno, nie było więc wskazane, żeby chodzili nago. Pomału przestawialiśmy ich też na zachodnią dietę, dowiadując się przy okazji wiele o skutkach zmiany pożywienia na bardziej przetworzone. Z przykrością stwierdzam, że nasi podopieczni byli już wtedy w niemal

336 |

---

* Przez co najmniej dziesięć lat po przywiezieniu ich do Stanów lunatycy zachowali (przynajmniej fizycznie) odruchy i stan zdrowotny sześćdziesięciolatków. Potem jednak drastycznie pogorszyły się u nich poziom cholesterolu, praca serca, pojemność płuc i gęstość kości, co Norton przypisywał zmienionej diecie i brakowi aktywności fizycznej. Bez dostępu do grupy kontrolnej na Ivu'ivu trudno jednak wyciągać z tego definitywne wnioski. (Szersze objaśnienie w przypisie drugim na stronie 349).

kompletnej demencji: gdy pierwszy raz zobaczyłem Muę wiezionego do sypialni na wózku inwalidzkim po całodziennych badaniach – z dyndającą głupkowato głową, obwisłymi rękami i oczami wprawdzie otwartymi, lecz rozbieganymi – poczułem ukłucie w sercu, bo przypomniało mi się, jak sprawnie i chyżo wędrował kiedyś po puszczy, jak wyciągał krótkie nogi, przesadzając grube korzenie wystające z ziemi. Nasza praca była konieczna, ich demencja nieuchronna, a jednak sentymentalnie żałowałem, że nie żyło im się lepiej*.

Z opa'ivu'eke też było marnie. Dzisiaj przyznaję, że nie doceniłem wagi środowiska naturalnego dla ich przetrwania i dobrostanu. Przeprowadziliśmy wiele nieudanych prób parzenia ich i jeszcze więcej prób przyzwyczajenia do innej diety. Uświadomiłem sobie (z opóźnieniem), że nie poświęciłem dość uwagi naturalnej diecie żółwi, wobec czego zmarnowaliśmy mnóstwo czasu na ustalenie właściwej kombinacji pokarmów – najbliższa ideału okazała się mieszanka sardynek z różnymi odmianami sałaty i jadalnych pędów paproci – która by je syciła i zapewniała równowagę organizmu. Z upływem czasu jednak opa'ivu'eke zaczęły marnieć, tak że w końcu zabiliśmy dwa starsze (jednego zakonserwowaliśmy**, drugiego poddaliśmy sekcji), na młodszych zaś zdwoiliśmy wysiłki, co jednak niewiele dało.

Coraz więcej czasu spędzałem poza laboratorium, wykładałem tu i ówdzie, pisałem artykuły itp., więc następną wyprawę na Ivu'ivu odbyłem dopiero pod koniec roku sześćdziesiątego pierwszego. Z różnych stron docierały do mnie wiadomości

---

* Przenosiny do NIZ wyznaczyły koniec jeszcze jednego rozdziału. W ostatnim miesiącu przed odejściem Nortona z Uniwersytetu Stanforda zdechła reszta myszy z jego pierwszej grupy doświadczalnej – dożyły 120 miesięcy. Myszy z grupy C wyzdychały wkrótce po przeniesieniu do NIZ, podobnie jak młode z grupy B – wszystkie przeżyły od 118 do 121 miesięcy, a więc sześciokrotną długość naturalnego życia myszy.

** Ten okaz znajduje się nadal w NIZ i można go oglądać na życzenie.

o tłumach badaczy Ivu'ivu, których liczba przekraczała liczbę mieszkańców wioski; o namiotowej osadzie prężnych brygad koncernów Pfizer i Lilly, których naukowcy latali w tę i z powrotem własnymi samolotami lub pływali własnymi motorówkami, patrząc na siebie z nienawiścią przez samowolnie wytyczone linie demarkacyjne, bo każda grupa chciała wyprzedzić tę drugą; o zadeptanych i wykarczowanych połaciach dżungli, o zakłóconym życiu fauny i flory. Pewnego wieczoru z Cal zadzwonił do mnie Meyers, by jąkając się bardziej niż zwykle, poinformować mnie, że właśnie wrócił z wyspy, oraz opisać scenę, która przypominała piekło Breughla: zaświniony i cuchnący plac w wiosce, gryzący czarny dym ognisk i rojowisko ludzi.

Miałem nadzieję, że Meyers przesadza – nie ufałem mu w sprawach niegrzybowych – ale i tak wyruszałem w podróż z duszą na ramieniu. Byłem teraz pracownikiem państwowym, więc nie musiałem czekać na transport na wyspę – rozsiadłem się w głębi awionetki, spodziewając się twardego lądowania, jakie zawsze czekało przybysza na U'ivu. Jednak ku mojemu zdziwieniu usiedliśmy miękko, a gdy wysiadłem z samolotu, rzuciła mi się w oczy pierwsza wielka zmiana: wyboje, kamienie i kępy krzaków, które pamiętałem, zniknęły, a na ich miejsce pojawił się pas startowy, wprawdzie krótki, ale jednak. Całe pole wyrównano i ogołocono: ani źdźbła trawy, ani jednego białego kwiatuszka, tylko ubita ziemia, tak czysta, że wydawała się świeżo zamieciona. Coś drgnęło mi w środku: pierwsza zapowiedź zgrozy.

Powitał mnie przewodnik, którego nie znałem. Mógł być kimkolwiek, ale mówił trochę po angielsku i odziany był w musztardowej barwy sarong oraz biały męski podkoszulek, który był na niego o wiele za długi. Włosy miał krótko ostrzyżone. Poprowadził mnie nie do konia, lecz do rudego od rdzy gruchota, istnego tworu doktora Frankensteina, skleconego z części wielu aut różnych marek. Mój przewodnik był jednak z niego strasznie dumny. Krztuszącym się pojazdem zawiózł mnie na przystań, gdzie zbudowano koślawy nowy pomost. Na pomoście stał przewoźnik – ten sam, którego pamiętałem sprzed lat, chociaż on udawał, że mnie nie zna – lecz jego łódź, jeśli nie całkiem nowa, była nowsza i wyposażona w silnik, który rzęził i dostawał czkawki, gdy zrywami pokonywaliśmy morze. Dwa razy szybciej niż poprzednio dopłynęliśmy do Ivu'ivu, gdzie za załomem skały, w lagunie, czekał mnie nowy szok: dżungla została wycięta tak głęboko, że brzeg zamienił się w regularną plażę – poletko mulistego, szarego piasku, obrzeżonego wyskubaną zielenią. Na piasku stał rozpromieniony mężczyzna i machał do mnie oburącz. Łódź z szuraniem dobiła do brzegu.

– No-ton! No-ton! – wołał mężczyzna, a ja nagle poznałem, że to Uva, chociaż nie był to Uva z moich wspomnień*. Ten Uva nosił spodnie khaki – o wiele na niego za duże – i prawdziwą zapinaną koszulę, mocno spraną i tak gęsto połataną, że szwy na niej wyglądały jak blizny. Był ostrzyżony i nie miał już kości w nosie, chociaż na obu nozdrzach widać było ciemnobrązowe plamy w miejscach, gdzie tkanka się zrosła i zabliźniła.

| 339

– Jak siema? – spytał Uva, wyraźnie dumny ze swej świeżo opanowanej angielszczyzny, a jego duma przyprawiła mnie o gęsią skórkę, bo zobaczyłem ją na tle gigantycznych zmian, jakie zaszły na wyspie.

Dostrzegałem je wszędzie. Pod górę prowadziła prawdziwa droga i chociaż szliśmy nią pieszo, Uva ciągnął moje rzeczy na wózku. Nie przywykł do noszenia tylu ubrań, więc bardzo się pocił. Wreszcie rozpiął do połowy koszulę, ale gdy ja zdjąłem swoją, żeby go zachęcić do tego samego, spojrzał tęsknie na mój nagi tors, odwrócił się i zapiął z powrotem pod szyję. Determinacja na jego twarzy świadczyła o tym, że teraz stawia na pełny strój. Ale dlaczego? – chciałem go zapytać. Przecież Ivu'ivuanie mieli rację, trzymając się nagości: w panującej tu wilgoci ubrania były nie tylko głupie, ale wręcz niewskazane.

---

* Uva miał wówczas około pięćdziesięciu dwóch lat.

Idąc dalej, mimowolnie obserwowałem okolicę i wypatrywałem oznak zmiany. Czy las był cichszy niż ostatnim razem, czy mniej w nim było ptasich nawoływań, małpich pisków, owadziego furkotu? Czy mniej było drzew manama i owoców na ziemi? Czy drzewa kanava były mniej zachlapane odchodami vuak niż poprzednio? Czy mech zawsze był taki wydeptany, czy też ktoś niedawno po nim stąpał? Czy ta przesieka między palmami zawsze była taka szeroka, czy też ktoś ją ostatnio poszerzył? Czy tam, na orchidei, widzę biały kartonik z opisem, czy może jest to motyl ze złożonymi skrzydłami?

Wioskę poczuliśmy nosem, zanim ją ujrzeliśmy, tylko że był to zapach znany mi ze Stanów, a nie stąd. Odgłosy też nie były ivu'ivuańskie: ostra woń przypalonego bekonu i skwierczenie tłuszczu na rozgrzanej patelni. Słyszałem męskie głosy mówiące wyłącznie po angielsku, czułem agresywny zapach środków piorących, metal podzwaniał o kamień.

A oto i obóz: schludne, czyste namioty. Porozciągane T-shirty i bawełniane spodnie w barwach ochronnych suszyły się na niskich gałęziach manamy. Płonęło ognisko i jeden z mężczyzn trzymał nad nim w szczypcach puszkę obscenicznie bulgoczącej fasoli.

Przedstawiłem się – nie mogłem postąpić inaczej – i usłyszałem, że mam do czynienia z reprezentantami Pfizera; grupa Lilly obozowała na prawo od wioski, w tej samej od niej odległości. Byli wśród nich ludzie uprzejmi, byli wrodzy, byli zdziwieni. Popatrywali na mnie z zawiścią, bo gdy oni całymi dniami poprawiali receptury lekarstw i kremów, ja wykonywałem prawdziwą pracę – poznali we mnie kogoś lepszego. Ale oni mieli pieniądze, a po moim skromnym plecaku na wózku Uvy widać było, że ja ich nie mam. A kto ma pieniądze, ten wygrywa. Taka reguła obowiązuje w nauce. Obowiązywała już wtedy. Pożegnałem się najszybciej, jak się dało.

Ale zgroza na widok skali transformacji wyspy ogarnęła mnie dopiero, gdy stanąłem na skraju wioski. Chaty były te same i to samo klepisko w obrębie wyraźnie zarysowanych granic – ale to jedyne, co zgadzało się z moim wspomnieniem. Na patyku przed ogniskiem tkwiła kostka konserwy mięsnej, z której kapały ciężkie krople smalcu, a druga, już upieczona kostka leżała na liściu palmowym, który zwiął się od jej gorąca. Parę metrów dalej grupka tubylczych mężczyzn pochylała się nad trzecią mięsną kostką, odrywając palcami po kawałku i co trzecim kęsem karmiąc świnie. Ale najgorsze wrażenie zrobił na mnie sznur do prania rozpięty między dwoma drzewami manama po lewej stronie wioski: sznur upleciono z kilku linek z liści palmowych, jakże cennych, bo służących do napraw, do przeciągania ładunków, do prowadzania świń – a na tym sznurze powiewała śmieciowa kolekcja używanych ubrań: pożółkłych podkoszulków, spodni z podartymi kieszeniami i prostych bawełnianych sukienek z długim rękawem, które nie przydałyby się nawet w Ameryce, a co dopiero na Ivu'ivu. Wszyscy miejscowi paradowali w ubraniach – włożonych prawidłowo albo na lewą stronę, ale obnoszonych z gorliwym wysiłkiem, który mnie zasmucił, bo świadczył o tym, że Ivu'ivuanie przyjęli zwyczaj noszenia ubrań jako coś wartościowego, konieczny element adaptacji. Kto ich do tego namówił i dlaczego dali mu wiarę?

Skierowałem się do dziewiątej chaty. Z jednej jej strony dwaj farmaceuci kopali piłkę futbolową, a grupa wiejskich dzieciaków – niektóre w koszulkach tak wielkich, że przypominały kimona – przyłączyła się do ich zabawy. Dziewiąta chata była wewnątrz taka sama, jaką zapamiętałem: cicha, chłodna... poważna. Doznałem chwilowej ulgi. Ale zaraz pomyślałem: „Czy na pewno nic się tutaj nie zmieniło?". Wnętrze było jakby zakurzone. Rozejrzałem się po klepisku, wypatrując śladów zaniedbania. Miałem wrażenie, że w kontekście tak powszechnych zmian niezmienność dziewiątej chaty czyni ją mniej – a nie bardziej – ważną. Jasne było, że wszystko, co tu kiedyś ceniono – od zdobienia ciała, poprzez żywność, aż po zabawy dziecięce – teraz było w pogardzie, a to, że nikomu nie przyszło do głowy uaktualnić wnętrza dziewiątej chaty jakimś elementem nowego świata, rodziło obawę, że zachowała się nie jako obiekt czci, lecz jako relikt bezpowrotnie minionego.

* * *

Z czasem zorientowałem się, że to, co mnie udało się znaleźć dopiero po wielu tygodniach, ekipy badawcze znalazły w parę dni. Wspiąłem się półbiegiem do jeziora – ścieżką, która przypominała teraz szlak pochodu, umajoną furkoczącymi czerwonymi taśmami rozpiętymi od drzewa do drzewa – i wpadłem na dwóch naukowców (tym razem z instytucji niemieckiej, która rozbiła obóz nieopodal grupy Lilly) wyławiających z wody dużego opa'ivu'eke, który rozpaczliwie przebierał łapami. Kiedy przeszli, nachyliłem się nad jeziorem, którego czysta niegdyś krawędź zamieniła się w błoto rozdeptane dziesiątkami męskich buciorów, i zobaczyłem, że tylko pięć żółwich głów sterczy nad powierzchnią wody. Czekałem długo, ale żółwie do mnie nie podpłynęły, trzymały się środka jeziora. Chciało mi się wyć. Później dowiedziałem się (od jednego z tych samych Niemców), że Tallent zaginął i nie ma go od co najmniej dwóch tygodni. Wcześniej był na wyspie sam, bez Esme, niektórzy go poznali. Aż pewnego dnia zniknął. Jego nieobecność dostrzegli dopiero po dwóch dniach – może trzech? – i zaczęli go szukać małymi grupkami, z pomocą przewodników. Nie znaleźli jednak ani śladu: żadnych odcisków stóp na poduszkach mchu, żadnych porozrzucanych pestek manamy, żadnych pozostałości ogniska. Tallent miał ze sobą tylko plecak.

Zrozumiałem, że to jest najgorsze ze wszystkiego. Gorsze niż żółwie, które zbyt późno nauczyły się nie ufać nowym ludziom i zostały zdziesiątkowane. Gorsze niż obojętność mojego małego przyjaciela, który jeszcze tak niedawno spał oparty o mnie, a teraz odwracał się na mój widok i odchodził, wlokąc za sobą zbyt długie nogawki. Nie mogłem uwierzyć, nie przyjmowałem do wiadomości tego, że Tallent odszedł ode mnie, od nas, na zawsze. Całymi dniami wypytywałem kogo się dało spośród Ivu'ivuan i farmakologów o jakiekolwiek informacje. Ci drudzy, zorientowawszy się, że dzięki temu im nie przeszkadzam, byli nawet skłonni do rozmowy, ale wiedzieli tak mało, tak frustrująco mało, że często żałowałem, iż w ogóle ich pytam. Jak zachowywał się Tallent w dniach poprzedzających zniknięcie? Normalnie – odpowiadali, a przecież go nie znali (ja też go nie znałem, mówiąc szczerze), więc skąd mogli wiedzieć, czy zachowuje się normalnie, czy nie? Był z natury spokojny, skłonny do kontemplacji i zamknięty w sobie. Jakie prowadził badania? Co obserwował? Odpowiadali, że nie wiedzą, że czasami rozmawiał z mieszkańcami wioski, ale najczęściej ich obserwował i pisał coś w notesie. Czy z kimś z wioski szczególnie lubił rozmawiać? Nie, raczej nie. Czy sprawiał wrażenie… – w tym miejscu musiałem urwać i upewnić się, czy chcę usłyszeć odpowiedź – wrażenie zaniedbanego, chorego, niemyślącego logicznie lub zaburzonego? Nie – odpowiadali. Nie, nie.

Nocami sam go szukałem, meandrując bez planu po dżungli. Były to bezsensowne wycieczki, bo nie zapuszczałem się daleko i nie nawoływałem go po imieniu – zataczałem tylko kręgi latarką, oświetlając płaskim dyskiem jasności przypadkowe powierzchnie: fragment kory, gąszcz liści, kawałek ziemi, co popadło. W głębi duszy nie myślałem chyba, że go znajdę. Ale podczas tych nocnych spacerów zawsze wspominałem swoje pierwsze spotkanie z Muą, który wyłonił się spomiędzy cieni dżungli jak ożywiona mara, i nadzieja wzbierała we mnie na nowo. Wyobrażałem sobie, że przesunę latarkę odrobinę w prawo i w snopie światła zobaczę Tallenta z miną zamaskowaną przez brodę. „Co cię tutaj sprowadza, Nortonie?" – zapyta.

Niezmiernie rzadko, ale jednak, zdarzało się, że mieszkańcy wioski tracili kogoś na polowaniu. Myśliwy, zazwyczaj młody i niedoświadczony, zapuszczał się w głąb lasu i długo nie wracał. Czasami ginął na zawsze. Ivu'ivuanie mieli na to powiedzonko: *Ka ololu mumua ko* – „Dżungla go pożarła". Dziwne, ale nigdy nie zakładali, że zaginiony umarł – on po prostu odszedł i nie może znaleźć drogi do domu, ale żyje, żyje i usilnie stara się wrócić do wioski.

Od tamtego czasu powstało wiele teorii w związku ze zniknięciem Tallenta. Wyprawił się po nowych lunatyków. Poszedł za lunatykiem w głąb lasu. Oszalał. Trafił na lepiej ukrytą wspólnotę i z nią zamieszkał. Odkrył coś wspaniałego. Odkrył coś potwornego. Miejscowi go zamordowali, a ciało wynieśli nocą. Popadł w obsesję na punkcie odkrytego przez siebie gatunku kwiatu. Uciekł z kobietą albo z mężczyzną z wioski (niedorzeczność, jako że w wiosce nikogo nie brakowało). Wyrzekł się tej cywilizacji i postanowił założyć własną. W sekrecie uciekł z wyspy i żyje pod zmienionym nazwiskiem na Hawajach, gdzie wykłada na uniwersytecie. Popełnił samobójstwo. Nadal żyje. Dokładnie wiedział, dokąd idzie. Odszedł bez celu.

Nie mam pojęcia, co się z nim stało. Często jednak o nim myślę, częściej, niż ktokolwiek przypuszcza. Wraz z jego zniknięciem coś utraciłem: intensywność odczuwania, ale i coś jeszcze. Zastanawiam się nieraz, czy byłbym innym człowiekiem, gdyby Tallent pozostał w naszym świecie – jak byłbym inny i w czym znalazłbym zadowolenie, które w końcu znalazłem w wiadomych rzeczach. Gdybym miał podsumować moje domysły, powiedziałbym chyba, że ja też wierzę, że pożarła go dżungla, po której wciąż gdzieś błądzi. Widuję go w wyobraźni, wychudzonego i bladego po latach przeżytych pod mrocznym baldachimem drzew, widzę, jak unosi twarz, łowiąc drobinki światła przenikające do serca puszczy. Nigdy nie jawi mi się w towarzystwie, zawsze błąka się po lesie sam, w złachmanionym ubraniu, z bambusowym kijem, z brodą po pas. Ciekawe, czy posilił się żółwiem, by zostać przy życiu? Czy śpiewa, gada do siebie, by zwalczyć samotność? Czy mnie pamięta? Czy znalazł w końcu drogę do wioski, czy zagląda tam raz do roku, a może rzadziej, i ukryty za drzewem obserwuje zmiany, które zniechęcają go do powrotu?

W tych fantazjach czasami go nawołuję – on się odwraca, oczy ma jasne, świetliste i głodne, a ja wstrzymuję oddech, porażony dzikością jego głodu i zapałem jego poszukiwań, więc nie mówię nic, tylko wpatruję się w niego, on zaś w milczeniu, ściskając kij wychudłą, poczerniałą ręką, odwraca się ode mnie sennie – i znika.

IV

Cóż więcej mogę powiedzieć w swojej sprawie? Wiesz dobrze, bo wszyscy już wiedzą, co się stało. Nagabywany, relacjonuję zwięźle dalsze wypadki, bo za trudno mi jest ubrać tę historię w należytą formę – formę sagi o powolnej śmierci, która spiralnie zagłębia się w ziemię.

To było zakończenie pełne ironii, jak to najczęściej bywa z takimi smutnymi i złymi końcami. Czy mam opowiadać, jak farmaceuci, neurolodzy i biolodzy spieszyli do domu z torbami ciężkimi od żółwi, jak kolejne badania potwierdzały moje ustalenia – to, że myszy (a potem i szczury, i króliki, i psy, i małpy, i Bóg wie co jeszcze – chodziły plotki, ale żadnej nie potwierdzono) przeżywają dwukrotną, trzykrotną, czterokrotną naturalną średnią życia, ale wszystkie co do jednej popadają w nieodwracalny straszny obłęd? Myszy miotają się i piszczą, koty z rozdziawionymi pyskami tłuką się o ściany klatki, psy wydrapują sobie ślepia, a małpy, najbliższe nam temperamentem i wrażliwością, przestają wydawać odgłosy i zatracają błysk w oku, które już na nic nie patrzy, tylko odbija świat zewnętrzny – morze, chmury, żółwiowe jezioro.

Czy mam opowiadać, że zanim odkryto telomery i udoskonalono sekwencjonowanie genomu do tego stopnia, że można by ustalić, jak opa'ivu'eke wpływa na normalną telomerazę, zabrakło opa'ivu'eke do doświadczeń?* Czy mam opowiadać, jak oczyszczono jezioro z opa'ivu'eke, i to tak starannie, że chociaż w latach siedemdziesiątych grupa dwunastu naukowców wróciła, żeby je osuszyć i przemierzyć rzekę wzdłuż całego jej biegu, od końca do końca wyspy, już nigdy nie znaleziono żywego opa'ivu'eke? Czy mam opowiadać o wzajemnych oskarżeniach, rozpaczy, lamentach nad zmarnowanymi latami i milionami dolarów wyrzuconymi w błoto, o bolesnej świadomości,

---

* Norton dowiódł ponad wszelką wątpliwość, że spożycie opa'ivu'eke zapewnia nadnaturalną długowieczność. Nie wiedział jednak – nikt nie wiedział – na czym polega ten mechanizm. To nie wina Nortona, że nauka nawet nie nazwała problemu, a tym bardziej go nie rozwiązała. Należy pamiętać, że badania genetyczne są dziedziną wielce niedojrzałą. Jak pisze Norton, zanim nauka dojrzała do sformułowania teorii o przedłużeniu życia organizmu przez opa'ivu'eke, który wyłącza telomerazę – opa'ivu'eke już nie było. (W najprostszym ujęciu: telomeraza jest enzymem skracającym telomery, a zatem zmniejszającym liczbę podziałów komórki; po wyłączeniu telomerazy komórki stają się „nieśmiertelne" i osobnik przestaje się starzeć. Przyjmuje się teorię, że opa'ivu'eke hamuje działanie telomerazy w większości komórek ciała, ale nie działa podobnie na pewne partie mózgu, w związku z czym, choć ciało i pewne ośrodki mózgu – zwłaszcza te, które odpowiadają za słuch i ogólne funkcje motoryczne – pozostają nienaruszone, to ośrodki kontrolujące szczególne funkcje motoryczne, wzrok oraz rozsądek ulegają poważnej degradacji).

Tak to jednak bywa w nauce. Człowiek coś odkrywa. Nie wie, co to jest, do czego służy i jaki problem może rozwiązywać, ale wie, że znalazł kawałek układanki, której kształtu i obrazka może się tylko domyślać. Przez resztę życia szuka następnego kawałka, ale ponieważ nie wie, czego szuka, zadanie ma bardzo utrudnione. Wówczas przychodzi człowiek z następnego pokolenia, widzi znaleziony kawałek puzzla i znajduje następny. Tak więc mamy już dwa kawałki. A potem trzy, cztery i pięć. Ale bez względu na liczbę znalezionych elementów nikt nie zna kompletnego obrazka. Układającemu wydaje się, że pracuje nad obrazkiem konia, a okazuje się, że ułożył rybią płetwę, a więc od początku się mylił. Postanawia więc ułożyć rybę, ale następny znaleziony kawałek należy do skrzydła ptaka w locie. Być naukowcem to żyć całe życie z pytaniami, które nie znajdą odpowiedzi, ze świadomością, że przyszło się zbyt wcześnie albo zbyt późno, z dręczącą świadomością, że nie wpadło się na rozwiązanie, które po fakcie wydaje się oczywiste – wystarczyło tylko popatrzeć w innym kierunku.

jak blisko byliśmy życia wiecznego i jak po raz kolejny wymknęło nam się ono z rąk, jak nasze sny o boskości zmieniły się w wodę spływającą z gulgotem w szeroką gardziel rynsztoka? Czy mam opowiadać o niedowierzaniu, o wielkich planach, po których zostały nam leki opóźniające starość, o kremach przeciwzmarszczkowych i eliksirach na przywrócenie męskiej potencji? Czy mam opowiadać o żałobie koncernu Pfizer, rozczarowaniu koncernu Lilly, rozpaczy koncernu Johnson & Johnson, wściekłości koncernu Merck? Czy mam opowiadać o latach bezowocnych, desperackich prób odtworzenia efektu opa'ivu'eke z użyciem wszystkich gatunków żółwia naszej planety? O miesiącach oczekiwania, aby myszy żyły dłużej, niż wynosi ich naturalna długość życia, a gdy do tego nie doszło – o nowych próbach, na nowej grupie myszy, z nowym hawajskim żółwiem morskim, z nowym żółwiem skórzastym, z nowym żółwiem lądowym z Galapagos? Czy mam opowiadać o usiłowaniach odtworzenia efektu opa'ivu'eke z wykorzystaniem każdego zwierzęcia, każdej rośliny, każdego grzyba występującego na Ivu'ivu? Leniwce, świnie, pająki, vuaki, tukany, papugi, hunono, manamy, kanavy, dziwne stwory jaszczurkopodobne, włochate tykwy, liście palmowe, nasiona – czy mam opowiadać, jak wyspa została ogołocona z tego wszystkiego, jak wycinano całe lasy, całe pola grzybów, orchidei i paproci, żeby je załadować do helikopterów, które mogły już lądować bezpośrednio na Ivu'ivu, bo wykarczowano tyle drzew, że miejsca było pod dostatkiem?

Czy mam opowiadać, co się stało z wodzem, gdy na początku lat siedemdziesiątych Uniwersytet Johnsa Hopkinsa zwabił go do Stanów, gdzie wódz został szczegółowo pomierzony, gdzie codziennie pobierano od niego wszystkie płyny, gdzie być może nadal przebywa, chociaż słuch o nim zaginął? Czy mam opowiadać o Lawa'eke, który w tym samym czasie po prostu zniknął bez śladu? (Czy mam opowiadać, jak Pfizer oskarżył Lilly o porwanie Lawa'eke, jak Lilly obwinił za to Uniwersytet Minnesoty, a Uniwersytet Minnesoty zwalił winę na Uniwersytet

Hamburski, który z kolei oskarżył koncern Merck, na co Merck w ogóle nie zareagował?). Czy mam opowiadać o doniesieniach, że znaleziono innych lunatyków, którzy zdezorientowani, mrużąc oczy od słońca, błąkali się po pustych równinach będących niegdyś lasami? Czy mam opowiadać o pogłoskach, że były ich dziesiątki, setki, chociaż osobiście nie widziałem ani jednego – że podobno koncerny farmaceutyczne podzieliły się nimi i pozabierały ich do swoich sterylnych laboratoriów, w których mogą wciąż żyć, kłuci igłami, popodłączani do kroplówek, okrawani ze skóry, mięśni i kości nóg?* Czy mam opowiadać, jak w roku tysiąc dziewięćset sześćdziesiątym szóstym, gdy powołano pierwszą komisję nadzorującą wykorzystanie podmiotów ludzkich do badań naukowych, omal nie straciłem moich lunatyków, natomiast w roku siedemdziesiątym piątym – po Willowbrook, po Tuskegee, po powstaniu Narodowej Komisji ds. Ochrony Uczestników Badań Biomedycznych i Behawioralnych – straciłem ich nieodwołalnie?**

---

* Przez długie lata Norton słał petycje do firm farmaceutycznych, które podobno sprowadziły *mo'o kua'au* do swoich laboratoriów, prosząc o informacje na temat czworga lunatyków porzuconych na wyspie – Ivaivy, Va'any, Ukavi i Vi'iu. Nie otrzymał odpowiedzi, więc do dziś nie wiadomo, jaki los spotkał lunatyków, których zmuszony był porzucić – czy zostali pojmani, czy też ukryli się (mało prawdopodobne) albo poumierali (czego dla ich dobra należałoby im życzyć). Norton nie przestał także poszukiwać Tallenta, lecz nikt nie przyznał się do spotkania z nim. Pomimo przetrzebienia dżungli na Ivu'ivu zostało jej jeszcze aż nadto, aby Tallent mógł, teoretycznie, przeżyć okres agresywnej eksploatacji wyspy.

** Norton odnosi się tutaj do dwóch chyba niezbyt fortunnych współczesnych projektów naukowych dotyczących człowieka. Willowbrook State School na Staten Island była zakładem dla około sześciu tysięcy dzieci upośledzonych umysłowo. W latach 1963–1966 dzieci te zarażano żółtaczką typu A w celu badania skutków tej choroby. Gdy proceder ten wyszedł na jaw, opinia publiczna zawrzała i doświadczenie przerwano. Natomiast jeszcze głośniejsza sprawa Tuskegee dotyczyła ambitnego, prowadzonego przez czterdzieści lat (1932–1972) eksperymentu, w którym ubogich czarnych dzierżawców z Alabamy zarażano syfilisem, po czym obserwowano ich, nie podając im penicyliny, nawet po uznaniu jej za standardowy lek zwalczający tę chorobę. Współczesne prawodawstwo i zalecenia (nie mówiąc o bioetyce) dotyczące eksperymentów na ludziach są prostym rezultatem skandalu z Tuskegee. Narodowy Instytut Zdrowia powołał Biuro Ochrony Uczestników Badań Naukowych w roku 1966, ale komisja rewizyjna, o której wspomina Norton, powstała i zaczęła skutecznie działać dopiero osiem lat później. W roku 1975 członkowie komisji wizytowali laboratorium Nortona, aby naocznie stwierdzić, jak traktowani są lunatycy. Nie wiadomo, dlaczego zajęli się tą skromną grupą badanych, chociaż sytuacja w innych laboratoriach była znacznie gorsza – prawdopodobnie namówił ich do tego któryś z licznych wrogów Nortona. Ich wizyta, opisywana często jako „nalot", nie miała w sobie nic z napaści. Po kilku inspekcjach komisja doszła do wniosku, że lunatykom będzie lepiej w środowisku społecznym, w związku z czym w październiku 1975 przeniesiono ich do domu starców Thornhedge Retirement Community w Frederick w stanie Maryland.

Skutki tego posunięcia nie były pomyślne. Mimo że lunatycy na tym etapie nie orientowali się już w swoim otoczeniu, zachowali resztki przytomności na tyle, by przestraszyć się nowego środowiska. Brak im też było wzajemnego towarzystwa (w NIZ żyli wszyscy razem w dużym pomieszczeniu). Radykalne i okrutne zmiany – otoczenia, diety, opiekunów – mocno ich zdezorientowały, toteż ich demencja się pogłębiła. W lutym 1976 roku Norton wystąpił do komisji o cofnięcie decyzji z powodu oczywistych cierpień psychicznych lunatyków. W czasie trwania procedury apelacyjnej informacje o istnieniu lunatyków – do tej pory, o dziwo, utajnione – przeciekły do prasy popularnej. Trzy miesiące później, w czerwcu 1976 roku, lunatyków próbowała porwać radykalna grupa HAMBI (Hawajscy Mściciele Białego Imperializmu), domagająca się uznania suwerennych praw Hawajów. Grupie tej, która obiecywała „walkę na rzecz wszystkich ludów mikro- i melanezyjskich", udało się „oswobodzić" Muę i Ika'anę, zanim ochroniarze domu starców unieszkodliwili jej członków wciągających do furgonetki wózek inwalidzki z Vanu. Później okazało się, że jeden z członków HAMBI, Paiea McNamee, pracował w Thornhedge jako salowy przez dwa miesiące poprzedzające porwanie. McNamee i trzej jego wspólnicy trafili do więzienia, a lunatycy powrócili do ośrodka.

Gdy ludzie dowiadują się o moich zawodowych i prywatnych relacjach z Nortonem, mają zawsze wiele pytań, głównie o lunatyków: czy jeszcze żyją i co się z nimi dzieje? Odpowiedź na pierwsze pytanie jest twierdząca: wszyscy żyją. Ewa ma 299 lat (o ile w chwili opuszczenia wyspy miała ich 250, chociaż kto wie, czy nie była starsza). Ika'ana ma lat 225, Vanu – 180, a Mua – 153 (przy czym należy pamiętać, że są to kalkulacje według kalendarza u'ivuańskiego; według kalendarza zachodniego są jeszcze starsi).

Niestety, jak odnotowuje Norton w swojej relacji, ich kondycja fizyczna pogarsza się szybko i drastycznie. Wszyscy są bardzo słabi i utracili wiele podstawowych funkcji motorycznych. Chodzić mogą, ale robią to niechętnie. Ika'ana jest prawie całkiem ociemniały. Mało mówią i rzadko odpowiadają na pytania. Mają słabe odruchy i z opóźnieniem reagują na większość bodźców. Jedyną rzeczą, która nadal sprawia im przyjemność, jest jedzenie: ponieważ na diecie instytutowej znacznie przybrali na wadze, od roku 1985 karmieni są według receptury zbliżonej do ich naturalnej diety. Nie spowodowała ona znacznej utraty wagi – której zresztą trudno było oczekiwać, zważywszy na ich siedzący tryb życia – ale smak mango i zamiennika hunono w postaci dżdżownic z firmy produkującej karmę dla zwierząt sprawił im widoczną przyjemność. Niestety, nigdy się nie dowiemy, w jak znacznym stopniu za ich degenerację fizyczną odpowiadał wiek, a w jakim zmiana środowiska. Należy jednak przyjąć, że czynnikiem decydującym jest wpływ środowiska, gdyż wszyscy lunatycy, bez względu na różnice wieku, zaczęli zdradzać objawy chorobowe w tym samym czasie. (Z powyższego opisu wyłączam Ewę: dwa lata temu jej opiekunowie zauważyli, że źrenice Ewy nie reagują na światło, a dalsze badania potwierdziły *de facto* śmierć mózgową. Natomiast praca płuc jest sprawna jak u osoby wielokrotnie od niej młodszej). Po incydencie z HAMBI Norton wzmógł starania o odzyskanie opieki nad lunatykami. Komisja odrzuciła jego apel, ale rok później lunatyków przeniesiono do ośrodka zamkniętego. Z oczywistych powodów nie mogę zdradzić jego nazwy. Jest to oddział geriatryczny znanego więzienia federalnego pod ścisłym nadzorem. Lunatycy żyją tam wszyscy razem w oddzielnym skrzydle. Ośrodek znajduje się za daleko od Bethesda, by Norton mógł ich regularnie odwiedzać, za to położony jest blisko cieszącego się dobrą reputacją szpitala klinicznego, którego gerontolodzy i neurolodzy, skłonieni przez Nortona, bywają tam często, prowadząc obserwacje i badania lunatyków.

Często słyszę pytanie, czy moim zdaniem Norton jest odpowiedzialny za los lunatyków. Przez długie lata zmagałem się z tym problemem. Zanim zetknąłem się z lunatykami w roku 1972, byli oni już znacznie bardziej podobni do stworzeń, którymi są dzisiaj, niż do istot, które Norton spotkał w roku 1950. Żal za tym, czym kiedyś byli, jest mi więc obcy. Z drugiej jednak strony zauważyłem w nich szokujące różnice, jakie zaszły między rokiem 1975, gdy zostali przeniesieni na wniosek komisji, a 1977, gdy ponownie zezwolono mi na odwiedziny. Kiedy ich poznałem, mieli jeszcze w sobie trochę życia, trochę energii: Ewa mrugała, gdy głaskało się jej rękę, i toczyła głową po poduszce wózka inwalidzkiego, co można było wziąć za oznakę przyjemności. W roku 1977 nie robiła już nic. Siedziała z odchyloną głową, przymocowaną do poduszki pasem w poprzek czoła, zabezpieczającym przed opadaniem. I nie wydawała żadnych odgłosów. Jej ręka była zimna jak kamień. Miałem wrażenie, że dotykam glinianej figury oblepionej włosiem, a nie ludzkiego ciała. Było to wrażenie tak szokujące

Czy mam opowiadać o dziesiątkach ludzi (Sereny, Esme, cały Wydział Antropologii Uniwersytetu Stanforda, „Harper's Magazine"), którzy uznali mnie za wroga, którzy mnie oskarżyli o ukrywanie prawdy, fałszowanie prawdy, zniszczenie cywilizacji i odebranie ludzkości nadziei?* Czy mam opowiadać o pogarszającej się sytuacji na Ivu'ivu, gdzie po ostatnim najeździe farmaceutów przybyły grupy misjonarzy, którym udało się osiągnąć to, czego nie osiągnęli ich poprzednicy? Czy mam opowiadać o setkach nawróconych, o ostatnich wieśniakach z Ivu'ivu, których po zniszczeniu dżungli przetransportowano łodziami na U'ivu i osiedlono w blaszano-drewnianej wiosce we wschodniej części wyspy, w osadzie wybudowanej przez wyjątkowo prężną grupę mormonów z Provo?** Czy mam opowiadać, jak jeden

i niemiłe, że wyobrażam sobie, jak musiał je przeżywać Norton, który znał lunatyków jako istoty znacznie bardziej żywotne, zdolne mówić, poruszać się i, jakkolwiek w stopniu ograniczonym, reagować na bodźce. Jednak przyznam ze wstydem, że wówczas byłem na niego zły i uważałem go za winnego. Przez całe lata myślałem (chociaż zachowywałem to dla siebie), że mógł się nimi lepiej zaopiekować, a nawet znaleźć sposób odwiezienia ich na Ivu'ivu. Były to jednak dziecinne, niemądre opinie, z których w końcu wyrosłem.

Fakt pozostaje faktem: Norton robił dla lunatyków wszystko, co mógł, tak długo, jak mógł. Zrobił o wiele więcej niż to, do czego był moralnie i prawnie zobowiązany. Dbał o ich wyżywienie, komfort i dobrostan. Pod jego opieką nigdy nie spotkała ich krzywda, nie byli bici ani głodzeni. Norton był pionierem doświadczeń na ludziach, a działał w bardzo trudnych okolicznościach. Oczernianie go to grube nieporozumienie i niesprawiedliwość.

* Szczególnie zajadła i nieprzejednana w atakach na Nortona okazała się Esme Duff, która obwiniała go o zniknięcie Tallenta. Po zaginięciu Tallenta wykładała dalej na Uniwersytecie Stanforda, ale nie uzyskała tam etatu. Nie wyszła za mąż, a w roku 1982, w wieku sześćdziesięciu dwóch lat, popełniła samobójstwo.

** Koncerny farmaceutyczne i uniwersytety tak dokładnie oczyściły Ivu'ivu ze znalezionych tam rzekomo *mo'o kua'au*, że jest bardzo wątpliwe, czy ktokolwiek z nich został przewieziony na U'ivu. Wspomniane instytucje miały oczywiste powody, by nie dopuścić do tej migracji, a U'ivuanie, zważywszy na mity i lęki otaczające *mo'o kua'au*, nie kwapili się zapewne do ich przyjęcia. (Kilka firm farmaceutycznych twierdziło, że zabrały lunatyków z przesiedlonych – namiestnik wodza – spróbował zainicjować ceremoniał *a'ina'ina* i został za to wtrącony do więzienia (instytucji nieistniejącej wcześniej na U'ivu, ponieważ król preferował kary bardziej bezpośrednie, jak wyprowadzenie winowajcy do dżungli lub wrzucenie go do morza)? Czy mam opowiadać o plotkach, według których po odarciu Ivu'ivu z cudów natury w postaci roślin, grzybów, kwiatów i zwierząt, gdy pozostało tam tylko piękno i tajemnica, Amerykanie – nie Francuzi, nie Japończycy – uczynili z wyspy poligon prób nuklearnych? Czy mam opowiadać, jak królewski syn, królewicz Tui'uvo'uvo, który w tym czasie odziedziczył tron, pomawiany po cichu o to, że jest marionetką obcych sił wojskowych, lubił przechadzać się po U'ivu w wełnianej bluzie z epoletami włożonej na sarong, chociaż pot ściekał mu po twarzy? Czy mam opowiadać, jak podobnie kończą się wszystkie tego typu historie, jak mężczyźni popadli w alkoholizm, a kobiety zaniedbały rzemiosło, jak wszyscy się roztyli? Jak misjonarze wyciągali ich z domu tak łatwo, jak łatwo zbiera się przejrzałe jabłka z drzewa? Czy mam opowiadać o chorobach wenerycznych przywleczonych nie wiadomo skąd, które rozpanoszyły się na dobre wśród tubylców? Czy mam opowiadać, że byłem świadkiem tego wszystkiego, że wracałem tam wielokrotnie nawet po wyczerpaniu pieniędzy z grantów, nawet kiedy już wszyscy stracili zainteresowanie, i jeszcze długo potem, jak wyspa zamieniła się z Edenu w swoją obecną postać typowej mikronezyjskiej ruiny, niegdyś pełnej nadziei, a teraz budzącej takie zażenowanie jak piękna kobieta, która się roztyła, której przerzedziły się włosy i wyrósł wąsik? Czy mam opowiadać, jak w końcu jedyną osobą, z którą mogłem prowadzić rejestr zmian na wyspie, był Meyers, podobnie jak ja

do Stanów dla ich własnego bezpieczeństwa, obawiając się, że osoby te doznają agresji lub ostracyzmu po przesiedleniu ich na U'ivu). W rezultacie lunatycy i ceremoniał *vaka'ina* są dziś równie – a może bardziej – egzotyczne na U'ivu jak w Stanach: pozostały żywą opowieścią o duchach, której nikt jak dotąd nie zdementował.

wracający uparcie na Ivu'ivu, najpierw za pieniądze państwowe, a potem za własne? Czy mam opowiadać, jak pewnego dnia na wiosnę sześćdziesiątego ósmego roku przechodziliśmy przez Tavakę (teraz nędzne zatłoczone miasteczko, przemianowane na cześć nowego króla na Tui'ivo) i przyczepiło się do nas dwoje dzieci, chłopczyk i dziewczynka, niewątpliwie rodzeństwo, przy czym chłopczyk mógł mieć z pięć lat (tak przynajmniej wtedy uznałem) i był czujny, a dziewczynka ze trzy i była śmieszką? Czy mam opowiadać, jak kupiliśmy im z Meyersem manamy nabite na patyk i obtoczone w gruboziarnistym cukrze, które sprzedawała z blaszanego straganu wynędzniała kobieta, a potem obserwowaliśmy, jak dzieci jedzą, jak cukier osiada im na buziach niczym biała broda? Czy mam opowiadać, że te dzieci chodziły za nami dzień w dzień, a gdy wracaliśmy z wyczerpujących, przygnębiających wycieczek na Ivu'ivu (łodzią z tak potężnym silnikiem, że jej dziób wznosił się wysoko nad wodę, zanim znów na nią opadł, i unikaliśmy patrzenia sobie w oczy, żeby nie dostrzec w nich odbicia własnego smutku), czekały na nas na przystani, przycupnięte jak dwie podpórki do książek? Czy mam opowiadać, jak wypytawszy wiele osób o opiekunów tych dzieci (dziewczynki Makali i chłopca Muivy), na co odpowiadano wymijająco albo wcale, jakby za podszeptem kaprysu zabraliśmy je z sobą do Stanów?

Czy mam opowiadać, że Muiva był moim pierwszym dzieckiem, choć wtedy myślałem o nim po prostu jako o jedynym? Jak dowiedziawszy się, że ma nie pięć lat, lecz siedem, i że wszystkiego muszę go nauczyć – od jedzenia przy stole i korzystania z toalety po język angielski (pod pewnymi względami przypominał Ewę) – wcale nie przestałem go kochać? Czy mam opowiadać, jakim słodkim był dzieckiem i ile dawał mi radości? Jak spełniło się moje marzenie z Ivu'ivu o układaniu w łóżku śpiącego malucha, jak chciałem to robić stale? Czy mam opowiadać, jak zacząłem adoptować inne dzieci – bo gdy się tym zainteresowałem, odkryłem, że są tysiące dzieci bez rodziców albo praktycznie bez rodziców straconych na rzecz alkoholu lub Boga – zrazu tylko chłopców, bo sądziłem, że z nimi nawiążę lepszy kontakt, ale z czasem także dziewczynki? Czy mam opowiadać, jak syn Uvy przyprowadził do mnie własnego malca, prosząc, żebym go zabrał z sobą? Czy mam opowiadać, jak po śmierci Meyersa, którego w siedemdziesiątym siódmym zabił błyskawiczny rak żołądka, przygarnąłem Makalę jako moje szesnaste i – jak sądziłem – ostatnie dziecko? Czy mam opowiadać, jak bardzo się myliłem, bo z każdej następnej wyprawy na U'ivu (jeździłem tam co dwa lata i zacząłem się bać tych wypraw, czując zarazem, że są nieuchronne) wracałem ku własnemu zaskoczeniu z kolejnym dzieckiem? Czy mam opowiadać, że nigdy nie przestałem szukać tamtych dwóch chłopców – teraz już mężczyzn, którzy sami mieli już być może synów – których zgubiłem: tego z ceremoniału *a'ina'ina* i tego, który spał oparty o mnie? Jak próbowałem ich odnaleźć w każdym swoim nowym dziecku, jak szukałem tego nieruchomego spojrzenia i tej ufności przytulonego do mnie ciała? Czy mam opowiadać, jak z każdym nowym dzieckiem irracjonalnie mówiłem sobie: „To ten. To on mnie uszczęśliwi. Wypełni moje życie. Wynagrodzi mi lata poszukiwań"?

Czy mam opowiadać, jak raz po raz się myliłem – osiemnaście, dziewiętnaście, dwadzieścia razy – a mimo to nie przestawałem szukać, nie mogłem przestać, więc szukałem, szukałem i szukałem?

| 355

* * *

A może mam opowiedzieć o wyprawie z roku tysiąc dziewięćset osiemdziesiątego, która – choć o tym nie wiedziałem – miała mi zrujnować życie?

Pod moją opieką znajdowało się wtedy dwadzieścioro sześcioro dzieci – więcej, rzecz jasna, niż potrzebowałem i chciałem. Opinia o mojej ekstrawaganckiej kolekcji radykalnie się zmieniła i w niektórych kręgach stała się dodatkowym argumentem potwierdzającym zarzucane mi wynaturzenie. Kiedy zaczynałem gromadzić dzieci, uchodziłem za swego rodzaju bohatera, z lekka ekscentrycznego, ale jednak bohatera: kawaler, znany naukowiec otwiera swój dom (ośmiosypialniowy dom w stylu kolonialnym tuż za miastem, który kupiłem za część spadku) dla niedożywionych, prymitywnych sierot, w dodatku ciemnoskórych, płaskonosych i kompletnie niecywilizowanych.

Opinię bohatera zacząłem tracić gdzieś po dziewiątym dziecku. Nagle, jakby rozesłano biuletyn do wszystkich krzykaczy, plotkarzy i kobiet świata – bo to kobiety, jak to one, najbardziej osobiście potraktowały moje poczynania – stałem się obiektem podejrzeń. Na co mi te wszystkie dzieci? Dlaczego mam tyle dzieci, a nie mam żony? Do czego właściwie zmierzam? Musi być w tym coś niezdrowego, nieprawdaż? Podejrzenia nigdy nie przeradzały się w jawne oskarżenia, ale czułem je w powietrzu, trzymane pod językami jak kostka cukru. Jestem

przekonany, że nawet pani Tomlinson z naszej okolicy, którą nająłem jako gosposię i niańkę (zatrudniłem ją, kierując się wyłącznie jej wyglądem: była krzepka i zażywna jak przerośnięta szafarka z Dickensa ożywiona w dzisiejszym stanie Maryland), moja wielokrotna obrończyni wobec swoich koleżanek i bratowych, teraz podzielała ich teorie: „No i na co mu tyle dzieciaków?". (Wówczas to lekceważyłem, ale z perspektywy czasu widzę, że musiałbym przyznać im rację: było coś narwanego i groteskowego, wręcz niepokojącego w tempie powiększania się mojej gromadki).

Ale oto w roku siedemdziesiątym czwartym dostałem Nobla i znów byłem bohaterem. Moje „uchybienia" (jak „Times" nazwał zaniedbanie lunatyków, obrażając mnie w tym samym artykule w sposób zawoalowany oskarżeniem o zniknięcie Tallenta i degradację Ivu'ivu) zbladły wobec niewątpliwego humanitaryzmu działalności dobroczynnej, prowadzonej z fantazją i rozmachem godnym P.T. Barnuma. W licznych wywiadach, których udzieliłem w następnych miesiącach, wypytywano mnie o wyspę, o Tallenta, o żółwie (oraz, w mniejszym zakresie, o moją pracę i jej znaczenie), a przede wszystkim o moje dzieci. Czy zechciałbym pozować z nimi do zdjęć? Czy trudno się adaptowały? Czy mam ulubione anegdotki o swoich pupilach? Wszyscy byli łasi na historyjki o moich czarujących dzieciach, a ja nie miałem żadnej do zaoferowania – to przecież były tylko dzieci, ich zdolność oczarowywania była jeszcze nikła. Stale mnie pytano, dlaczego je adoptowałem, a ja nie bardzo wiedziałem, co odpowiadać. Bo uwielbiam ich towarzystwo? – brzmiało to prostacko i banalnie. Jednak ku mojemu zdziwieniu dziennikarze notowali pilnie każde moje słowo i potem w gazetach i periodykach pojawiałem się jako „kochający tatuś" albo „oddany ojciec".

Na U'ivu mój Nobel nie zrobił wrażenia: nadal byłem tam białym, który przyjeżdża dwa razy do roku i zabiera wszystkie niechciane dzieci. Na ironię zakrawał fakt, że ludzie, dzięki którym odkryłem nieśmiertelność, są tak dalecy od nieśmiertelności. Uva zmarł w roku sześćdziesiątym piątym, w wieku pięćdziesięciu sześciu lat, Tu pożegnał się ze światem wkrótce po nim. Niektóre dzieci – syn Uvy, który wcisnął mi swoje dziecko, czy córka Tu, której bliźniaków miałem teraz pod opieką – też już nie żyły, uśmiercone przedwcześnie przez alkohol.

Czasami, spacerując po Tui'uvo po szerokich, wydeptanych w błocie arteriach i po obrzeżach miasta, wśród ruin dawno zarzuconych absurdalnych projektów urbanistycznych (tu pęknięty worek cementu, którym miano utwardzać jezdnię, tam piramida zardzewiałych rur związanych wystrzępionym sznurem z liści palmowych), doznawałem wrażenia, że trafiłem w złe miejsce, że znana mi stolica leży gdzieś na drugim końcu wyspy. Co się stało z tym miastem, w którym było coraz więcej żebraków (zastanawiałem się, u kogo żebrzą, skoro nikt w mieście nie ma pieniędzy, a zagraniczni goście, którzy niegdyś ściągali tu tłumnie, nie odwiedzali wyspy od dziesięciu lat) palących przy drodze małe kopcące ogniska, a palmowe dachy pokrywała pleśń? Jedynym gmachem pozostała królewska rezydencja o brzydkiej betonowej fasadzie podziurawionej oknami bez szyb. Królowi zabrakło pieniędzy na ukończenie tynkowania i zadaszania, więc biały kolos urywał się w połowie wysokości, a całość przykryta była płaskimi warstwami liści palmowych, które przynajmniej tutaj były świeże, ale wyglądały jak komiczny tupecik, bo nikt już nie pamiętał sztuki wiązania strzechy, która byłaby zarazem ochronna i elegancka.

Zatrzymałem się tam gdzie zawsze – w drugim co do wielkości i drugim betonowym budynku miasta, którym była sześciopokojowa gospoda. Byłem tam, jak zwykle, jedynym gościem. W pokoju miałem coś w rodzaju łóżka (starą ramę od żelaznego łoża z muślinowym workiem, wypełnionym do połowy chrzęszczącymi kawałkami kory palmowej, w charakterze materaca) i krucyfiks z bambusa, który mógł być najładniejszym przedmiotem w mieście, wiszący na ścianie. Gospoda stała nad wodą. Z jej dachu, na którym jadałem obiad złożony z mielonki i gotowanych słodkich ziemniaków, obserwowałem ciemniejące niebo i wyspę Ivu'ivu rozpływającą się w czerni nocy. Nikomu już nie wolno było tam jeździć, pod karą śmierci. Podobno król był przekonany, że badacze i pieniądze kiedyś powrócą, a wówczas on sprzeda im wyspę za wielką sumę. Na razie należała do tego rządu, który akurat zapłacił królowi za korzystanie z niej. Ale doszły mnie i inne pogłoski: że na przeciwległym brzegu Ivu'ivu działa grupa naukowców (nikt nie wiedział skąd), którzy penetrują podwodne groty w poszukiwaniu ostatnich opa'ivu'eke, albo że król urządził tam kolonię karną, której więźniowie mają siedzieć do końca życia w niemal kompletnej izolacji. Nieraz myślałem: „Tam jest Tallent", i wyobrażałem go sobie, jak wspina się na wzniesienie, unosząc twarz do słońca przez mgłę jasnych jak kość słoniowa motyli.

Ponieważ zrozumiałem, że odbywam te wyprawy tytułem wymierzanej sobie kary, nie oszczędzałem się zupełnie. Wynajdywałem najprzykrzejsze widoki: miejski brud w zestawieniu z czystością obozu misjonarzy w północnej części wyspy, tam gdzie dżunglę tak przetrzebiono, że człowiek czuł się jak w stanie Montana. Tu panował inny rodzaj horroru: żadnego alkoholu, żadnego żebractwa, żadnych ognisk, za to U'ivuanie pracujący jako posłańcy, parobcy, służące – wszyscy z uśmiechem, który nie schodził im z twarzy. Najgorsze jednak było to, że ani jeden z u'ivuańskich mężczyzn pracujących u misjonarzy nie miał włóczni – oddali włócznie, żeby stać się chrześcijanami, i wyglądali bez nich tak jakoś nieprzyzwoicie, jakby brakowało im głów. A przecież nawet najbiedniejszy, najbardziej niepozorny mężczyzna w Tui'uvo miał swoją włócznię – była to często jego jedyna własność.

Udałem się na Iva'a'aka, gdzie niegdyś rozciągały się wielkie uprawy warzyw i gaje drzew, zniszczone później przez koncern Lilly, który wykupił ziemię pod wielką hodowlę żółwi. Teraz stworzone sztucznie jezioro było zarośniętym grzęzawiskiem o wodzie czarnej i gęstej jak ropa naftowa, jego brzegi cuchnęły oleistą trucizną, a powietrze brzęczało od rojów much zwabionych fetorem śmierci. Nieliczni mieszkający tam robotnicy sezonowi z U'ivu stali na straży tego zgniłego grajdołu, wpatrzeni w horyzont z nadzieją ujrzenia samolotu, który przywiezie z powrotem ich pracodawców.

To była teraz wyspa kelnerów, chociaż kelnerowania tu dawniej nie znano. Nigdy nie była to kultura naznaczona obsesją przyszłości – bo i czemu miałaby się nią przejmować? Nic się tam nigdy nie zmieniało. Za to teraz zmieniło się wszystko, toteż mieszkańcy nie umieli myśleć o niczym innym niż o tym, co stracili. Zastygli w czujności, miotali się pomiędzy nadzieją a rozpaczą, czekając na przywrócenie swojego świata.

* * *

Nadszedł mój ostatni dzień: zmierzałem na pole, gdzie miałem spotkać swój samolot.

Jak zawsze od kilku lat przyjechałem tu z pudełkami na ciekawe próbki znalezisk i znów wywoziłem je puste. Jak zawsze szedłem główną ulicą – bardziej niż zwykle grząską od błota po nagłej ulewie – przeciskając się przez szpaler wyciągniętych rąk, gotowych przyjąć ode mnie cokolwiek. Milczący U'ivuanie pojawiali się przede mną znikąd. Przywykłem i do tego: zawsze miałem w kieszeniach coś, co mogło im się przydać – nie pieniądze, lecz suszone plastry mango, chusteczki do nosa (których używali jako ściereczek do czyszczenia włóczni albo pieluszek dla niemowląt), orzechy i scyzoryki dla budzących największą litość.

Potem czekałem na polu. Jakieś przedsiębiorstwo – podobno Merck – w ostatniej fazie optymizmu inwestycyjnego opłaciło budowę pasa startowego, lecz porzuciło projekt przed ukończeniem prac, które – jak na całej wyspie – urwały się w połowie i w rezultacie obiekt stał się mniej użyteczny, niż był przedtem. Asfalt poprzerastały chwasty i kosmate karłowate drzewka, rozsadzając nawierzchnię w ciąg czarnych sufletów.

Jakiś mężczyzna nadchodził powoli w moją stronę. Z nieznanych mi powodów wyspiarze rzadko zapuszczali się na lądowisko – może powstrzymywał ich dawny zakaz, bo był to kiedyś teren królewskich polowań, a może lęk przed samolotami – więc obserwowałem go, wachlując się dłonią w nieznośnym upale. Gdy się przybliżył, rozpoznałem w nim Ivu'ivuanina. Ivu'ivuan łatwo dało się odróżnić od mieszkańców U'ivu: byli nieco niżsi, ciemniejsi i sprawiali wrażenie stale zdezorientowanych, bez względu na to, jak długo przebywali na nowej wyspie.

Ten mężczyzna był chyba lekko po czterdziestce i wyglądał na bardziej przegranego niż większość jego ziomków: jego włócznia była wyszczerbiona na czubku, a drzewce miała najeżone drzazgami. Ubrany był w całkiem spłowiały granatowy sarong i cuchnął przetrawionym alkoholem. Mimo to sprawiał wrażenie dziwnie pewnego siebie, więc gdy kiwnął na mnie palcem, odruchowo ruszyłem za nim.

Na skraju pola rosła kępa zmarniałych gujaw, pomiędzy którymi leżała kupka łachów, bezbarwnych jak sarong mojego przewodnika, który właśnie wskazywał je palcem. Ponieważ się do nich nie schyliłem, mężczyzna kopnął tobołek, który przekręcił się – i zobaczyłem dziecko. Nieznajomy szczeknął jakąś komendę i dziecko wstało. Był to chłopczyk, ubrany tylko w podkoszulek, w którym było więcej dziur niż materiału. Patrząc na zbity kołtun jego włosów, odruchowo pomyślałem, że trzeba je będzie zgolić i czekać, aż odrosną. Szybko się jednak opamiętałem i oświadczyłem mężczyźnie, że nie potrzebuję więcej dzieci.

Spojrzał na mnie z niedowierzaniem. Już nieraz odmawiałem rodzicom – zwłaszcza rodzicom dzieci z widocznym kalectwem – lecz przyjmowali moją odmowę spokojnie, z rezygnacją, po czym kłaniali się i wracali na swoją grzędę na skraju drogi. Ten mężczyzna zachował się inaczej. Powtarzał w kółko, że muszę wziąć małego. Ja upierałem się, że nie chcę. Nie miałem już miejsca na nowe dzieci.

– Ale to taki mały chłopiec – perswadował, a widząc, że nie mięknę, uderzył w ton prośby: Czy nie zechciałbym wziąć jego dziecka? On wie, że jestem bogaty i dobry. Znał nawet moje imię: No-ton. No-ton, proszę wziąć to dziecko.

Dziecko przez cały czas stało ze zwieszoną głową. Mężczyzna popchnął je ku mnie.

– Ty go wziąć! – zaskowytał, po czym powtórzył to samo krzykiem, bo właśnie w górze zawarczał samolot szykujący się do lądowania.

Odwróciłem się i ruszyłem do samolotu, a tamten szedł za mną, ciągnąc dziecko.

– On zrobić wszystko, co ty chcieć! Wszystko! Ty robić z nim wszystko!

Wrzeszczał z taką furią i desperacją, że aż się odwróciłem, by przyjrzeć mu się z bliska. I przez sekundę, nie dłużej, miałem wrażenie, że go rozpoznaję. Alkoholizm zaokrąglił mu podbródek, oczy miały żółty odcień łoju, ale w zadarciu głowy, w szczupłych ramionach, które wyrastały z wydętego torsu jak odnóża pająka, poznałem chłopca z ceremoniału *a'ina'ina* – tego, który tak dumnie nosił głowę, którego dłonie muskały moje ciało jak skrzydła owada.

Bezwiednie wyciągnąłem ręce i mężczyzna z pomrukiem ulgi pchnął w nie chłopczyka – ciągle niemego, ze zwieszoną głową. Drzwi samolotu już się otwierały, już opuszczano schodki, więc ruszyłem w ich stronę, a wtedy znów usłyszałem głos mężczyzny: wołał coś za mną.

– Czego chcesz jeszcze? – odkrzyknąłem przez ogłuszający warkot silnika. – Zabieram go z sobą!

– Ty musi mi coś za niego dać!

Mimo pośpiechu poczułem lekkie oburzenie: najpierw mnie prosi, żebym wziął dzieciaka, a teraz chce zapłaty!

– Nic nie mam!

– Proszę! No-ton! Coś! Ja musi za niego coś mieć!

Postawiwszy chłopczyka na ziemi, pogrzebałem w kieszeniach i znalazłem ostatni scyzoryk, który dałem mu razem z garścią orzechów pistacjowych. Wyszarpnął mi to z ręki i oddalił się z wyraźnym triumfem, niosąc włócznię na ramieniu. Nagle zrobiło mi się go bardzo żal: nie chciał tego dziecka, ale było jedyną jego własnością, którą mógł sprzedać albo wymienić.

Pilot machał do mnie z samolotu – załadował już moje bagaże i czekał, aż wejdę na pokład.

– Chodź – powiedziałem do dziecka po u'ivuańsku, lecz ono stało w miejscu, gapiąc się pod nogi.

Cofnąłem się więc i wziąłem je na ręce. Podarta koszulka, upaćkana olejem, ślizgała mi się pod palcami, a oddech, który czułem na policzku, nieprzyjemnie zalatywał drożdżami. Mały ściskał mnie jednak za szyję, wtulając mi buzię w ramię, gdy wnosiłem go po schodkach.

Siedziałem przy oknie i patrzyłem na malejące w dole wyspy. Dziecko nie puszczało mojej szyi. Potem zsikało mi się na kolana i resztę lotu na Hawaje przesiedziałem w kałuży jego moczu. Nie polubiłem go, ale było mi go żal, a to często pierwszy krok do sympatii. Miałem pięćdziesiąt sześć lat, wracałem do domu, wiozłem kolejne dziecko. Czułem tylko straszliwe zmęczenie. Obiecałem sobie, że to była moja ostatnia wyprawa, następnej nie będzie.

Dziecko usnęło, więc ułożyłem je na kocu na podłodze. „Jeszcze jedno – pomyślałem drętwo. – Jeszcze jedno trzeba nazwać, wyżywić, przyodziać i wychować".

W Honolulu uścisnąłem pilotowi rękę i podziękowałem mu. Gdy poprzednim razem wracałem z U'ivu, był drugim pilotem – Francuz, ale wychowany i zamieszkały w Papeete, więc gdybym znów wybierał się w te strony, mogliśmy się jeszcze spotkać. Na imię miał Victor.

„Dobre imię", pomyślałem sobie gdzieś nad Kalifornią. Zrobiło się późno; podróż trwała od wielu godzin, byłem bardzo zmęczony. Świetne imię dla chłopaka bez imienia. Później, o wiele później, dziwiłem się, że właśnie to dziecko, które tak bezmyślnie przygarnąłem i nazwałem, stało się najważniejszym ze stworzeń i wywróciło do góry nogami moje życie i życie innych osób.

Wtedy jednak oczywiście nie mogłem tego przewidzieć. Przez okienko samolotu podziwiałem rozpiętą pod nami pierzynę chmur. Obok mnie spał chłopczyk – już Victor. W końcu ja też zamknąłem oczy i osunąłem się w sen bez snów.

Część VI

Victor

I

Był trudny od początku. „Trudny" to takie ogólnikowe słówko, jednak w tej sytuacji jego niekonkretność jest bardzo użyteczna. A to dlatego, że w Victorze wszystko – każdy kontakt, każda rozmowa, każdy dziecięcy rytuał – nacechowane było jakimś napięciem i nawet podstawowe fakty z jego życia, które powinny być łatwe do ustalenia, otwierały labirynty domysłów i dociekań. Są dzieci, którym życie utrudnia złe zachowanie, brak osobowości lub niedostatek zdrowego rozsądku, czemu winne są geny lub okoliczności, i są takie, dla których życie jest trudne samo w sobie. Trzeba powiedzieć, że Victor, który w końcu włączył się do pierwszej kategorii, zaczynał życie jako przedstawiciel tej drugiej.

Zacznijmy od jego wieku. Nie zdziwiło mnie, że ojciec (czy opiekun) Victora nie wiedział i nie dbał o to, ile dziecko ma lat. Gdy pierwszy raz przyjrzałem mu się z bliska – mętnym oczom, wzdętemu brzuszkowi, szorstkiemu kołtunowi brudnych włosów pełnych tłustych wszy, spasionych i połyskliwych jak ziarna ryżu w maśle – oceniłem go na jakieś sześć lat, chociaż przez niedożywienie i choroby miał posturę trzylatka. Po powrocie do Bethesda zabrałem go do pediatry, Alana Shapira, który po zbadaniu małego, uwzględniając jego karłowaty wzrost, orzekł, że Victor może mieć od czterech do siedmiu lat. Określanie wieku u tych dzieci to w znacznej mierze zgadywanie, czym dawno przestałem się przejmować. W sumie zawsze lepiej im trochę odjąć, żeby dać rok czy dwa na wejście w rolę amerykańskiego dziecka, które ma obowiązek być zdrowe i odnosić sukcesy. (Można to nazwać rozwojową akcją afirmatywną). Tak więc po niespiesznej i niezbyt emocjonalnej dyskusji doszliśmy z Shapirem do porozumienia i na karcie zdrowia Victora (a potem we wszystkich jego dokumentach) zapisaliśmy trzynastego sierpnia tysiąc dziewięćset siedemdziesiątego szóstego roku jako datę jego urodzenia (trzynastego sierpnia go znalazłem). Wszedłem do gabinetu Shapira z dzieckiem zagadką, a wyszedłem z certyfikowanym czterolatkiem.

Rok tysiąc dziewięćset osiemdziesiąty, kiedy do mojego domu przyszedł Victor, był niezwykły z dwóch powodów. Po pierwsze, nigdy przedtem nie miałem w domu tylu dzieci. Po drugie, populacja moich wychowanków podzieliła się na trzy kategorie. Na jednym biegunie plasowała się grupa osiemnastolatków (Muti, Megan, Gunter, Lani, Lei, Terrence, Karl i Edith) szykujących się do wyjazdu na studia, w środku byli szesnasto- i siedemnastolatkowie oraz kilkoro młodszych (jak Ella, wówczas dwunastoletnia, i jedenastoletnia Abby), potem długo, długo nic – i sześciolatki, Isolde i William, rówieśnicy Victora. W sumie dwadzieścioro dwoje podopiecznych.

Moje wspomnienia z tamtego roku mają raczej charakter wrażeń zmysłowych, nie układają się w historyjki. Pamiętam hipnotyczne dźwięki rocka, którego nastolatki słuchały godzinami, pamiętam mdlący owocowy smrodek przemyconego przez nich skądś alkoholu, pamiętam cudaczne stroje, w których paradowali przede mną co rano. Wieczorami dziewczyny gadały przez telefon, a chłopcy siedzieli w swoich pokojach i pewnie się masturbowali. Niekiedy wydawało mi się, że dochodzi między nimi do kontaktów seksualnych, ale nie miałem siły się tym zająć. Młodzież kłóciła się, oglądała telewizję i głośno deklarowała, że z ulgą odejdzie z tego domu, zamieniając go na college i upragnioną samodzielność (finansowaną, rzecz jasna, przeze mnie). Ja zaś starałem się jak najwięcej przebywać za granicą, gdzie uczestniczyłem w konferencjach naukowych i wygłaszałem wykłady. Jadąc autobusem z lotniska, zawsze się spodziewałem, że za zakrętem zobaczę w miejscu domu kupę gruzu, a przed nią tłum rozwścieczonych nastolatków, gotowych naskoczyć na mnie z żądaniami i skargami.

Ciekawe, co pomyślał sobie Victor, gdy po raz pierwszy zobaczył nasz dom i poznał dziwną zbieraninę dzieciaków, które miał odtąd uważać za swoich braci i siostry, przynajmniej w sensie prawnym. Na pewno było to przytłaczające wrażenie – ja sam z trudem kojarzyłem twarze, które przesuwały się przede mną co rano, domagając się pieniędzy i wylewając rozmaite żale. Kiedyś jedno ze starszych dzieci przewaletowało przez tydzień kolegę, żeby sprawdzić, czy zorientuję się, że przy stole przybyła dodatkowa osoba i że mam jeszcze jeden dzienniczek do podpisania. Oczywiście nie zorientowałem się (moją uwagę zaprzątał natłok spraw), a gdy ze śmiechem ujawnili żart, pośmiałem się wraz z nimi i uścisnąłem dłoń intruza, kanciastego przystojniaka o czarnej skórze z fioletowym odcieniem figi. Rano młodzież dosłownie przefruwała obok mnie, zeskakując z połowy wysokości schodów i pędząc do drzwi z kijami do hokeja, lacrosse czy baseballu, które dzierżyli jak broń – jak włócznie, z którymi nie rozstawaliby się w innym świecie. Gdy patrzyłem, jak idą wszyscy razem, gdy widziałem ich tępe, nieprzyjazne, płaskie twarze, na których trądzik zapisał się pismem Braille'a, mimo woli przypominało mi się zawoalowane ostrzeżenie kapitana Cooka, które za młodu raczej lekceważyłem – „Dzikość Wevooan budzi niepokój w załodze" – i wzdrygałem się, bo czyż sam byłem lepiej przystosowany do życia z ludźmi budzącymi strach nawet u dawnych odkrywców, którzy wiedzieli i widzieli więcej, niż ja miałem szansę kiedykolwiek poznać i zobaczyć?

Przyznaję, miałem kłopot z zapamiętaniem wszystkich imion. Wołałem Lani, a przybiegała dziewczynka, którą zawsze uważałem za Megan (jeśli ktokolwiek w ogóle raczył przybiec). Czasami winna była moja pamięć, ale częściej dowcipy dzieciaków, które uwielbiały zamieniać się rolami, żeby mnie skołować – przestały, dopiero gdy i ja zacząłem uprawiać gierki, nagradzając pieniędzmi tego, kto stawił się na wezwanie, albo wyznaczając dowcipnisiom najgorsze obowiązki. Zaczynały się wtedy przepychanki, wyznania i zamienione tożsamości wracały do właściwych osób. To pokolenie starszych dzieci wprowadziło zakaz sadzania „niemowlaków" przy stole, w związku z czym Isolde i William (oraz reszta dzieci do lat siedmiu) musiały jadać wieczorny posiłek przy stoliku dziecinnym z białym laminowanym blatem – zazwyczaj stolik ten stał w kuchni i służył do pospiesznych śniadań. Małe dzieci dostawały też jeść godzinę wcześniej, razem z panią Tomlinson. Isolde i William protestowali, ale starsi ich zakrzyczeli („Większość rządzi! Większość rządzi!" – darł się Fred, jeden z szesnastolatków, który w liceum uczył się o konstytucji; program szkolny zawsze łatwo było rozpoznać po *realpolitik*, którą usiłowała wprowadzać w domu młodzież) i ostatecznie regułę przyjęto. Nawet ja musiałem przyznać, że było to dobre rozwiązanie: nasze obiady przestały przypominać cyrk.

Do takiego oto domu wszedł Victor, którego przedstawiłem im w pewien weekend, kiedy paskudna pogoda zatrzymała wszystkich pod dachem. Victor nie zrobił na moich dzieciach dobrego wrażenia. Starsze w milczeniu taksowały go wzrokiem. Co grzeczniejsze machały do niego niepewnie, ten czy ów wyciągnął nawet rękę, żeby go dotknąć, ale szybko ją cofnął, jakby się bał, że Victor wyrwie się z moich ramion i go pożre. Isolde i William stali w drzwiach i gapili się bezradnie. Victor natomiast wtulił się w moje ramię i siedział cicho jak myszka. Gdy poprosiłem panią Tomlinson, żeby go zabrała, dzieciaki zasypały mnie pytaniami.

– Co mu jest?

– Dlaczego tak dziwnie wygląda?

– Chory jest? Dlaczego ma taki kolor?

– Ile ma lat?

Zawsze z rozbawieniem obserwowałem ich reakcje na nowego przybysza. Jak szybko zapominali, że sami wyglądali nie lepiej po przyjeździe do Stanów! Większość z nich przywoziła z sobą wszy, choroby i strzępy bawełnianych szmat niezasługujące na miano ubrań. Chorowali na cholerę, na dyzenterię, na gangrenę, na zapalenie spojówek, na malarię, jedni krócej, inni dłużej, za to wszyscy byli jednakowo niedożywieni, niewyrośnięci i, co tu kryć, strasznie brzydcy – mieli duże delikatne czaszki o pulsujących skroniach i podkulone miękkie kończyny, wyglądali jak przerośnięte płody, których nie godzi się zaliczyć do ludzkiego gatunku, jak pomyłki natury, których nikt nie powinien oglądać.

– Wstydźcie się – pouczałem ich. – Myślisz, Megan, że ty tak nie wyglądałaś, kiedy cię tu przywiozłem? Albo ty, Owen?

Zawsze musiałem ich tak besztać po reakcji na nowe dziecko. Starsi się zawstydzali, a młodsi podśmiewali się zadziornie. Tym razem jednak pozostali niewzruszeni.

– Ta k nie wyglądaliśmy! – zaprotestowali chórem.

I po części mieli rację. Napomknąłem już o nędzy poprzedniej sytuacji Victora, o szoku, jaki wywoływało pierwsze z nim zetknięcie. Budził nie tylko zdumienie, ale i obrzydzenie. Z biegiem lat przywykłem do spustoszeń, jakie może poczynić choroba w ludzkim ciele, ale Victor – chociaż na pewno nie należał do najbardziej spektakularnych przypadków – był niewątpliwie okazem najbardziej żałosnym. Nie tylko dlatego, że spod chorobliwej powłoki przebijały wielka naturalna uroda i wdzięk, ale przede wszystkim z racji kompleksowości trapiących go infekcji. Na oko i dotyk wszystko w nim było skażone chorobą – nie miał w sobie nic zdrowego. Patrząc na niego, poczułem (nie po raz pierwszy) coś w rodzaju podziwu dla mnogości wirusów i bakterii, które nie pomijając żadnego fragmentu ciała, poznaczyły je mnóstwem gorących, jątrzących się wrzodów zwieńczonych śnieżną czapką ropy i zażółciły mu białka oczu, z których sączyła się tajemnicza woskowata wydzielina. Bakterie dostały się nawet do opuszków palców stóp i dłoni: paznokcie Victora, żółtawe i matowe jak kość, stwardniały w wyszczerbione szpony. Każdy otwór ciała broczył wydzielinami – czasem rzadką, rdzawą i cuchnącą żelazistym odorem krwi menstruacyjnej, czasem przejrzystą, galaretowatą, leniwie sączącą się na zewnątrz. Victor był fascynującym obiektem – domem dla tysięcy gości. Spędziliśmy z Shapirem kilka przyjemnych popołudni na badaniu go, rozpoznawaniu przynajmniej niektórych chorób (świerzb, zapalenie spojówek, egzema) i spieraniu się o te, których nie udało nam się zidentyfikować. Była to wielka emocjonująca układanka, a Victor, który siedział cicho, oddychając przez usta, kiedyśmy go obmacywali i uciskali, okazał się bardzo cierpliwy. Oczywiście większość jego infekcji, wbrew onieśmielającym pozorom, była całkowicie uleczalna. Wieczorem po kąpieli sadzałem go sobie na kolanach, wcierałem maść w jego rany i podawałem mu antybiotyki ukryte w porcji piernika. Z dnia na dzień obserwowałem, jak skóra mu się wygładza, a wrzody na wewnętrznej stronie ud znikają powoli, niczym sól rozpuszczająca się w ciemnej kałuży. Niepokojące pierwsze wrażenie odeszło w niepamięć. Znacznie większym problemem okazała się skrajna aspołeczność Victora, jego – celowo użyję tego słowa – dzikość. Niemal zaraz po przygarnięciu tego chłopca zrozumiałem, że będę musiał go nauczyć bycia człowiekiem.

Niektórzy – skądinąd logicznie i trzeźwo myślący – uważają, że rodzimy się z predyspozycją do zachowań typowych dla ludzi, a zatem z pewnym zestawem określonych dążeń czy też skłonności, wśród których wyróżnia się skłonność do porozumiewania się z innymi. (Ci sami ludzie wyznają ideę dobra i zła i chętnie wdają się w dyskusje, czy człowiek jest z natury dobry, czy zły). Takie podejście, jakkolwiek ujmujące, jest z gruntu niesłuszne. Dowodem są moje dzieci, a szczególnie Victor, któremu trudność sprawiało zrozumienie, co to znaczy zachowywać się jak człowiek. Jego ciało spełniało oczywiście podstawowe funkcje – jadło, spało, defekowało – ale Victor do niczego innego nie był zdolny. Przede wszystkim nie zdradzał żadnych emocji. Raz, tytułem eksperymentu, ukłułem go lekko szpilką w podeszwę stopy – potrząsnął wprawdzie głową, ale nie wydał głosu, a jego puste, tępe spojrzenie się nie zmieniło. Wymyślałem coraz to inne badania. Przy posiłkach otwierał usta i zjadał to, co się w nich znalazło (nie umiał sam jeść: gdy stawiałem przed nim talerz, gapił się weń, jakby to był cenny skarb, którego kazano mu pilnować), zamykając i rozwierając szczęki w równomiernym rytmie punktowanym dziwnie metalicznym kłapaniem zębów. Kiedyś w łyżeczkę gotowanej marchwi wsunąłem strzępek gazety, który on przeżuł niewzruszenie – w ostatniej chwili wygarnąłem z jego ust zaczernioną tuszem masę. W takich chwilach patrzyłem mu w oczy i widziałem w nich tylko martwotę Ewy. Odczuwałem wówczas jego obecność jako karę i przypomnienie, że nigdy nie uciekenę od tego, co na moich oczach uczyniono z wyspą Ivu'ivu. Na noc układany był w łóżeczku, ale rankiem pani Tomlinson albo ja (albo William, który dzielił z nim małą kanciapę na mansardzie trzeciego piętra) znajdowaliśmy go skulonego na podłodze w kącie pokoju: leżał tam ciemny, milczący i nieruchomy, ściskając w garści genitalia.

| 373

Były i inne, mniej apetyczne zagadki. Okazało się, że Victor ma obsesję na punkcie własnych fekaliów. Zostawiał ich rozmazane ślady na dywanach, na stole, na dziedzińcu. A przy tym – o dziwo – umiał korzystać z łazienki. Pani Tomlinson powiadomiła mnie, że wprowadzony do toalety, wprawnym ruchem spuścił wodę i obserwował, jak spływa. Któregoś wieczoru podpatrzyłem, jak wychodzi ze swojego pokoju i zmierza do łazienki: zatrzymał się parę kroków przed nią, poluzował troczki spodni od piżamy i kucnął nad centralnym motywem chodnika – wielką różą koloru spłowiałej fuksji. W poprzednich dniach zaczął robić minę, którą (bez wyraźnych powodów) zastępował często swój zwykły martwy wyraz twarzy. Była to dość upiorna klisza uśmiechu, w którym jego szerokie usta rozciągały się w półksiężyc, odsłaniając nieliczne popielate zęby. Gdy zawołałem go po imieniu, odwrócił się i uraczył mnie tym uśmiechem. Nawet gdy dałem mu klapsa w pupę, nie przestał się uśmiechać, jakby go dopadł skurcz mięśni twarzy.

Głupio mi się do tego przyznać, ale wtedy zaskoczyło mnie jego zachowanie. Wcześniej był tak spokojny, tak przegrany, że brałem jego bezwolność za sygnał chęci uczenia się nowych rzeczy. To, że początkowo nie zdradzał cech osobowości, pozwoliło mi sądzić, że pójdzie mi z nim łatwo – wpoję mu przymioty, jakie zawsze chciałem wykształcić w moich dzieciach: dociekliwość, grzeczność, posłuszeństwo i zdrowy rozsądek. Pierwszy miesiąc przekonał mnie jednak, że Victor jest bardziej uparty i mniej podatny na wychowanie, niż przypuszczałem. W jego bierności zacząłem się dopatrywać zadziornego buntu. Z tą swoją twarzą jak maska i upiornym uśmiechem przypominał mi golema, którego niepotrzebnie i nierozumnie obudziłem i wypuściłem na wolność i który łazi teraz po moim domu, rujnując go swoimi nieludzkimi, robotycznymi, irracjonalnymi ruchami, podległy impulsom, na które nie mam wpływu. Był trudny, nie dlatego, że sprawiane przez niego problemy były nie do pokonania, lecz dlatego, że nie wiedziałem, jak do nich podejść. Trafiały mi się już dzieci potwory – na przykład Muti w pierwszym miesiącu pobytu w moim domu próbowała zabić kota, wykłuwając mu oczy chińskimi pałeczkami, a Terrence odgryzł łeb myszoskoczkowi z hodowli starszych dzieci (co wywołało straszną awanturę) – ale tamte przynajmniej rozumiałem. Potrafiły wrzeszczeć, piszczeć, szaleć w napadach histerii, ale reagowały na krzyk i lubiły czuć silnego przeciwnika. Takie epizody były rzecz jasna męczące i często niesmaczne, ale stanowiły przynajmniej początek rozmowy, jakiegoś porozumienia.

Z Victorem porozumienie było niemożliwe. Miesiącami usiłowałem dotrzeć do niego nagrodą albo karą. Chwaliłem go i przeklinałem. Całowałem i biłem. Nakładałem mu podwójne porcje makaronu (w odróżnieniu od innych dzieci, które wolały mięso, Victor przepadał za węglowodanami) albo całkowicie odmawiałem mu pożywienia. Śpiewałem mu i policzkowałem go, mruczałem mu do ucha słodkie słówka i szarpałem go za włosy. On jednak pozostawał spektakularnie obojętny na moje zabiegi – siedział tylko i szczerzył się jak trupia główka.

Po kilku miesiącach zacząłem żałować, że go przywiozłem. Infekcje skórne poznikały (Shapiro stwierdził, że chłopiec jest w doskonałym zdrowiu), ale przemiana z chorego dziecka w zdrowe nie była tak magiczna, jak się spodziewałem. Niektóre inne moje dzieci też robiły z początku nienadzwyczajne wrażenie, ale potem okazywały się rozkoszne: skóra im się wygładzała, policzki jędrniały, a kręte, gęste włosy nabierały słodkawego zapachu drewna mesquite. Przywrócenie zdrowia Victorowi nie przyniosło takich miłych niespodzianek. Nie stał się promiennookim chłopczykiem, który śmieje się zaraźliwie i patrzy na ciebie z uwagą. Zdrowy okazał się właściwie taki sam, jaki był przedtem: ani wdzięczny, ani ładny, uparcie daleki od budzenia ciepłych uczuć nawet w tych, którzy gotowi byli go nimi obdarzyć.

* * *

W końcu stało się dla mnie jasne, że Victor nie jest typem dziecka, z którym można przekroczyć próg behawioralny. Jego socjalizacja zapowiadała się na proces długi i żmudny, znaczony minimalnymi postępami i zniechęcającymi regresami. Kiedyś obserwowałem go przez cały wieczór, notując sobie, co już umie, a czego nie umie, czego będzie go można łatwo nauczyć i jakie zwyczaje trzeba z niego w pierwszej kolejności wykorzenić. Tak jak podejrzewałem, nie posługiwał się językiem –

chociaż zmuszony lub odpowiednio pobudzony, wydawał małpie dźwięki – ale zdawał się rozróżniać ton głosu. Skarcenie tonem ostrym jak trzaśnięcie z bata powstrzymywało go, a ton wysoki, śpiewny i przymilny jakby go uspokajał. Ogólnie jednak Victor sprawiał wrażenie nauczonego nie reagować na nic – stąd ów przerażający, niestosowny uśmiech albo kamienna twarz.

Ten jego uśmiech martwił mnie najbardziej. Ogłosiłem, że dam dwadzieścia dolarów pierwszemu dziecku, które nauczy Victora akceptowalnej mimiki, więc przez kilka wieczorów dzieciaki oblegały go w salonie. Łaskotały go, opowiadały mu dowcipy (których rzecz jasna nie rozumiał), tańczyły wokół niego, brały do ust kawałki ciasta, robiąc rozanielone miny. Ale po tygodniu, widząc kompletny brak reakcji, straciły zainteresowanie i powróciły do swoich zwykłych poobiednich zajęć. Mimo to nie uznałem tego tygodnia za czas stracony, ponieważ widziałem, jak Victor wodzi głową od dziecka do dziecka, jak rozchyla usta, wyraźnie usiłując opanować reguły zawiłej gry, której znajomość przesądzi o jego ostatecznym szczęściu. Nie jestem pewien, czy robił to świadomie, czy nie – czy w ogóle był w stanie pojąć ideę szczęścia – ale po kilku tygodniach odniosłem wrażenie, że naprawdę przykłada się do nauki. Minęły miesiące i któregoś ranka zastałem go przed telewizorem: oglądał talk-show. Dopiero po dłuższej chwili uświadomiłem sobie, że obserwuje twarze prowadzących, a zwłaszcza ich promienne błazeńskie uśmiechy. Po jakimś czasie wstał i podreptał do łazienki w hallu. Poszedłem za nim, cicho jak duch, i długo podpatrywałem, jak pracowicie układa wargi w niedoskonały wyraz radości, obserwując się w lustrze, jakby chciał zapamiętać, pod jakim kątem trzeba zakrzywić usta, i dziwiąc się, że aż tyle mięśni uczestniczy w tworzeniu pozornie prostej miny.

Przez następny rok Victor nauczył się najpierw imitować, a potem naprawdę realizować różne ludzkie zachowania. Nigdy nie stał się uroczym dzieckiem, ale radził sobie nieźle: wyrósł, jadł samodzielnie, opanował język, nauczył się prawidłowo korzystać z łazienki, posługiwać się nożem i widelcem, wiązać buty. Okazało się, że ma ciekawe zainteresowania: uwielbiał proste mechanizmy. Fascynowało go wszystko, co miało dźwignie i krążki. Godzinami potrafił się bawić windą kuchenną, obserwując, jak jej skrzynka sunie do góry na lśniących linach, a potem zjeżdża w dół do piwnicy, skąd wyłaniała się ponownie, skrzypiąc jak archaiczny pojazd kosmiczny. Wreszcie posłałem go do szkoły, gdzie nauczył się czytać i pisać, a nawet znalazł kilku przyjaciół.

Po paru latach stał się pod każdym istotnym i zauważalnym względem chłopcem doskonale przeciętnym, który uśmiecha się, marszczy brwi, złości się albo pęka ze śmiechu. Jego przemiana postępowała tak powoli, że dostrzegłem ją, dopiero gdy się całkiem dokonała. O jego pierwszych latach pobytu w domu myślałem teraz jako o stadium poczwarki; pamiętałem (i często wspominałem), jakim był dzieckiem, gdy do mnie trafił, za to bardzo trudno mi było odtworzyć proces jego metamorfozy w osobnika, który siedzi na wprost mnie przy obiedzie albo za moimi plecami w samochodzie, je, coś mówi albo tylko ogląda przesuwający się pejzaż. Kiedy (rzadko) wyobrażałem sobie jego przyszłość, to wyróżniała się ona szczególną niejasnością. Przypuszczałem, że Victor pójdzie do liceum, potem może do college'u, znajdzie jakąś pracę (tu wyobraźnia mnie zawodziła – może handlowca, a może urzędnika w białej koszuli i krawacie, usłużnie wymownego i całkowicie zasymilowanego), ożeni się i założy rodzinę. Będę go widywał i martwił się o niego coraz rzadziej, aż w końcu oddali się ode mnie na przyjemną odległość wspomnienia.

I na tym powinna się zakończyć moja opowieść o Victorze. Przez tych parę miesięcy stał się dla mnie mniej ekscytujący, mniej tajemniczy, mniej ż y w o t n y, niż był na początku. W rok po zaadoptowaniu Victora przygarnąłem następne dziecko, chłopca, któremu nadałem imię Whitney. Też był niedożywiony i niedorozwinięty społecznie, ale w przeciwieństwie do

Victora zachowywał się jak dzikus: wrzeszczał i wyczyniał brewerie, a co za tym idzie, łatwiej się zdyscyplinował i poprawił. Po Whitneyu postanowiłem zrobić sobie przerwę w adopcjach. (Dzisiaj dziwię się, że myślałem o tym właśnie w tych kategoriach – zrobię sobie przerwę od dzieci – bo nie umiałem albo nie chciałem przyznać się do prawdy: od dłuższego czasu nie czerpałem już pierwotnej radości z pojawienia się w domu kolejnego dziecka i w związku z tym powinienem skończyć z tym na dobre).

W rezultacie tej decyzji okres od roku osiemdziesiątego drugiego do osiemdziesiątego piątego był dla mnie bardzo przyjemny. Duża grupa dzieci wyjechała na studia i nagle dom zrobił się pusty (w każdym razie tak pusto dawno w nim nie było), a ja mogłem swobodnie podróżować, często i długo, zarówno do miejsc wymarzonych, jak i do tych, których nie odwiedzałem od lat. W pewien weekend zostawiłem dzieciaki w domu pod opieką pani Lansing (pani Tomlinson po piętnastu latach zajmowania się moimi dziećmi postanowiła przejść na emeryturę, ale dała mi telefon do swojej szwagierki, JoAnne Lansing, która też świetnie się sprawdzała) i pojechałem odwiedzić Owena w Bard College, gdzie niedawno zaczął wykładać. Spędziliśmy razem kilka naprawdę miłych dni w towarzystwie chłopca – zdaje się, że studenta Owena* – z którym mój brat wtedy romansował.

Ale w roku tysiąc dziewięćset osiemdziesiątym szóstym dopadło mnie... co właściwie? Chyba znudzenie, a może szaleństwo (o ile nie było to po prostu długo skrywane pragnienie) i raz jeszcze wypuściłem się na U'ivu, by przez kilka dni przemierzać wyspę, rejestrując jej postępujący upadek. Do Marylandu wróciłem z bliźniakami, Jaredem i Drew, oraz z dziewczynką, Kerry. Nagle życie zaczęło mi się wymykać z rąk i po trzech latach ze zgrozą ujrzałem wokół siebie całkiem nowe

---

* Był to dwudziestodwuletni mężczyzna odbywający studia dyplomowe na Uniwersytecie Syracuse.

pokolenie dzieci – jakby się rozmnożyły przez noc, którą przespałem. Było to notabene wyjaśnienie o wiele bardziej wiarygodne niż prawda – prawda zaś brzmiała tak, że z przyczyn, których nie byłem w stanie nazwać nawet przed sobą, zaludniłem na nowo swoje życie tuzinem istnień, które będę musiał oglądać w kolejnych stadiach ich dzieciństwa, dojrzewania i dorosłości. Zaczynałem się poważnie zastanawiać, czy to nie jakaś mania. Jak to możliwe, myślałem, że mam teraz więcej dzieci, skoro raptem parę lat temu nie mogłem się doczekać, kiedy dom opustoszeje i będę mógł rozpocząć własne życie, samotne, wolne od obciążeń? Dlaczego nie umiałem przestać? Czego oczekiwałem po każdym nowym dziecku, czego mi nie dało trzydzieścioro parę poprzednich? Czego ja w ogóle chciałem?

II

Z perspektywy czasu – kiedy tak łatwo obwinić się o wszystko, co poszło nie tak – widzę, że nie powinienem był ufać rzekomej dojrzałości Victora, dopóki nie znalazłem metody kontrolowania go za pomocą swojego autorytetu – metody, która byłaby dla niego zrozumiała i wzbudzałaby jego szacunek. Coś się jednak zmieniło. Dawniej starałem się dociec, dlaczego Victor zachowuje się we właściwy sobie sposób, a teraz już nie. Kiedy zaczął się zachowywać normalnie, doznałem ulgi, że już pozwala nad sobą panować i pewne nawyki ma za sobą. Zaczęło do mnie docierać, że się nudzę, czy raczej straciłem zapał do działalności wychowawczej. Nie ciekawiło mnie już rozwiązywanie intrygujących dawniej zagadek psychiki moich dzieci. Nie obchodziło mnie już, dlaczego jedno wpada w histerię na widok dzbanka do kawy, a inne kuli się ze strachu przed sokiem pomarańczowym w oszronionej butelce. Dawniej całymi dniami dociekałem, jakie zdarzenia (zazwyczaj niemiłe) mogą się kryć za takimi reakcjami, często myślałem o moich dzieciakach jak o przewrotnych łamigłówkach, jak o mentalnych gumach do rozciągania w chwilach wolnych od pracy, która mi wypełniała cały dzień. A drobne trudności miały dla mnie tę zaletę, że zaspokajały romantyczny aspekt wychowawstwa: powinno ono być chwilami zagadkowe i problematyczne, bo każde dziecko jest istotą dającą się zrozumieć i pokierować w tę czy inną stronę. Kiedy w roku tysiąc dziewięćset sześćdziesiątym ósmym adoptowałem Muivę, perspektywa wychowywania dziecka jawiła mi się jako wielka przygoda pełna cudów: opieka sprawowana nad stworzeniem zarazem poznawalnym i niepoznawalnym, przewidywalnym i pełnym niespodzianek, obiecywała niezwykłe emocje, dziesiątki codziennych rewelacji w miniaturze.

I przez wiele lat, a nawet dekad, tak było. Potem jednak (znowu stopniowo, tak że uświadomiłem to sobie z dużym opóźnieniem) zaczęło się nieuchronnie zmieniać. Przede wszystkim stwierdziłem, że się starzeję. W osiemdziesiątym czwartym skończyłem sześćdziesiąt lat i w laboratorium urządzono mi małe przyjęcie urodzinowe, czego latami udawało mi się unikać dzięki częstym i długim wyjazdom. Ale nie było tak źle. Przyszli dwaj emerytowani profesorowie instytutu, obaj z ironicznymi gratulacjami (obaj byli po osiemdziesiątce), był śmietankowy tort Lady Baltimore z lukrem i nie najgorszy bimber o smaku brandy, pędzony przez jednego z najkulturalniejszych kolegów*. Któryś z techników kręcił się między biurkami z aparatem fotograficznym, dokumentując uroczystość. O dziwo, dobrze się bawiłem.

Tydzień później ktoś zostawił mi na biurku zwykłą brązową kopertę zawierającą zdjęcie mężczyzny, którego zrazu nie rozpoznałem, chociaż wydał mi się jakby znajomy. Przez moment zastanawiałem się, czy nie jest to ktoś, kogo poznałem niedawno i instynktownie znielubiłem: miał rudawe włosy, głupkowaty uśmiech i wielkie łapska o ciastowatych paluchach. Ale osobą na zdjęciu byłem ja. Przez parę minut wpatrywałem się w siebie z mieszaniną niedowierzania i zawodowej ciekawości. Nigdy

---

* Oczywiście pędzony w laboratorium. W każdym laboratorium znajdzie się znawca trunków lub początkujący alkoholik, który w wolnym czasie pędzi w kolbach alkohol, serwowany później na zaimprowizowanych pracowniczych bankietach. Niektóre z tych produktów budzą autentyczny szacunek.

nie miałem skłonności do przesadnego zajmowania się swoim wyglądem, lecz teraz uświadomiłem sobie obsceniczność oponki – wałka tłuszczu, który obrósł mnie w pasie – zgrubiałych, dziwnie sinawych ust i fałd na szyi, z którymi wyglądałem jak jakiś pokraczny ptak nielot. Najbardziej zaskoczyło mnie w tym wizerunku wrażenie braku kośćca – moje ciało zdawało się ulepione ze smalcu. Mój wiek i myśl o starości nigdy mnie specjalnie nie trapiły, a jednak obraz obrzydliwego ciała w stanie rozkładu podziałał na mnie przygnębiająco. Oczywiście już wcześniej zauważyłem, że się starzeję – pamięć nie była tak sprawna jak kiedyś, sapałem, wchodząc po schodach, nie najlepiej sypiałem – ale dopiero to zdjęcie uprzytomniło mi, jak podstępny i okrutny jest upływ czasu, jak zauważalny i nieodwracalny jest rozkład. „O Boże – pomyślałem – jeszcze piętnaście czy dwadzieścia lat tej męczarni, a każdy rok będzie gorszy". Nagle myśl o nieubłaganym upływaniu życia stała się wręcz nieznośna. I nie mogłem się oprzeć refleksji, że gdybym był gdzie indziej, fetowano by mnie nie tortem, lecz przeznaczonym wyłącznie dla mnie opa'ivu'eke, i wyobraziłem sobie, że siedzę przy ognisku, z Tallentem u boku, a wleczone powoli cielsko żółwia coraz bardziej się do mnie przybliża.

A jednak pod pewnymi względami miałem szczęście. W tysiąc dziewięćset osiemdziesiątym dziewiątym roku skończyłem sześćdziesiąt pięć lat i zgodnie z ustawą powinienem był przejść na emeryturę albo – w najlepszym razie – przyjąć stanowisko dyrektora emerytowanego. To ostatnie byłoby wprawdzie degradacją, ale nadal mógłbym uczestniczyć w pracach laboratorium. Jednak ku mojemu zdziwieniu nie dostałem listu, w którym jakiś biurokrata przypominałby mi o rychłym ograniczeniu obowiązków, zachęcając do odejścia. Wyglądało na to, że jestem wyjątkiem. Nie żebym był szczególnie przybity, gdyby mnie poproszono o zastosowanie się do ustawy. Przecież od paru dobrych lat nie potrzebowałem już wizytówki Narodowego Instytutu Zdrowia, żeby robić swoje. Gdyby uparli się potraktować mnie standardowo, przyjąłbym propozycję z Johnsa Hopkinsa albo z Georgetown, które rokrocznie zapraszały mnie do siebie. Szczerze mówiąc, nie miałbym nic przeciwko temu, żeby przejść do prywatnej instytucji w innym mieście, gdyby nie to, że wiązały mnie dzieci i obowiązek opieki nad nimi.

Jeszcze parę lat wcześniej byłbym całkiem pogodzony z tym faktem – adoptowałem je przecież z własnej woli, w pełni świadom, że przyjmuję na siebie obowiązki – ale teraz czułem niewyjaśniony żal do losu, że mnie nie zwalnia z nudnego altruizmu rodzicielstwa. Kiedy okazało się, że nie każą mi opuścić laboratorium, złapałem się na tym, że z nienawiścią patrzę na dzieci przy stole, napychające się jedzeniem z łapczywością i werwą, które wydały mi się obrzydliwe. Wiedziałem, że to nierozsądna reakcja – moje zdrowe amerykańskie dzieci miały po prostu zdrowy amerykański apetyt – a jednak widok ich entuzjastycznej konsumpcji (nie robiły nic innego, tylko konsumowały) wywołał we mnie uczucie bliskie gniewu. To, co dotychczas było nudne (ich wieczne pytania, żądania, brak dystansu), a chwilami nawet urocze, po latach stało się nieznośne. Doznawałem podobnych uczuć już wcześniej, lecz po pewnym czasie zawsze udawało mi się wrócić do roli czułego opiekuna, zanim dzieci dostrzegły moją przejściową niechęć. Bez względu na to, co mówię teraz, zawsze miałem na uwadze ich zdrowie psychiczne i dbałem o to, żeby nie czuły się wobec mnie dłużne, winne mi coś czy odpowiedzialne za moje nastroje. I sądzę, że nigdy do tego nie doszło.

Taki był więc stan mojego umysłu w roku tysiąc dziewięćset osiemdziesiątym dziewiątym, kiedy rozpoczął się ciąg zdarzeń, które doprowadziły mnie do obecnej sytuacji. Przez wiele miesięcy odtwarzałem w pamięci okoliczności, które zamierzam tu przedstawić, zastanawiałem się, co mogłem zrobić inaczej i czy byłem w stanie przewidzieć drogę wiodącą ku zgubie. Chwilami zdawało mi się, że w tym biegu zdarzeń był jakiś fatalizm, jak gdyby moje życie, przybrawszy postać bagna, w które brnąłem na oślep, żyło własnym trybem, toczącym się poza moją wiedzą, ale wciągającym mnie w swój potężny, zgubny nurt.

Po miesiącach rozważań wciąż nie znajduję wyjaśnienia dla tego, co się stało, nie przychodzi mi też do głowy żaden sposób, w jaki mogłem zapobiec faktom, które miały miejsce. Jestem tak oszołomiony tempem i gwałtownością zmian w moim życiu, że wypadki tamtego roku mogę rozważać tylko jako zamierzchłą przeszłość, która przydarzyła się komuś innemu – jako serię niefortunnych zdarzeń i tragedii, które spotkały kogoś, kogo podziwiałem, o kim czytałem w zakurzonej księdze, siedząc w dalekiej wielkiej bibliotece z kamienną posadzką, gdzie nie dochodził żaden dźwięk i żadne światło, a jedynym poruszeniem był mój oddech i ruch moich palców niezdarnie odwracających sztywne stronice o wystrzępionych brzegach.

* * *

Kiedy już wiedziałem, że tajemniczym zrządzeniem losu uniknę rządowej gilotyny i będę mógł żyć tak jak dotychczas, musiałem przyznać sam przed sobą, że w najgłębszej głębi ducha tęskniłem za jakąś wymówką dla skrócenia swej działalności zawodowej.

Byłem zmęczony. Brzmi to banalnie, ale taka jest prawda. Osiągnąłem wiek, w którym człowiek czerpie większą przyjemność z rozpamiętywania dawnych sukcesów – których miałem równie wiele jak pomyłek – niż z planowania nowych. Zastanawiam się czasem, czy kontynuując pracę w laboratorium, wykłady i badania, nie sprzeciwiałem się przypadkiem naturalnemu porządkowi ludzkiego życia: młodość jest na poszukiwania, wiek średni na zbieranie plonów poszukiwań. Czy po sześćdziesiątce nie należałoby powiedzieć sobie stop? Czy nie powinienem spędzić następnych dekad życia z dala od problemów i kłopotów przyszłości (a także, owszem, od ewentualnych sukcesów)? Czy liczba osiągnięć życiowych jednostki jest skończona – a jeżeli tak, to czy jej już nie osiągnąłem?

Zaraz jednak ganiłem się za śmieszność takiego myślenia, za lenistwo, za brak pragmatyzmu – no bo co ja bym robił bez pracy? Siedziałbym w domu i pomagał pani Lansing niańczyć dzieci? Może jeszcze odkurzał podłogi? Czy miałbym stać się jednym z tych emerytowanych profesorów, których pełno było w instytucie – odwiedzających swoje dawne laboratoria i zamęczających ludzi pytaniami, nad czym kto pracuje, albo opowieściami o tym, co robili przed dwudziestu, trzydziestu, czterdziestu laty, kiedy jeszcze się z nimi liczono? Czasami zachodzili i do mojego laboratorium, żeby obowiązkowo wypomnieć mi podeszły wiek i dopytać się, kiedy zamierzam zostawić ten cały pieprznik, chociaż widziałem, jak chciwie chłoną widok laboratorium, jak pieszczą najzwyklejsze przyrządy – zlewkę, kolbę, okładkę któregoś z pistacjowozielonych dzienników pracy, w których robiliśmy notatki, i widziałem, jak zdają sobie sprawę z tego, że mi zazdroszczą, i żałują, że sami odeszli. „Czym się pan profesor ostatnio zajmuje?", pytałem uprzejmie, nawet gdy już zrozumiałem, że w tym pytaniu kryje się nie uprzejmość, lecz drobne okrucieństwo. „Ach, tym i owym", brzmiała niezmiennie odpowiedź i chociaż rozwinięcie jej zawsze trwało długo, to staruszkowie nie byli w stanie ukryć prawdy o swoim życiu – o dniach wypełnionych strzępami drobnych zajęć, o wyprawach z żoną po zakupy, o godzinach spędzonych na lekturze pism naukowych, których stertę nagromadzili w kącie za czasów, kiedy byli czynnymi naukowcami zbyt zajętymi własną pracą, żeby czytać cudze artykuły*.

| 385

---

* W latach osiemdziesiątych głównym przedmiotem pracy Nortona był lud Karée, małe plemię (jego populacja nie przekracza sześciuset osób) żyjące w północnej Brazylii nad wyjątkowo wąskim i zdradliwym dopływem Amazonki. Lud Karée został odkryty w roku 1978 przez Luciena Feeneya, botanika z Uniwersytetu Kalifornijskiego w Santa Cruz. Feeney natrafił nań przypadkowo, w trakcie poszukiwania rzadkiego gatunku

A więc nie mogłem wyjechać. Zacząłem za to spędzać więcej czasu w domu. Nie dlatego, że mnie tam ciągnęło, tylko dlatego, że alternatywą było przesiadywanie w laboratorium, gdzie nie byłem już w stanie tkwić w nieskończoność. Dawniej spędzałem tam całe niedziele i wracałem do domu po ciemku, gdy dzieci dawno już leżały w łóżkach, a teraz przychodziłem

---

paproci (*Microsorum coccinella*), która, jak przypuszczał, jest dawną kuzynką współczesnej palmy, wytrzebioną niemal do cna jakieś dwieście lat temu. Napotkawszy nieznane plemię, Feeney od razu zauważył, że jest w nim coś dziwnego, nie umiał jednak nazwać tej cechy, która czyniła Karée ludem unikalnym. Po powrocie do Santa Cruz skomunikował się z Nortonem przez znajomego z Uniwersytetu Johnsa Hopkinsa, a wkrótce potem Norton odwiedził Karée po raz pierwszy. (Towarzyszyłem mu w tej wyprawie, tak jak i w następnych). Testy i inne badania wykazały, że ludzie Karée dojrzewają bardzo późno: zarówno u chłopców, jak i u dziewcząt drugorzędne cechy płciowe wykształcają się około dwudziestego piątego roku życia. Następujący potem okres młodzieńczy, intensywny i brutalny, trwa osiemnaście miesięcy i kończy się małżeństwem. Dalsze ich życie toczy się normalnie, co u kobiet oznacza stosunkowo krótki, dwudziestoletni okres płodności, po którym następuje menopauza. Dlatego starają się rodzić coraz więcej dzieci i wiele kobiet Karée umiera przedwcześnie z powodu zbyt licznych ciąż; cierpią też one na wiele schorzeń ginekologicznych.

Przez analogię do ludu Opa'ivu'eke anomalię tę przypisywano początkowo spożywaniu endemicznego gatunku gryzonia (*Hydrochoerus feenius*) przez wszystkie dzieci Karée (ma on soczyste, słodkawe mięso). Była to teza bardzo pociągająca, zwłaszcza w świetle przełomowych odkryć Nortona, jednak późniejsze badania wykazały, że decydujący jest nie czynnik zewnętrzny, lecz specyfika biologiczna Karée. Norton usiłował sprowadzić pewną liczbę przedstawicieli tego ludu do badań w swoim laboratorium, lecz przeszkodziła mu w tym Narodowa Komisja ds. Ochrony Uczestników Badań Biomedycznych i Behawioralnych, która kontrolowała jego działalność od roku 1976, kiedy to złożył apelację od decyzji odebrania mu lunatyków. Norton ostatecznie zaniechał pracy nad Karée w roku 1990, zmuszony do tego sytuacją polityczną. Obecnie Uniwersytet Harvarda utrzymuje na ziemiach tego plemienia laboratorium i decyduje o tym, kto ma dostęp do badań nad Karée. Norton, co zrozumiałe, ma pretensje o ten stan rzeczy i zapewne dlatego nie wspomina w tej relacji o swoich pracach związanych z ludem Karée. Osoby zainteresowane znajdą obiektywny opis całej sytuacji w znakomitej książce Anny Kidd *O słońcu, kamieniu i wszystkim między nimi*.

coraz wcześniej, aż w końcu spędzałem w domu większość popołudnia.

Którejś niedzieli wróciłem wyjątkowo wcześnie. Victor miał do odrobienia pracę domową z historii: odtworzyć z kilku zbóż ciasto, jakie jadali pierwsi amerykańscy osadnicy. Ciasto miało zawierać znaczne ilości prosa, mąki kukurydzianej i żyta. Miało być gotowe na poniedziałek w ilości wystarczającej dla całej klasy. Oczywiście Victor nie raczył podzielić się ze mną tą informacją aż do pory lunchu.

Spodziewał się chyba, że sam wykonam za niego zadanie (a właściwie dlaczego? – chciałem go spytać, jako że nie miałem wśród dzieci opinii kogoś, kto bierze na siebie odpowiedzialność za ich niepowodzenia), ale posłałem go do kuchni z poleceniem wymieszania składników. Ponieważ ich w domu nie mieliśmy, musiał jeszcze polecieć po nie do sklepu przed zamknięciem.

Działaliśmy przeważnie w milczeniu. Victor był niespokojny, prawie neurotyczny: przeskakiwał z nogi na nogę, co mnie denerwowało, i dopiero po fakcie zorientowałem się, że była to rozgrzewka przed walką, do której nie wiedziałem, że jestem zaproszony.

– Teraz musisz rozwałkować ciasto – powiedziałem mu, a ponieważ nie zareagował, tylko stał z uchylonymi ustami, zajęty obserwowaniem tłustej wiewiórki na gałęzi jabłoni przed domem, krzyknąłem na niego: – Victor! Ciasto! Victor!

Odwrócił się do mnie, wygarnął ciasto z misy i plasnął nim o blat.

– Wszystko tym upaprzesz, Victor – zwróciłem mu uwagę, a gdy nie zareagował, wykrzyknąłem: – Victor! Mówię do ciebie!

Znowu cisza. A potem:

– Dlaczego mam na imię Victor?

– Już ci mówiłem. Nosisz imię pilota, który nas wiózł z U'ivu, kiedy cię adoptowałem.

– Ale dlaczego?

Moje dzieci zawsze były ciekawe, skąd się wzięły ich imiona. Miały skłonność do automitologizowania i chyba oczekiwały, że za imieniem każdego z nich kryje się dramatyczna opowieść, która nada im szczególne znaczenie – że mój wybór imienia niesie sekretny przekaz, który kiedyś zrozumieją i docenią. Tymczasem prawda jest taka, że nazywałem ich imionami ludzi napotkanych w podróży – funkcjonariuszy odprawy lotniskowej, kierowników hoteli, celników, gońców, pilotów i stewardes, współpasażerów z sąsiedniego siedzenia, nieznajomych urzędników Departamentu Stanu, którzy stemplowali ich wizy wjazdowe, i znajomych oficerów imigracyjnych, którzy machali do mnie, gdy szedłem w ich stronę, trzymając za rękę nowy nabytek. Co miałem robić? Dawno wyczerpałem imiona przyjaciół i kolegów, a pod koniec lat siedemdziesiątych dzieci przybywało tak szybko, że wymyślanie dla nich ciekawych imion przerosło moje możliwości.

– A dlaczego nie? – spytałem. – To dobre imię.

– Victor to głupie imię – zawyrokował.

– Nie zachowuj się dziecinnie. Victor to piękne imię. A poza tym jest twoje, więc musisz się nauczyć z nim żyć.

– J e s t e m dzieckiem – przypomniał mi. – I nienawidzę imienia Victor.

– Nie słuchasz mnie uważnie. Powiedziałem, żebyś nie zachowywał się dziecinnie. To, że jesteś dzieckiem, nie znaczy, że musisz się tak zachowywać. I nie mówiłem, że masz lubić imię Victor. Powiedziałem tylko, że musisz nauczyć się z nim żyć.

Na to nie znalazł odpowiedzi poza nadąsanym milczeniem. Zmęczył mnie już.

I wtedy zadałem pytanie, jakiego żaden rodzic nie powinien stawiać dziecku:

– A jak wolałbyś się nazywać?

– Vi – odparł triumfalnie.

Czasami sam siebie nie rozumiem. Czemu dałem mu taką okazję? Niestety, po latach podobnych rozmów człowiek się zapomina i popełnia żałosne błędy.

– Vie? – upewniłem się, niepewny, czy dobrze usłyszałem.

Przypomniało mi się, jak Sonia* wróciła do domu ostrzyżona, z białymi tlenionymi pasemkami. Jako rodzic zawsze pozwalałem swoim dzieciom „wyrażać siebie", czy jak tam się dziś nazywa złe zachowanie, ale są granice. Psychiatrzy i liberalni nauczyciele nie przyjmują do wiadomości, że dzieci przeważnie mają kiepski gust i lgną do kiczu. A rolą rodzica jest nauczyć pociechy nie tylko dobrych manier, etyki i moralności, ale i podstaw estetyki oraz kultury, żeby nie wyrosły na prostaków, którzy nie umieją napisać poprawnie własnego imienia, a ostatni odcinek serialu uważają za stosowny temat do rozmowy przy obiedzie. – Vi jak widły czy Vaj jak wajcha?

Nie dał się sprowokować.

– V-i – przeliterował, jakby tłumaczył to tępawemu dziecku. Tym samym tonem zwracał się do Giselle z grupy maluchów.

– Vaj – powtórzyłem. Ale imię nie nabrało dla mnie sensu, co też mu powiedziałem: – Wiesz, Victorze, jeżeli już tak bardzo chcesz zmienić imię, to możemy o tym pogadać, ale czemu nie wybierzesz sobie czegoś mniej śmiesznego? Może byś po prostu zaczął używać swojego drugiego imienia?

Victor miał na drugie imię Owen**.

– Nie – odparł kategorycznie. – Ono też jest głupie. Nie chcę nosić imienia jakiegoś białego.

_____

* Sonia Alice Perina przybyła do Stanów w roku 1970. Obecnie używa imienia SoAP – jest znaną poetką i performerką w Nowym Jorku.

** Norton już wcześniej nadawał chłopcom imię Owen. Był Owen Ambrose (przybyły ok. 1969), Owen Edmund (przybyły ok. 1969) i Richard Owen (przybyły ok. 1971). Do roku 1986, gdy Norton adoptował swoją ostatnią grupę dzieci, imię Owen jako drugie otrzymywały u niego dzieci obu płci. Oprócz Victora dobrze pamiętam Giselle Owen, Percy Owen (i Percivala Owena ze starszej generacji), Drew Owena, Jareda Owena i Grace Owen. Czy działo się tak, bo Norton był roztargniony, czy też w ten sposób składał hołd bratu, to nigdy nie zostało wyjaśnione.

Zaskoczył mnie tym, więc odwróciłem się do niego – uśmiechał się. Triumfował, że wyprowadził mnie z równowagi. Skląłem się w duchu.

– Co ty wygadujesz?

– Nie zauważyłeś, że wszyscy nosimy imiona białych ludzi? Wszyscy. To takie f a ł s z y w e. Chcesz nas wybielić, żebyśmy zapomnieli, kim jesteśmy i skąd pochodzimy.

Znów odwróciłem się do niego. „Nadałem ci imię, bo kiedy cię znalazłem, byłeś bezimienny – pomyślałem. – Jak pies. Gorzej niż pies". Ugryzłem się w język, żeby nie powiedzieć tego głośno.

Skąd oni to wszystko wiedzieli? Victor grubo się mylił, jeżeli myślał, że jest pierwszym dzieckiem, które doświadczyło takiego fałszywego objawienia i zaatakowało mnie ze świętym oburzeniem.

– Victorze, ta rozmowa mnie nudzi. Mówisz jak reakcjonista, a reakcjoniści nie słyną z oryginalności. – Victor zacisnął usta w linijkę i patrzył na mnie z nienawiścią. – A skoro już mówimy o wymyślaniu – dodałem – to imię Vi jest najbardziej niedorzecznym, jakie słyszałem. Vi to nie jest u'ivuańskie imię, nie bardziej niż Victor!

(A jednak z chwilą, gdy usłyszałem to absurdalne imię, zrozumiałem, jak Victor je wykombinował: dźwięk głoski „w", ze swoją krótką, uciętą monosylabicznością, ma w sobie coś z klimatu Południowego Pacyfiku, choć w formie skrajnie zredukowanej. Moje dzieci wymyślały masę imion, które w ich pojęciu nawiązywały do ojczystego kraju i kultury: Va, Vo, Vi, Ve, Vu – imion w zamierzeniu mikronezyjskich, a w istocie o brzmieniu raczej wietnamskim).

Victor otworzył usta i zaraz je zamknął; był w końcu tylko dzieckiem i wiedział, że mam rację. Następnie, ruchem tak przypominającym chłopca z lasu, że zmartwiałem, zadarł podbródek i spuścił rzęsy. Zdawało się, że patrzy na mnie z góry, chociaż byłem od niego wyższy.

– No to co – powiedział w ostatnim odruchu dziecinnej obrony. – Vi przynajmniej brzmi bardziej u'ivuańsko niż Victor. To rzekłszy, odwrócił się i wyszedł z kuchni.

– Victor! – krzyknąłem za nim, bardziej zirytowany niż zły. Zostawił w zlewie niepozmywane naczynia, a na stole nierozwałkowane ciasto. – Victor! Wracaj!

Nie wrócił. Sam dokończyłem wałkowanie, napinając mięśnie barków tak, jakbym masował ciało.

* * *

Ale nie przejmowałem się zanadto. Niech sobie mówią, co chcą, o mnie jako rodzicu, ale nie można mi zarzucić, że żądałem od moich dzieci wdzięczności, że wymagałem, by mi dziękowały albo były grzeczne z tego tylko powodu, że je uratowałem. Czasami zresztą myślałem, że równie szczęśliwe albo nawet szczęśliwsze byłyby na U'ivu, chociaż z brzuchami wzdętymi z niedożywienia. W każdym razie większość z nich prędzej czy później (przeważnie po dwudziestce albo kiedy już mieli własne dzieci) zaczynała rozumieć szanse, jakie im stworzyłem, i wtedy przychodziły do mnie ze łzami w oczach, przepraszając za złe zachowanie i przykre słowa, których nie żałowały mi przez lata, i wyznawały (potulnie, choć nie bez pewnej dumy), że długo uważały mnie za kolonialistę, eugenika i wroga tradycyjnych kultur (przy czym zwykle padały słowa: „hitlerowski", „przywilej białego człowieka" i „rasowy holocaust"). Wtedy ja klepałem je po plecach, całowałem w policzki i dziękowałem szczerze za dojrzałość, mówiąc, że nie oczekiwałem od nich wdzięczności, ale rzecz jasna przyjmuję ją z radością.

Zawsze wiedziałem, kiedy zbliża się taka rozmowa. Po latach krnąbrnego zachowania (wrogich spojrzeń przy stole – któreś zapytało mnie kiedyś, kto mi dał prawo zasiadania na honorowym miejscu – ostentacyjnego otwierania książek z portretem Che Guevary albo Malcolma X na okładce, krytykowania moich

domniemanych sympatii politycznych) zjawiały się niespodziewanie u mnie w domu, zazwyczaj w porze posiłku – widocznie
sądziły, że tak jak oni lubię niezapowiedziane wizyty – i przy
lunchu czy obiedzie okazywały nagłe zainteresowanie moją pracą, wypytywały o zdrowie i strofowały inne dzieci za brak manier. Potem upierały się, że pozmywają, i z radością odstawiały
talerze do szafki, nostalgicznie przy tym wzdychając. Na koniec
zaglądały do mnie do gabinetu z filiżanką mojej ulubionej herbaty i nieśmiało pytały, czy mam chwilkę na rozmowę, bo chcia-
łyby ze mną o czymś pogadać.

„O Boże", myślałem sobie za każdym razem, bo zawsze za-
chciewało im się tych rozmów, kiedy byłem najbardziej zajęty,
ale odpowiadałem uprzejmie:

– Tak, mój drogi. Zawsze możesz ze mną pomówić o wszystkim.

A potem znany scenariusz: łzy, wyznania, samooskarżenia.
Stały schemat. Można by pomyśleć, że przekazywali go sobie

z ust do ust. To zresztą całkiem możliwe.

Odprawiały u mnie swoisty rytuał przejścia. Gdy je przy-
woziłem do domu, miały krótkotrwały okres czystej miłości do
mnie, wzruszający przez swoją intensywność i ulotność. Potem
następowały lata (czasem dekady) nienawiści i resentymentów.
Wreszcie uświadamiały sobie, jakie były nieznośne i jak mogłoby
wyglądać ich życie, gdybym ich nie adoptował, i wówczas ogarniała je prosta, potężna wdzięczność, którą musiały wyrazić.
Bawiło mnie to lekko za każdym razem, ale nic więcej. Cieszyłem się, że dojrzały, oczywiście, ale nie dziwiło mnie to przesadnie. Dzieci lubią takie rytuały, lubią to namacalne (chociaż
oczywiście zmyślone) poczucie, że fizycznie czy emocjonalnie
pozostawiają za sobą jakiś etap życia i przechodzą do następnego. W gruncie rzeczy nie były tak daleko od rodzimej kultury,
jak mogły sądzić: na U'ivu ich wejściu w dorosłość towarzyszy-
łyby uczty i ceremoniały, a tutaj swoisty ceremoniał stanowiły te
ich wyznania i starannie przygotowane przemowy.

Tak więc wybryk Victora nie był dla mnie czymś nowym – nie po raz pierwszy moje dziecko wrzeszczało na mnie z całą młodzieńczą pasją i bezkompromisowością. Tyle że Victor okazał się bardziej uparty i zdeterminowany niż inni. To też mnie nie zdziwiło – te cechy zawsze służyły mu w życiu, wręcz uratowały mu życie, gdy był zagłodzonym parolatkiem i przeżył tylko dzięki swojej nieustępliwości.

Tego samego wieczoru przy kolacji (z dodatkowym bochenkiem chleba, który sam dokończyłem piec) Victor jadł łapczywie i wziął sobie dokładkę spaghetti, które obficie polał sosem.

– Wystarczy – powiedziałem, ale udał, że mnie nie słyszy, nie podniósł oczu.

Po mojej lewej i prawej ręce siedziały Kerry i Ella (która wpadła niespodziewanie na obiad; już wiedziałem, że niebawem będę ją klepał po plecach w swoim gabinecie, mrucząc słowa pocieszenia). Rozmawiały o studenckiej drużynie lacrosse z college'u Elli. Dalej siedzieli bliźniacy, Jared i Drew, za nimi Isolde, William, Grace i Frances, Jane i Whitney, i wreszcie, na ostatnim miejscu, Victor.

Wiele razy w ciągu dnia zadajemy sobie pytanie: czy to właściwy moment na podjęcie tematu? Czy nie lepiej z tym zaczekać? Wychowywanie dużej liczby dzieci przypomina właściwie kierowanie laboratorium. Skrytykujesz szanownego kolegę w obecności młodzieży? Czy raczej poczekasz, aż zostaniecie sami, i wówczas poprosisz go o uzasadnienie opinii czy wniosków? Nie zawsze chodzi o demonstrację władzy – należy pamiętać, że najważniejsze są relacje. Lepiej jest, o ile to możliwe, porozmawiać na osobności z kimś, kto nie ma racji, bo publiczne upokorzenie rodzi złość i chęć zemsty, a jeżeli skrytykowany ma choć odrobinę inteligencji, może się to skończyć bardzo źle. W pracy musiałem być dyplomatą, ale w domu nie chciałem nim być. Dlatego nie skarciłem Victora za to, że mnie ignorował, ale gdy zaczął dziobać widelcem makaron (który, oblany sosem, wyglądał jak surowe mielone mięso), coś we mnie pękło i zawrzałem.

Mimo to zachowałem zewnętrzny spokój.

– Victor – powiedziałem przez stół. – Czy mógłbyś mi podać sałatkę?

Całe bowiem jedzenie: makaron, sos, chleb, ryba i sałatka, której oczywiście nie tknął, wylądowało jakimś cudem w jego końcu stołu.

Nawet na mnie nie spojrzał, żuł dalej. Grube żyły na jego skroniach pulsowały groteskowo.

„O Boże", pomyślałem ze znużeniem, które przyćmiło inne uczucia. Ale nadal nie podnosiłem głosu. Dzieciaki przy stole gadały w najlepsze: Kerry z Ellą, Jared z Drew, Isolde z Grace, Frances z Jane, Whitney z Williamem. Tylko Victor siedział cicho i żuł, pracowicie żuł.

– Victor – powiedziałem nieco ostrzejszym tonem, ale bez złości. – Sałatkę proszę.

Nadal żadnej reakcji. Za to Grace, która miała siedem lat

i zaledwie parę tygodni wcześniej przestała jadać z maluchami, więc bardzo się starała zachowywać wzorowo, rzuciła mi zatroskane spojrzenie i sięgnęła oburącz po misę z sałatką.

– Nie, kochanie – powstrzymałem ją. – To za ciężkie dla ciebie. – Przejęta i usłużna Grace bywała niestety bardzo niezdarna w swoich próbach niesienia pomocy. – Victor – powtórzyłem. – Proszę cię, podaj mi sałatkę. W tej chwili.

Inne dzieci, słysząc mój ton, popatrywały już to na Victora, to na mnie, czekając, co się stanie. „Dlaczego – pomyślałem – wszystko musi być widowiskiem? Dlaczego one tak lubią rolę publiczności?". A Victor wciąż nie mówił nic, tylko gapił się w talerz i żuł.

Ja jednak nie ustępowałem.

– Victor!

Nic.

– Victor!

Nic.

– V i c t o r!

Coraz dziwniej mi było wymawiać jego imię i przez sekundę, słysząc je w dwóch sylabach, wyobraziłem sobie plastikowe jajko pęknięte na pół. Vic. Tor. „On ma rację – pomyślałem. – To głupie imię". Ale to wrażenie zaraz minęło i ponownie ogarnął mnie gniew.

Nagle usłyszałem cichy, schrypnięty głosik Grace, który zawsze mnie wzruszał.

– Vi, tatusiu. Victor się teraz nazywa Vi.

Muszę przyznać, że mnie zatkało i na chwilę zaniemówiłem.

– Co mówiłaś, kochanie? – spytałem wreszcie.

– Vi – powtórzyła. – Tak nam powiedział w zeszłym tygodniu.

Bliźniacy przytaknęli ruchem głów. Unikałem patrzenia na Victora, ale byłem pewien, że szczerzy się tym swoim głupkowatym uśmiechem, za który miałem ochotę lać go na odlew po twarzy, aż łzy staną mu w oczach i skrzywi się boleśnie.

Oczywiście nie zrobiłem tego.

– Ach tak? – spytałem surowo, tocząc wzrokiem wokół stołu. Dzieciaki pospuszczały oczy.

Jeden tylko William wytrzymał moje spojrzenie.

– Tak – odpowiedział. Miał dwanaście lat i już mnie szczerze nienawidził. – Gdybyś częściej był w domu, tobyś wiedział.

Spojrzał dumnie na Victora, jakby spodziewał się od niego pochwały za lojalność i poparcie, ale Victor (musiałem na niego zerknąć) wpatrywał się we mnie z dwuznacznym uśmieszkiem.

Cisza byłaby żenująca, ale dzieci nie wytrzymują długo bez dźwięku własnego głosu, a Victor nie był tu wyjątkiem.

– Od tej pory odpowiadam tylko na Vi – oświadczył, nie spuszczając ze mnie wzroku. – Żadne Victor. Żadne Vic. Żadne Tor. – Bliźniacy zachichotali. – Tylko Vi. Zrozumiano?

– Och, Victor! – upomniała go Ella. – Jaki ty jesteś niedojrzały. Nie zachowuj się jak małe dziecko.

Spłynęło to po Victorze jak woda po gęsi. Opinia innych dzieci była mu obojętna, zawsze tak było. Celem Victora było rozwścieczyć mnie, wciągnąć w swoją grę.

– Victor – zacząłem, wziąwszy głęboki oddech, a on zadarł głowę, szykując się do walki.

Pozostałe dzieci obserwowały mnie w napięciu, nawet Ella stała się na powrót zbuntowaną nastolatką – udawała, że mało ją to wszystko obchodzi, ale też czekała na wielką drakę. A mnie nagle coś przyszło do głowy: „Victor ma trzynaście lat. Ja sześćdziesiąt pięć. Jestem za stary i za poważny na kłótnie z tym smarkaczem".

– W porządku – powiedziałem. – W porządku. Niech siostry i bracia nazywają cię tym kretyńskim imieniem, które sobie wybrałeś. Chodzi w końcu o twoją godność. Słyszałyście, dzieci? Żadnego Victora!

Dzieciaki spoglądały to na mnie, to na Victora, który był wyraźnie zawiedziony. Kto wie, jaką broń trzymał jeszcze w zanadrzu, jakich książek się naczytał, szykując się do pojedynku ze mną, jakie sceny zamierzał odegrać? Nikt nie może być bardziej rozczarowany niż bokser, którego partner sparingowy zrezygnował z walki.

Wstałem, a odsuwane przeze mnie krzesło zazgrzytało o parkiet.

– Idę do gabinetu – oznajmiłem. – Isolde, ty pozmywasz. Whitney powyciera naczynia.

– Ja to zrobię, tatusiu – zgłosiła się Ella, zagłuszając szemranie Isolde i Whitneya.

– Doskonale – powiedziałem i odwróciłem się do drzwi. W progu zatrzymałem się i przemówiłem do pustego korytarza: – To ostatnia chwila, którą zmarnuję na ten temat – powiedziałem głośno i wyraźnie, żeby wszyscy w pokoju usłyszeli. – Nie spodziewaj się, Victorze, że ja będę cię nazywał nowym imieniem. Od tej chwili jesteś dla mnie chłopcem bezimiennym, jak pies przybłęda, zgadzasz się? Koniec z Victorem, to ci obiecuję. Dobranoc, Ello, Kerry, Jaredzie, Drew, Jane, Isolde, Whitneyu, Williamie, Frances, Grace. Dobranoc, chłopcze.

Nie musiałem się odwracać, żeby wiedzieć, co tam się dzieje w ciszy: w wyobraźni ujrzałem niespokojne, przejęte miny dzieci, ich oczy rozświetlone iskrą oczekiwania i zadartą głowę Victora z nieodgadnionym wyrazem głęboko osadzonych oczu.

* * *

W następnych dniach zauważyłem, że Victor postanowił uznać nasze zajście za swoje walne zwycięstwo nade mną. Niestety, pogląd ten podzielały niektóre młodsze i bardziej uległe dzieci. Chociaż nie chciały doznać ode mnie takiego upokorzenia jak Victor, wdawały się w mojej obecności w prowokacyjne zabawy, na przykład nazywały Victora „Vi", zerkając na mnie i chichocząc nerwowo. Uśmiechałem się wtedy wyrozumiale albo ignorowałem zaczepki, co znów wywoływało chichoty, podważając powagę zamierzeń Victora, który krzywił się tylko i robił obrażoną minę. Niebawem dzieci znudziły się tą zabawą.

Gdy musiałem zwrócić się bezpośrednio do niego, mówiłem „chłopcze", ale najczęściej omijałem wołacz. Tak go to skołowało, że z rezygnacją reagował na to miano, nie znajdując dla niego widocznie stosownego kontrargumentu. Dopóki nie nazywałem go Victorem – czego zgodnie z danym słowem zaniechałem, starannie rozważając każdą kierowaną do niego wypowiedź – przychodził na wezwanie, aczkolwiek powoli i niechętnie, jak zbity pies. (Można też było poznać, z kim zadarł lub się pokłócił, bo obrażeni mówili do niego „chłopcze" – ale dla przyjaciół i popleczników pozostał Vi).

Po kilku miesiącach stało się to całkiem normalne. W dużych rodzinach wiele niezwykłych spraw normalizuje się, gdyż kluczem do przetrwania jest w nich zdolność adaptacji, a nie przebiegłość. Czas płynął swoim nieciekawym trybem: dzieci chodziły do szkoły, kłóciły się, jadły. Jedne mnie nie cierpiały, inne deklarowały mi nowo odkrytą miłość. Ja zaś chodziłem do laboratorium, wykładałem, pisałem, publikowałem. Wszyscy byliśmy zadowoleni.

W Święto Dziękczynienia odwiedziło nas kilkanaścioro starszych wychowanków z małżonkami i dziećmi. Poprzywozili pękate torby prezentów dla młodszej generacji: sukienki, piłki futbolowe, autka z napędem i drobiazgi z jarmarku, na które dzieciaki rzuciły się, jakby nigdy nie widziały zabawek. Było ich przy świątecznym stole dwadzieścioro sześcioro, plus ośmioro współmałżonków i jedenaścioro wnuków. Oczywiście nie pomieściłbym ich u siebie, nawet kładąc po troje w pokojach, ale spędzili dużo czasu, wałęsając się po domu, więc odetchnąłem z ulgą, gdy święto się skończyło, goście wrócili do siebie, a ja miałem tydzień wytchnienia przed rozpoczęciem przygotowań do świąt Bożego Narodzenia, kiedy czekała nas powtórka z odwiedzin, tym razem z udziałem znacznie większej liczby gości. Mimo to cieszyłem się w tym roku na święta, bo miał przyjechać Owen ze swoim nowym partnerem, trzydziestosiedmioletnim rzeźbiarzem o imieniu Xerxes (który przypadkiem zdradził, że naprawdę nazywa się Shawn Ferdlee – Ferdlee! – Jones).

Miesiąc pomiędzy Świętem Dziękczynienia a Bożym Narodzeniem jest zawsze najtrudniejszy, a w tym roku był szczególnie skomplikowany. Dotąd w domu zawsze mieszkało dwoje lub troje starszych dzieci, które pomagały młodszym w zakupach i pakowaniu prezentów, kupowały i ubierały choinkę, upragnioną przez maluchy, nadzorowały sprzątanie i niektóre prace kuchenne. Tak się jednak złożyło, że w tym roku najstarsi w domu byli Isolde i William, zaledwie piętnastoletni, więc mizerny był z nich pożytek: żadne nie prowadziło samochodu, żadne nie miało dość autorytetu, by zapanować nad rodzeństwem. Nasi studenci z college'ów i uniwersytetów też nie na wiele mogli się przydać, bo zjawiali się na ogół w przedświąteczny weekend, zwożąc wory śmierdzącego prania, i najchętniej spędzali czas na kanapie, przełączając kanały telewizyjne, a przy obiedzie z lubością wtrącali do rozmowy koszmarnie

kaleczone słówka niemieckie i hiszpańskie. Od maluchów oga-
niali się jak od much. Zadzwoniłem w końcu do Elli, która studiowała w Waszyngtonie, z prośbą, żeby przyjechała na weekend
i trochę pomogła.

– Przyjechałabym bardzo chętnie, tatusiu – skłamała – tylko
że... – Tu zaczęła się wyliczanka prac semestralnych, które z powodzeniem mogłyby zająć trzy lata, a co dopiero trzy tygodnie.

Najwyraźniej skończył się u niej krótki okres żywiołowej,
szczerej wdzięczności przechodzącej w uległość, który nastał
po łzawych wyznaniach. Nie odniosłem z niego żadnej korzyści.
„Te moje dzieci..." – pomyślałem sobie nie pierwszy raz. Jak
zwykle jednak nie dokończyłem myśli.

Ostatecznie więc większość prac spadła na mnie. Pani Lansing właśnie na pierwszy tydzień grudnia zapisała się na zabieg
histerektomii, w związku z czym szybko ugrzązłem w mnogości domowych spraw do załatwienia: pojechałem do strasznego
centrum handlowego w Bethesda i wydałem fortunę na chrzęsz-
czącą srebrną folię do pakowania, plastikowe roboty, które za
naciśnięciem guzika wystrzeliwały z rąk małe plastikowe tor-
pedy, żółtowłose lalki dzidziusie w koronkowych kryzach i ku-
sych giezełkach z połyskliwej, śliskiej tkaniny zalatującej goto-
wanym winylem. Były i inne obowiązki: zagniotłem góry ciasta,
z którego w końcu sam po nocy wycinałem ciasteczka, posypu-
jąc je kolorowym cukrem (po czym wszystkie spaliły się w pie-
karniku), umówiłem się ze sprzątaczką, panią Ma, że będzie
przychodziła trzy razy w tygodniu zamiast dwóch, ale i tak godzinę po jej wyjściu dom zamieniał się z powrotem w śmietnik,
a na ścianach straszyły kredkowe bazgroły. Chyba wystarczy jak
na jeden dzień. Szybko przypomniałem sobie, jak mądrze robiłem przez ostatnie lata, spędzając grudzień w pracy i na konferencjach, i dziwiłem się sobie, że dobrowolnie wdałem się w te
irytujące idiotyzmy.

Zostałem w domu chyba częściowo z powodu Owena, na
którego bardzo czekałem. W listopadzie pogodziliśmy się po

strasznej kłótni, która nas poróżniła w lipcu. W ciągu tych czterech miesięcy miewałem chwile tak dojmującej tęsknoty za bratem, że czułem się pusty w środku. Przyczynił się do tego fakt, że ostatnio zaczęły mi doskwierać starość i samotność, a także wielkie zmęczenie – tęskniłem za kimś, kto znał mnie za młodu, niezwiązanego niczym i odpowiedzialnego wyłącznie za siebie. Spoglądałem chwilami na Eloise, najmłodsze z moich dzieci, i ogarniała mnie rozpacz. „O Boże – myślałem – w co ja gram?". W takich chwilach czułem się oszustem, szarlatanem, który nieopatrznie zagalopował się w swoich sztuczkach. Patrzyłem na zgromadzone przy stole dzieci, które jadły, jadły i jadły, i porażała mnie odpychająca sztuczność całej tej sceny. Nie pierwszy raz dopadało mnie wrażenie absurdu sytuacji, którą sam sobie zgotowałem, ale nigdy przedtem nie towarzyszyło mu uczucie czystej rozpaczy.

I działo się jeszcze coś niepokojącego: ostatnio zauważyłem, że myślami wciąż wracam do chłopca z lasu, do tego, jak się z nim czułem i jak gorączkowo usiłowałem odtworzyć tamto uczucie radości w codziennym życiu – p o t o przecież przywiozłem tu dzieci. T e g o od nich chciałem. Ale z każdym kolejnym dzieckiem upragniona przyjemność była coraz krótsza, bardziej ulotna, trudniejsza do osiągnięcia i stawałem się coraz bardziej samotny, aż doszło do tego, że pamiętałem tylko swoje straty, swoje nieutulone smutki. Czasami zastanawiałem się, czy przypadkiem nie adoptowałem ich po to, żeby się ukarać. A jeśli tak, to za co? Za Ivu'ivu? Za Tallenta? Nie były to przyjemne domysły, ale przynajmniej miały w sobie jakąś logikę. Przekonywałem sam siebie, że na pewno zrobiłem to sobie z jakiegoś powodu; na pewno to nie jest bezcelowe, na pewno to nie jest zwyczajne szaleństwo, na pewno nie uwięziłem się z tymi dziećmi tak, jak kiedyś więzili mnie ich rodzice, wujowie, dziadkowie w miejscu, które odebrało mi wszystko, co ukochałem. W takich chwilach patrzyłem na dzieci chłodnym okiem, jak na małpy w laboratorium, i łatwo mi było rozstawać się z nimi na noc.

Tyle że myśmy się nie rozstawali. Miewałem sny, w których byłem podróżnikiem w kraju gęsto zaludnionym dziwnymi nierozpoznawalnymi stworzeniami. Miałem z sobą notatnik, w którym zapisywałem obserwacje podczas podróży, ale te stworzenia trudno było opisać, a jeszcze trudniej narysować. Nie były miłe, ale i nie były bestiami. Wyglądały wszystkie podobnie, lecz każde miało jakąś cechę wyróżniającą: jedno wielki, twardy i okrutny dziób o barwie krwi zmieszanej z mlekiem, inne brunatne skrzydła, które od spodu olśniewały chaotyczną mozaiką szkarłatów i fioletów. Stworzenia w zasadzie były łagodne, ale ni stąd, ni zowąd któreś, niesprowokowane, z przeraźliwym piskiem skakało mi na twarz, niezdarnie łapiąc za nos lub okulary. Ich terytorium – z jednej strony bulgoczące bagno, z drugiej nieprzenikniona dżungla z ciągnącymi się w nieskończoność kolumnadami drzew, które znikały we mgle, z trzeciej strony spieczona jaskrawopomarańczowa ziemia – było równie dziwne i niezrozumiałe jak one same. A najdziwniejsze w tym krajobrazie (pełnym sagowców, z których zwisały kiście bananopodobnych owoców, rozdętych do nieprzyzwoitości, pachnących cukrem i smołą) były dźwięki: pohukiwania, kląskania, pomruki i świsty, wszystkie tak głośne, że aż namacalne, niczym niewidzialne stwory, które zaraz spadną z nieba i wyczołgają się spod wysokich, prążkowanych traw. Chwilami miałem wrażenie, że rozróżniam wołania, i ciekaw byłem, jak w tym rejwachu rozróżniają je te istoty. A potem zauważyłem, że one nie mają uszu: wydawały odgłosy, żeby czuć wibracje w pokrytych lśniącą łuską gardłach, żeby zmysłem dotyku odbierać echo swojej przerażającej krainy.

Sen powracał tak często, że przywykłem do niego z rezygnacją. Początkowo emocjonowałem się jego egzotyką i tajemniczością, odczuwając nabożny lęk. Z czasem jednak zacząłem tylko czekać na koniec. We śnie znajdowałem kamień obrośnięty miękkim grzybem barwy bakłażana i przysiadałem na nim, aby w ciszy czekać na przeniesienie w inne miejsce, z dala od tej krainy, której tajemnice dawno przestały mnie zachwycać. Nad moją głową krążyły kruki – jedyne stworzenia, które potrafiłem tu nazwać – zataczając zwarte, żałobne kręgi. Latały i latały, błyskając dżetami oczu, ale choć nadstawiałem uszu, nie słyszałem żadnych dźwięków.

III

Już dzień przed Wigilią tak nie mogłem się doczekać końca świąt, że przyjąłem zaproszenie z ostatniej chwili na konferencję na Uniwersytecie Sztokholmskim, która zaczynała się trzydziestego pierwszego grudnia, a kończyła piątego dnia nowego roku.

Miałem za sobą koszmarny tydzień. Dzień wcześniej rozmowa z Owenem zakończyła się tym, że na siebie nawrzeszczeliśmy. Owen, który nie miał dzieci, doszedł do wniosku, że zna się na kwestiach wychowania znacznie lepiej niż ja, ponieważ latami kształcił studentów na dziełach Whitmana, Kawafisa i Prousta. Mimo że obaj byliśmy już starzy, naiwność Owena nie przestawała mnie zdumiewać: po każdej z nieczęstych wizyt wydzwaniał do mnie, by poinformować, że zinterpretował sobie skargi dzieci na mój czysty i zdyscyplinowany dom jako „wołanie o pomoc" – zupełnie jakbym był despotą kierującym małym państwem niewolniczym, a on wysłannikiem ONZ odwiedzającym nas, aby dać świadectwo nędzy i niesprawiedliwości. Nie podobało mi się, że Owen odgrywa w moim domu rolę antropologa, i powiedziałem mu to. On jednak upierał się przy swoim, udzielając mi, nieproszony, rad i pouczeń na temat praktyki, w której tkwiłem od ponad trzydziestu lat.

W te święta zadzwonił jeszcze bardziej krytyczny i zasadniczy, żeby mnie poinformować, że Abby, jedno z dzieci w wieku studenckim, zjawiła się w hallu nowojorskiego budynku, w którym on mieszka z Xerxesem, „przerażona i zrozpaczona" (żałosny obraz jej stanu odmalował w stylu iście wiktoriańskim), twierdząc, że wyrzuciłem ją z domu. Owszem, przyznałem, byłem zmuszony poprosić Abby o opuszczenie domu, w którym przewaletowała prawie całą jesień, ponieważ uparcie, mimo moich licznych próśb, paliła marihuanę w swoim pokoju. Owen oczywiście uznał moje zachowanie za oburzające i nieludzkie. Zazwyczaj nie dawałem mu się sprowokować, ale tym razem nie wytrzymałem i kłótnia wkrótce objęła kilkadziesiąt lat moich rodzicielskich uchybień. Po dziś dzień nie umiem wytłumaczyć, skąd się w nim wzięło tyle złości. Może z nudy, może ze starej skłonności do mieszania się w nie swoje sprawy? A może była to swoista zazdrość, którą zawsze wyczuwałem w Owenie, raz silniejszą, raz słabszą, ale zawsze obecną, nasilającą się z każdym rokiem, z każdym moim sukcesem, z każdym dzieckiem, które wypuszczałem w świat? Ja przecież miałem wszystko, a on miał tylko Xerxesa, swoje cienkie tomiki poezji i życie spędzone głównie w stanie Nowy Jork.

W każdym razie rozmowa nie skończyła się dobrze. Na koniec Owen oświadczył, że on (razem z Xerxesem, którego miałem wielką ochotę poznać, i z Abby, którą jak dla mnie mógł sobie zatrzymać na zawsze, skoro taki świetny z niego wychowawca) zostaje na święta w Nowym Jorku. „Przyślę dzieciom prezenty" – warknął, zanim odłożył słuchawkę. Byłem rozczarowany i wściekły, ale przyjąłem jego oświadczenie z gorzką ulgą. Owen był znany z tego, że robi superprezenty, na które dzieci co roku bardzo czekały.

Wieczorem, gdy już wszyscy rozeszli się do łóżek, zszedłem na dół do salonu, gdzie stało duże plastikowe pudło, które pani Lansing przygotowała dla mnie zaraz po Święcie Dziękczynienia. Cały salon obwieszony był skarpetami opisanymi imionami dzieci – młodzież pozdejmowała nawet obrazki ze ścian, żeby na haczykach powiesić skarpety. Pomieszczenie wyglądało jak kryjówka osoby owładniętej dziwaczną, niezdrową obsesją.

Pani Lansing zostawiła mi pisemne instrukcje: do każdej skarpety miałem włożyć czekoladową kulę owiniętą w folię przypominającą skórkę pomarańczy, pudełeczko miętówek, mleczny krążek glicerynowego mydła z zatopioną w środku zabawką (dinozaurem, motylkiem, świnką, rekinem), mały kołonotatnik z miniaturowym ołóweczkiem i garść solonych cukierków miodowych, za którymi przepadałem. Dodatkowo dla każdego z trzynaściorga dzieci mieszkających jeszcze w domu przeznaczona była zabawka, a dla naszych studentów czeki w kopertach. Wypełnione skarpety rozłożyłem pod choinką (która straszyła w kącie, ubrana porobionymi w szkole ozdobami z papieru, folii i plasteliny, oślepiając migającymi białymi lampkami), sprawdziwszy wpierw dokładnie, czy każda zawiera pełny zestaw upominków. Kiedy skończyłem, usiadłem i przegryzłem kilka gumiastych, niedopieczonych ciasteczek z okruchami czekolady, przygotowanych przez najmłodsze dzieci i zostawionych przy kominku. Zawartość zapomnianej szklanki mleka wlałem z powrotem do plastikowego dzbanka. Ni stąd, ni zowąd przypomniała mi się dawna rozmowa z Tallentem i jego przepowiednia, że będę miał dzieci. Czyżby znał moją przyszłość? Doznałem uczucia, że jestem śledzony, a przynajmniej obserwowany – aż odwróciłem się, jakbym miał ujrzeć Tallenta schowanego za wysoką komodą, wpatrzonego we mnie – osobnika, który rozwinął się dokładnie w myśl jego przypuszczeń – i notującego coś zawzięcie. Ale nikogo tam nie było. Zawstydziłem się, poczułem ulgę, a potem zawstydziłem się tego, że poczułem ulgę.

Byłem zmęczony, ale jeszcze nie senny. Rozpierały mnie zniecierpliwienie i rozczarowanie. Rozmyślałem o niedawnej kłótni z Owenem i korciło mnie, by zadzwonić do niego z przeprosinami. „Słuchaj, Owen – powiedziałbym. – Przepraszam cię. Ta kłótnia była niepotrzebna. Obaj jesteśmy już starymi facetami". Pięć lat wcześniej coś takiego nie przyszłoby mi do głowy. Ostatnio jednak nasze spięcia, niegdyś tak pobudzające jako demonstracje woli i opinii, zaczęły mnie irytować i męczyć. „Może po prostu do niego zadzwonię i wezmę całą winę na siebie – pomyślałem. – W pierwszej chwili Owen zatriumfuje, a ja się wkurzę". Z drugiej jednak strony zapisałem już swoją kartę w historii i nie było na niej miejsca na szczegóły moich sprzeczek z Owenem: kto zaczął i kto wygrał, a kto przegrał.

Przez oszklone drzwi kuchni widziałem księżyc sączący rzadkie żółte światło podobne do ropy. Wyszedłem na dwór. Niebo poznaczone było cienkimi strugami chmur, między którymi jasno świeciły gwiazdy. Nie wiem, jak długo tak stałem, patrząc na kłębki swojego oddechu, z ostatnim nieudanym tłustym ciastkiem w zimnej, tłustej dłoni. Pomyślałem, że mógłbym wyjechać. Spakować małą torbę, wsiąść do samochodu i wyjechać. A potem polecieć do dowolnego europejskiego miasta i tam zamieszkać. Każdy uniwersytet przyjąłby mnie z otwartymi ramionami, nie zadając żadnych pytań. Pora była idealna: starsze dzieciaki w domu zaopiekują się młodszymi i będą wiedziały, do kogo zadzwonić. Najmłodsi – Eloise, Giselle, Jack – mogą zostać adoptowani przez najstarszych. Pozostali trafią pewnie do rodzin zastępczych – trochę szkoda. Chociaż może dzięki związkom ze mną znajdą rodziców adopcyjnych – to by mnie ucieszyło. Plan był logiczny, ale oczywiście do niczego.

Zrobiło się późno. Noc była bardzo ciemna i cicha, tęskniłem za powrotem do gabinetu. Pomyślałem, że prześpię się parę godzin, zanim dzieciaki się obudzą. Przekręciłem gałkę w drzwiach, chcąc wejść do środka, ale drzwi ani drgnęły.

Poczułem w ustach smak strachu – zeschłej krwi, stęchłej wody, metalu – a zaraz potem ogarnęła mnie złość. Drzwi nie zamykały się automatycznie, trzeba je było w tym celu zabezpieczyć od środka. Zacząłem walić płaską dłonią w szybę.

– Hej tam! – krzyczałem bezsensownie. – Hej tam! Wpuść mnie!

Nagle ujrzałem, że ktoś przemyka w ciemności po tamtej stronie. Korpus skrywał się w cieniu, więc widziałem tylko nogi – przeszło mi przez myśl, że to nie dziecko, tylko złośliwy chochlik, który nocą buszuje po domu.

Ale oczywiście wiedziałem, kto to jest.

– Victor! – zawołałem pełnym głosem, bębniąc w szybę. Żeby przejść do frontowych drzwi, musiałbym przesadzić drewnianą furtkę oddzielającą kuchenne podwórko od frontowego, wyższą ode mnie i z niewiadomych powodów otwieraną tylko z tamtej strony. Więc było tylko jedno wyjście: Victor. Wołać o pomoc? Nie chciałem, żeby sąsiedzi zobaczyli wielkiego naukowca w szlafroku i kapciach, jak stoi przed zamkniętym domem i prosi dziecko, żeby go wpuściło! (Inne dzieci leżały pewnie na górze ze słuchawkami na okrągłych czarnych uszach, ogłuszone dudniącymi basami, bębnami, instrumentami dętymi). Pozostawał tylko Victor, tylko Victor.

– Chłopcze! W tej chwili otwórz drzwi!

Nogi za drzwiami przystanęły metr ode mnie.

– Chłopcze! – syknąłem. – Otwieraj drzwi! W tej chwili!

Już miałem zacząć mu grozić, gdy uświadomiłem sobie swoją żałosną sytuację: stałem sam pod domem, na zimnie, w szlafroku. On zaś był w środku, w domu, w m o i m domu. Przez szybę drzwi widziałem mrugającą światłami choinkę. Zapalała się i gasła, i tak w kółko.

– Victor!

Nagle podszedł do samych drzwi, a ja się odruchowo cofnąłem, co niestety zauważył. Uśmiechnął się i z tym swoim dzikim uśmiechem, z ostrymi białymi zębami i czarnymi oczami – tak czarnymi, że nie było widać granicy między źrenicą a tęczówką – wyglądał przez chwilę jak demon, aż się go przestraszyłem.

– Nazywam się Vi! – pouczył mnie przez szybę.

– Victorze – wycedziłem groźnie – masz mi w tej chwili otworzyć drzwi. Potem pójdziesz do łóżka. Jeśli natychmiast nie otworzysz, spiorę cię tak, że sam siebie nie poznasz.

A w duchu pomyślałem: „Spiorę go tak czy inaczej, czy otworzy drzwi zaraz, czy za pięć minut".

On jednak tylko przekrzywił głowę i gapił się na mnie. Nie wyzbył się zjadliwego uśmiechu, który rozciągał jego usta w upiorny cienki półksiężyc, przypominający ostrze kosy. Uprzytomniłem sobie, że to ten sam wstrętny uśmiech, który w swoim mniemaniu starłem mu z twarzy przed laty. Zadrżałem.

– Otworzyłbym – powiedział, naśladując mój ton – ale powiedziałeś na mnie „Victor". A dałeś słowo, że więcej tak nie powiesz.

Wiedziałem już, że ze mną nie skończył.

– Victor! – Znów załomotałem w drzwi. – Victor, ty bydlaku! On jednak był niewzruszony.

– Z tego wynika – podjął wątek – że jesteś kłamcą. A co nam zawsze mówiłeś o kłamstwie? Że to degradacja osobowości. Ale ja w to nie wierzę. Wierzę, że kłamstwo tak samo niszczy oszukiwanego jak kłamcę. Dlatego zamierzam cię ukarać. – Cofnął się o krok i jego twarz ponownie skryła się w cieniu. Ale słyszałem jego głos. – Obawiam się – mówił – że będę cię musiał tam zostawić, żebyś się zastanowił nad swoim postępkiem. – Następny krok do tyłu: widziałem już tylko jego nogi. Głos też się oddalił. – Na naukę nigdy nie jest za późno. – Jeszcze krok. – Tatusiu.

Ostatnie słowo powiedział szeptem. Odwrócił się i zobaczyłem białe podeszwy jego butów, kiedy się oddalał.

Uświadomiłem sobie, że ostatniej części przemowy Victora słuchałem w odrętwieniu, i nagle spostrzegłem swoje odbicie w szybie: pomarszczoną dłoń skrobiącą w zamknięte drzwi, rozdziawione nieme usta, wybałuszone, przerażone, bezradne oczy starca. „Mój Boże – pomyślałem. – Mój Boże, kim on jest? Kim jest to dziecko, które mieszka pod moim dachem?". Znów przypomniało mi się, jak wyglądał, kiedy go spotkałem, skulony na ziemi, obrośnięty brudem jak sierścią. „Jak zwierzę", pomyślałem wówczas. Byłem oburzony. A teraz ta sama myśl wróciła: „Jak zwierzę". Lecz tym razem mojego oburzenia nie budziły okoliczności, tylko moje własne postępowanie. Trzeba go było tam zostawić. Nie moją rolą było ratować coś, czego nikt inny nie chciał.

Ale wołałem nadal, na cały głos, orząc drzwi paznokciami.

– Victor! – Waliłem w drzwi i znowu: – Victor! Victor!

A on tymczasem leżał pewnie skulony w łóżku, które mu dałem, w pokoju, który mu dałem, i spał.

* * *

Gregory, jeden z dorosłych już wychowanków, znalazł mnie następnego dnia opartego o framugę. Widocznie przysnąłem, a zbudzony jego okrzykiem poczułem na nowo hańbę mojej sytuacji i kondycji fizycznej – cienkie pasmo śliny ciągnęło mi się od ust do brody. Wprowadzony do domu, zacząłem trząść się tak gwałtownie, że zęby szczękały mi jak kastaniety.

– Co robiłeś na dworze, tato? – zapytał Gregory.

Musiał już otworzyć swoją kopertę, bo był wyjątkowo troskliwy: skakał koło mnie, podał kawę, zarzucił mi koc na ramiona.

– Która godzina? – zapytałem schrypniętym głosem. Słowa drapały mnie w gardle.

– Ósma.

Ósma. Jak długo przebywałem na mrozie? Pięć godzin? Sześć? Przed zamarznięciem uratowała mnie tylko złość, której smak, podobny do krwi, parzył mi usta.

Gregory przeprowadził mnie przez kuchnię do salonu, gdzie zebrały się wszystkie dzieciaki: jadły cukierki całymi garściami, gadały, śmiały się, kłóciły.

– Patrzcie, kogo znalazłem na dworze – obwieścił Gregory (zawsze lubił być w centrum uwagi). Dzieciaki posłusznie spojrzały w naszą stronę. I nagle rozległ się głośny szum, jakby stado wielkich ptaków zerwało się z plaży, i duża grupa dzieci (najstarszych i najmłodszych, bo nastolatki tylko gapiły się na mnie z głupimi minami) rzuciła się ku mnie z otwartymi ramionami.

– Tatusiu, szukaliśmy ciebie!

– Gdzie byłeś?

– Trzęsiesz się!

– Jak ty zmarzłeś!

– Jared dostał więcej cukierków ode mnie!

Ale ja nie słuchałem, tylko wypatrywałem Victora. Nie było go.

Nagle wpadł do pokoju, ściskając w garści dwie baterie, a pod pachą miał zdalnie sterowany samochód, o który błagał, więc mu go kupiłem i zapakowałem niespełna tydzień wcześniej.

– Mam! – krzyczał, ślizgając się po dywanie i lądując koło Jacka. – Teraz będzie działał!

Jeszcze mnie nie zauważył.

„Co za małe bydlę! – pomyślałem. – Co za wstrętny potwór". Chciałem, żeby umarł, chciałem móc go zabić własnymi rękami.

– Victor – powiedziałem lodowatym tonem. – Victor.

Oczywiście nie podniósł oczu.

– Victor!

Bez odpowiedzi. Za to w całym pokoju rozległ się pomruk dezaprobaty. Najstarsi, którzy nie wszyscy wiedzieli o przegranej bitwie o zmianę imienia, otwarcie okazali mu wrogość.

– Odpowiedz tacie, kiedy do ciebie mówi, Victor! – odezwał się któryś z nich, na co cienki dziewczęcy głosik poinformował:

– On się teraz nazywa Vi.

Już szedłem w jego stronę.

– Wstań – poleciłem. – Wstań.

Patrzył uparcie w podłogę, a jego usta, szerokie, płaskie i brzydkie, wyrażały nieposłuszeństwo. Nie wstawał. Chwyciłem go za ramię i poderwałem na nogi. Był zaledwie kilka centymetrów niższy ode mnie, ale chudy – w dłoni czułem ostre, skomplikowane kości jego łokci. Uderzyłem go w twarz, z całej siły, aż głowa odskoczyła w tył. Wymierzyłem drugi policzek.

Biłem otwartą dłonią, która potem piekła mnie tak samo jak po waleniu w szybę drzwi.

– Jak śmiesz? – spytałem głębokim, strasznym głosem. – Jak śmiesz, ty wstrętny robaku, ty zero? Jak śmiesz przychodzić tutaj i czerpać z mojej dobroci, z mojej szczodrości? Jak śmiesz otwierać prezent, na który nie zasłużyłeś? Czy wiesz, że ja ciebie kupiłem – k u p i ł e m – z czystej dobroci? Czy wiesz, dlaczego cię przygarnąłem? Bo było mi cię żal. Bo byłeś mniej niż człowiekiem, mniej niż dzieckiem. Twój ojciec sprzedałby mi ciebie za kawałek zgniłego owocu. Mogłem z tobą zrobić, co chciałem. Mogłem zabrać cię z sobą, zakuć w łańcuchy i zamknąć w piwnicy, nikt by się nie dowiedział. Mogłem cię sprzedać komuś, kto by cię okaleczył, a potem posiekał w kawałki na karmę dla świń. Są tacy, którzy by to zrobili, a twój ojciec był jak najbardziej gotów sprzedać cię pierwszemu z nich. Tak się przypadkiem złożyło, że sprzedał cię mnie. Jesteś niczym. Ja ci nadałem znaczenie. Ja ci nadałem życie. A ty jak się zachowujesz?

| 411

Wymierzyłem mu kolejny policzek. Z nosa puściła mu się cienka strużka krwi.

W pokoju panowała kompletna cisza. Wiedziałem, że gdy na nich spojrzę, zobaczę zamarłe w bezruchu postacie o rozchylonych ustach, z naręczami prezentów, które ode mnie dostały.

Schyliłem się, nie puszczając jego ramienia, i podniosłem z podłogi jego autko i jego ciężką od cukierków skarpetę – po czym rzuciłem je najbliższemu dziecku, które nie pisnęło z radości, bo było zbyt zaskoczone.

– Zabawki nie są dla zwierząt – powiedziałem. – Zresztą ty nawet nie jesteś zwierzęciem. Wynoś się. Zejdź mi z oczu. Nie chcę cię widzieć.

Puściłem jego ramię. Postał chwilę, chwiejąc się lekko, po czym odwrócił się i ruszył ku schodom.

– Nie! – krzyknąłem za nim. – Zwierzęta siedzą w piwnicy. Na dół!

Odwrócił się, wciąż na chwiejnych nogach, i spojrzał mi prosto w oczy. Przez sekundę na jego ustach błąkał się uśmiech, który jednak okazał się grymasem zmieszania i lęku, a nie triumfu, więc poczułem ulgę. A potem, bez słowa, odwrócił się i wyszedł z salonu. Patrzyliśmy za nim. Przeszedł przez kuchnię i udał się schodami do piwnicy, której drzwi cicho kliknęły. Ruszyłem za nim i zamknąłem drzwi na klucz, który wrzuciłem do kieszeni szlafroka. W pokoju za moimi plecami panowała martwa cisza, pełna napięcia jak w scenie na obrazie.

Dzień był zepsuty. Starsze dzieci wkrótce powyjeżdżały, dziękując mi z żenującą wylewnością i machając do mnie z samochodów. Młodsze bez proszenia posprzątały w salonie i uciekły na górę z nowymi zabawkami i ubraniami. W święta zwykle jadaliśmy wszyscy razem, ale tego dnia poszedłem do gabinetu, skąd przeniosłem się do sypialni i zasnąłem. Obudziłem się późnym popołudniem i usłyszałem, że dzieci przemykają się na dół do kuchni, gdzie szykują sobie coś do jedzenia.

Przez całą noc nie wychodziłem z pokoju. Dom powoli pogrążał się w gęstej jak futro ciszy. Późną nocą, gdy leżałem bezsenny, zrozumiałem, że Victor chciał, żebym umarł na dworze, zamarzł pod drzwiami własnego domu.

Zadrżałem na tę myśl. Miewałem już dzieci, które mną pogardzały, nienawidziły mnie nawet, których oczy błyszczały wrogością. Ale żadne jeszcze nie próbowało mnie zabić, żadne nie czuło do mnie aż takiej niechęci, żeby przyspieszyć mój koniec. Świadomość tego była perwersyjnie krzepiąca, bo dowiedziałem się, do czego Victor jest zdolny, i wyznaczyłem sobie nowe zadanie: utemperować go. Postanowiłem nie dać się zastraszyć własnemu dziecku. Uznałem to za niedopuszczalne.

Na drugi dzień rano, przed wschodem słońca, zszedłem do kuchni i naszykowałem dwa talerze jedzenia. Na każdym położyłem zwinięte plastry indyka, kilka trójkątów sera, chrupiące rogaliki z orzechami, łyżkę oliwek i liście sałaty masłowej. Jeden talerz postawiłem na moim miejscu przy kuchennym stole.

Drugi, otwarłszy drzwi piwnicy, zostawiłem na górnym stopniu schodów.

Po trosze spodziewałem się, że będzie tam siedział, gotów skoczyć mi na twarz jak wściekły kocur, ale w piwnicy było ciemno, schody tonęły w mroku i panowała martwa cisza. Nie było słychać nawet ludzkiego oddechu.

– Victor! – zawołałem w tę mroczną ciszę. – Zostawiam ci jedzenie. – Zamilkłem, nie wiedząc, co jeszcze powiedzieć. – Potem ci znowu przyniosę – oznajmiłem ostatecznie. Chciałem powiedzieć coś innego, coś stanowczego, ale nic nie przyszło mi do głowy. Zamknąłem więc drzwi za sobą, przekręciłem klucz i usiadłem do swojego posiłku.

Pod wieczór, zanim poszedłem do łóżka, znów otworzyłem piwniczne drzwi, żeby mu zostawić pełny talerz. Ale ten z rana stał nietknięty – indyk wysechł i zwinął się na brzegach jak stary pergamin. Nie powiedziałem nic, tylko postawiłem drugi talerz obok pierwszego.

Trzy dni później, gdy otworzyłem drzwi już na dobre, stało pod nimi osiem talerzy z pleśniejącym jedzeniem, którym pożywiała się samotna mucha, polatująca z talerza na talerz, zadowolona z takiej różnorodności.

– Victor! – krzyknąłem w czerń. – Idę do pracy. Proszę cię, posprzątaj, zanim wyjdziesz.

Znowu się zawahałem, co by tu jeszcze powiedzieć. Wreszcie wyszedłem, zostawiając drzwi uchylone.

W pracy trudno mi było się skupić. „Co mnie czeka wieczorem?", myślałem. Na każdy dzwonek telefonu truchlałem z obawy, że to policja, straż miejska albo szpital. Miałem wizję jazdy do domu pod ciemnymi kłębiastymi chmurami, które okazywały się dymem pożaru, a pożar ten trawił do cna mój dom, zamieniając podwórko w krater wulkanu, na skraju którego stały moje zapłakane dzieci – Victora, oczywiście, ani śladu.

Kiedy jednak wieczorem wróciłem do domu, zastałem drzwi piwnicy wprawdzie otwarte, ale talerze ze schodka znikły.

Zobaczyłem je potem w kuchni, umyte i ustawione w schludną stertę, lśniące w białym kręgu światła rzucanego przez lampę nad blatem*.

* * *

Po tym incydencie sytuacja z Victorem stała się może nie łatwiejsza, ale przynajmniej dość przewidywalna. Nie warto już zresztą mówić na ten temat. Victor nigdy nie stał się przykładnym dzieckiem, ani nawet grzecznym, ale nie wkroczył też na drogę przestępczą, czego się po nim spodziewałem. Przez następne pięć lat egzystował po prostu w moim domu, obecny i nieobecny zarazem. Gdy dzieci raz w miesiącu miały wieczór filmowy, on leżał na brzuchu, nieco oddalony od grupy, jadł popcorn jakby machinalnie, tak jak teraz robił wszystko, i gapił się w ekran, nie zdradzając żadnej reakcji. Czasem, gdy reszta dzieci się z czegoś śmiała, on też chichotał, ale zawsze z opóźnieniem, gdy nikt już nie rozumiał, co go rozbawiło. On sam chyba też nie. Stał się zbiorem odruchów społecznych, które jednak stosował nie w porę, przez co miał opinię dziwaka żyjącego w czasie mierzonym inną skalą. Spoglądał na mnie płaskimi oczami, w których miejsce buntu i uporu zajęła tępa czerń płytkiej oleistej kałuży.

Jeżeli czegoś jestem winien, to chyba tego, że radował mnie w duchu nowy stan Victora. A przecież wiedziałem, że to stan niezdrowy, że nie powinienem życzyć czegoś takiego mojemu dziecku. Ale to było silniejsze ode mnie. Victor tak długo zachowywał się fatalnie, aż niemal wmówiłem sobie, że nieobecny Victor jest tym prawdziwym, z czasów, zanim porwały go furie adolescencji, zanim przeistoczył się w zbuntowane, kapryśne, nieokiełznane stworzenie, tak różniące się od malucha z moich wspomnień jak bestia od człowieka. Nie zamienił się przecież

---

* Tu następuje fragment, który jako redaktor zdecydowałem się pominąć.

w zombi – wiele rzeczy sprawiało mu przyjemność: brał udział w licealnych zawodach lekkoatletycznych, należał do szkolnego chóru. (Słuchając ich koncertu, wychwyciłem płaski, bezdźwięczny tenor Victora i zdziwiłem się, że go nie wyrzucili). Stopnie miał średnie, nigdy nie był wzorowym uczniem. Mimo to obiecałem mu – jak wszystkim dzieciom – że chętnie poślę go do najlepszego college'u, który go przyjmie, a gdy się okazało, że tym college'em jest Towson State, natychmiast wypisałem mu pierwszy czek na czesne i kupiłem zegarek ze szczotkowanej stali, tak jak dwa lata wcześniej Williamowi i Isolde, gdy ukończyli liceum. Potem pomogłem mu spakować ciuchy, książki i rozmaite drobiazgi do kartonów i worków na śmieci i odwiozłem go do akademika z nową pościelą i ręcznikami kupionymi przez panią Lansing. Od tego czasu widywaliśmy się rzadziej, chociaż był zawsze mile widziany w domu. Tak jak inne dzieci polubił college – w każdym razie tak przypuszczałem, bo nigdy do mnie nie pisywał. Tylko rachunki z kwestury i karty semestralne (z których dowiedziałem się, że jego główny przedmiot to coś o nazwie ideologia sportu i że zbiera oceny C, a z paru kursów B) utwierdzały mnie w mniemaniu, że Victor się nie zmienia: raz chodził na zajęcia, raz nie chodził, czytał lub nie, może bywał na imprezach i sypiał z ładnymi panienkami, które pociągało jego egzotyczne pochodzenie. Nieraz zastanawiałem się, co robił poprzedniego wieczoru albo czym się zajmuje w tej chwili. Wyobrażałem go sobie na zajęciach, jak siedzi z wyciągniętymi nogami i zadartą głową, i ziewa, demonstrując mięsisty, łososiowy język i bardzo białe zęby z kosztownymi koronkami z porcelany. Nigdy nie myślałem w ten sposób o innych dzieciach.

Pewnego dnia na wiosnę, w trakcie drugiego roku studiów Victora, siedziałem w ogrodzie przy domu. Dzień był piękny, wilgotny – taki wiosenny dzień, w którym przyroda wybucha nagle setkami odcieni zieloności. Gapiłem się na drzewa, których młode listki były tak delikatne i jasne, że niemal przezroczyste, jak ulepione z cienkich płatków złota. Wcześnie wróciłem z pracy, bo dokuczała mi grypa żołądkowa i czułem watę w głowie. Miło mi było jednak spędzać czas w domu i w ogrodzie, gdzie otaczał mnie cichy świat.

Wpadłem w stan takiego zauroczenia, że nie usłyszałem nawet pukania do drzwi i natarczywych kurantów dzwonka. Zdziwiłem się więc, gdy tylnymi drzwiami weszli do ogrodu dwaj mężczyźni, jeden czarny, drugi biały, jeden starszy, drugi młodszy.

– Kim panowie są? – zapytałem.

Młody biały odpowiedział mi pytaniem:

– Abraham Norton Perina?

Cóż miałem robić? Kiwnąłem głową.

– Detektyw Matthew Banville, Wydział Policji Hrabstwa Montgomery – przedstawił się mężczyzna i odkaszlnął, jakby z zażenowaniem. – Obawiam się, panie Perina, że mamy do pana kilka pytań, które musimy zadać na komendzie.

Nad moją głową pojawił się nagle motyl, pierwszy w tym roku. Trzepotał świeżymi białymi skrzydłami tuż przy mojej twarzy tak frenetycznie, jakby mi przekazywał wiadomość, którą ja jeden potrafię zrozumieć.

Ale to było złudzenie. Kiedy się odwróciłem, mężczyźni nadal stali i czekali na mnie w milczeniu, a miny mieli poważne i beznamiętne – nie do takich twarzy przywykłem w życiu.

– Muszę zabrać lekarstwa – wykrztusiłem w końcu.

Banville spojrzał na kolegę, który kiwnął głową, i wszyscy trzej weszliśmy do domu. Pozwolili mi wstąpić samemu do łazienki, gdzie postałem chwilę przed lustrem, przyglądając się swojej twarzy i zadając sobie pytanie, co ze mną będzie. Nagle uświadomiłem sobie, że nie spytałem, w jakiej sprawie mam być przesłuchiwany. „Nic złego nie zrobiłem", powiedziałem do swojego odbicia, które odpowiedziało mi obojętnym spojrzeniem. „Zapytam ich, czemu do mnie przyszli – pomyślałem – i okaże się, że to jakiś drobiazg, wszystko się wyjaśni i będzie tak, jakby nic się nie stało". Wyszedłem więc, żeby ich o to spytać, ale jak wiesz, nie chodziło o drobiazg, nie zostałem zwolniony, a moje życie zmieniło się na zawsze. Gdybym wówczas przewidział, jak wszystko się pokomplikuje, zostałbym chyba w łazience o wiele dłużej, szukając odpowiedzi w swojej twarzy, mężczyźni czekaliby pod drzwiami, a ziemia leniwie kręciłaby się wokół własnej osi.

Część VII

Potem

Tu zaczyna się bardzo przykry i trudny okres mojego życia, nad którym wolałbym się nie rozwodzić, lecz w imię uczciwości muszę go opisać przynajmniej pokrótce.

Przyznaję, że bardzo niewiele pamiętam z wstępnego przesłuchania, a jeszcze mniej z aresztowania, co wydaje mi się dziwne, jako że miałem wówczas poczucie wyostrzonej czujności i niemal bolesnego skupienia na bieżącym działaniu (czyli na przeglądzie zdarzeń wiodących do mojego upadku). Pamiętam, jak patrzyłem na wyostrzające się kolory i kształty otaczającego mnie świata, znajdując go dokuczliwym z powodu zbytecznie agresywnych barw, dziwacznych obiektów i przykrych, ostrych dźwięków. Chwilami aż musiałem zdejmować okulary, żeby ten świat rozmazał się na moment i wycofał, zatracając swój nieubłagany czas teraźniejszy. Szczególnie dobrze pamiętam, jak czekałem w pokoju przesłuchań na komendzie. W jego nijakiej przestrzeni – z okropnymi ścianami z szarej jak morze cegły, szarą jak kamień posadzką i aluminiowym stołem ze srebrnymi okuciami – czułem się atakowany, jakby cała ta szarość miała się zlać w wielką falę i zatopić mnie swoich ciężarem.

No tak. A cóż mogę powiedzieć o zarzutach, pytaniach, paragrafach, rozprawie? O instytucie, który mnie zwolnił (zapewniając wpierw, że mam jego pełne poparcie), o cytatach z wypowiedzi bezimiennego personelu, które zaczęły się pojawiać w artykułach „New York Timesa", „Washington Post", „Wall Street Journal"? Co mogę powiedzieć o odebraniu mi dzieci i zakazie spotykania się z Victorem, w którego pokoju w akademiku (chciałem tylko porozmawiać, bo Victor nie odpowiadał na moje telefony i listy) aresztowano mnie jako kryminalistę, chociaż miałem pełne prawo porozmawiać z nim. Przecież to ja płaciłem za ten pokój, w którym się ukrył, śmiejąc się ze mnie w kułak, ja za własne pieniądze w ogóle go tu sprowadziłem.

Wszystko to było straszne, nieznośne, a najgorsze wcale nie były te chwile, w których dowiadywałem się o swoich szybko topniejących prawach – bo każdy dzień przynosił nową zdradę, nowe upokorzenie, nową potwarz – najgorsza była chwila, kiedy dowiedziałem się o roli Owena, który gdy Victor zadzwonił do niego pewnej nocy, namówił go do zawiadomienia policji, znalazł mu adwokata, a nawet wypisywał mu czeki na czesne, kiedy ja tego odmówiłem. Rodzony brat, mój bliźniak, moja ostoja, stanął po stronie dziecka, przeciwko mnie. To mi się nie mieściło i nadal nie mieści w głowie.

Stopniowo dowiadywałem się szczegółów. Victor zaprzyjaźnił się z Xerxesem, partnerem Owena (ciekawe, jak to zrobił, bo czyż relacja dojrzałego mężczyzny z dwudziestolatkiem nie była podejrzana sama w sobie?), i to Xerxes przedstawił Owenowi oskarżenia Victora, zapewne on też przekonał mojego brata o ich prawdziwości. Informacje te dochodziły do mnie fragmentarycznie – tu jakiś nieistotny fakt, tam jakaś przykrość – od kilkorga dzieci, które postanowiły dać wiarę mnie jako temu, który je wychował i od lat na nie łożył, a nie Victorowi. Uradowała mnie ich lojalność, ale tych lojalnych było niewielu, bardzo niewielu, znacznie mniej, niż mógłbym się spodziewać, toteż chwilami czułem się oburzony, że oczekuje się ode mnie wdzięczności i uznania za wysiłek tego, co powinno być ich jedyną właściwą reakcją.

Koniec końców jednak winię nie Xerxesa, tylko Owena. „Kim ty jesteś?", zapytałem go w ostatniej rozmowie, jednej z nielicznych, które odbyliśmy między moim zatrzymaniem a rozprawą, bo po rozprawie przestaliśmy się do siebie odzywać. „Kim ty jesteś?", wysyczałem, zanim odłożyłem słuchawkę.

To był fatalny dzień, jeden z najgorszych. Miotałem się po domu, patrząc, co by tu stłuc, kogo kopnąć. Przebywałem w areszcie domowym, który szyderczo ziścił moje fantazje: żadnych dzieci, żadnych rzeczy, które do nich należały, żadnych odgłosów, żadnych zapachów i hałasów, chociaż od czasu do czasu natykałem się jednak na jakąś zabawkę czy ubranie (domino, które wziąłem za kostkę czekolady, podartą skarpetkę z koronkowym szlaczkiem) – porzucone w pośpiechu likwidowania śladów ich obecności. Po raz pierwszy od kilkudziesięciu lat odpływ w wannie nie był zatkany ich włosami, a okna nie nosiły tłustych śladów licznych rąk. Przedtem stale miałem wrażenie, że dom wibruje, jakby pod jego fundamentami kursował pociąg widmo, i dopiero po zniknięciu dzieci zrozumiałem, że to drżenie pochodziło od zbiorowej obecności tak wielu egzystencji przeżywanych wspólnie pod jednym dachem – od wibracji głośników po podłączeniu gitary do wzmacniacza, od skoków z piętrowego łóżka na pokrytą cienkim dywanem podłogę, od przepychanek chłopców tłoczących się rano do łazienki. „Biedny dom!", myślałem sobie, machinalnie gładząc białą framugę, jakbym głaskał koński pysk, łagodnie, powoli, uspokajająco.

W tamtych dniach byłem jeszcze przekonany, że nic złego mnie nie spotka. A już na pewno nie przypuszczałem, że pójdę do więzienia. Bo czyż liczne błędy, jakie mogłem popełnić wobec moich dzieci, nie znajdowały przeciwwagi w samym fakcie ich egzystencji? Później, podczas procesu, adwokaci pokazali sądowi zdjęcie rodzinne, na którym twarze niektórych młodszych dzieci zostały wymazane, ale widać było, że dzieci są dobrze ubrane, a trawnik za ich plecami elektryzuje agresywną niemal zielenią, na tle której skóra moich wychowanków lśniła jak polerowany palisander. Jedno z tych dzieci bez twarzy – chyba malutka Grace – trzymało lody na patyku, które barwiły wnętrze jej dłoni wesołym karminem. Pożałowałem wówczas, że nie porobiłem im zdjęć, zanim ich uratowałem, wychudzonych jak bezpańskie psy, z brudną, skrofulastą skórą – wtedy, gdy nie przyszłoby im do głowy wyciąć mi takiego numeru, gdy nie marnowali jedzenia, wiedząc, że zawsze jest go więcej, wystarczy sięgnąć do lodówki. Często myślałem o Victorze, o jego specyficznej kruchości, a po nocach, leżąc bezsennie w łóżku przy mantrycznym szumie lodówki, zastanawiałem się, jak wyglądałoby teraz moje życie, gdybym postąpił tak, jak należało, czyli odwrócił się od mężczyzny i wsiadł do samolotu, pozostawiając Victora na pastwę jego nędznego życia.

Okazało się oczywiście, że byłem w błędzie. Przeceniłem znaczenie swojej wielkoduszności. W świetle zarzutów nie znaczyła ona nic. W świetle zarzutów mój Nobel znaczył tyle co plastikowe trofeum, które zdobyłem za grę w kręgle.

Po raz ostatni widziałem Owena. Tego dnia Victor zeznawał przeciwko mnie. Gdy szedł na miejsce dla świadka, w sali panowała cisza jak makiem zasiał, a ja wbrew sobie poczułem coś na kształt dumy. Kim jest ten szczupły, przystojny chłopiec? Przyszedł w garniturze, którego wcześniej na nim nie widziałem, więc domyśliłem się, że kupił mu go Owen, a gdy Victor usiadł w boksie, na jego lewym nadgarstku dostrzegłem zegarek, który dostał ode mnie. Przemknęła mi przez głowę myśl, że to może być znak – przecież nie założył go przypadkiem? Przecież czując na ręce jego ciężar, musi pomyśleć o mnie, a więc i o tym, co mi robi?

Zaprezentował się dobrze, a kiedy mówił – udzielając niskim głosem zwięzłych, jasnych odpowiedzi i utrzymując kontakt wzrokowy z oskarżycielem – myślałem sobie, że porządnie go wychowałem. Nauczyłem go zasad zachowania, dałem mu wszystko, czego potrzebował, żeby mnie zrujnować. Schodząc z podium, spojrzał w moją stronę i uśmiechnął się pięknie, obnażając kosztowne białe zęby – lecz gdy zastanawiałem się, co ten uśmiech miał znaczyć, stwierdziłem, że Victor patrzy nie na mnie, lecz poza mnie, więc odwróciłem się, żeby sprawdzić, kto jest odbiorcą jego mimicznego sygnału. Był to Owen siedzący na amfiteatralnej widowni kilka rzędów za mną. Siedział obok Xerxesa i odpowiedział Victorowi uśmiechem idioty albo konspiratora, a potem przeniósł wzrok na mnie i zanim zmienił minę na surową, przez moment uśmiechał się do mnie – był teraz echem mojej dawnej radości, lustrem mojego dawnego szczęścia.

Wieczorem przyszedł do mnie adwokat.

– Niech pan zmieni linię obrony – namawiał, ale ja nie uległem.

– Mam to gdzieś – skomentował mój wywód o niesprawiedliwości. Zaraz jednak się zmitygował i zaczął raz jeszcze, łagodniejszym tonem: – Sądu to nie obchodzi, Nortonie. Namawiam pana na zmianę linii obrony.

Nie zmieniłem jej i wiemy, co się później stało.

* * *

Nie zliczę, ile razy mi mówiono, że mam szczęście: bo dostałem krótki wyrok, bo siedzę w izolatce, i to w tym właśnie więzieniu, które uchodzi za jedno z „przyzwoitszych". Czasami czuję się jak kretyn, który jakimś cudem dostał się do świetnej szkoły i któremu nie pozwala się zapomnieć, jakie ma szczęście.

Moje dni tutaj dobiegają końca. Gdy jestem w bardziej optymistycznym nastroju, mówię sobie, że niedługo to miejsce stanie się jednym z wielu, które zajmowałem i opuściłem: Lindon, Hamilton, Harvard, Stanford, NIZ, dom w Bethesda. Ale gdy patrzę na życie bardziej trzeźwo, wiem, że jest inaczej: wszystkie wymienione miejsca (z wyjątkiem Lindon) wybrałem sam, aspirowałem do nich, zdobywałem prawo wejścia, i z każdego z tych miejsc zabrałem wszystko, co było mi potrzebne do przeniesienia się w następne miejsce. Marzyłem o nich, a kiedy byłem gotów je opuścić – odchodziłem.

Lecz to miejsce jest ich przeciwieństwem: zostałem zmuszony do przyjścia tutaj, a wyjdę stąd dopiero, kiedy mnie wypuszczą. Zawsze uważałem się za szczęściarza, bo miałem bardzo ciekawe sny. Kiedyś w młodości zdradziłem to Owenowi, który orzekł, że moje dzikie, fantastyczne i kolorowe sny są takie, ponieważ mój świadomy umysł taki nie jest – że nikt nie może żyć bez poczucia cudu, a moje sny są sposobem mojego umysłu na kontrowanie mojej dosłowności i ubarwiają moje życie odrobiną fantazji. Próbował obrócić to w żart, ale mówił poważnie, więc pokłóciliśmy się tak trochę od niechcenia: jeden bronił umysłowej dyscypliny naukowca, drugi – wolnego umysłu poety.

Ale odkąd siedzę tutaj, nic mi się nie śni. Sny zniknęły właśnie teraz, gdy są mi najbardziej potrzebne, gdy chciałbym wypełnić godziny czuwania ich pawią ekstrawagancją. Pod nieobecność snów zacząłem coraz częściej wracać myślami do Ivu'ivu, które jest dziwnie podobne do tego miejsca. Nie z wyglądu oczywiście, ale ze swej nieustępliwości i z poczucia zniewolenia, które we mnie rodzi: to miejsce samo zdecyduje, kiedy ma mnie dość, a najwyraźniej jeszcze się nie nasyciło.

Całymi dniami przeglądam więc w myślach ciąg obrazów: widzę vuakę z lśniącym futerkiem, jakby rozświetlonym światłem gwiazd, widzę brzoskwiniowy róż manam. Widzę ogień kopcący pod zwęglonym stworzeniem, z którego płatami odpada skóra. Widzę tornado ptaków przelatujących z wrzaskiem nad kanavą i łeb żółwia rozsadzający linię horyzontu jeziora. Widzę chłopca z lasu ciemną nocą: jego dłonie, jasne jak kwiaty, przesuwają się po mojej piersi, jakby zmywały ze mnie smutek, który przylgnął do mojego ciała jak plwocina. I oczywiście widzę Tallenta idącego między drzewami: porusza się bezgłośnie jak leniwiec, a długie włosy opadają mu na plecy złotopłową rzeką. Czasami zdarza mi się zasnąć w ciągu dnia, mimo że staram się doczekać pory gaszenia światła, która oznacza noc, a wówczas roi mi się, że wędruję obok Tallenta. Jest tak, jakbym nie wyjeżdżał z Ivu'ivu: jako dwaj towarzysze przemierzamy razem wyspę, która jest wprawdzie mała, lecz wydaje się nieskończona; moglibyśmy przez całe stulecia iść tak przez jej lasy i wzgórza, nigdy nie docierając do granic. Nad nami jest słońce. Wokół nas jest ocean. Ale my ich nie widzimy. Gdzieś na tej wyspie jest miejsce naszego odpoczynku. Gdzieś na tej wyspie jest nasze miejsce. Tam położymy się obok siebie i już nigdy nie będziemy musieli szukać. Jednak dopóki go nie znajdziemy, jesteśmy poszukiwaczami, dwiema postaciami sunącymi przez krajobraz, gdy gdzieś tam na zewnątrz świat rodzi się, żyje i umiera, a gwiazdy z wolna wypalają się w ciemności.

A. Norton Perina
grudzień 1999

* * *

13 stycznia 2000
Zaginięcie sławnego naukowca po wyjściu z więzienia
ASSOCIATED PRESS

Bethesda, Maryland – zaginął dr Abraham Norton Perina, laureat Nagrody Nobla w dziedzinie medycyny, zwolniony niedawno z Zakładu Karnego Frederick. W roku 1997 dr Perina został oskarżony o dwa przypadki przemocy seksualnej i skazany na 24 miesiące więzienia, które opuścił w styczniu br. Nie stawił się na wyznaczone na pierwsze dni stycznia spotkanie z kuratorem. Policja hrabstwa donosi, że dom Periny stoi pusty, a żaden z byłych kolegów nie kontaktował się z Periną od czasu jego wyjścia z więzienia.

Tajemnicy dopełnia jednoczesne zniknięcie dr. Ronalda Kubodery z Palo Alto w Kalifornii, długoletniego kolegi i przyjaciela Periny. Podobno pod koniec ubiegłego roku Perina przekazał większość swojego majątku dr. Kuboderze, który przez wiele lat pracował jako naukowiec w laboratorium Periny, a ostatnio zatrudniony był na stanowisku profesora na Uniwersytecie Stanforda. Uczelnia zawiadomiła o zaginięciu dr. Kubodery 3 stycznia, kiedy przez dwa dni nie pojawił się on na zajęciach. Mieszkanie Kubodery sprawia wrażenie opuszczonego.

76-letni Perina w roku 1974 otrzymał Nagrodę Nobla w dziedzinie medycyny za odkrycie syndromu Seleny, przypadłości nabytej, która objawia się długowiecznością i postępującą demencją. Zasłynął też w Bethesda adopcją 43 dzieci z U'ivu, mikronezyjskiego państewka, w którym w roku 1950 zaobserwował po raz pierwszy syndrom Seleny.

„Próbujemy ustalić miejsce pobytu Periny – oświadczył rzecznik prasowy Wydziału Policji Hrabstwa Montgomery. – Osoby posiadające jakiekolwiek informacje dotyczące miejsca jego pobytu proszone są o pilny kontakt z policją".

Epilog

Odbyliśmy daleką podróż, Norton i ja. Nie mówię tego w sensie wulgarnie sentymentalnym, tylko dosłownie: odbyliśmy daleką podróż. Obawiam się jednak, że nic ponadto nie mam w tej sprawie do powiedzenia*.

Co jeszcze? Mogę zdradzić, że mamy tu wspaniałe powietrze, tak nasycone zapachami, że chwilami tego nie wytrzymuję i muszę się schronić w czterech ścianach. Nie padało od dziesięciu dni. Norton lubi mieć w kuchni wielkie rozwichrzone bukiety kwiatów, więc kilka razy w tygodniu spędzam ranek z naszym ogrodnikiem P., zbierając całe naręcza kwitnących roślin, których nazw jeszcze nie opanowałem. Jedne mają sztywną łodygę zakończoną kapturkową zbitką pączków, żółtych jak marynowana rzodkiew japońska. Inne to rosnące na drzewach maleńkie kwiatki o kształcie rozłupanych skorupek orzecha pistacjowego. Jeszcze inne są chyba jakimś sukulentem o grubych, soczystych liściach i sztywnych wieżyczkowatych

---

* Wiem, że czytelnik jest ciekaw, jak udało nam się uniknąć wytropienia. Mogę tylko powiedzieć, że można to urządzić w stosownych okolicznościach bez większego trudu. Pragnę zarazem z góry przeprosić za powściągliwość tego epilogu. Mnie też ona nie odpowiada, ale jestem pewien, że czytelnik zrozumie, iż większa szczerość z mojej strony mogłaby doprowadzić do niemiłych konsekwencji.

płatkach. P. pomaga mi je ścinać, po czym układamy bukiet w dużym szklanym wazonie. Widok kwiatów nigdy nie przestaje zachwycać Nortona. Jesteśmy tu bardzo szczęśliwi we dwóch.

Przyznam jednak, że czasami brak mi porzuconego życia. Często wspominam laboratorium i kolegów, a czasem, rzadziej, moje dzieci, których już nigdy nie zobaczę. Zdarza się, że miałbym ochotę pogadać z kimś z przeszłości, bywa, że tęsknię za dawnym życiem i zastanawiam się, czy podjąłem słuszną decyzję. Ale takie chwile nie trwają długo, bo zawsze mogę pogadać z Nortonem – po to tu jestem – a słuchając go, utwierdzam się w przekonaniu, że moja decyzja, jakkolwiek niewolna od niedoskonałości, była jednak słuszna. Jestem zresztą przekonany, że przykre uczucia z czasem osłabną.

Kiedy tu przyjechałem, tęskniłem za informacjami, za wiadomościami o porzuconym życiu. A właściwie za jakąkolwiek wiadomością. Nie umiałem nie patrzeć na nowe życie przez pryzmat dawnego. Drugiego dnia pobytu zastanawiałem się, co o mnie mówią w kraju. Co mówią o Nortonie? Co sobie o nas myślą? Wyobrażałem sobie swój telefon dzwoniący w laboratorium, skrzynkę pocztową zapchaną listami i kartkami. Wyjeżdżając, zostawiłem kilka listów pożegnalnych, w których informacje o sobie ograniczyłem do minimum: jeden do byłej żony z wiadomością, że zostawiłem na koncie pieniądze dla dzieci i że może tą sumą zarządzać, bo ja już nie wrócę, drugi do siostry z podziękowaniem za okazywaną mi przez lata dobroć, a trzeci do rektora naszego uniwersytetu, właściwie bez treści. Zaczynałem (niejeden raz) pisać listy do moich dwojga dzieci, ale nie znalazłem słów na wyrażenie tego, co chciałem powiedzieć (sam, szczerze mówiąc, nie bardzo wiedziałem, co by to miało być), więc dałem sobie spokój. Wiedziałem, że ich matka powie im coś przekonującego – zawsze była w tym lepsza niż ja.

Chociaż te tęsknoty osłabły, dopadają mnie jeszcze czasem, najczęściej w nocy, kiedy próbuję zasnąć. Za pierwszym razem zdawało mi się, że po prostu jestem głodny, bo tego dnia nie jadłem obiadu. Po cichutku, żeby nie zbudzić Nortona, zszedłem do kuchni, gdzie otworzyłem lodówkę, żeby sprawdzić, co nam rano zostawiła M., żona P., która była naszą dochodzącą kucharką. Usiadłem przy stole z porcją gotowanego kurczaka, kostkami sera w oliwie i cukinią w maśle, i jadłem aż do wschodu słońca, po czym dostałem gwałtownych torsji. Atak łakomstwa powtórzył się niestety jeszcze kilka razy, zanim zrozumiałem, że jestem głodny nie pokarmów, tylko czegoś dalekiego i nieosiągalnego. Mam pewność, że teraz, gdy to rozumiem, łatwiej będę znosił napady głodu, które z czasem na pewno całkiem ustaną. Każde nowe życie, choćby najbardziej wymarzone i upragnione, wymaga okresu przystosowania.

Moja historia – historia Nortona – jest już prawie skończona, ale chciałbym się podzielić z czytelnikiem jeszcze dwiema rzeczami, których nie ma obowiązku czytać. Nasza opowieść może się skończyć w tym miejscu i będzie, mam nadzieję, tak samo zamknięta dla czytelnika, jak jest dla nas obu.

Jest jeden wpis w dzienniku Nortona, którego nie zamieściłem w tej opowieści, i muszę przyznać, że dołączam go teraz z wielkim wahaniem. Wcale nie jestem pewien, czy robię słusznie. Jednocześnie jestem dostatecznie cyniczny, by rozumieć, że chociaż fragment ten nie powinien niczego zmienić, to pewnie zmieni. Dlatego wyrażam jedynie nadzieję, że czytelnik potraktuje go jako ciekawy przypis (czym w istocie jest, gdyż ani nie dodaje, ani nie ujmuje niczego naszej historii), a całą opowieść przyjmie jako obraz inteligencji, pasji i współczucia Nortona, które to cechy są niezwykle silnie obecne w jego pismach. Po długim namyśle zdecydowałem się dołączyć ten fragment z jednego tylko powodu: jest on wzruszająco nieporadnym wyrazem czułości, szczerości, miłości i ludzkiej ułomności. Przypomina nam, że miłość – w każdym razie ta czysta odmiana miłości, do której przyznaje się niewielu – to uczucie skomplikowane, ciemne i gwałtowne, że to układ, w który wchodzić trzeba ostrożnie. Można się nie zgadzać z opinią Nortona w tej kwestii, a mimo to uważać go za człowieka dobrego i humanitarnego. Taką mam przynajmniej nadzieję, chociaż to czytelnik ostatecznie zdecyduje – ja podjąłem decyzję już dawno temu.

Drugą rzeczą, którą muszę się podzielić – bo na równi z czytelnikiem ubolewam, że nie mogę zdradzić więcej szczegółów o moim życiu tutaj – są zdarzenia dnia sprzed prawie roku, kiedy odebrałem Nortona z więzienia. Gdy Norton zdradził mi swój plan w jednej z naszych rzadkich rozmów telefonicznych, zrazu zareagowałem ostrożnie, nawet nieufnie, ale już po kilku godzinach miałem pewność, że to właśnie chcę zrobić. Na to przecież czekałem przez całe dorosłe życie, więc nie miałem żadnych skrupułów związanych ze zrobieniem tego, czego – byłem pewien – nigdy nie będę żałować. Zawsze przecież ufałem Nortonowi. Nie widziałem powodu, aby teraz sprzeciwić się temu instynktowi.

W końcu, po trzech dniach wałęsania się po mieście pełnym drogich małych butików z bezużytecznymi pamiątkami, których chyba nikt nie kupował (designerskie oliwy i octy winne, wyplatane koszyczki z trzciny w kształcie ceramicznych wazoników i ceramiczne wazoniki w kształcie wyplatanych koszyczków z trzciny), pojechałem po Nortona do Zakładu Karnego Frederick. Na jego prośbę załatwiłem wcześniej parę spraw: zakupy, spotkanie z księgowym, spotkanie z adwokatem. Adwokat Nortona przyjął mnie z enigmatyczną miną i wręczył mi materiały, które Norton pragnął odzyskać. Nie widziałem go od dnia przesłuchania. Zamieniliśmy tylko parę słów. Do laboratorium nie poszedłem – nie miałem ochoty oglądać nikogo z naszego dawnego życia.

W więzieniu przeszukano mnie i kazano dwukrotnie przejść przez detektor metali. Swoją torbę i tę drugą, dla Nortona, zostawiłem w samochodzie. Zostałem skierowany do okienka, gdzie podpisałem kilka dokumentów, a potem kazano mi czekać w betonowym pokoju o przykrym zapachu. Obserwowałem dłuższą wskazówkę zegara przemierzającą tarczę i czekałem. Czekałem już tak długo, że mi to nie przeszkadzało.

Po jakichś dwóch godzinach do pokoju wszedł funkcjonariusz, by mnie poinformować, że przez pomyłkę biurokratyczną Norton został zwolniony wcześnie rano i czeka na mnie w biurze swojego adwokata. Oczywiście zrobiłem awanturę, zły nie o to, że ja musiałem czekać, tylko że gdy Norton wyszedł, nikt go nie powitał, a na dodatek musiał sam dojechać do adwokata, i to z całym swoim bagażem. Strażnik wyjaśnił jednak, że adwokat przyjechał odebrać Nortona (o czym mógł mnie uprzedzić, kiedy u niego byłem) i że cała procedura przebiegła gładko. Ja jednak dalej (już z rozpędu) wymyślałem funkcjonariuszowi, który zachował irytujący spokój i brak skruchy. W końcu doszedłem do wniosku, że strażnik jest ograniczony intelektualnie i się poddałem. Dotarło do mnie, że jestem w tym więzieniu – w jakimkolwiek więzieniu – po raz ostatni i nagle zapragnąłem czym prędzej wyjść.

W tej samej chwili Norton siedział na pewno u swojego adwokata i słuchał nudnej gadki o nadzorze kuratorskim oraz związanych z tym ograniczeniach, kiwając głową na znak, że zgadza się z każdym słowem. Tak, tak, oczywiście. Oczywiście, że podda się wymogom programu dla karanych pedofilów. Oczywiście, że zgadza się na psychiatrę. Oczywiście, że zobowiązuje się respektować warunki zakazu kontaktów, o który wystąpił Victor. Nic go nie przerażało, nic go nadmiernie nie ograniczało; chciał pokazać, że jest człowiekiem zreformowanym i łatwym we współpracy. Chętnie podpisze, co potrzeba, zgodzi się na terminy spotkań, przyjmie zobowiązania, które – o ile zachowamy ostrożność – za parę godzin stracą jakiekolwiek znaczenie. Adwokat, który zdystansował się od Nortona po przegraniu jego sprawy, nie będzie krył pogardy, ale Norton się tym nie przejmie – cała historia ma się przecież ku końcowi, więc okaże wielkoduszność.

Spieszyłem się. Tak, pamiętam, że nakazałem sobie cierpliwość, ale uświadomiwszy sobie, że Norton jest tak blisko i wkrótce zacznie się nasze wspólne nowe życie, byłem zdenerwowany i po raz pierwszy od lat podniecony. Niecierpliwie zniosłem rewizję przy wyjściu i wreszcie pozostało mi tylko sto metrów korytarza i krótka jazda do miejsca pobytu Nortona. Przenocujemy w hotelu, następnego dnia wyjedziemy i wszystko – kariery naukowe, rodziny, proces, upokorzenie – pójdzie w niepamięć. Przyszłość rysowała się tak czysto i jasno, że aż mnie oślepiała. Szedłem korytarzem do wyjścia i z każdym krokiem serce biło mi mocniej, tak że ledwo się powstrzymałem, by nie zbiec po schodach z radosnym okrzykiem. Norton czekał, wkrótce miałem go zobaczyć. Co zechce zrobić najpierw w swoim nowym, wolnym życiu?

Gdy zbliżyłem się do samochodu, z jego dachu poderwało się z furkotem i krakaniem stadko gawronów, a mnie zachciało się śmiać. Wspaniała chmara czerni rozsypała się po bezbarwnym mętnym niebie. Miałem wrażenie, że widzę wieczność.

Ronald Kubodera
grudzień 2000

Postscriptum

Pominięty fragment relacji Nortona o kłopotach z Victorem, ze strony 414

Chciałbym móc powiedzieć, że po tym epizodzie sytuacja uległa znacznej poprawie, ale niestety. To znaczy poprawiła się i pogorszyła zarazem. To prawda, że w pierwszych dniach po wypuszczeniu go z piwnicy Victor zdawał się skłonny uznać swoją przegraną: był spokojny, posłuszny, a mijając mnie na korytarzu, nieśmiało, wręcz zalotnie spuszczał oczy. Najbardziej uderzającą zmianą było to, że zrobił się cichy. Nigdy nie był dzieckiem szczególnie hałaśliwym, ale też trudno go było nazwać milczkiem – jak każde dziecko lubił słyszeć swój głos i wypowiadać opinie. Ale przedtem był towarzyski, a teraz już nie.

Nie chcę jednak stwarzać wrażenia, że po odbyciu kary stał się odludkiem. Raczej jakby gwałtownie dojrzał: nie dąsał się już, kiedy mu kazałem pozmywać, chociaż to nie był jego dyżur, nie krzywił się na hasło odrabiania lekcji, nie wzdychał demonstracyjnie, gdy został skarcony za złe zachowanie, nie przedrzeźniał mnie, gdy poprawiałem jego gramatykę. Za to tkwił jakby za szybą, nieobecny, niczym ofiara łagodnej, bezkrwawej lobotomii. Nie zamienił się jednak w automat, nadal robił to co inne dzieciaki – bił się, bawił, kłócił, śmiał i gadał. Nigdy nie płakał – ale przedtem też nie. Szanowałem go za to.

Ja również dobrze grałem swoją rolę. Victor był dumnym chłopcem i ja to rozumiałem. Dlatego nigdy nie przypominałem mu o upokorzeniu i nie robiłem z jego postępku negatywnego przykładu dla innych. Nigdy też więcej nie nazwałem go Victorem. Chciałem, żeby zachował godność.

Ale potem, może po miesiącu tego nowo osiągniętego spokoju, rozbisurmanił się na nowo. Wagarował i kłamał. Zepchnął Drew ze schodów tak, że chłopak złamał rękę w nadgarstku. Wygolił – starannie i naprawdę artystycznie – wulgarne słowo w aksamitnym futrze kota naszych sąsiadów. Przyłapałem go na tym pewnego wieczoru w pokoju, który dzielił z Williamem. Zamurowało mnie na chwilę i tylko patrzyłem, jak lewą ręką czule obejmuje kota, a trzymana w prawej golarka – moja golarka – z pomrukiem sunie przez miękki krajobraz sierści zwierzaka. Victor mamrotał coś do niego uspokajająco, ale gdy się wreszcie odwrócił, zdumiała mnie jego mina: w płaskich oczach obok bezczelności i złości, których się spodziewałem, czaiło się autentyczne szaleństwo, jakby nie umiał się powstrzymać od psoty, jakby jego ręką poruszał demon, nad którym on nie miał kontroli.

Po tym zdarzeniu nasze stosunki znów się popsuły. Victor wrzeszczał na mnie przy stole bez powodu, rzucając straszne oskarżenia, które mnie wprawdzie nie bolały, ale byłem zmęczony tymi awanturami, biciem go, obmyślaniem nowych kar, wymuszaniem posłuszeństwa. Którejś nocy przyśnił mi się jako ogromny agresywny pająk o krzepkich nogach i okrutnie błyszczących czerwonych oczach. Próbowałem go zwabić do małego, delikatnego koszyczka. Stosowałem różne sztuczki, popychałem go, a nawet kusiłem miodem, ale on stale mi się wymykał. Obudziłem się z zaciśniętymi w pięści dłońmi, lepki od potu i sfrustrowany.

Już miałem wyrzucić go na ulicę albo oddać do zakładu (co nie jest takie trudne, jak sobie ludzie wyobrażają, jeśli ma się odpowiednie znajomości), gdy nagle się poprawił, spotulniał i znów zamknął się w sobie. Ale ja właśnie tych jego okresów spokoju bałem się najbardziej, gdyż oznaczały, że Victor kombinuje coś szczególnie wrednego: usypiał moją czujność, by skoczyć na mnie z niepojętą furią, ostrą i groźną jak szpony. W takich chwilach zastanawiałem się, czy nie jest poważnie chory, ale jego wściekłość była zbyt ukierunkowana, zbyt silnie kontrolowana jak na chorobę psychiczną – raczej stanowiła część sprytnej kampanii, która miała spowodować, że… Co właściwie? Zabiję go? Zabiję siebie? Do dziś nie mam pewności, co spodziewał się osiągnąć. Może traktował to jak zabawę w atak i odwrót, coraz poważniejszą, coraz bardziej niebezpieczną. Oczywiście radziłem z nim sobie dość sprawnie – byłem w końcu dorosłym mężczyzną, a on dzieckiem, przewyższałem go inteligencją i siłą. Ale młodość dawała mu tę przewagę, że był niezmordowany i mógł godzinami ćwiczyć się w przebiegłości, obmyślać i cyzelować swoje wyskoki, jakby szlifował ostrze do walki.

Kiedyś wróciłem z laboratorium późnym wieczorem i na podłodze gabinetu zastałem schludny kopczyk szklanych odłamków. Z bliska okazały się szczątkami kryształowej misy, którą dostałem od Owena z okazji otrzymania Nagrody Nobla. Kryształ był ciężki i przejrzysty jak woda, mienił się kolorami akwamaryny i zieleni – barwami ziemi. Był to jeden z nielicznych przedmiotów, które miałem od Owena, tym dla mnie droższy, że poprzednio należał do niego. Podziwiałem go kiedyś u brata w mieszkaniu, podnosiłem z zachwytem pod światło, śledziłem barwne kręgi refleksów rzucanych na ściany. Owen wyrwał mi kryształ z rąk, krzycząc, że go stłukę, wywiązała się kłótnia. Ale jeszcze w tym samym roku dostałem pękatą paczkę owiniętą w wiele warstw brązowego papieru rzeźnickiego, a w paczce, otulona w płótno i umieszczona w drewnianej skrzynce przewiązanej woskowanym czerwonym sznurkiem, tkwiła misa, tak ciężka, doskonała i promienna, jak ją zapamiętałem.

A teraz leżała potłuczona. Victor – bo byłem pewien, że to on – zmiażdżył jej śliczną lejkowatą podstawę w drobny mak, a czaszę rozbił w duże, nierówne kawałki, każdy zarysowując (zapewne kamieniem) głębokimi liniami układającymi się w nieporadne ryciny. Pod szczątkami leżała kartka z mojej papeterii z wypisanym drukowanymi literami słowem „Ups".

Długo stałem (nie bez wysiłku), wpatrując się w ten obraz zniszczenia, a zegar w pokoju tykał obojętnie. W końcu odwróciłem się i poszedłem korytarzem do schodów, gdzie przystanąłem, nasłuchując sam nie wiem czego, po czym skierowałem się do jego pokoju. Drzwi były uchylone. Zatrzymałem się w progu i patrzyłem, jak Victor oddycha. Spał w łóżku Williama, który wyjechał na weekend do kolegi (zawsze był przekonany, że William ma lepsze łóżko). Przyglądałem mu się długo. Spał na wznak, z rękami zarzuconymi nad głowę, w rozpiętej u dołu bluzie od piżamy, spod której widać było ciemną, jedwabistą skórę i smętny węzełek pępka. „Och, Victor, co ja mam z tobą zrobić?", pomyślałem.

Wszedłem do środka i zamknąłem za sobą drzwi. Okiennice były otwarte i w rogu szyby dostrzegłem księżyc, którego trupi blask sączył się przez zasłonę. Myśli kłębiły mi się w głowie, gdy przysiadłem na łóżku Williama w nogach Victora – nie byłbym w stanie ich teraz wysłowić. Nie umiałem i wtedy, bo przetaczał się przeze mnie mroczny tumult ramion i nóg, lepki chaos przenikających się części ciała i wycie, jakie zdarza się tylko w koszmarnych snach.

Wstałem, zdjąłem poduszkę z łóżka Victora i usiadłem z powrotem. Przez długie minuty – nie jestem w stanie określić, ile czasu upłynęło – trzymałem poduszkę na kolanach i patrzyłem, jak Victor oddycha: wdech – wydech, wdech – wydech. Przypomniało mi się, jak go pierwszy raz zobaczyłem na lądowisku, jak straszne owrzodzone miał ciałko, jaki był słaby – tak słaby, że nie miał siły płakać. Nad kostką jego nogi zauważyłem bladą bliznę w kształcie sierpa: lśniła białawo na śniadej skórze niczym komiksowy uśmiech – i nagle ogarnęły mnie wielki smutek i wzruszenie. Zacząłem lekko masować jego kostkę kciukiem i palcem wskazującym, a Victor poruszył się we śnie, uśmiechnął i westchnął.

Nagle znalazłem się na nim. Przyciskałem poduszkę do jego ust. Otworzył oczy, zobaczył mnie i jego wzrok zapłonął najczystszą furią, a gdy ściągnąłem mu spodnie – niepewnością i lękiem. Poczułem, że zaczyna krzyczeć, ale poduszka skutecznie tłumiła głos, który dochodził jakby z daleka, jak nikłe echo.

– Ćśśś – powiedziałem. – Wszystko dobrze.

Głaskałem jego twarz, przemawiając jak do małego dziecka. Wyrywał się, próbował drapać, ale ja byłem silniejszy i cięższy. Kolanem rozsunąłem jego nogi. A wolną ręką przygwoździłem ręce w łokciach.

Wdarłem się w niego z uczuciem ulgi, głodu i czystej, prostej radości, której nie umiem opisać, a jednocześnie zalała mnie złość.

– Stłukłeś mi kryształ – szepnąłem mu idiotycznie prosto do ucha. – Kryształ, który dostałem od brata. Ty bestio. Ty mały potworze. Ty zwierzaku.

Słyszałem jego zduszone jęki, a potem, gdy natarłem mocniej, krótkie, bolesne krzyki. Ciekaw byłem, czy czuje to samo co ja – jakby ktoś wyłuskał mi na zewnątrz wnętrzności, jakby w moim nędznym, brudnym ciele hulał dziki wiatr, oczyszczając mnie z wszystkich nieczystości, które rozwiały się w nocnym powietrzu.

Przez lata uprawiałem seks z wieloma chłopcami, także (nie wstydzę się do tego przyznać) z moimi: z pięknym Guyem o długich rzęsach i miedzianych lokach w tym samym odcieniu co skóra, z Terrence'em, który miał giętkie kończyny i masę pieprzyków, z Muivą, moim pierwszym i ulubionym dzieckiem. Kochałem tych chłopców, ich urodę, ich senną, zrezygnowaną uległość. Byli piękni, a ja umiałem docenić piękno; uczyłem ich, że to dar – dar, którym mogą obdzielać innych. Lecz nigdy

| 439

do żadnego nie przystąpiłem z takim gniewem, z tak straszną miłością i zarazem nienawiścią jak do Victora. On cały czas się wyrywał, nawet kiedy przyszedłem do niego następnej nocy i wielu kolejnych, szepcząc, że go ukarzę, że go złamię, że zmuszę go do dobrego zachowania. A gdy już wyczerpany leżałem na nim, mówiłem mu przez łzy słowa miłości i tęsknoty, składałem obietnice, jakich nie składałem nigdy przedtem.

Kiedy zaskarżył mnie do sądu, doznałem szoku. Przecież ja go kochałem, mimo wszystko. Na rozprawie zeznał, że dałem mu to co i pozostałym dzieciom – pieniądze, dom, wykształcenie. A ja, słuchając go, myślałem: „Dałem ci więcej niż komukolwiek innemu. Dałem ci to, co zawsze pragnąłem komuś dać". Tamtej księżycowej nocy w łóżku Williama, kiedy Victor wił się pode mną, zrozumiałem, do czego mnie tak długo prowokował – i dałem mu to bez wahania. Gdy niebo zaczynało się rozświetlać, zanim wyszedłem z jego pokoju, wyszeptałem:

– Vi. – Wciąż przygniatałem mu usta poduszką, żeby musiał słuchać. – Kocham cię. Daję ci moje serce.

Aneks

KALENDARIUM

1924 – narodziny Nortona Periny w Lindon, w stanie Indiana

1933 – śmierć matki

grudzień 1945 – śmierć Sybil

1946 – śmierć ojca

maj 1946 – ukończenie Szkoły Medycznej Uniwersytetu Harvarda

21 czerwca 1950 – przybycie na Ivu'ivu

koniec listopada 1950 – powrót z Ivu'ivu; początek pracy w laboratorium Uniwersytetu Stanforda

wiosna 1951 – rozpoczęcie pierwszego doświadczenia z opa'ivu'eke (grupa A składa się z 50 myszy w wieku 15 miesięcy: połowa z nich otrzymuje opa'ivu'eke, druga połowa stanowi grupę kontrolną; grupa B składa się ze 100 młodych: 50 procent to grupa kontrolna, 50 procent otrzymuje opa'ivu'eke)

kwiecień 1951 – publikacja artykułu o opa'ivu'eke w „Kronikach Herpetologicznych"

lipiec 1951 – rozpoczęcie trzeciego doświadczenia (grupę C tworzy 200 myszy w wieku 15 miesięcy: 50 procent otrzymuje opa'ivu'eke, 50 procent stanowi grupę kontrolną)

grudzień 1953 – publikacja artykułu w „Rocznikach Epidemiologii Pokarmowej" (tzw. postulatu wieczności)

marzec 1954 – rozpoczęcie przez Adolphusa Sereny'ego doświadczenia odtwarzającego eksperyment Periny z grupą C

kwiecień 1956 – przygotowywanie przez Sereny'ego tekstu do publikacji

wrzesień 1956 – publikacja artykułu Sereny'ego w „Lancecie"

luty 1957 – powrót Periny na Ivu'ivu

maj 1957 – potwierdzenie przez Sereny'ego demencji występującej u myszy

styczeń 1958 – powrót na Ivu'ivu; publikacja w „Rocznikach Epidemiologii Pokarmowej" artykułu o postępującym upośledzeniu umysłowym wskutek spożywania opa'ivu'eke

luty 1958 – powrót na Uniwersytet Stanforda; zerwanie kontaktu z Paulem Tallentem

1960 – objęcie kierownictwa laboratorium w Narodowym Instytucie Zdrowia

koniec 1961 – powrót na Ivu'ivu; zniknięcie Tallenta

1968 – adoptowanie pierwszego dziecka, Muivy Periny

1970 – podjęcie pracy w laboratorium Periny przy NIZ przez Ronalda Kuboderę

1974 – Nagroda Nobla w dziedzinie medycyny

13 sierpnia 1980 – adoptowanie Victora Owena Periny

marzec 1995 – aresztowanie

grudzień 1997 – wyrok skazujący na 24 miesiące więzienia

luty 1998 – początek odbywania kary w Zakładzie Karnym Frederick

GLOSARIUSZ WYBRANYCH SŁÓW W JĘZYKU U'IVU

Uwaga: samogłoski w języku u'ivuańskim wymawiane są jak w japońskim lub hiszpańskim.

E – (1) tak; (2) pozdrowienie (cześć, dzień dobry itp.)

Ea – patrz

Eke – zwierzę

Eva – co to jest?

Hawana – wiele

He – jestem (przed przymiotnikiem)

Ho'oala – biały człowiek

Ka'aka'a – obecnie zakazana praktyka medyczna

Kanava – rodzaj drzewa spokrewnionego z manamą, na którym żyją vuaki

Ke – co? (w odpowiedzi)

Lawa'a – duża paproć przypominająca monsterę

Lili'aka – dosłownie: „małe słońce", odpowiednik naszego lata, uchodzi za najprzyjemniejszą porę roku (100 dni)

Lili'ika – ivu'ivuańska sjesta: zaczyna się po południowym posiłku i trwa przez większą część popołudnia; na U'ivu król Tuima'ele zakazał lili'ika w roku 1930, pod wpływem misjonarzy

Ma – jeśli poprzedza słowo zakończone zwarciem krtaniowym – tytuł grzecznościowy (zob. poniżej); dosłownie: „moja", „mój", „moje"

Ma'alamakina – tradycyjna włócznia u'ivuańska, jaką chłopiec otrzymuje na 14. o'ana

Makava – drzewo, które kiedyś rosło na U'ivu, dziś spotykane przeważnie na Ivu'ivu

Male'e – chata

Manama – drzewo o jadalnych owocach podobnych do mango

Moa – pokarm

Mo'o – bez

No'aka – owoc podobny do kokosa; wyspiarze używają jego łupin jako naczyń; na U'ivu potocznie zwany uka moa – „pokarm dla świń"

O'ana – rok u'ivuański: 400 dni

Ola'alu – prehistoryczny alfabet u'ivuański, rzadko stosowany w czasach współczesnych

Tava – tkanina uzyskiwana z włókien liści palmowych

U'aka – tradycyjna pora deszczowa, odpowiednik naszej zimy (100 dni)

Uka – świnia

Umaku – tłuszcz leniwca, stosowany jako pasta do polerowania

Vuaka – prymitywna mała małpa uchodząca za przysmak; na U'ivu niemal wyginęła wskutek intensywnych polowań

Podziękowania

Ogromnie dziękuję Normanowi Hindleyowi i Robertowi E. Hosmerowi za wiarę od początku; Fundacion Valparaiso i New York Foundation for the Arts za dar czasu i pieniędzy; Kai Perinie za dowcip i dobre nazwisko; Davidowi Ebershoffowi za doradztwo i cierpliwość; Johnowi McElwee za poczucie humoru i wsparcie; Raviemu Mirchandaniemu za urok i pasję; Jimowi Bakerowi, Klarze Glowczewskiej i – szczególnie – Kerry Lauerman za zachwyt (nawet gdy ja nie umiałam się zachwycać), i Stephenowi Morrisonowi za pociechę, stałość, wspaniały talent do swatania i uroczą przyjaźń.

Jestem niezmiernie wdzięczna całej obsadzie Doubleday za entuzjazm i troskę, a zwłaszcza Billowi Thomasowi; mądrej, kojącej i hiperkompetentnej Hannah Wood, a przede wszystkim Gerry'emu Howardowi za jego poparcie i uduchowienie, i za to, że należy do redaktorów, którzy z niezwykłym wdziękiem i skromnością udzielają swojego zaangażowania i inteligencji.

Uroczej i niezłomnej Annie Stein O'Sullivan, która wierzyła od początku i której zdanie oraz radę bardzo sobie cenię, wyrażam dozgonną wdzięczność, szacunek i sympatię. Andrew Kiddowi, który uratował mnie w krytycznym momencie i bez którego genialnej redaktorskiej przenikliwości i konsekwentnego wsparcia zginęłabym niechybnie – wielkie dzięki.

Jestem niezmiernie zobowiązana Jaredowi Hohltowi – mojemu pierwszemu i ulubionemu czytelnikowi (i w ogóle nadzwyczajnej istocie ludzkiej) – za jego dobroć, inteligencję, cierpliwość, mądrość i drogą obecność; mam nadzieję, że zadowoli się moją niewyrażalną i niezmierzoną miłością, wdzięcznością, zaufaniem i przeprosinami. Każdemu powinien trafić się taki przyjaciel.

Na koniec dziękuję moim rodzicom, Ronowi i Susan. Zwłaszcza ojcu, który nie tylko zawsze zachęcał mnie do pisania, ale i nakłaniał do konfabulacji. Dlatego właśnie, i z wielu innych powodów, książkę tę dedykuję Jemu.

Spis rzeczy

Przekład: Jolanta Kozak
Redakcja: Maria Wirchanowska
Korekta: Piotr Królak, Agnieszka Gzylewska, Grzegorz Krzymianowski

Projekt okładki i stron tytułowych: Tomasz Majewski
Fotografia wykorzystana na I stronie okładki:
Joseph Raffael at the Botanical Gardens, 1956 Peter Hujar
© 1987 The Peter Hujar Archive, LLC; courtesy Pace/MacGill Gallery,
New York and Fraenkel Gallery, San Francisco

Skład i łamanie: Dariusz Ziach
Druk i oprawa: Colonel, Kraków
Książkę wydrukowano na papierze Creamy
dostarczonym przez ZiNG

Grupa Wydawnicza Foksal Sp. z o.o.
00-391 Warszawa, al. 3 Maja 12
tel./faks (22) 646 05 10, 828 98 08
biuro@gwfoksal.pl
www.gwfoksal.pl

ISBN 978-83-280-4629-0